刑事訴訟法講義
［第7版］

池田 修・前田雅英

東京大学出版会

CRIMINAL PROCEDURE LAW
(7th Edition)
Osamu IKEDA and Masahide MAEDA
University of Tokyo Press, 2022
ISBN 978-4-13-032396-3

はしがき

　世界的に見ると，第二次世界大戦後の国際的法体制が大きな転換を余儀なくされようとしており，それに伴う影響は，刑事訴訟法の世界にも必ず及んでくるように思われる．確かに，日本国内の犯罪情勢は安定的に推移しており，裁判員裁判制度も，補正すべき点がないわけではないが，国民の中にほぼ定着したといえる．

　ただ，社会のデジタル化の進展は，刑事訴訟に関わる書類などの電子化を要請し，それに対応する動きも既に生じている．デジタルフォレンジックなど，客観証拠の評価にも進歩が見られるが，証拠の収集に関しては，技術の進歩と裏腹の「プライバシー侵害」等への対処が，さらにその重要性を増していくものと思われる．また，サイバー社会の発展は，外国国家機関が主体となる犯罪の存在を顕在化させるなど，犯罪そのものの変容をもたらし，それに対応する手続法の課題もいずれ生じてくると思われる．そして，刑事司法を支える裁判所，検察，警察のいずれにおいても，体制の変容が始まっている．本書の改訂に当たっては，それらの動きを念頭に，現に具体化しているものを中心に，記述した．

　一方，法科大学院制度を中心とした新しい法曹養成制度は，いまだ安定したとはいえない．「法学部」での教育の位置づけに関しては，なお流動的な事態が続くように思われる．ただ，法曹を目指す学生にとって，学ぶべき「刑事訴訟法」は，かなり明確である．最新の法改正を踏まえた上で，学説の変化，それ以上に新しい判例の内容を勉強して欲しい．本書は，まさにそれを提示したつもりである．特に，本書では，最近の複雑な法改正の動きを，重要な点を漏らすことなく，しかも分かりやすく説明したと考えている．

　もちろん，このような知識を修得して司法試験に合格しても，直ちに「優

れた法曹」になれるわけではない．現実の問題に対処しうる力が必要である．「現に存在する事実を，法的にいかに処理するか」を，ある程度は自ら行いうる力を身に付けて欲しい．本書では，第5章の事実認定など法学部での刑事訴訟法の講義では余り扱われてこなかった部分についても論じているが，法科大学院と法学部の連続性が強く意識されるようになってきた現在，その重要性は高まっている．

　ただ，刑事訴訟法の学習の最も枢要な部分は，本書に引用した重要な判例について，その事実関係をきちんと認識した上で，それに対して示された解答を「追体験」してみることにあることは変わりない．その学習により，「新たな問題への対応力」も生まれる．そして，「国民の規範意識」を踏まえた妥当な結論を導ける力が身に付いてくるといってもよい．

　今回の改訂でも，本文は基本的な説明部分で，色網掛けの部分は解釈論上重要な争点と重要な判例であることを示した．活字を小さくした部分は，やや細かな論点と若干古くなった論点，下段の注は，補足的説明など，まさに注としての内容に限定した．そして，今回も，刑事実務に携わっている警察官，法務検察職員，裁判所職員などの方々を読者として視野に入れている点も，変わっていない．

　最後に，コロナ禍の影響もあり，出版業界がいろいろな意味で困難な状況にある中，編集作業を，従来どおり迅速かつ丁寧に行っていただいた東京大学出版会の山田秀樹さんに，心より感謝を申し上げる次第である．

2022年5月

池田　修
前田雅英

目次

はしがき ·· i
書式一覧・統計図版一覧 ··· xiii
文献案内(主要概説書) ··· xiv
略語表 ··· xv

序 章 ·· 1

 1 刑事手続法の重要性 ·· 2
 2 適正迅速な処罰と個人の人権——2つの刑事訴訟法観 ············ 6

第1章 日本の刑事手続 ·· 11

I 刑事訴訟法 ·· 12

 1 刑事訴訟法の意味 ··· 12
 2 刑事訴訟の歴史 ·· 13
 3 日本の刑事訴訟法 ··· 15
 4 現行刑事訴訟法——刑事訴訟法の法源 ································ 17

II 刑事訴訟の基本的原理 ·· 21

 1 当事者主義の原則 ··· 21
 2 職権主義との調和 ··· 25

III 刑事手続の担い手 ··· 30

 1 警察と警察官 ··· 30
 2 検察官と検察事務官 ·· 32
 3 被告人 ·· 35
 4 弁護人 ·· 37

5　裁判所 …………………………………………………………… 41

　Ⅳ　**犯罪被害者への配慮** ……………………………………………… 44

　　　1　被害者保護施策 ………………………………………………… 44
　　　2　被害者参加制度 ………………………………………………… 45
　　　　（1）　制度導入の背景　　（2）　被害者参加の許可等
　　　　（3）　被害者参加人の権限
　　　3　被害者の氏名等の情報を保護する制度 ……………………… 50
　　　　（1）　公開の法廷における被害者の氏名等の秘匿
　　　　（2）　証拠開示の際の被害者特定事項秘匿の要請
　　　4　被害者の権利利益の保護を図る諸施策 ……………………… 52

　Ⅴ　**刑事手続の概観** …………………………………………………… 55

　　　1　刑事手続の多様性 ……………………………………………… 55
　　　2　主要な手続の流れ ……………………………………………… 57

第2章　捜　査 …………………………………………………………… 65

　Ⅰ　**総　説** ……………………………………………………………… 66

　　　1　捜査の意義 ……………………………………………………… 66
　　　2　捜査の構造論 …………………………………………………… 68
　　　3　任意捜査と強制捜査 …………………………………………… 73
　　　　（1）　強制捜査と令状主義　　（2）　任意捜査と強制捜査の限界
　　　　（3）　任意捜査として許容される限界
　　　4　違法捜査とその救済 …………………………………………… 87

　Ⅱ　**捜査の端緒** ………………………………………………………… 91

　　　1　捜査の開始 ……………………………………………………… 91
　　　2　捜査の端緒の具体例 …………………………………………… 92
　　　3　職務質問とその問題点 ………………………………………… 95
　　　　（1）　警察官職務執行法　　（2）　所持品検査　　（3）　自動車検問

　Ⅲ　**任意捜査の限界** …………………………………………………… 106

　　　1　任意捜査の許される範囲 ……………………………………… 106

		2	写真撮影 ···	107
		3	秘密録音 ···	111
		4	おとり捜査 ··	113
		5	任意同行と取調べ ···	114
		6	任意捜査における有形力の行使 ···	121

IV 被疑者の逮捕・勾留 ··· 123

 1 逮捕の意義 ··· 123
  （1）　逮捕と令状　　（2）　現行犯逮捕　　（3）　通常逮捕
  （4）　緊急逮捕　　（5）　逮捕後の手続
 2 勾　留 ··· 137
  （1）　勾留の手続　　（2）　勾留の裁判　　（3）　勾留理由開示
  （4）　勾留の場所
 3 逮捕・勾留の諸問題 ··· 146
  （1）　逮捕と勾留の関係
  （2）　事件単位の原則——逮捕・勾留の効力の及ぶ範囲
  （3）　別件逮捕・勾留

V 被疑者等の取調べ ··· 155

 1 証拠収集の方法 ·· 155
 2 被疑者の取調べ ·· 156
  （1）　取調べの意義　　（2）　身柄不拘束の被疑者の取調べ
  （3）　身柄拘束中の取調べ受忍義務
 3 その他の人的証拠の収集 ·· 162
  （1）　第三者の取調べ　　（2）　合意制度　　（3）　証人尋問
  （4）　鑑定等の嘱託　　（5）　その他

VI 物の押収・捜索と検証 ··· 170

 1 捜索・差押え ··· 170
  （1）　捜索・差押えと令状　　（2）　捜索差押許可状の形式要件
  （3）　捜索・差押えの必要性——実質要件
  （4）　捜索差押許可状の執行　　（5）　電磁的記録物
  （6）　令状によらない捜索・差押え
 2 検　証 ··· 188
  （1）　検証と令状　　（2）　身体検査　　（3）　令状によらない検証
  （4）　実況見分

3　その他の証拠収集手段 ･･ 192
　　　　　(1)　体液の採取　　(2)　通信傍受

　VII　被疑者の防御活動 ･･ 200
　　　1　被疑者の権利 ･･ 200
　　　　　(1)　黙秘権　　(2)　弁護人の援助を受ける権利
　　　2　捜査段階における弁護活動 ･････････････････････････････････････ 205
　　　　　(1)　接見交通権　　(2)　捜査活動に対する防御

　VIII　捜査の終了 ･･･ 210

第3章　公訴の提起 ･･･ 213

　I　総　説 ･･ 214
　　　1　国家訴追主義 ･･ 214
　　　2　起訴便宜主義 ･･ 217
　　　3　起訴状 ･･ 220
　　　4　予断排除の原則 ･･ 224

　II　公訴の対象 ･･ 227
　　　1　不告不理の原則 ･･ 227
　　　2　公訴事実と訴因 ･･ 229
　　　　　(1)　審判の対象(訴訟物)　　(2)　公訴事実対象説と訴因対象説
　　　　　(3)　訴因の特定　　(4)　訴因の予備的・択一的記載

　III　公訴の要件と効果 ･･ 238
　　　1　公訴提起と訴訟係属 ･･ 238
　　　　　(1)　公訴と裁判権　　(2)　公訴の権限
　　　2　訴訟条件 ･･ 243
　　　　　(1)　訴訟条件の種類　　(2)　訴訟条件の諸問題
　　　　　(3)　公訴時効
　　　3　略式手続 ･･ 253

第4章　公判手続 255

Ⅰ　公判の準備 256
1　公判のための準備活動 256
2　公判前整理手続 259
3　公訴提起後の捜査 269
4　公訴提起後の勾留・保釈 270
　　(1)　被告人の勾留　(2)　保釈・勾留執行停止

Ⅱ　公判の構成 277
1　公判手続の意義 277
2　訴訟指揮 281
3　裁判の公開と公判の秩序維持 283
4　当事者主義と公平性 287
　　(1)　公平な裁判所　(2)　除斥・忌避・回避
　　(3)　検察官の客観義務と証拠開示

Ⅲ　訴因の変更 296
1　訴因と訴因変更 296
　　(1)　訴因の理解と訴因変更　(2)　訴因変更の実質的意味
2　訴因変更の可否──公訴事実の同一性(広義) 299
　　(1)　実質的対立点　(2)　公訴事実の単一性
　　(3)　公訴事実の同一性(狭義)と訴因の理解
　　(4)　公訴事実の同一性(狭義)の具体的判断基準
3　訴因変更の要否 306
　　(1)　訴因の理解と訴因変更の必要性
　　(2)　訴因の同一性の具体的判断
4　訴因変更命令 313
5　訴因変更に関するその他の論点 316
　　(1)　訴因変更と有罪の可能性　(2)　訴因変更の時機による制約
　　(3)　訴因変更と訴訟条件　(4)　不意打ち防止の措置

Ⅳ　公判期日の手続 320
1　冒頭手続 320

```
    2  公判の準備手続 ································· 323
    3  証拠調べ手続 ··································· 325
       (1)  冒頭陳述   (2)  証拠調べの請求
       (3)  証拠決定   (4)  職権証拠調べの義務
    4  証拠調べの実施 ································· 333
       (1)  証人と証言   (2)  証人の取調べ方式
       (3)  鑑定・通訳・翻訳   (4)  被告人質問
       (5)  証拠調べに関する異議申立て
       (6)  裁判員制度実施に伴う証拠調べの変容
    5  論告・弁論，弁論の終結・再開 ··················· 350
    6  判決の宣告 ····································· 352
    7  迅速な裁判 ····································· 352
    8  弁論の分離・併合，公判手続の停止・更新 ········· 355
    9  簡易公判手続 ··································· 360
   10  即決裁判手続 ··································· 362
   11  裁判員制度 ····································· 364
       (1)  基本構造   (2)  裁判員の選任
       (3)  裁判員の参加する公判の手続
       (4)  裁判員の保護・罰則   (5)  裁判員制度の合憲性
```

第5章　証拠法 ································· 373

I 総　説 ·· 374

```
    1  証　拠 ········································ 374
       (1)  証拠裁判主義   (2)  証拠の種類と分類
    2  証拠能力と証明力 ······························ 379
       (1)  自由心証主義   (2)  証拠能力
    3  証拠による証明 ································ 387
       (1)  厳格な証明と自由な証明   (2)  厳格な証明の対象
       (3)  自由な証明の対象   (4)  証明の必要のない事実
    4  挙証責任 ······································ 395
```

II 自白法則 ····································· 400

```
    1  自白の意義 ···································· 400
    2  自白の証拠能力 ································ 403
```

　　　　(1)　自白法則　　(2)　任意性の具体的判断　　(3)　任意性の立証
　　3　自白の証明力 ･･ 412
　　　　(1)　補強証拠　　(2)　補強証拠の必要な範囲

III　伝聞法則とその例外 ･･ 418
　　1　伝聞法則の意義 ･･ 418
　　　　(1)　伝聞法則の根拠　　(2)　伝聞法則の不適用
　　　　(3)　機械的記録と供述証拠——写真，録音テープ，ビデオテープ等
　　　　(4)　写し・コピーの証拠能力
　　2　伝聞法則の例外 ･･ 430
　　　　(1)　概　説　　(2)　実質的に反対尋問を経た供述調書等
　　　　(3)　被告人の供述を内容とする書面
　　　　(4)　捜査機関の検証調書，鑑定書
　　　　(5)　323条文書——特に信用すべき情況下で作成された書面
　　3　321条I項文書——信用性の情況的保障と必要性 ･･････････････････ 443
　　　　(1)　321条I項の意義
　　　　(2)　被告人以外の者の裁判官の面前における供述を録取した書面
　　　　(3)　被告人以外の者の検察官の面前における供述を録取した書面
　　　　(4)　被告人以外の者のその他の供述録取書及び供述書
　　　　(5)　伝聞証言　　(6)　再伝聞証拠　　(7)　任意性の調査
　　4　証拠とすることの同意及び合意書面 ････････････････････････････ 456
　　　　(1)　証拠とすることの同意　　(2)　擬制同意
　　　　(3)　合意書面
　　5　証明力を争う証拠(弾劾証拠) ･･････････････････････････････････ 461

IV　共同被告人の証拠 ･･ 464
　　1　共同被告人の法律関係 ･･ 464
　　　　(1)　共同被告人と併合審理　　(2)　併合と分離
　　2　共同被告人の供述 ･･ 468
　　　　(1)　共同被告人の証人適格
　　　　(2)　共同被告人の公判廷における供述
　　　　(3)　公判期日外の供述
　　3　共犯者の供述と補強証拠 ･･････････････････････････････････････ 472

V　証拠の許容性 ･･ 475
　　1　科学の進歩と証拠評価 ･･ 475

2 違法収集証拠の排除 ································ 479
- (1) 排除法則の意義　(2) 判例の排除法則
- (3) 具体的な排除判断　(4) 違法収集証拠から得られた証拠
- (5) 排除法則と自白法則　(6) 手続的正義の観点からの証拠排除

VI 事実の認定 ···································· 494

1 総論 ······································ 494
2 個々の証拠の証明力の判断 ······················ 495
- (1) 物的証拠　(2) 人的証拠
- (3) 供述の信用性を吟味する際の判断資料
3 全証拠による認定 ···························· 500
4 審理への反映 ······························· 501

第6章　公判の裁判 ································ 503

I 総　説 ······································ 504

1 裁判の意義と種類 ···························· 504
2 裁判の成立と内容 ···························· 507
- (1) 裁判の成立　(2) 裁判書

II 第1審の終局的裁判 ······························ 511

1 実体的裁判 ································· 511
- (1) 有罪判決　(2) 有罪判決の理由　(3) 無罪判決
2 形式的裁判 ································· 517

III 裁判の効力 ··································· 519

1 確定力 ···································· 519
2 既判力 ···································· 521

第7章　上　訴 ···································· 525

I 上訴一般 ····································· 526

1 上訴の意義と種類 ···························· 526

2　上訴審の構造 ……………………………………………… 526
　　　3　上訴権 ……………………………………………………… 527

　Ⅱ　控　訴 …………………………………………………………… 530
　　　1　控訴審の構造 ……………………………………………… 530
　　　2　控訴の理由 ………………………………………………… 530
　　　3　控訴審の手続 ……………………………………………… 533
　　　4　控訴審の裁判 ……………………………………………… 536

　Ⅲ　上　告 …………………………………………………………… 540
　　　1　上告審の構造 ……………………………………………… 540
　　　2　上告の理由 ………………………………………………… 540
　　　3　上告審の手続 ……………………………………………… 542
　　　4　上告審の裁判 ……………………………………………… 543

　Ⅳ　抗　告 …………………………………………………………… 545
　　　1　抗告の意義・種類と性質 ………………………………… 545
　　　2　一般抗告 …………………………………………………… 546
　　　3　抗告に代わる異議 ………………………………………… 546
　　　4　特別抗告 …………………………………………………… 547
　　　5　準抗告 ……………………………………………………… 547

第8章　非常救済手続 ……………………………………………… 549

　Ⅰ　再　審 …………………………………………………………… 550

　Ⅱ　非常上告 ………………………………………………………… 553

第9章　裁判の執行 ………………………………………………… 555

　Ⅰ　裁判の執行 ……………………………………………………… 556

　Ⅱ　刑の執行 ………………………………………………………… 557

1　刑の執行の順序 ································· 557
　　　2　死刑の執行 ····································· 557
　　　3　自由刑の執行 ··································· 558
　　　4　財産刑の執行 ··································· 558

III　執行に関する付随手続 ································· 560
　　　1　訴訟費用執行免除の申立て ······················· 560
　　　2　裁判の解釈の申立て ····························· 560
　　　3　執行に関する異議の申立て ······················· 560

　　事項索引 ··· 561
　　判例索引 ··· 573

書式一覧

逮捕状　130
逮捕状請求書(甲)　131
勾留状　142–143
鑑定処分許可状　168
捜索差押許可状　172
身体検査令状　191
起訴状　222
証拠等関係カード(甲)　328
証拠等関係カード(乙)　329
判決　508–509

統計図版一覧

序　章　図1　犯罪確定の動的構造　4
　　　　図2　刑法犯犯罪率と凶悪犯認知件数　8
　　　　図3　刑法犯検挙率　9
第1章　図1　令和2年(2020年)の刑法犯処理状況(交通関連過失致死傷罪を除く)　56
　　　　図2　刑事手続の流れ　58
第2章　図1　捜査の端緒(令和2年)　91
　　　　図2　被害者届出以外の捜査の端緒(令和2年)　91
　　　　図3　検視官臨場率　95
　　　　図4　検挙人員中の逮捕者(令和2年)　123
　　　　図5　逮捕の割合(令和2年)　123
　　　　図6　勾留請求却下率の推移　139
　　　　図7　通信傍受令状と逮捕　198
第3章　図1　明治15年(1882年)以来の特別刑法犯を含む全犯罪の起訴率の推移　218
　　　　図2　戦後の刑法犯(特別刑法犯を除く)の起訴率の変化　218
　　　　図3　平成以降の凶悪犯起訴率の推移　218
第4章　図1　係属2年以上の未済事件数(通常第1審〔地裁〕)　354

第 5 章　図 1　DNA 型鑑定実施件数　　478

※　本書で用いた統計数値は，各年次の『司法統計年報』（最高裁事務総局），『検察統計年報』（法務省），『犯罪統計書』（警察庁）による．

文献案内（主要概説書）

渥美　東洋　　『全訂刑事訴訟法』2 版（有斐閣）2009
石川　才顕　　『通説刑事訴訟法』（三省堂）1992
井戸田　侃　　『刑事訴訟法要説』（有斐閣）1993
上口　裕　　　『刑事訴訟法』5 版（成文堂）2021
川出　敏裕　　『判例講座刑事訴訟法』［捜査・証拠編］2 版（立花書房）2021
小林　充　　　『刑事訴訟法』新訂版（立花書房）2009
酒巻　匡　　　『刑事訴訟法』2 版（有斐閣）2020
白取　祐司　　『刑事訴訟法』10 版（日本評論社）2021
鈴木　茂嗣　　『刑事訴訟法』改訂版（青林書院）1990
田口　守一　　『刑事訴訟法』7 版（弘文堂）2017
田宮　裕　　　『刑事訴訟法』新版（有斐閣）1996
高田　卓爾　　『刑事訴訟法』2 訂版（青林書院）1984
団藤　重光　　『新刑事訴訟法綱要』7 訂版（創文社）1967
寺崎　嘉博　　『刑事訴訟法』3 版（成文堂）2013
平野　龍一　　『刑事訴訟法』（有斐閣）1958
平良木登規男　『刑事訴訟法』I 2009・II 2010（成文堂）
福井　厚　　　『刑事訴訟法講義』5 版（法律文化社）2012
藤木英雄・土本武司・松本時夫　『刑事訴訟法入門』3 版（有斐閣）2000
松尾　浩也　　『刑事訴訟法』上新版 1999・下新版補正 2 版 1999（弘文堂）
三井　誠　　　『刑事手続法』(1) 新版 1997，(2) 2003，(3) 2004（有斐閣）
光藤　景皎　　『刑事訴訟法』I 2007・II 2013（成文堂）
村井　敏邦　　『現代刑事訴訟法』2 版（三省堂）1998
安冨　潔　　　『刑事訴訟法講義』5 版（慶應義塾大学出版会）2021
渡辺　咲子　　『刑事訴訟法講義』7 版（不磨書房）2014
渡辺　直行　　『刑事訴訟法』2 版（成文堂）2013

略語表

【法　令】

法	刑事訴訟法	裁	裁判所法
規	刑事訴訟規則	少	少年法
憲	憲法	警職	警察官職務執行法
刑	刑法	道交	道路交通法
民	民法		

【判例および判例集】

大判(決)	大審院判決(決定)	民集	最高裁判所民事判例集
最判(決)	最高裁判所判決(決定)	高刑集	高等裁判所刑事判例集
最大判(決)	最高裁判所大法廷判決(決定)	下刑集	下級裁判所刑事裁判例集
高判(決)	高等裁判所判決(決定)	刑月	刑事裁判月報
地判(決)	地方裁判所判決(決定)	裁特	高等裁判所刑事裁判特報
		判特	高等裁判所刑事判決特報
刑集	最高裁判所(大審院)刑事判例集	東高時報	東京高等裁判所刑事判決時報
裁判集刑事	最高裁判所裁判集刑事		

【雑誌など】

警研	警察研究	判時	判例時報
刑雑	刑法雑誌	判タ	判例タイムズ
警論	警察学論集	ジュリ	ジュリスト

1　刑事手続法の重要性

形式性・論理性　訴訟法は法律らしい法とされることが多い．争いがあるときに妥当な結論を探す場合，その場ごとに適当な方法を用いるのではなく，客観的・一般的な基準をあらかじめ決めておくことは，法律の典型的機能である．その際には，類似の問題に関する「結論」がガイドラインとして整理されていること(**実体法**)も大切であるが，そもそも，「誰が判断するのか」，「どのような材料を基に判断するのか」という「やり方」「手段」を決めておくこと(**手続法**)の方がより重要であるともいえる．まさに判断の手続を決めるという作業が，最も法律らしい作業といえるのである．

刑法と刑事訴訟法　刑事法の世界では，「いかなる行為が犯罪であるか」を定めた刑法が実体法であり，刑法を具体的に適用するための手続法が刑事訴訟法である．犯罪の存在の有無を確定して，犯罪を犯した者に適切な刑罰を科すことにより，社会の治安を維持し，国民の利益を護るための手続を定めるものである．そして，その中核部分は「裁判」にあるといってよい[1]．「人が人を裁く」ということから，誰が用いても公正で法が意図した妥当な結論に至るようにすることが重視される．そこで，判断の公平性・公正性から，① 法理論の形式性，② 論理的整合性が強調されるのである．

その結果，刑事訴訟法は，「血の通わない形式論で，無味乾燥なもの」というイメージと結びつけられることが多い．しかし「このような場合に逮捕すべきなのか」「被告人の言っていることはどこまで信じられるのか」等々，刑事訴訟法も，実は非常に実質的な価値判断を常に行わざるを得ないのである（⇨ 20 頁）．その点と，「形式性」との緊張関係こそが最も重要であり，そのためにも，形式性の下に何が要請されているのかを探求する必要がある．

> 「手続は従たる存在であり，大事なのは実体たる刑法だ」という漠然としたイメージがあるが，「実体がきちんと決まっていれば，手続に遺漏があっても社会が許容し得る妥当な結論を導くことができる」という考えは誤りである．むしろ，「手続」が「実体」を決めていくとすらいえる．「決め方が結論を変えてしまう」

---

1)　近時は，裁判に至る以前の「捜査」（⇨ 59, 66 頁）の段階が重視されるようになったことに注意しなければならない．それが裁判の帰結を左右することが少なくないからである．

ということは，日常生活の中でもしばしば遭遇するであろう．刑法で行う実体的な議論も，「それは正しいとして，どうやって立証するのですか」という疑問を付け加えて考えると，急にむなしくなるものがかなり存在するのである[2]．

裁判員制度と刑事訴訟法 　刑事司法において手続が決定的に重要なのは，「刑事事件の一定の部分は，神様しか最終的な事実を見ていなかった」ということによる．「被告人が5人を殺した」とされる事件において，たとえ誰も目撃者がいないような場合でも，裁判所が，様々な情況証拠その他によって「被告人が殺した」と認定できることがあるのである．このことを考えれば，どういう場合にそのように判定してよいのかの定め方が重要となることは，容易に理解し得るであろう．特に，裁判員制度（⇨364頁）が導入され，一般の国民が重大な事件の有罪無罪を決定する判断に参加することとなっている現在，刑事訴訟法の重要性はますます高まっているのである．

動的構造 　犯罪の有無の確定作業は，自然科学のように客観的真理を発見する作業とは異なる面がある．判決の時点から見ると「被告人がこのようなことをした犯人である」ということが確定するのであるが，犯罪捜査の初めの段階では，例えば「この死体は，誰かに殺害されたものだ」ということが明らかになったとしても，「犯人は誰か分からない」というところから始まる．そして，次第に証拠が集まって，「Xには，殺害動機があり，被疑者である（⇨35頁）」「これだけの事情が確認できれば逮捕できる（⇨129頁）」ということになっていく．次には「これならば起訴できる（⇨240頁）」，最後には「これならば有罪と認定できる（⇨389頁）」というふうに発展していくのである．小さな**嫌疑**がだんだん大きくなって，ある程度大きくなると，起訴できることになる．有罪になるには，**合理的な疑いを容れない程度の嫌疑**（⇨389頁）にならなければならない．時間の経過を追って発展していくという意味で，動的構造を有すると表現されるのである．刑法は事実を「仮定」して議論していく．これに対し，実際の刑事事件では，事実があるかどうかを確定していくプロセスこそが問題となるのである．

---

[2] それ故，刑法・刑事訴訟法の両面からアプローチできることが重要である．19世紀から「全刑法学」，すなわち刑法学と刑事訴訟法学と刑事学の統一的研究の重要性が説かれたのも当然なのである．

手続の構造論　現在の刑事訴訟法の理論は，起訴の前の段階と起訴の後の段階をはっきりと分けて考える．かつては，まず警察官が取り調べて，検察官が起訴し，裁判官の心証が固まって有罪になるという形で単線的に発展していった．そこでは，警察官，検察官，裁判官は一連の刑事司法機関としてとらえられた．「捜査」を担当する警察官・検察官は，裁判段階になって調べる裁判官に事件を「引き継ぐ」のである．検察官も裁判官も，真実発見のための共同作業を行うと考えられた（⇨図1上）．

ところが，現行刑事訴訟法の下では，検察官が被告人を告発して真実を発見する役割を担い，裁判所はその主張の真否を判断する立場に変わった（⇨18頁）．裁判官と検察官が同じ司法省の役人であった戦前から，憲法，刑事訴訟法等の一連の改正により法務省と裁判所が名実共に分離したことがそのことを象徴している．その結果，裁判官にとっては，「起訴」の時点では嫌疑が「0」，つまり「有罪か無罪かは白紙」のところから出発することになった（⇨図1下）．

刑事訴訟法に対する要請　手続法(刑事訴訟法)には，矛盾する2つの重要な要請が存在する．まず，刑事訴訟には，① 真の犯罪者を早く見つけ出して適切に処罰するということが求められると同時に，② 犯罪を

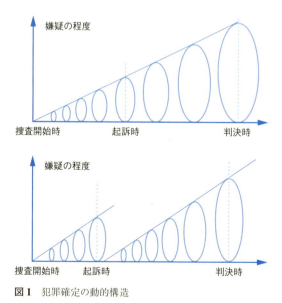

図1　犯罪確定の動的構造

犯していない者を絶対に処罰してはならないという要請が存在する．無実なのに処罰されるということは，犯罪によって法益侵害を受けること以上に，国民にとって耐え難いことである．

　また，国民に信頼される刑事司法であるためには，外から見ても公正であると分かることが重要である．訴訟手続においては，誰に対しても同じ対応がなされなければならないから，形式的で一般的な処理が重視される．

　訴訟法の機能性　刑事訴訟法は，国民が生活をしていく上で重要な意義を有するが，ごく形式的に見れば，裁判を主宰する裁判官（及び裁判員）が刑事裁判を行う際に用いることを，最終的には念頭に置いて書かれている．もちろん，検察官や警察官等の国家機関の行動を規律する部分も多いが，理念的には，その頂点において有権的解釈を行う裁判官の規範としてその判断を制御し，刑事システム全体を規制するものである．

　そして，刑事訴訟法の解釈論は，手続である以上，「実際に動かしてうまくいくか否か」「使いやすいか否か」という**実務**の視点が強まる．現行の刑事訴訟法が制定された以降でも，必要な改正を加えつつ約75年運用されており，現在の「活きた刑事訴訟法」は，手段としての合理性の観点からはかなり合理的なものになっていると評価し得る．しかし，ここ20年ほどを振り返っても，公判前整理手続や裁判員制度等の導入に加えて，取調べの録音・録画の義務化や，合意制度・刑事免責制度の導入，手続のデジタル化等の大きな改革が進められており，今後も，よりよい刑事訴訟法を求めて更なる努力がなされなければならないことに変わりはない．

　国民の利益のために　従来，「刑事訴訟法は，国家権力から被疑者・被告人の利益を守るためのものであり，その内容を国家機関が決めていくことは許されない」という議論も有力であった．確かに，国民の権利を大きく制限することの可能な刑罰権の不適切な行使は，絶対に許されない．ただ，刑事訴訟法が目標とするのは，被疑者・被告人と犯罪の被害に遭った者を含めた国民全体の利益を最も大きなものにする点にある．

　なお，「実務」というときには，検察・警察と裁判所との間で，さらには弁護士との間で，立脚する基盤がかなり異なることにも注意しなければならない（⇨7頁）．

2　適正迅速な処罰と個人の人権——2つの刑事訴訟法観

2つの要請　刑事訴訟法1条は，「この法律は，刑事事件につき，公共の福祉の維持と個人の基本的人権の保障とを全うしつつ，事案の真相を明らかにし，刑罰法令を適正且つ迅速に適用実現することを目的とする」と定めている．刑事訴訟法は，「刑法を実現するための手続」であるということから，① 犯罪を防止して国民がよりよい生活をするために機能するものでなければならない．それ故，犯罪を防止するのに役立つもので，犯人を捕まえて適正に処罰できるものでなければならない．もっとも，このような公的側面を強調しすぎると，「無実の人」を処罰する危険など，真相究明の際に国民の個人的利益が害されるおそれが生じてくる．そこで，それをできる限り除かなければならないのは当然であって，② 適正な手続で個人の人権を保障するという要請も重要なのである．

しかし，①と②の2つの要請はしばしばぶつかり合う．刑事訴訟法の解釈の鍵は，この両者のバランスをいかに取るかにあるといっても過言ではない．両方のいちばん良い調和点をどこに求めるかが刑事訴訟法の目標なのである[3]．

2つの刑事訴訟法観　刑事訴訟法の考え方は，この2つの要請のいずれに重点を置くかという視点から整理することができる．①の面を強調する立場を**犯罪防止モデル**と呼ぶことがある．刑事訴訟法は犯罪防止の役に立つことが何より大事なのであり，刑事訴訟法というのはそれに向けて合理的に作られなければならないと主張する．**全体重視的刑事訴訟法観**と呼ぶこともできよう．「全体重視」とは，社会全体から犯罪が減少するという公的利益をより重視するからである．「まず犯罪をなくさなければならない．少しぐらい厳しい捜査があっても仕方がない」と考える．これに対して，被疑者・被告人の人権保障という②の面を強調する立場を，**人権モデル**と呼ぶ．**自由重**

---

3) 従来は，②の面ばかりを強調し，犯罪抑止のために合理的であるかどうかという面を軽視した学説も存在したが，こういうアンバランスな議論は，現在では影響力をもち得なくなっている．現在機能している日本の刑事システムは，世界的に見て，決して劣ったものではないと考えられる．もちろん問題点も存在するが，それを直していくためにも，現状を公正に評価した上で，問題の所在を具体的に探求していくことが必要である．

視的刑事訴訟法観ともいえよう．

　　犯罪防止モデルは，国家権力性善説を前提とし，「公務員は国民に奉仕する存在であり，少なくとも原則として国民の利益になることを行う」と考える．これに対し，人権モデルは，国家権力性悪説に立脚する．「刑事訴訟法というのは，国家権力が捜査を自由勝手にはできなくするためのいわば障害（ハードル）なのだ」と考える．

　　別の角度から見ると，犯罪防止モデルに重点を置くのが警察・検察型の刑事訴訟法観であるといえよう．これに対する弁護士型の刑事訴訟法観は，人権モデルに重点を置くということになる．検察側の刑事訴訟法観が弁護側の刑事訴訟法観と違うのは当然であるが，その衝突する利益を調整して，両者の極大値を求めることが重要である．経験的事実を踏まえて具体的な問題の中で議論していかなければならない[4]．

さらに，近時は，刑事司法における被害者の視点が重視されるようになってきた（⇨44頁）．被疑者・被告人の利益を重視するということは，被害者の利益を犠牲にすることになり得る場合があることを認識しなければならない．ここでも，両者のバランスを，国民全体の視点から図っていかなければならないのである．

英米法と大陸法　①と②の要請へのウェートの置き方は国によっても微妙に異なる．英米法系は適正手続の側面を重視した個人主義的な色彩が強い．これに対し，ドイツ・フランスなどの大陸法系では，個人の人権を軽視するというわけではないが，真相の解明を追求する意識も強く，やや全体重視的であるといってよいであろう．さらに，社会主義の法体制では，全体重視的傾向が強まる．

そのような視点から見ると，現在の日本の制度は，英米法型と大陸法型の中間型といってよい．それは，刑事訴訟法の改訂作業への諸外国の影響の仕方にも起因するが，やはり，日本の実務の考え方が「中庸」を目指すものであるということによるのであろう．両者のバランスをどのような形で取るべ

---

[4] 一般的には，全体重視的刑事訴訟法観に走りやすい．「悪いのだから徹底的に罰すべきだ」ということになりがちである．なぜこのように必罰主義的になるのかといえば，自分が犯罪者になることはなく，その嫌疑をかけられることもあり得ないと思っているからである．しかし，自分は犯罪を犯してもいないのに犯罪の嫌疑をかけられたときどうなるのかという視点を失わないことが大切である．

きかという問題については，普遍的に正しい答えがあるわけではなく，その国の国民性に適合していることが合理的な選択だということになる．刑事訴訟法も最終的には規範的評価の問題を含んでおり，国民の意識を離れて論じることはできないからである．

現在の犯罪状況と刑事訴訟法　日本は，欧米諸国に比較して治安の良い国と考えられてきた．刑法犯犯罪率（人口10万人当たりの認知件数）はどの欧米諸国よりも低く，特に凶悪犯の発生率は低いとされてきた．そして，その犯罪率は，減り続けてきたのである．その結果，刑務所人口も減り続けた．戦後，刑事訴訟法の解釈において，犯罪防止モデルがあまり強く主張されてこなかった主要な理由はここにもあったように思われる．

ところが，図2に示したとおり，1990年代から刑法犯の犯罪率，凶悪犯の認知件数は急変した．明らかに「犯罪のトレンド」は減少から増加に転換したのである．ただ，刑法犯全体の犯罪率の変化の様子を見ると，実は高度経済成長が終わった1970年代半ば以降には，既に増加に転じていたことが分かる（図2）．そして，犯罪率の増加以上に問題だったのが，検挙率の低下である．平成に入っての検挙率の落ち込みは著しかった（図3）．それまでは，認知した事件の約60％が解決され，世界的にも高く評価されてきた．しかし，その3

図2　刑法犯犯罪率と凶悪犯認知件数

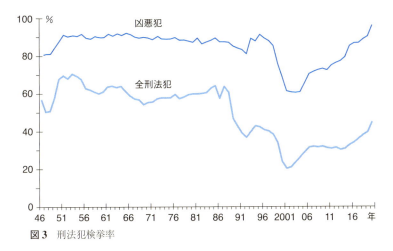

図3 刑法犯検挙率

分の1の数値まで下がったのである．凶悪犯の検挙率も急速に低下した[5]．このような傾向が止まらなければ，刑事訴訟法理論は，犯罪防止モデルに大きく傾斜していった可能性があった．

しかし，2002年を境に，犯罪認知件数は急速に減少し，刑法犯犯罪率は491（人口10万人当たり認知件数，2020年）となり，最高時（2240，2002年）の5分の1で，戦後最も低かった1975年前後と比較しても半分以下に減少した（図2）．そして，凶悪犯の検挙率も，戦後最高の96％を記録し，刑法犯全体を見てもかつての水準に戻りつつあり（図3），真相の究明と適正手続のバランスを落ち着いて議論できる状況になった．むしろ，起訴率の低下（⇨217-219頁），勾留請求却下率や保釈率の高まり（⇨139頁，274頁注32）等からすると，後者への傾斜が強まりつつあるようにも見える．ただ，そのような状況の下でも，2009年から始まった裁判員制度が定着し，デジタル化等の進展などとも相俟って，国民の意識により近い刑事訴訟法の実現が順調に進行していくものと期待される（⇨364頁）．

---

[5] その原因としては，景気の低迷等の経済的事情，家族や地域社会のつながりの希薄化等の社会的事情や，犯罪の巧妙化，国際化等が考えられた．しかし，2003年の犯罪対策閣僚会議により示された地域防犯対策，水際対策等の諸政策，とりわけ警察官の増員などにより，犯罪率は一挙に転換した．犯罪減少傾向は，コロナ禍においても，維持されている．

第1章 日本の刑事手続

I 刑事訴訟法

1 刑事訴訟法の意味

裁判 　刑罰は，人の財産や身体の自由のみでなく生命をも奪い得るものであり，国家が国民に対して科すいろいろな処分のうちで最も峻厳なものである．それ故に，その適用の可否は慎重に判断される必要がある．特に，無実の者に誤って刑罰が科されることのないように配慮しなければならない．そのための制度として，現在最も合理性があると考えられているのが，裁判である．現在わが国で採用されているのは，まず，ある者を裁判にかけることの必要性を法律家(検察官)が判断し，必要があると判断した場合には，その根拠を被告人に示し，逆に被告人の主張を十分に聴き，互いの証拠を出し合って，第三者である裁判所が判断するという仕組みである．

広義の刑訴 　近代以降の国家では，犯罪とそれに対応する刑罰については，法律で定められている(罪刑法定主義)．それとともに犯人を処罰する手続についても，法律で定められている(憲31)．

　犯人を処罰するためには，まず捜査機関が証拠を集めて，犯罪を解明し，犯人を特定する作業(捜査)が必要である．しかし，犯人が判明しても，直ちに刑罰を加えるわけにはいかない．「真相」を裁判によって明らかにしなければならないのである．現代の多くの国家では，検察官の公訴提起(起訴)によって刑事訴訟が開始され，それに応じて裁判所が有罪・無罪を判断し，有罪であれば，相応の刑を言い渡す．そして，それに従って刑が執行される．

　多くの国では，「捜査」「公訴提起」「裁判」「刑の執行」というプロセスをたどって刑法は適用されていく．刑法を具体的に適用するためのこのような手続を定めた法を**刑事訴訟法**という．

広義の刑事訴訟とは，犯罪が発生した場合に，特定の人を犯人と決定し，その者に適した刑罰を決定するプロセス全体のことをいう．さらに刑を執行する段階(**行刑**)まで含める場合もある．しかし，通常の刑事訴訟とは，裁判の場で犯罪の成否を決定する手続のことをいう．それに対して，裁判の場での判断材料(証拠)を集める手続を捜査手続と呼ぶ．

かつての刑事訴訟法の世界では，理論的に重要なのは裁判の段階であるとされ，捜査手続はやや軽視されてきたきらいがあった．しかし，近時は，「刑事訴訟の中心はむしろ捜査手続である」とされるようになってきた．捜査手続の研究が重要なのは，人権侵害が捜査の段階で発生することが多いからである．実は，歴史的にも捜査には刑罰以上に残酷な面があったのである(例えば，拷問の道具の方が，死刑の装置よりよほど残酷だったりする)．

具体的刑事訴訟法 刑事訴訟に関する法は，刑事訴訟法典(昭和23年法律第131号)には限られない．刑事訴訟法典は，形式的意義での刑事訴訟法と呼ばれる．これに対し，他の法規の中に含まれている刑事訴訟手続を定める部分をも合わせたものを，実質的意義での刑事訴訟法という．刑事訴訟法典以外のもので，特に重要なのは，憲法77条が裁判所に認めた規則制定権により制定されている刑事訴訟規則(昭和23年最高裁判所規則第32号)である．

その他，実質的な意義での刑事訴訟法を含んでいる法律として，裁判所法，裁判員の参加する刑事裁判に関する法律，検察庁法，検察審査会法，警察法，警察官職務執行法，弁護士法，総合法律支援法，少年法，刑事収容施設及び被収容者等の処遇に関する法律，犯罪捜査のための通信傍受に関する法律，犯罪被害者等の権利利益の保護を図るための刑事手続に付随する措置に関する法律，刑事補償法，法廷等の秩序維持に関する法律，刑事訴訟費用等に関する法律，交通事件即決裁判手続法，更生保護法等がある．

2　刑事訴訟の歴史

神判の時代 日本の刑事訴訟法の意義を理解するには，西欧の刑事手続の歴史を概観しておく必要がある．明治初期のフランスに始まり，ドイツ，アメリカ等の強い影響の下に，現在の刑事訴訟法が形成されてきたからである．西欧の刑事手続の歴史は，一般に，3つの段階に区切って説明されることが多い．ゲルマン時代までの宗教と深く結びついた**神判の時代**と，

糺問主義の時代及び**近代刑事裁判の時代**である．

　わが国の古代の前半期，さらに西欧におけるギリシャ，ローマ，ゲルマン初期の時代においては，発生した犯罪の真犯人が分からないときには，神に祈ってその裁決を請う形の**神判**が行われていた．この時代の手続は証拠によらないで有罪・無罪が決定されていたといえよう．

　　　神判の代表的なものとしては，わが国の盟神探湯（くかたち．熱湯の中に石や指輪を沈めておいて，神判を受ける者にこれを拾い上げさせ，手にやけどができるかどうかを調べるなどして有罪か無罪かを決めるもの）や，冷水審（神判を受ける者の手足を縛って水中に投げ入れ，浮き沈みの具合によって有罪・無罪を決めるもの），さらに，決闘審などがあった．

　その後，宣誓裁判も行われるようになる．被告人が無罪を宣誓することによって罪を免れる方法で，偽証をすれば神罰を被るという強い意識がその前提となっていた．また，宣誓補助者の宣誓も用いられるようになっていく．これらは，現代の証人の宣誓と異なり，宣誓すること自体が裁判の基礎となっていたのである[1]．

　糺問裁判　日本の古代後半から江戸時代末まで，西欧の中世末からフランス革命（1789 年）までの刑事裁判は，現在の検察官の役を兼ねた裁判官が，一方的に被告人を取り調べるという形を採っていた（糺問主義手続）．

　糺問裁判は，近代法から見れば問題を含むものであったが，神判に比べれば合理的なものであり，その存在があって初めて近現代の刑事手続が形成されたといえよう[2]．

　近代の刑事裁判　糺問主義の刑事訴訟を批判し，現在の手続の基礎となる考え方を導入したのは，モンテスキューやヴォルテール等の

---

1) このころの裁判の手続構造は，あえていえば「弾劾主義」（⇨ 22 頁）であった．
2) 神聖ローマ帝国の「カロリーナ刑事法典」（1532 年）は，ヨーロッパにおける糺問主義の特質を最もよく示しているものといえよう．①被害者や公衆ではなく裁判官の職権により訴訟が開始され，②証拠は法定されていた．特に，③自白は証拠の王として重視され，自白を得るために拷問も許された．④手続は非公開で行われ，⑤判断は専断的で，⑥審理は口頭でなく書面が中心であった．そして，以上のような6点は，その後の近代的な刑事裁判に移行する過程で，すべて否定されていくのである．

啓蒙思想家たちであった．彼らは，人権を無視した専断的，糺問的な裁判制度を非難し，イギリスの刑事司法を参考にすべきだと主張した．

> **英米法系**　同じヨーロッパの中でもイギリスにおいては，独自の刑事裁判システムが形成されていた．民衆の参加を認める陪審裁判のほか，当事者主義，公開主義，口頭弁論主義，アレインメント，伝聞法則，ヘイビアスコーパス（人身保護手続）などが採用されていたのである．この考え方は，その後アメリカをはじめイギリスの政治的影響力の及ぶ国家に広がっていった．

　フランスでは，革命後，イギリス刑事法制を取り入れた刑事訴訟法が構想されたが，ナポレオン時代に入ると，それに修正が加わる．弾劾主義，公開主義，口頭主義を採用しつつも，起訴のための陪審制ではなく検察官による国家訴追主義を採用し，非公開で糺問的な予審制度を認め，被告人の尋問を重視する刑事訴訟法が立法される（1808年）．この，イギリスの当事者主義とは異なり，なお職権主義を基調とした制度（大陸法系）が，その後のヨーロッパ諸国に影響するとともに，明治初期のわが国にも導入されていく．

　近代的な刑事訴訟法である英米法系と大陸法系の2つの潮流（⇨7頁）が完成したのは19世紀であり，日本の近代刑事訴訟法はその2つの流れの複雑な影響の下に発展していくことになる．

3　日本の刑事訴訟法

　大陸法の継受　日本では，江戸時代まで，中国の律令に影響されながらも独自の刑事訴訟手続を実施してきた．しかし，明治維新以後，自白断罪主義・法定証拠主義の廃止，拷問の禁止などが行われ，裁判機構の整備が急がれた．明治13年（1880年）には，ナポレオン法典に倣った治罪法が，初めて，体系的，包括的な形で近代的な刑事訴訟を規定した．

　その後，明治23年（1890年）に治罪法を改正した刑事訴訟法が制定され（明治刑訴，旧々刑訴という），大正11年（1922年）には，ドイツ刑事訴訟法の影響を受けた刑事訴訟法（大正刑訴，旧刑訴という）が制定された．第2次世界大戦以前の日本は，大陸法系の刑事訴訟法を採用してきた．

①**治罪法**は，旧刑法と同様，フランスに倣ったもので，基本はパリ大学教授ボアソナードによって策定された．②**旧々刑訴法**は，治罪法の名称を刑事訴訟法に変え一部を手直ししただけで，基本的にはナポレオン法を継承したフランス型のものであった．その後の戦前の日本を支配し，わが国の現在の議論にも影響を色濃く残しているのは，③**旧刑訴法**である．これは大正11年にドイツ刑事訴訟法を基礎に制定された．治罪法，旧々刑訴法の影響はほとんどないと考えてよい．現在の刑事訴訟法学に影響を残しているのはドイツ型の旧刑訴法に関する学説である．旧刑訴法の解釈論で有力だった小野清一郎，団藤重光の学説は，実務にも強い影響を与えた．

　戦前の刑事訴訟法の基本は職権主義(⇨21頁)であり，「警察官が被疑者を取り調べ，次の段階で事件を検察官に引き渡し，さらに次の段階で裁判官に引き渡す．常に国家権力が被告人を取り調べるという関係にある」というものであったといってよい．すなわち，捜査の主体と裁判の主体が連続していたのである．その象徴は，低いところに被告人が座り，高い壇上に裁判官と検察官が同じように黒い法服を着て並んで座っていた法廷の構造に示されている．裁判官と検察官は同じ司法省の役人であった．

英米法の影響　第2次大戦後，憲法の変更に伴い，刑事訴訟法の改正が要請された．その結果，アメリカの強い影響の下に，現行刑事訴訟法が制定された(昭和23年，1948年)．刑事訴訟法の世界に英米法の考え方が強く入り込んだのである．最も大きな変化は，戦前の職権主義を「真実を見出すのに合理的ではない」と批判し，「検察官と被告人が対等に相争って，それを裁判官が裁くべきであり，裁判で真実を発見する裁判官は予断を持ってはならない」という発想を導入した点である(当事者主義 ⇨21頁)．

　その特色(さらにそれを導く諸原理)は，その多くが憲法に規定されている(憲31ないし40)．そこに，戦後の刑事訴訟法学においては，憲法解釈が重視されることとなった要因がある．

　ただ，現行刑事訴訟法は，その実務の運用をも含めて考えれば，明治以来の大陸法系の運用の上に，英米法系の諸原理を取り込んだものである．戦後の「英米法化」は，基本的には定着してきたものの，実務の経験・運用や新しい問題状況の発生を踏まえ，大陸法的な思考や「日本的」解釈をも産んできているのである．

4 現行刑事訴訟法──刑事訴訟法の法源

憲法 31 条　現在の日本の刑事訴訟に関する最も基本的な法規範は憲法 31 条であるといってよい．憲法 31 条は「何人も，法律の定める手続によらなければ……刑罰を科せられない」と定める．刑罰を科すシステムは法律の定めた手続によらなければならないのである[3]．そして，その内容が適正なものでなければならないと解されている．

　恣意的な刑罰権の行使を排除するために，刑事システムは法律の定める手続によらなければならないが，さらに「適正な手続」を要請することの中には，誤判をなくすというねらいも含まれている．刑罰権の濫用の極は，無実の人に刑罰を科すことである．刑事システムの最大の目標は，冤罪をなくす努力をするという点にあるといっても過言ではない．法定の手続は，そのための手段なのである．もちろん，手続のハードルを高くすることは，それだけ真相解明の作業を困難にする．そもそもの刑事司法が，犯罪者を適正・迅速に処罰して国民の利益を護るためにも存在する以上，冤罪を回避する利益のみを強調しすぎることは誤りではあるが，「処罰の欲求」に流される危険には十分に注意しなければならない．

　現行憲法は，旧憲法に比較して，刑事手続に関し大変細かな規定を置いている[4]．この部分は特にアメリカ憲法の影響が強い．一方，刑事訴訟法は，同

---

3) ちなみに「法律の定める手続」の中には実体刑法も含まれており，罪刑法定主義も入っていると説明されるが，少し苦しい解釈である．やはり本来的に憲法 31 条は手続に関する根本規定であり，罪刑法定主義もここから派生するものと考えられる．
4) 憲法 32 条は国民に裁判を受ける権利を保障し，33 条は国家権力の逮捕に対する保障について規定し，具体的には，令状主義（⇨74 頁）を明示する．34 条は拘禁される場合に保障される要件や手続を規定する．特に拘束された人間にとっては弁護人依頼権が重要である．35 条は捜索・押収に対する保障について，36 条は拷問及び残虐な刑罰の禁止について規定する．
　37 条 I 項は被告人の公平で迅速な公開裁判を受ける権利について規定する．II 項は被告人の証人審問権，III 項は被告人の弁護人依頼権を保障する．なお，被疑者の弁護人依頼権は憲法で保障されてはいない．
　38 条 I 項は不利益供述の強要の禁止について規定する．自己負罪拒否特権，黙秘権である．II 項は任意性に疑いのある自白（⇨403 頁）は証拠に使えないとしている．III 項は本人の自白のみでは有罪にできない，と規定する．自白の他に補強証拠が必要とされるのである．
　39 条は罪刑法定主義と関連する遡及処罰の禁止，二重処罰の禁止について規定する．40 条は刑事補償についての規定である．

じくアメリカ法の影響を受けたものの，戦前のドイツ型の刑事訴訟法の規定も残している．そこで，憲法と刑事訴訟法に若干のギャップが生じたのである．

刑事訴訟法　法源の本体である刑事訴訟法は，昭和24年1月1日に施行されており，刑法などに比べると新しい法律である．形式は旧刑訴法と同じである．憲法は明白にアメリカ型であり，刑事訴訟法の内容もアメリカ型に修正されたとされることが多いが，少なくとも「装い」はドイツ型の旧刑訴法と変わっていない．

ただ，「旧刑訴法の人権侵害的な側面を払拭する」という作業が行われたことはいうまでもない．旧刑訴法時代の人権侵害は，特に捜査段階で生じていたため，捜査の主体と裁判の主体をはっきり分け，裁判は「検察官と被告人の争いを第三者たる裁判官が裁く」という形に明確に変更された．この限りでは，大陸法型(下図左)から英米法型(下図右)に変更されたのである．

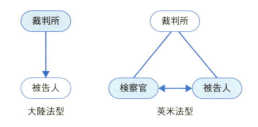

旧刑訴法との相違点　重要なのは3点である．まず第1に，**予審制度**が廃止された点である．戦前は公訴提起後に実質的な捜査を継続する判事と裁判をする判事とを分け，前者を予審判事と呼び，予審判事が逮捕等の強制処分を行っていた．しかし，裁く人間が捜査に関与すべきではないということで検察官に強制処分権を委譲し，裁判官は捜査に関与しないこととした．ただ，強制処分を警察官・検察官に委ねることには危険性も存在する．そこで，予審判事を廃止した代わりに令状制度が導入されたのである．捜査官側の強制処分は令状でチェックされる(令状主義)．

第2に，**起訴状一本主義**の採用である．起訴状一本主義とは，捜査機関が起訴時に証拠書類等を裁判所に引き継ぐことをせず，裁判所は公判で取り調べられる証拠等によってのみ心証を形成するという制度である．はじめから裁判官が証拠を見た

り，その詳しい内容を知ってしまうと，予断を抱いてしまい公正な裁判が行い得ないという発想である．これに対して旧刑訴法では，全記録(一件記録)が最初から裁判官の手元にあった．

第3が**訴因制度**の導入である．訴因とは検察官の主張である．その真偽を明らかにするという形で，裁判が行われることになる．つまり訴因は検察官の側の立証の主題(テーマ)であるといってよい．なお，アメリカ流の徹底した考え方では，裁判は被告人と検察官のゲームであり，公判廷はまさに訴因を立証できるか否かという「勝負の場」ということになる．そして，真実を発見するのに最も合理的な方法は，一番切実な当事者，つまり検察官と被告人に争わせることであると考える．勝敗により，真相が「作られる」ことになる．一方，旧刑訴法は，「真実があるはずでありそれを発見しなければならない．検察官の力が強くて無罪の人を有罪にしても，逆に弁護人の力が強くて真実をねじ曲げて無罪にしてもよくない．裁判は真実を発見するためのものである」という考え方だった．これは現在でも残っている．

さらに，現行刑事訴訟法では証拠法の厳格化(伝聞法則，自白法則など)が図られた(⇨400頁以下，418頁以下)．

旧刑訴法の真の問題点　戦前の刑事司法に関し強く批判されていた具体的な問題点は，捜査機関が行政検束や違警罪即決例の拘留を捜査のために濫用し，嫌疑のないような者(政治犯も含め)までも身柄を拘束し，その際にかなり拷問に近い取調べを行ったという点にある．このような人権侵害を伴う濫用の危険のある規定は，戦後の改正で払拭された．ただ，当事者主義化が，人権保障に必須かつ最も有効な手立てであるかは別の問題である．いずれにせよ，戦後，刑事訴訟法はアメリカの強い影響の下，当事者主義という基本的な枠組みを設定した上で，戦前の問題点を除去していったのである．

憲法との「乖離」　現行刑事訴訟法には，確かにアメリカ型の規定が導入されたものの，旧刑訴法の規定・考え方がなお維持された部分も残っている．これに対し憲法は，かなり徹底した英米型であり，大陸(旧刑訴)型を一部含む刑事訴訟法との間に齟齬が生じるのである．そこで，解釈論としてどちらを採るかが争われることになるのであるが，「憲法が上位規範なのだから，下位規範の刑事訴訟法の規定は，それと整合しない範囲で無視すべきである」という単純処理は妥当ではない．もちろん，刑事訴訟法やその解釈が憲法に反するのであれば効力は否定されるが，憲法に反しない範囲内において重点の置き方が異なるところもある．憲法の規定は一般的・抽象

的であり，価値選択の幅は広いから，その幅の中で，刑事訴訟法の規定の趣旨を可能な限り活かしていくべきである．

　刑事システムの具体的運用をいかに合理的なものとするかを模索する中で，「当事者主義をどれだけ徹底すべきなのか」，「被疑者の人権にどこまで配慮すべきなのか」等々の価値判断は，帰納的に判断されるべきである．すなわち，個別具体的な問題について実質的な価値選択を行った裁判例を基礎として，判断されるべきである．現在の刑事訴訟法の実体としての骨組みは，法源としての判例を見ること抜きには語れない．

刑事訴訟の基本的原理

1 当事者主義の原則

刑訴法 1 条　　刑事訴訟法は,「刑事事件につき,公共の福祉の維持と個人の基本的人権の保障とを全うしつつ,事案の真相を明らかにし,刑罰法令を適正且つ迅速に適用実現することを目的とする」(1 条)と定めている. そこには,① 迅速な真相の究明と適切な処罰の要請と,② 被疑者・被告人の利益を守るための適正な手続の保障という要請が規定されているといってよい(⇨ 6 頁).

この 2 つの要請は職権主義と当事者主義という概念と結びつけて論じられることが多い. 真相の究明を重視する立場は**職権主義**に結びつき,適正手続を重視すると**当事者主義**に至るとされるのである. 比較法的にみても,基本的に当事者主義に依拠する英米法系は,基本的に個人主義的価値観に立脚し被疑者の人権を重視する傾向が見られ,他方,職権主義を土台とする大陸法系諸国では,どちらかといえば国家・社会という全体重視的な価値[1]を尊重し,犯罪の摘発を制度の主軸にする傾向が見られるといえよう. その意味で,次のような図式化が可能である.

そして,それに従えば,日本は,戦前の職権主義から戦後の当事者主義に

```
真相解明重視 ── 大陸型 ── 「職権主義」 ──▶ 国家の視点
適正手続重視 ── 英米型 ── 「当事者主義」 ──▶ 個人の視点
```

---

1) 「全体重視」といっても,犯罪のない安全な社会を作ること,さらに社会全体の安定を重視するということを意味するにすぎない.

大きく転換したと考えることもできよう[2]．もっとも，一方で職権主義も残されている（⇨25頁）．

しかし，このように「英米型」「大陸型」「当事者主義」「職権主義」というように類型化して論じるいわゆる「モデル論」には限界が存在する．「どちらのモデルが正しいか」という二者択一の議論では，合理的な結論が得られない場合が多い．もともと，いずれか一方の方向性を徹底すれば問題が解決できるというわけではないし，刑事訴訟法の解釈論においては，両者の調和点を求める作業が要請される．

弾劾主義
糾問主義
当事者主義といっても，それが何を意味するかは簡単ではない．当事者主義・職権主義という言葉は，実はいくつかの対立する考え方の重なり合ったものと解される．少なくとも，① 弾劾主義と糾問主義，② 弁論主義と職権探知主義，③ 当事者追行主義と職権追行主義，この3つに分けて考えることができる．

弾劾主義と糾問主義は訴訟の構造についての対立である．**弾劾主義**（当事者主義）的訴訟の理解は，裁判を裁判所と被告（被告人）と原告（検察官）の三者からなる構造でとらえる．特に弾劾主義で重要なのは，検察官と被告人が対等の立場で相対立するという点である．これに対し，**糾問主義**的訴訟観は，裁判所と被告人の二者からなる構造でとらえる．上下関係，つまり裁く裁判所と裁かれる被告人の関係であり，この二者しか登場しない．

両者の差は，具体的には「訴訟をどのようにして開始するか」について一番はっきりと顕れる．弾劾主義は原告の請求（弾劾）によって訴訟が開始される．これに対して，糾問主義は裁判官の職権によって訴訟が開始される．裁く主体が被告人を捕捉して自ら裁判を始めるのである．日本は現在この意味では弾劾主義を採用していることに争いがない．検察官の起訴がない限り，裁判官は裁判を開始し得ない．

このように，裁判（公訴）を提起する権限を検察官のみが持っているシステム

2）わが国の刑事訴訟法は，戦後当事者主義を大幅に取り入れた．その結果，① 裁判所は，訴因制度（⇨229頁）により，当事者の主張である訴因に拘束され，② 証拠は，捜査段階から引き継がれることはなく（法256Ⅵ），当事者の請求によって調べるのが原則となり（法298Ⅰ），③ 証人尋問における交互尋問の慣行（法304Ⅲ，規199の2）も定着した．

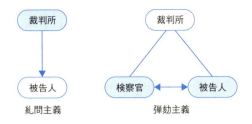

を国家訴追主義という．歴史的には様々な原告が存在してきた．最も素朴な弾劾の主体は被害者であろう(被害者訴追主義)．その他，公衆(民衆一般)が裁判の請求をすることができるとする制度も見られた(公衆訴追主義)．そして，最も新しい形式が，国家機関が起訴する機能を担う国家訴追主義なのである．現在ではかなりの国が国家訴追主義を採用している[3]．

弁論主義・職権探知主義　当事者主義の第2の意味は弁論主義であり，職権探知主義に対立する．何について裁判するのか，つまり裁判の対象(**訴訟物**)についての対立である．**弁論主義**は，裁判の対象は原告が決めるという考え方で，裁判を申し出た者が訴訟物を主張する．裁判所は，それに拘束され，審判の対象を動かすことはできない．原告が裁判所で明らかにして欲しいということしか審理できないのである(**不告不理の原則**)．一方，**職権探知主義**というのは，裁判の対象は裁判所が決めるという考え方である．その際，審判の対象を動かす理由・目的は，主として**真実発見**にある．裁判官は自らの判断で審判の対象を動かし得る．弁論主義においては裁判所が受け身的であるのに比して，裁判所のより積極的な関与を認めることになる．裁判所で審理したところ，起訴された被告人が真犯人とは違うらしいという心証を得た場合，弁論主義では被告人を無罪として終結することになるが，職権探知主義を強調すると，さらに真犯人を求めて裁判を続けていく余地が生じてくる．

現行刑事訴訟法が基本的に弁論主義を採用していることは明らかである．検察官が主張した範囲で裁判すればよい．しかし，例外的ではあるが，検察官の主張する審判の対象を，裁判官の視点から修正する余地が残されている

---

3)　平成20年12月から被害者参加制度(⇨45頁)が導入されたが，被害者等に当事者としての地位を与えるものではないし，国家訴追主義を変えるものでもない．

(訴因変更命令⇨313頁).「日本は当事者主義なのだから,弁論主義を徹底しなければならない」と単純に解すべきではなく,基本的には弁論主義を採用することの理由と,あえてその例外を認めなければならない具体的根拠が衡量されなければならない.

当事者追行主義・職権追行主義 弁論主義・職権探知主義と類似しているが,訴訟の現実的な進行の場面において誰がイニシアティブを取って進めるのか,誰が裁判の主宰者なのかに関しても,**当事者追行主義**(当事者主義)と**職権追行主義**(職権主義)の対立が存在する.訴訟の進行の主導権を当事者に委ねるか,裁判所に委ねるかの対立である.裁判の中心である証拠調べの手続においていかなる証拠を調べるのかに関し,当事者追行主義は,当事者が請求したものについてのみ取り調べるとし,職権追行主義は,裁判官からみて調べることが必要であるないしは合理的であるものについて証拠調べを行うというものである.現状では,当事者である検察官が,まず訴訟の主題(訴因)を提示し,これを証明する証拠を提出する.裁判所が,何か証拠はないかと検察官に働きかけて,積極的に証拠を探し出すことはしない.被告人の側も,訴因について反論し,反証を提出することができる.裁判所は,公平な第三者として,両当事者の立証を吟味して,最終的な判断を下す立場にある.その意味では,当事者追行主義が基本である.これに対して,旧刑訴法は職権追行主義的色彩が濃かったといえよう[4].

ただ,ここでも,現行刑事訴訟法は当事者主義に立つ以上,当事者追行主義を徹底すべきであると単純には言い切れない.検察官又は弁護人が明らかにミスを犯して重要な証拠を請求せず,その結果明らかに不当な結論に陥るような場合,職権で

---

4) この他,当事者処分(権)主義という概念が用いられることもある.訴訟物の全部又は一部を当事者が処分するのを認める考え方であるが,刑事訴訟の客体は刑罰権であるから,当事者の処分には親しまない.英米法においては,被告人が有罪を認めれば証拠調べをしないで有罪の判決ができるという**アレインメント**(arraignment)の制度があるが,わが国では採用されていない(法319Ⅲ).平成28年法改正により,特定の犯罪について,被疑者・被告人が他人の刑事事件の解明に資する協力行為をすれば検察官が不起訴処分や一定の軽い求刑等をすることを内容とする合意ができるとする合意制度と,刑事免責制度が導入され,今後の動向が注目されるが(⇨163頁),これらの制度も当事者処分権主義を採用したものではない.当事者主義は,また,当事者対等主義の意味で用いられることがあるが,両者は区別されなければならない.当事者主義は,訴訟の追行を当事者に委ねることをいうだけであって,その点で当事者間において完全に平等な権限と機会が与えられることまでをいうものではない.

の関与を一切否定すべきとはいえない．現行刑事訴訟法の条文の中には，裁判官が職権追行できる規定が含まれているのである(⇨ 283, 314, 332 頁)．弾劾主義，弁論主義に比較すると，当事者追行主義は，より例外の多い原則なのである．

	訴訟構造	訴訟の対象	訴訟の進行
職権主義	糾問主義	職権探知主義	職権追行主義
当事者主義	弾劾主義	弁論主義	当事者追行主義

2 職権主義との調和

　　　　　　　当事者主義を徹底すると，民事訴訟手続に近づく．しかし，民事
民事訴訟　　訴訟と刑事訴訟には越えがたい一線がある．第1に，両者の根本
との差異
　　　　　　　的な差異が，訴訟の客体に存在する．民事訴訟の客体は，所有権や債権のように本来当事者が自由に処分できる性質のものであるから，当事者間に争いさえなければ，客観的真実と食い違っても真実として扱ってよい．しかし，刑事訴訟の客体は，刑罰権を発動するか否かという公的なものであり，客観的な真実の確保が強く要求される．そして第2に，民事訴訟の原告と被告は，同じ私人として形式的にも実質的にも平等の立場にあるが，刑事訴訟の原告(検察官)と被告(被告人)は全く異なる．検察官は，証拠を収集する力においても，訴訟を追行する力においても，被告人とは比較にならない程優位にある．

　少なくともその限りで，民事訴訟法より刑事訴訟法の方が職権主義的な色彩を帯びるのは必然なのである．例えば，著しく実体的真実が失われる危険がある場合には，裁判所が職権で介入する余地が考え得るのである[5]．また，訴訟の当事者としては弱い立場にある被告人に対して，裁判所が後見的な役割を果たすことは，十分に合理性がある．それ故に，現行刑事訴訟法は，職権証拠調べ(法 298 II)や，訴因変更命令(法 312 II)などの職権主義的規定を置いているのである．

---

5) 無実の被告人が有罪とされる危険がある場合には特に問題となる．

実体的真実主義　刑事訴訟法は，事案の真相を明らかにすることを目的としている（⇨21頁）．正義の実現のため，最大限の努力を払わなければならない．真に犯罪を行った者が処罰を免れたり，真に無実である者が処罰されることは，いずれも正義に反する．証拠により認定される事実が，できるだけ客観的真実に合致するように，十分な証拠が収集され，正しく評価されることが要請される．

ただ，訴訟が人間の作り上げた制度である以上，真実の解明には限界がある．また，刑事裁判が刑罰権の発動の要否を判断するためのものである以上，犯罪とされる事実の存否と量刑上意味のある事実の存否を解明することに主眼が置かれるため，必ずしも犯罪に関連する事実の全貌が明らかにされるわけではない[6]．さらに，裁判の迅速性の要請（⇨353頁），手続の適正の要求からも，真実解明の程度は影響を受けざるを得ない．

真実究明と当事者主義　前述のように（⇨21頁），実体的真実の発見のためには，当事者主義よりむしろ職権主義が望ましいとされている．しかし，当事者主義が，実体的真実の発見に役立つ面があることにも留意する必要がある．当事者主義を採れば，当事者は，訴訟で自己に有利な結果を得るために，最大限の努力をして証拠を収集する結果，質の良い証拠が多く集まり，客観的真実が明らかになり得るという面がある[7]．また，当事者主義を採れば，裁判所は訴訟を主体的に追行する役割から解放され，当事者の提出した証拠を冷静で，公平な第三者として的確に評価することが可能となる．この点も真実を発見するのに役立つといえる．ただやはり，当事者主義と実体的真実主義とは，矛盾する面もある．最も注意を要するのは，当事者が妥協することにより真実とは異なった結論に到達する危険である．また，勝敗という「ゲーム」の側面が重視されすぎると，やはり真実とは乖離する．

---

[6] マスメディアにおいては，訴訟において犯行の動機や社会的背景が明確にならなかったような場合に，「裁判をしたのに真相は明らかにならなかった」というような報道がされることがある．これは，刑事裁判における真相解明の機能について，制度の予定する以上に期待していることによるものであって，必ずしも訴訟法の正当な理解に基づくものではない．

[7] ただ，「当事者に闘わせる」といっても，組織としての検察官と個人としての被告人・弁護士とでは力の差がありすぎるという現実は動かし難い．基本的には，大量の情報を収集する能力を持っている捜査機関の方が有利である．その意味で，当事者主義が真実発見に役立つという説明には，本質的な制約がある．

当事者主義を基本としつつも，その弱点を十分に認識し，かつ職権主義のメリットも謙虚に認めた上で，最も合理的な刑事訴訟制度を探求しなければならない．

　適正手続の保障　憲法 31 条は，「何人も，法律の定める手続によらなければ，その生命若しくは自由を奪はれ，又はその他の刑罰を科せられない」と規定している．この規定は，適正手続の保障を定めたものであり，罪刑法定主義もここから派生するものと考えられる（⇨ 17 頁，前田『刑法総論講義第 7 版』2 章 II 1 (2)）．適正手続（due process of law）の保障とは，刑罰法令を実際に犯罪に適用し，犯人に刑罰を科するためには，法律によって定められた相当な手続によらなければならないとする原則である．適正手続の保障は，裁判所における手続（公判）だけでなく，捜査機関の手続（捜査）においても必要とされる．

　当事者主義と適正手続　当事者主義は，当事者が対等であることを前提とし，糾問主義と違って被告人の立場を重視するので，適正手続を重視する立場であるとされることがある．確かに，当事者主義が適正手続を重視する面があることは否定できないが，職権主義を一部でも認めることが適正手続と矛盾すると考えるのも妥当ではない．裁判の方法として，当事者主義と職権主義，弾劾主義と糾問主義のどちらが合理的なのか，さらには，どう組み合わせるのが日本の現状に適合するのかという困難な課題に取り組んでいかなければならないのである．

　より多くの証拠を取り調べた方が真実は発見しやすい．より多くの証拠を収集するためには，なるべく証拠を収集する手続に制限がないことが望ましい．しかし，一方，証拠を収集する捜査手続は，被疑者を始めとして国民の利益を害することが多い．そのために，令状等の手続的規制を設けなければならない（⇨ 74 頁）．その範囲では，真実の発見と適正手続の保障は衝突する．この衝突を，「国民の利益の総量が極大化する調和点」を求めるという形で解決しなければならない．その際，当事者主義を徹底すれば必ず答えが得られるというわけではないことは明らかである．

　そして，適正手続の保障のうちでも，弁護人依頼権，証人審問権などは，被告人の権利を守るものであると同時に，真実の発見に資する面があることに注意しなければならない．無実の者が誤って処罰されないようにするための

権利の保障でもあるからである．

日本独自の刑事司法　現行刑事訴訟法が当事者主義的になったのはアメリカ法の影響による以上，「刑事訴訟法理論をアメリカ型に近づけるべき」と考えられてきた時期があったようにも思われる．しかし，日本の実情はアメリカとは異なるし，刑事訴訟法にはフランス法，ドイツ法の影響も残っている(⇨ 16 頁)．英米法の優れた発想は，日本でも学ぶべきものが多く含まれているが，アメリカとずれているから日本が間違いだ，とする発想は正しくない．また，「もっとドイツ的な側面を重視すべきである」という議論も，同じように問題がある．日本の実務は，日本の問題状況や国民性に合わせて，独自の刑事訴訟を形成してきているのである．

少なくとも，徹底した当事者主義の考え方，極論すれば「裁判は勝負であり，正しい方が勝つとは限らない」という考え方は，わが国では受け入れにくい．また，アメリカでは裁判の途中で「取引」をすることも多いが，日本ではそのような制度を導入することに躊躇してきたのである．

新たな展開　日本では，緻密で精密な刑事司法が行われてきた．昭和 50 年代に死刑の確定した複数の事件について再審で無罪となる事態が生じたこともあって，このようなことが再発しないようにと精緻な審理・判断が行われたことも理由の 1 つといえよう．ただ，そのためもあって，審理に長期間を要する事件が増えたり，捜査書類を過度に重視する結果を招いたりした．このような状況への反省もあって，平成 16 年の法改正により，① **被疑者国選弁護制度**を創設して弁護の一貫性と充実を図り，② **公判前整理手続**を設け，その中で証拠開示を拡充させて争点整理を行い，争点中心の計画的な集中審理をすることにより，弁護権の拡充と訴訟の迅速化を図ることになった．それは，当事者追行主義への重点の移動を伴うものであった(⇨ 261 頁)．また，司法に対する国民の信頼を高めるため，③ 国民の司法参加による**裁判員制度**を導入することになり，公判中心の分かりやすい審理が行われるようになった[8]．捜査段階に関しても，その後生じた大阪地検特捜部の不祥事(証拠隠滅・犯人隠避)等を契機として，捜査が取調べと供述調書に過度に依存している状況を改める必要があるとの意見が強まり，平成 28 年の法改正により，④ 一定範囲での**取調べの録音・録画**の義務化のほか，⑤ 司法取引的な性格

を有する**合意制度**，**刑事免責制度**等が導入され，⑥ 通信傍受の対象犯罪も拡大された．他方，いわゆる修復的司法の観点（犯罪によって生じた社会生活面での破壊等を修復させる機能を司法も果たすべきものとする）等から，平成 19 年の法改正により，⑦ 犯罪被害者を訴訟に関与させる**被害者参加制度**等も導入された．

---

8) 裁判員制度下においては，証拠は争点の判断に必要なもので，裁判員にとっても理解可能なものに限定されてくる上，争点に関する事実認定も核心に近いものに限られることにならざるを得ない．その結果，裁判員制度対象事件はもちろん，その余の事件においても，過度の精密さは維持できなくなるであろうが，決してラフなものでよいというわけではない．

III 刑事手続の担い手

1 警察と警察官

司法警察職員 　警察官とは，警察庁及び都道府県警察に置かれる職員のうち警察法に基づき警察官の名称を有するものをいう．警察庁長官以外の警察官の階級は，警視総監，警視監，警視長，警視正，警視，警部，警部補，巡査部長及び巡査である（警察法 34・55・62）．現在の「刑事訴訟」では，裁判以前の段階，すなわち捜査の段階の重要性が強く認識されるようになり，その段階での担い手も重視されるようになっている．

　日本における捜査の第 1 次的な担当者は司法警察職員[1]である（法 189）．刑事訴訟法では，捜査し得る者を，① 司法警察職員，② 検察官，③ 検察事務官と定めている．ただ，数から言えば，司法警察職員が圧倒的に多い．

　司法警察職員は，**司法警察員**と**司法巡査**に分かれる（法 39 III）．刑事訴訟法では，警察官のすべてが司法警察職員として刑訴法上の権限を行使できるが（法 189 I），司法警察員が捜査の中心であり，司法巡査は司法警察員を補助して個々の事実行為的な捜査を行う．それ故，司法巡査には行い得ない権限が存在する[2]．ただ，現実の警察活動においては司法巡査が重要な役割を果たして

---

[1] 　警察は，公的機関として国民（都道府県民）の生活の安全・利便性の確保などの目的で行政作用を行う．その意味で，警察官は行政官である（行政警察職員）．犯罪の捜査もその一部に位置づけられるが，特に刑事司法作用にかかわる部門を司法警察と呼ぶ．本書で対象とするのは，司法警察活動を行う司法警察職員である．

[2] 　司法警察員には与えられているが司法巡査に与えられていない権限の主なものは，以下のとおりである．
　　① 令状請求権限（法 199 II・218 IV．ただし，緊急逮捕の場合における逮捕状請求権を除く，法 210 I．なお，通常逮捕の逮捕状請求は，公安委員会指定の警部以上の司法警察員に限る，法 199 II・規 141 の 2 ⇨ 128 頁．また，通信傍受令状の請求は，公安委員会指定の警視以上の司法警察員に限られる ⇨ 198 頁）．② 逮捕された被疑者を釈放又は送致する権限（法 203・211・216），③ 押収物に関する処分の権限（法 222 I 但書），④ 被疑者の鑑定留置請求権，

いる．警察官のうち，いずれを司法警察員とするかは，各公安委員会が定めるが，通常は，階級が巡査部長以上を司法警察員とし，**巡査**を司法巡査としている．

特別司法警察職員(法 190 条)　一般司法警察職員とは，具体的には，警察庁と各都道府県警の警察官を意味する．警察官全員に刑事訴訟法上捜査権限が認められている．これに対して，特別司法警察職員とは，特定の事項について捜査権限を持ったそれ以外の行政職員のことをいう．具体例としては，刑事施設の職員(刑事収容施設法)，森林管理局署の職員，船長(以上司法警察職員等指定応急措置法)，海上保安官(海上保安庁法)，麻薬取締官(麻薬及び向精神薬取締法)，労働基準監督官(労働基準法)，自衛隊の警務官(自衛隊法)等である．その他に国税庁の監察官や国税査察官，税関職員も捜査権限を持っているが，司法警察職員ではない(税関職員と国税査察官は，厳密には調査権限を持っているにすぎないが，事実上強制力を有する処分を広く行うので，捜査権限と同じと考えてよい)．以前は鉄道公安官や郵政監察官が存在したが，国鉄や郵便局が民営化された際に廃止された．

検察官との関係　「司法警察職員は，犯罪があると思料するときは，犯人及び証拠を捜査するものとする」と定めた法 189 条 II 項と「検察官は，必要と認めるときは，自ら犯罪を捜査することができる」と定めた法 191 条 I 項を併せて読むと，司法警察職員に第 1 次的捜査権限が存在することがわかる．旧刑訴法(⇨ 16 頁)の下では，捜査は検察官が行うものであり，警察は補助機関であると考えられてきた．その結果，検察と警察には明確な上下関係が存在した．しかし，現行刑事訴訟法の下では，警察も検察も，捜査機関として基本的に対等なのである．それぞれ自己の判断で犯罪を捜査することができる(独立捜査権)．しかし，その捜査した事件を処分する権限は検察官が独占しているので，原則として検察官に全事件を送致しなければならず，また，捜査の内容についても，検察官と協力すべきであるし(法 192)，検察官の指示・指揮があればこれに従う義務が存在する(法 193)[3]．

　　　鑑定処分許可請求権(法 224・225 ⇨ 167 頁)，⑤ 検察官の命により検視する権限(法 229 II ⇨ 94 頁)，⑥ 告訴，告発，自首の受理権限(法 241・245 ⇨ 93, 94 頁)，⑦ 事件の送致，送付の権限(法 246・242)，⑧ 検察官の命により収容状を発する権限(法 485)．
3)　検察官は，司法警察員に対し，一般的指示権(捜査の適正な実行，事件の送致，書類の作成等の捜査に関する必要な一般的指示を行う権限)，一般的指揮権(捜査の方針及び計画を立て，それ

警察組織 警察は，国家警察と地方警察とに分かれる．ただ，国家警察は実際の捜査機関ではない．地方警察が捜査等を行っており，国家警察は地方警察を統合するための上部組織である．

国家警察の長は内閣総理大臣であり，その下に国家公安委員会がある．国家公安委員会の長として国家公安委員長がおり，これは国務大臣である．その下に警察庁がある．これに対して地方警察は，各都道府県に1つずつ存在する[4]．地方警察の長は各知事であり，その下に各都道府県公安委員会があり，各都道府県警が組織されている．東京都には警視庁が置かれている．

2 検察官と検察事務官

検察官 検察官は，捜査権，公訴権などの権限を有する一定の資格を持った法律専門家であり，検察庁という全国的に統一された組織の中で活動する．検事総長，次長検事，検事長，検事，副検事の総称である．

通常の行政官庁では，大臣に権限が集中し，局長，課長等部下職員は，長の権限を委任されているか，又はこれを代理行使しているにすぎないが，検察官は，各自が検察権を有する（独任制の官庁）．もとより，検察の事務も，全体として統一のとれたものでなければならない．そこで，検察官は検事総長を頂点として，一体的に行動する仕組みになっている（検察官同一体の原則）．この点が，後述の裁判官と異なる．

検察権を行う主体は検察官であるが，検察官を補佐する**検察事務官**の機能も重要である．検察事務官は，検察官の指揮を受けて捜査を行うこともできる（法191 II）．さらに，法務大臣は，当分の間，検察官が足りないため必要と認

に基づく捜査の協力等を求める一般的指揮を行う権限），具体的指揮権（捜査中の具体的事件について指揮を行う権限）を有する（法193）．
4) 警察法64条は，都道府県警察の警察官に関して，当該都道府県警察の管轄区域内において職権を行うものとしているが，犯罪捜査についても基本的には管轄区域の制限に従うべきであると解されている．しかし同法61条は，都道府県警察は，居住者，滞在者その他のその管轄区域の関係者の生命，身体及び財産の保護並びにその管轄区域における犯罪の鎮圧及び捜査，被疑者の逮捕その他公安の維持に関連して必要がある限度においては，その管轄区域外にも，権限を及ぼすことを認め，地域的な制限を緩和している．また，広域組織犯罪等に対処して管轄区域外に権限を及ぼすことができるような措置をとるべきものとされている（警察法60の3・61の3）．

めるときは，区検察庁の検察事務官にその庁の検察官の事務を取り扱わせることができる(検察庁法36)．これを**検察官事務取扱検察事務官**といい，検察官の職権を行使できる(ただ，その範囲は区検察庁の事務に限定される)．

<u>検察組織</u>　検察官の行う事務を統括する場所を検察庁という．検察庁には，最高検察庁，高等検察庁，地方検察庁，区検察庁があり，それぞれ最高裁判所，高等裁判所，地方裁判所・家庭裁判所，簡易裁判所に対応して置かれている．

　　官名　検察官の官名としては，検事総長─次長検事─検事長─検事─副検事(一検察官事務取扱検察事務官)となっている．検事総長は1人で，その次に次長検事がおり，各検事長がいて，その下に検事が配置されている．
　　職名　実際上の組織の長の職名は，検事総長─検事長─検事正─上席検察官である．検事総長は官名であると同時に最高検察庁の長という職名でもある．検事長が高等検察庁の長，検事正が地方検察庁の長，上席検察官が区検察庁の長である．

<u>検察官の役割</u>　検察官は，刑事司法の中では，4つの役割を持つ．第1に，捜査機関としての役割である(**警察官的機能**)．法191条は，「検察官は，必要と認めるときは，自ら犯罪を捜査することができる」と定める(捜査における警察官と検察官の関係については⇨31頁)．ただ，実際には検察官の数は少ないから，独自に捜査するのは犯罪のごく一部である[5]．警察に対しては，前述のとおり(⇨31頁注3)，一般的指示，一般的指揮，具体的指揮を行う権限が認められている．

　第2に，公訴提起の権限は検察官が独占している[6]．すなわち，検察官が行う，当該刑事事件について公訴を提起するか否かの判断は，実質上広い裁量の幅を有し(法248)，わが国の刑事司法を特色づける働きをしている(⇨217頁)．起訴された事件(略式手続を除く)の97％以上が有罪となっているという現実と併せて考えると，検察官は，実際には事件についての裁判官の最終的判断と同様の判断を行うことが期待されているといっても過言ではない(**裁判**

---

5)　特殊な政治的事件，疑獄事件，財政経済事件等を主として扱う面がある(特別捜査部)．
6)　例外として，職権濫用等の罪について裁判所が審判に付する付審判制度(⇨216頁)がある．また，検察審査会による2度目の議決である起訴議決(⇨215頁)があると，指定された弁護士が検察官として公訴を提起する．

官的機能).

　第3に，公判で証拠を提出し，事実・法律につき意見を述べる権限である．公訴を提起した場合は，原告として公判に立ち会い，公訴を維持するための諸活動を行い，裁判所に法の正当な適用を請求する(検察庁法4)．公判廷で，当事者として被告人・弁護人と対峙する役割である(**当事者的機能**)．ただ，当事者ではあっても，民事訴訟におけるそれとは異なり，検察官はあくまで公益の代表者として被告人と対峙する．有罪を導く方向にのみ行動するのではなく，被告人の利益をも視野に入れた後見的な地位にあり，公正に行動すべき国法上の義務がある(最決昭34・12・26刑集13・13・3372参照 ⇨ 証拠開示292頁)．

　第4に，確定した刑の執行を指揮する権限である(**行刑官的機能**)．刑の執行は，原則として，その裁判をした裁判所に対応する検察庁の検察官が指揮することになっている(法472 I).

検察官の特色　　検察官は，他の行政官庁の職員とは異なり，1人ひとりの検察官が独立に検察権を行使する(**検察権の独立**)．ただ，検察権の行使が統一性を欠くと刑事手続に混乱が生じる面もあるので，**検察官同一体の原則**が認められている．裁判においては，裁判官が代わったら，基本的には手続をやり直す形を採るが，検察官の場合は，検察官が代わっても，手続は継続し得る．また，裁判官の場合は上席者の指示で判断が動くということはなく，合議(⇨41頁)の場合でも，構成員である個々の裁判官の評決権は対等であるが，検察官の場合は，上司の指揮・監督が存在する．

　検察官の身分保障は，給与の保障を含めかなり徹底している．原則として，定年・処分等以外では辞めさせられることはない．ただ，転所の強制のない裁判官に比し，検察官には転所の強制はある(裁判官にも事実上はあるが法的には保障されている)．

　　検察権の独立　政治的な力などに左右されない適正な検察権の行使が要請される．司法権の行使に準じてある程度の行政権からの独立が要請されるゆえんである(検察の独立)．具体的には，法務大臣の指揮権の制限(検察庁法14但書)である．法務大臣は具体的事件については，検事総長のみを指揮監督できるというものである．
　　検察の属する法務省の長は，検事総長ではなく法務大臣であり，法務大臣のほとんどは政治家(国会議員)であり，法務大臣の上に立つ内閣総理大臣は，政党党首

であることが多い．そこで，検察の捜査，なかんずく職務犯罪の捜査への政治・政党の影響を排除する必要性が高いので，「指揮監督権」の制限というシステムが導入された．指揮権を発動しても，検事総長を指揮監督することができるのみで，個々の検事は指揮できない(実例として造船疑獄事件)．しかし，戦後の歴史的な流れの中で，検察庁と法務大臣との力関係が微妙に変化し，指揮権を事実上発動できない状況が生じてきているように思われる．政党としても，指揮権を発動した場合の国民世論の反応を軽視できない．

3　被告人

<small>被疑者と被告人</small>　刑事手続全般において，警察・検察と対置されるのが被疑者・被告人である．犯罪の嫌疑を受けて捜査の対象となっているが，まだ公訴を提起されていない者を**被疑者**といい，公訴を提起された者を**被告人**という[7]．

被告人には**当事者能力**が必要である[8]．刑事訴訟は，刑罰を科するかどうかを決める手続であるから，受刑の可能性が全くない者は，当事者(被告人)になり得る能力がないと考えられている．**自然人**[9]の場合，年齢，国籍を問わず，誰でも当事者能力がある．責任無能力者，例えば14歳未満の少年でも，一般的，抽象的には，当事者能力があると解される(当事者能力と責任能力とは別個のものである)．さらに，被告人には，訴訟行為をするに当たりその行為の意義を理解し，自己の権利を守る**訴訟能力**(意思能力)が必要である[10]（最決昭29・7・30刑集8・7・1231）．

---

[7]　被告人として取り扱われる者も含む．他の被告人の事件と併合審理(⇨356頁)される場合には，それらの被告人を共同被告人(相被告人)という．
[8]　当事者能力が欠けた場合(被告人の死亡，法人の清算結了)は，公訴棄却の決定(法339Ⅰ④)がなされる．
[9]　法人については，処罰規定のある場合に限って当事者能力があるとする説もあるが，処罰規定の有無に関係なく当事者能力を有するものと解すべきである．
[10]　訴訟能力の欠けた者の訴訟行為は無効である．被告人が心神喪失の状態に至れば，訴訟能力がなく防御をすることができないから，原則として，公判手続を停止しなければならない(法314Ⅰ⇨358頁)．もっとも，訴訟能力のない場合でも，法定代理人に訴訟行為を代理させて進行できる事件もある(法28)．

訴訟主体としての被告人 　被告人は，訴訟の主体として，検察官と対峙して共に訴訟を進めていく．旧刑訴法下においても，形式的には当事者であったが，実質的には取調べの客体にすぎなかった(被告人尋問)．現行法は，被告人尋問の制度を廃止するとともに，被告人に黙秘権を付与して，訴訟の主体であることを明らかにしている[11]．

　　被告人は，訴訟の主体として，手続上多くの権利が認められている．弁護人依頼権(法30)，証拠調べ請求権(法298 I)，証人尋問権(法304 II)などが代表例である．さらに，裁判所が一定の処分をするに当たって，被告人の意見を聴かなければならないと規定されている場合も少なくない(法158 I・276 II・291の2等)．

　ただ，被告人は，「証拠」でもある(証拠方法 ⇨ 375頁)．任意に供述すれば(法311)，その供述は証拠になり，また，その身体は検証(身体検査)の対象となる(法129)．さらに，被告人は，勾引，勾留など強制処分の対象にもなり得る．被告人を勾留することが許されるのは，刑事手続を確保するためであるが，潜在的には，自由刑の執行の対象になり得る存在だからである．しかし，被告人が無罪の推定を受けていることも忘れてはならない(⇨ 395頁)．

黙秘権 　被疑者・被告人には黙秘権(供述拒否権)が認められている(⇨ 200, 322頁)．憲法38条I項は，「何人も，自己に不利益な供述を強要されない」と定め，これを受けて法311条I項は，「被告人は，終始沈黙し，又は個々の質問に対し，供述を拒むことができる」と規定し，被疑者についても被告人と同様に黙秘権が認められていると解されている(法198 II参照)．被疑者には取調べ前に，被告人には公判の冒頭手続等で，黙秘権のあることを告知しなければならない(法198 II・291 IV・316の9 III，規197)．

　　被疑者・被告人がたとえ現実に罪を犯した者であっても，自ら有罪となる供述をなすべき義務を法律で負わせることは，人格を尊重する観点から許されない(自己負罪の拒否)という，英米の刑事裁判の長い歴史の中で培われてきた原則をわが

---

11) 被告人が訴訟の主体である以上，検察官が既に起訴した事件について，被告人を取り調べることは好ましくない．そこで，最決昭36・11・21(刑集15・10・1764)は，起訴後においても捜査官はその公訴を維持するために必要な取調べを行うことができるが，被告人の当事者たる地位にかんがみ，捜査官が当該公訴事実について被告人を取り調べることはなるべく避けなければならない旨判示している(⇨ 270頁)．

国の憲法も採用したのである．また，一方の当事者である被告人に黙秘権が認められず，供述の義務があるとすれば，理念的な対等性が維持できない．特に，被疑者は捜査機関から取り調べられるが，その場合でも供述の自由を保障しておかないと，自白を実質的に強要されるおそれがないとはいえない(最判昭24・2・9刑集3・2・146参照).

4 弁護人

<small>弁護人の役割</small>　弁護人は，捜査機関と比較して相対的な弱者である被疑者・被告人の利益を守るために存在する．憲法は，刑事被告人に関して，どんな場合でも「資格を有する弁護人」を依頼する権利を明文で保障している(憲37Ⅲ)．そして，法律により，被告人のみでなく被疑者にも弁護人依頼権が認められている(法30Ⅰ)．

　　検察官が強大な権限を持つ専門家であるのに比し，被疑者・被告人は一般的に弱い立場にあり，対等の関係において防御活動をするのが困難である．とりわけ，身体を拘束されて活動の自由を奪われている被疑者・被告人の場合はその点が問題となる．そこで，当事者主義(⇨21頁)を実質的に保障するためには，検察官と同等の法律的能力を持つ弁護人に被疑者・被告人を補助させる必要がある．それは，被告人となってからだけでなく，被疑者の段階から必要である．捜査段階で生じるおそれのある不当な人権侵害をも防ぐためである．

　弁護人は，被告人(被疑者を含む)の正当な利益を守る保護者，後見者であり，被告人の不利益となるような行動をしてはならない．これは，真実の発見等刑事司法の目的に協力する義務より優先すると解されている．

　　被告人の正当な利益であるかは，弁護人が法律家としての立場で判断する．被告人の単なる代理人ではなく，被告人のいかなる意思にも従わなければならないというわけではない(弁護人の権限の中には，被告人の意思と独立してでも行使し得る権限や弁護人のみに与えられている権限が存在する(法41))．もとより，弁護人は，被告人本人の意思から全く離れて行動し得ないが，正義の観点から全く自由であるわけでもない(真実義務⇨208頁)．

　弁護人は，被告人の保護者としての立場から，被告人がすることのできる

訴訟行為のうち代理に親しむものについては，法に規定がなくても，これを代理して行うことができる．この権限は，被告人から個々的に委任される必要はないが，その性質上，被告人の意思に反して行使することはできない．弁護人たる地位に基づいて包括的に行使し得る権限である[12]．

また，弁護人は，その権限であることが特に規定されている場合は，独立してその権限を行使することができる(法41)．「独立して」とは，被告人の意思に拘束されることなくという意味である．勾留理由開示の請求(法82Ⅱ)，保釈の請求(法88Ⅰ)，証拠調べの請求(法298)，検証の立会(法142，113Ⅰ)，証人尋問(法304Ⅱ)，被告人との接見交通(法39)，書類・証拠物の閲覧謄写(法40，180)などがその例である[13]．

弁護士 憲法37条Ⅲ項の「資格を有する弁護人」とは，弁護士法によって資格要件を厳格に定められている弁護士の中から選ばれた弁護人のことを意味する．弁護士は，検察官と異なり民間の自由業であるが，法律専門家として基本的人権の擁護と社会正義の実現とを使命とする公的な性格も持っている(弁護士法1Ⅰ)．弁護人は，原則として弁護士の中から選任される必要がある(法31Ⅰ)が，例外として，地方裁判所，簡易裁判所においては，裁判所の許可を得て，弁護士でない者を弁護人に選任することができる．これを**特別弁護人**という．ただし，地方裁判所においては，ほかに弁護士の中から選任された弁護人がある場合に限られる(法31Ⅱ)．

弁護人選任 弁護人は，被疑者・被告人又はその親族等が依頼して選任する私選弁護人と，裁判所，裁判長又は裁判官が被疑者・被告人のために選任する国選弁護人に分かれる．

被疑者・被告人は，いつでも弁護人を選任できる(法30Ⅰ)．被疑者・被告人の法定代理人，保佐人，配偶者，直系の親族及び兄弟姉妹も，独立して[14]弁護人を選任することができる(法30Ⅱ)[15]．選任は，被疑者・被告人等の選任権者と弁護人がそれぞれの氏名を連署した書面を作成した上，捜査段階では事

---

12) 移送の請求(法19)，管轄違いの申立て(法331)，証拠とすることの同意(法326Ⅰ)などがこの例である．
13) 忌避の申立て(法21Ⅱ)，原審弁護人の上訴権(法355)などは，被告人の明示の意思に反しては行使できない(被告人が黙っていれば，その意思に反してでも行使できる)．
14) 本人の明示の意思に反しても選任し得るという趣旨である．

件を担当する検察官又は司法警察員に，公訴提起後は裁判所に提出することにより効力を生じる(規17・18).

被告人についての弁護人の数は，原則として制限されないが，特別の事情がある場合は3人までに制限できる(法35，規26)[16]．被疑者についての弁護人の数は，原則として3人までであるが，特別の事情がある場合には，それを超えることができる(法35，規27)[17]．

国選弁護人　　弁護人は，原則として被告人・被疑者等の個人的な選任によるが，貧困その他の事情により選任し得ない場合には，裁判所，裁判長又は裁判官が弁護人を選任する[18]．この場合を国選弁護人と呼ぶ．**国選弁護人**は，弁護士の中から選任しなければならない．憲法37条III項後段は，被告人が自分で弁護人を依頼できないときは国が付けると定めている．刑訴法はこれを受けて，このような事情のある場合は，裁判所は，被告人の請求により弁護人を付けなければならないとしている(法36本文)．具体的には，被告人が貧困その他の事情により弁護人を選任することができないとき(法36)[19]と，被告人が未成年者，70歳以上の者，耳の聞こえない者，口のきけな

---

15) 弁護人選任の効力は，原則として特定の事件に限られ，捜査段階で選任すれば1審でも効力を有する(法32 I)が，実務上の便宜を考慮して，その選任の効力は，被告人又は弁護人が特に限定しない限り，追起訴されてこれと併合された事件にも及ぶ(私選弁護人につき規18の2，国選弁護人につき法313の2)．ただ，弁護人は，審級ごとに選任しなければならない(法32 II)．

16) 被告人に数人の弁護人がある場合は，被告人側の主張等を統一して訴訟を円滑に進行できるようにするため，そのうちの1人を主任弁護人に定めなければならない(法33).

17) 被疑者の弁護人が3人を超えることの認められる特別の事情としては，事案が複雑で，頻繁な接見の必要性が認められるなど，広範な弁護活動が求められ，3人を超える数の弁護人を選任する必要があり，かつ，それに伴う支障が予想されない場合と解される(最決平24・5・10刑集66・7・663).

18) 国選弁護人選任の性質については，公法上の一方行為とする説，第三者のためにする公法上の委任契約とする説もあるが，実務上は，裁判長等が行う単独の意思表示たる命令であると解されている．

19) 選任請求をする場合には，必要的弁護事件に当たる場合を除き，資力申告書(現金，預金等の流動性のある資産の合計額と内訳を記載したもの)を提出しなければならない(法36の2)．基準額(標準的な必要生計費と一般的な私選弁護人の報酬・費用を考慮して政令で定められる額．現行50万円)以上の資力を有する者が選任請求をするには，あらかじめ，管轄区域内の弁護士会に弁護人選任の申出をしなければならず，弁護士会から弁護人となろうとする者がいないなどという通知がされた場合に，「その他の事情」に当たるとして選任手続が進められる(法36の3)．資力のある者はまず私選弁護人を探すべきものと考えられるため，弁護士会に私選弁護人の選任の申出をすることを義務付けたものである(**私選弁護人選任申出の前置**)．被疑者国選弁護に関し

い者のいずれかであるとき，心神喪失者又は心神耗弱者の疑いがあるとき，その他必要と認めるときである(法37．なお，法290)．

それに加えて，平成16年の法改正により，被疑者段階から被告人段階までの一貫した公的弁護の必要性が認められ，**勾留された被疑者**が貧困その他の事情により弁護人を選任することができないときにも，国選弁護人の選任を請求できることとなった．その対象範囲は，当初，法定合議相当事件(死刑，無期又は短期1年以上の自由刑に当たる罪)で勾留された被疑者に限られていたが，その後，必要的弁護相当事件(死刑，無期又は長期3年を超える自由刑に当たる罪)まで拡張され，平成30年6月以降は，法定刑による制限がなくなり，勾留状が発せられているすべての被疑者が対象となっている(被疑者段階の国選弁護につき ⇨ 204頁)．

必要的弁護事件 死刑又は無期若しくは長期3年を超える懲役・禁錮に当たる事件[20]を審理する場合は，弁護人がなければ開廷することができない(法289Ⅰ)．このような事件の被告人に弁護人がないか，あっても出頭しないとき又は在廷しなくなったときは，裁判長は職権で弁護人を付けなければならない(同Ⅱ)．また，弁護人が出頭しないおそれがあるときも，裁判所は職権で弁護人を付することができることとなった(同Ⅲ)．なお，公判前整理手続(⇨ 259頁)も，弁護人がなければ行うことができないため，被告人に弁護人がないときは，裁判長は，職権で弁護人を付さなければならず(法316の4)，それに引き続く公判手続においても，弁護人が必要的である(法316の29)．さらに，即決裁判手続においても，弁護人の関与が必要的とされている(⇨ 363頁)．

国選弁護人の解任 国選弁護人の解任は，弁護人の辞任の申出あるいは被告人の請求によってその効力が生じるわけではなく，裁判所(起訴前は裁判官)の解任によって初めてその効力が生じる(最判昭54・7・24刑集33・5・416)．解任事由については，従来解釈で補われていたが，平成16年の法改正により，裁判所・裁判官の解任の権限と解任事由が明確に定められた．すなわち，① 私選弁護人の選任等により国選弁護人が不要となったとき，② 被告人と弁護人との利益相反により職務の継続が相当でないとき，③ 心身の故障等により弁護人の職務の遂行が不能又は困難になったとき，④ 弁護人の任務違背により職務の継続が相当でないとき，⑤ 弁護人

ても同様に定められている(⇨ 204頁注7)．なお，虚偽の資力申告書を提出した場合には，過料の制裁が科される(法38の4)．

20) 起訴された罪の法定刑による(東京高判昭28・6・29高刑集6・7・852)．

に対する暴行など，被告人の帰責事由により職務の継続が相当でないときに，解任することができると定められた(法38の3)．

日本司法支援センター　総合法律支援の実施及び体制整備に関し中核的役割を果たすものとして設立された(総合法律支援法，平成16法74)．同センターは，国選弁護人等契約弁護士を確保するなどして体制を整備した上，個別の事件につき，裁判所から依頼されれば国選弁護人候補者の指名通知を行い，国選弁護人に選任された契約弁護士にその事務を取り扱わせ，その報酬等を支払う事務を担当する．

補佐人　被告人の法定代理人，保佐人，配偶者，直系の親族，兄弟姉妹は，いつでも審級ごとに届け出て補佐人となることができる．補佐人は，被告人の明示した意思に反しない限り，被告人が可能な訴訟行為を行い得るが，刑訴法に特別の規定がある場合は除かれる(法42)．

5　裁判所

訴訟法上の裁判所　刑事事件につき審理裁判する国家の権限(刑事裁判権)は，裁判所に属する(憲76 I，裁3 I)．裁判所は，訴訟法上の(訴訟法の想定する)裁判所と国法上の裁判所という2つの意味で用いられる．**訴訟法上の裁判所**とは，裁判官によって構成された裁判機関としての裁判所のことで，具体的事件の審判を行う裁判機関のことである(具体的な「裁判官」や「刑事○○部」とは別個に観念される)．刑事訴訟法で用いる「裁判所」は，原則として訴訟法上の裁判所を指す．

合議体と単独体　裁判所が裁判機関として活動するとき，その活動は1名ないし数名の裁判官によって行われる．1名の裁判官による場合を単独体，数名の裁判官による場合を合議体という．最高裁判所(裁9)と高等裁判所(裁18)はすべて合議体で審判するが，地方裁判所は原則として単独体で審判し，特別の場合[21]には3人の合議体[22]で審判する(裁26)．地方裁判所で一定の重大事件を審理する場合に導入された裁判員裁判(⇨364頁)では，裁判官3人と裁判員6人が合議体を構成する．

---

21)　地方裁判所の刑事事件で合議体で審理されるのは，① 法定刑が死刑，無期又は短期1年以上の懲役若しくは禁錮に当たる罪(裁26 II ②)，② 刑事訴訟法等において合議体で審判すべきものと定められた事件(例えば，法23 II・265 I)，③ 合議体で審判する旨の決定を合議体でした事件(裁26 II ①)に分かれ，①② を法定合議事件，③ を裁定合議事件と呼ぶ．

簡易裁判所は常に単独体で審判する(裁35). 単独体の場合は, 1人の裁判官が同時に裁判所を構成しているのであるから, その訴訟行為が裁判官としてのものかあるいは裁判所としてのものかを区別する必要がある[23]. 不服申立てへの対処が異なることなどによる.

受命裁判官・受託裁判官 検証や裁判所外の証人尋問のように, 事柄によっては必ずしも合議体の全員が参加しないでもすむ場合がある. そのような訴訟行為は合議体の構成裁判官に行わせることができ, その裁判官を受命裁判官という. また, 他の裁判所の裁判官に証人尋問などの嘱託をすることができるが, その嘱託を受けた裁判官を受託裁判官という[24].

国法上の裁判所 国法上の裁判所は, 裁判所法によって定められた裁判機関(裁判官)の集合体, すなわち, 当該裁判所に配属された判事・判事補等の集合体を指す[25].

この意味での裁判所は, 最高裁判所と下級裁判所とに分かれる[26]. 最高裁判所は長官と14名の最高裁判事で構成される. 下級裁判所は高等裁判所, 地方裁判所, 家庭裁判所, 簡易裁判所の4種が存在する. 高等裁判所は全国に8箇所存在し, 地方裁判所と家庭裁判所は各都道府県庁所在地に置かれ[27], 簡易裁判所は全国の四百数十箇所に置かれている.

刑事事件については, 原則として, 地方裁判所・簡易裁判所が第1審裁判所であり, 高等裁判所が第2審(控訴審), 最高裁判所が第3審(上告審)である. 地方裁判所が原則的な第1審裁判所であり, 簡易裁判所は罰金以下の刑に当たる罪, 選択刑として罰金が定められている罪(窃盗罪等), 横領等の一定の軽微な罪に係る事件(それらについても3年を超える懲役刑を科すことはできない)を

---

22) 合議体は裁判長と陪席裁判官とから成る. 裁判長は合議体の機関として, 訴訟指揮権(法294・295等), 法廷警察権(法288, 裁71・71の2等)等の重要な権限を行使し得る.
23) 例えば, 公判期日の指定(法273 I)は裁判官(裁判長)としての行為であるが, 公判期日の変更(法276 I)は裁判所としての行為である.
24) ほかに, 捜査の段階で令状を発付(⇨74頁)するように, 裁判官が裁判機関の一員としてではなく, 独立に訴訟法上の権限を認められることがある.
25) 国法上の裁判所をより広義に理解すると, 裁判官だけでなく職員全部及び施設を含めた官署(役所)としての裁判所を指す. 裁判官以外の職員の中で裁判事務について特に重要な関係があるのは裁判所書記官である. 官署としての裁判所は, 司法行政の単位としての意味があるだけで, 訴訟法上特別の権限を持っているわけではない.
26) 最高裁判所の判断は, 他の裁判所(下級裁判所)とは質的に異なった重みを有する.
27) 北海道は広さを考慮して計4箇所の地裁・家裁が設けられている.

取り扱う(⇨239頁).

裁判官の任用　地方裁判所の裁判官は判事，判事補からなる[28]．判事は，判事補，検事，弁護士等を10年以上経験した者から選ばれることになっているが(裁42)，現在はそのほとんどが判事補から任命されている．判事補は，司法研修所を出て裁判官任官を許された者である．このようにほとんどの裁判官が当初から裁判官としての人生をおくる制度を**キャリア・システム**と呼ぶ．これに対して，裁判官以外の法律家(特に弁護士)の経験を経た者から裁判官を選ぶ制度を法曹一元制という．弁護士・検事と裁判官をまとめて「法曹」という一体としてとらえる点に特色がある．

裁判官の身分保障は，かなり徹底している．特別の事情がない限り10年の任期の途中で辞めさせられることはない．判事の定年は65歳であり，最高裁判所判事と簡易裁判所判事については70歳である．

> **法曹一元**　「法曹一元にしたほうが裁判がより国民に近づいたものになる」という見解もあるが，特に刑事裁判の場合，弁護士のうち刑事事件を多く担当する者が少なく，永年弁護士を経験した者が任官すると通例は収入が減少し，裁判官としての転勤も障害となる．平成16年に，弁護士から裁判官への任官をより実現しやすくするための非常勤裁判官(民事・家事調停官)の制度が導入されたが，弁護士から裁判官への任官者はあまり多くなっていない．なお，判事補が一定期間弁護士として経験することができる他職経験の制度も導入された．

> **陪審・裁判員制度**　陪審を導入して，国民自らが裁判をすればより国民に近づいた裁判所になるかというと，この点もそう単純ではない(陪審法は現在停止されている)．平成16年の法改正により，陪審制ではなく，一般国民が裁判官とともに一定の重大な犯罪の審理において事実認定と量刑を行う裁判員制度(⇨364頁)が導入され，平成21年5月から実施されている．裁判員制度は，裁判の正統性に対する国民の信頼を高めることを目的とするが，制度導入後十数年の実情を見ると，概ね順調に運用されており，未解決の課題もあるものの，国民生活の中にほぼ定着したといってよい．

---

28) ほかに，最高裁判所長官，最高裁判所判事，高等裁判所長官，簡易裁判所判事が裁判官である．

IV 犯罪被害者への配慮

1 被害者保護施策

従来の犯罪被害者等の立場　刑事手続における犯罪被害者(被害者が死亡した場合又はその心身に重大な故障がある場合は，配偶者，直系の親族，兄弟姉妹を含むため，以下「**被害者等**」という)は，かつてわが国では，証拠を提出する立場にあるにすぎないと考えられ，その心情等は当事者である検察官の活動に反映され，明らかにされると考えられてきた．もっとも，以前から，被害者の告訴制度や，不起訴処分に対する付審判の請求(⇨216頁)，検察審査会への申立て(⇨215頁)など，被害者の心情に配慮した規定も存在していた．

被害者保護の諸施策　被害者等の保護・支援を図ることが必要であると広く認識されるようになったため，運用によって，検察官による処分状況等の通知制度(⇨219頁注13)等が実施されたほか，平成11年，12年の法改正により，性犯罪に関し告訴期間の制限が撤廃され(その後，性犯罪は非親告罪とされた⇨93頁)，被害者等が証言する場合を念頭に置いて，証人等に関する情報(住居等)の開示を制限する手続(法295Ⅱ・299の2⇨292頁注28)や，証人尋問の際に付添い・遮へいの措置を採り，ビデオリンク方式を利用する制度(法157の4～6⇨343頁)が設けられ，さらには，被害者等が公判手続において心情その他の意見を陳述する制度(法292の2⇨350頁注52)も設けられた(その後，平成28年の法改正により，被害者以外の証人の保護の観点も加わり，ビデオリンク方式による証人尋問の拡充等が行われた)．また，平成12年に犯罪被害者等保護法が制定され，民事上の和解を記載した公判調書への執行力の付与(同法19)，被害者等が法廷傍聴を希望した場合の配慮(同法2)，被害者等による記録の閲覧・謄写(同法3)などの制度も設けられた(⇨52頁)．

2　被害者参加制度

(1)　制度導入の背景

　　　　　　　　　被害者等は，刑事裁判の推移や結果に重大な関心を有し，刑
被害者参加制度　事裁判に適切に関与することによってその名誉の回復や被害
からの立ち直りに資する場合も少なくないが，被害者等に当事者としての参加を認めることは，検察官のみに訴追を認め，検察官が訴因を設定して主張・立証を行い，被告人・弁護人がそれを防御するという現在の刑事訴訟法の基本的構造に抵触する．そこで，平成19年の法改正により，その基本的構造の範囲内で，裁判所が一定の事情を考慮して相当と認めるときに，被害者等の参加を許可するものとし，許可された**被害者参加人**は，原則として公判期日に出席することができるとともに，検察官と密接なコミュニケーションを保ちながら，一定の要件の下で，裁判所の許可を得た場合には，証人尋問，被告人質問，事実又は法律の適用について意見の陳述をすることができる制度が創設された．

　　被害者参加人の立場　被害者参加人は，訴訟当事者として参加するものではないから，検察官と被告人・弁護人が攻撃・防御を行い，裁判所が中立的な立場で判断するという2当事者対立の基本的構造を変えるものではない．また，被害者等の参加は，裁判所が相当と認めた場合に許されるものであり，許可されなかった場合に不服を申し立てることはできないから，権利として参加が認められたわけではないといえよう．とはいえ，被害者参加制度は，現行法の基本的構造に抵触しない範囲で，従来は認められなかった被害者等の訴訟手続への関与を認めた世界的にも例のない新たな制度であり，実質的には権利が認められたのと変わりがないともいえる．

　　検察官と被害者参加人との連携　被害者参加人は，検察官の権限行使に関して意見を述べることができ，この場合，検察官は，必要に応じて，権限の行使・不行使について説明しなければならない(法316の35)．この規定は，検察官が被害者等と密接にコミュニケーションを図ることにより，2当事者対立構造を崩さずに，被害者等の意見を手続に反映させることを担保しようとするものである．被害者参加人が情状に関する証人尋問，被告人質問，弁論としての意見陳述をする際，まずは検察官に申し出て，検察官が意見を付して裁判所に通知することとされている

のも，密接なコミュニケーションを前提とするものであり，被害者参加人が的確で効果的な尋問や質問をするには，検察官と被害者参加人との間であらかじめ十分打ち合わせを行う必要があると考えられるためである．

無罪推定の原則との関係　被害者参加制度について，有罪判決が確定するまでは「被害者」も確定しないから，そのような者を「被害者」として参加させるのは無罪推定の原則に反するとの見解がある．しかし，流動的な訴訟手続の一定の段階で証拠等に照らして被害者と想定される者に一定の手続への参加を認めても，検察官の挙証責任を転換するものではないし，挙証責任の程度を軽減するものでもないから，無罪推定の原則に反するものではない．

(2)　被害者参加の許可等

参加の許可等　裁判所は，次の条件を満たす場合に，被害者等の被告事件への参加を許すものとされている(法 316 の 33 I)．

対象事件　対象事件は，(a) 故意の犯罪行為により人を死傷させた罪(殺人罪，傷害罪等のほか，強盗致死傷罪のように，故意による犯罪行為とそれによる死傷の結果が構成要件とされている罪をいう)，(b) 強制わいせつ及び強制性交等の罪，業務上過失致死傷等の罪，逮捕及び監禁の罪，略取誘拐及び人身売買の罪のほか，(c) その犯罪行為に (b) の罪を含む罪(例えば，強制性交等の罪の犯罪行為を含む強盗強制性交等の罪)，(d) 過失運転致死傷，無免許運転致死傷等の罪(自動車の運転により人を死傷させる行為等の処罰に関する法律違反の一部)，及び (e) これら (a) ないし (c) の罪の未遂罪である．被害者等の参加の要望が強い類型の事件が対象とされている．

参加できる者　参加できるのは，(ア) 被害者，(イ) 被害者が死亡した場合若しくはその心身に重大な故障がある場合は，その配偶者，直系の親族若しくは兄弟姉妹，又は (ウ) 被害者の法定代理人である．

参加を許可する場合　被害者等(前記 (ア) 及び (イ))若しくは被害者の法定代理人(前記 (ウ))又は (エ) これらの者から委託を受けた弁護士から，被告事件の手続への参加の申出があるときは，裁判所は，被告人又は弁護人の意見を聴き，犯罪の性質，被告人との関係その他の事情を考慮し，相当と認める場合に，決定で，当該被害者等又は被害者の法定代理人の参加を許す[1]．被告人が事実を争い無罪を主張している場合であっても，そのこ

とのみで不相当となるものではない．

参加申出の手続　参加の申出は，あらかじめ検察官にしなければならず，検察官は，意見を付してこれを裁判所に通知する（法 316 の 33 II）．申出ができる時期は，公訴提起後，当該被告事件が終結するまでの間であるが，実際には，第 1 回公判期日の前に申出のされる例が少なくない．

(3) 被害者参加人の権限

被害者参加人の権限　裁判所の許可が得られた場合，被害者参加人又はその委託を受けた弁護士（以下「被害者参加人等」という）には，以下のような権限が認められる．被害者参加人の委託を受けた弁護士が公判期日への出席等を認められるのは，被害に遭ったことによるショック等で参加が困難な被害者等に代わって参加したり，法的支援を相当とする場合があるためである．委託を受けた弁護士の役割の重要性にかんがみ，資力の乏しい被害者参加人も公費で弁護士の法的支援を受けられるようにするため，被害者支援の弁護士を裁判所が選任する国選被害者参加弁護士制度が設けられている．

　　公判への出席　被害者参加人等は，裁判所が審理の状況，被害者参加人等の数その他の事情を考慮して相当でないと認めるとき[2]を除き，公判期日に出席することができる（法 316 の 34）[3]．出席する場合の着席位置は，法廷の施設の状況や，出席する人数等によって異なるであろうが，通常は，検察官の隣になる．

---

1) 相当でない場合としては，暴力団の対立抗争事件等のように，法廷の秩序が乱されるおそれや被告人の防御に不利益を生じるおそれがある場合のほか，被害者と被告人の関係が従前から非常に険悪で顔を合わせれば一触即発の状態になってしまうような場合が想定されている．裁判所は，参加の許可を受けた者が被害者等に該当しないことが明らかになったとき，罰条が撤回・変更されたため被告事件が対象事件に該当しなくなったとき，又は参加を認めるのが相当でないと認めるに至ったときは，参加の許可を取り消さなければならない（法 316 の 33 III）．
2) 証人尋問又は検証が行われる公判準備への出席も認められる（法 316 の 34 V）．公判期日等への出席が相当でない場合としては，例えば，被害者参加人が後に証人として出席することが予定されているような場合や，法廷内で不規則発言をして訴訟指揮に従わないおそれが大きい場合等が考えられる．
3) 裁判所は，被害者参加人又はその委託を受けた弁護士が多数である場合において，法廷の広さ等を考えると制限の必要があると認めたときは，公判期日に出席する代表者を選定するよう求めることができる（法 316 の 34 III）．公判期日等に出席した被害者参加人は，旅費，日当，宿泊料の支給を国に求めることができる（被害者等保護法 5・6）．

付添い・遮へい　被害者参加人が，その心身の状態その他の事情により，出席する場合には著しい不安又は緊張を覚えるおそれがあると認めるときは，適当と認める者を付き添わせることができ，また，被告人の面前において在席，質問，陳述等をする場合に圧迫を受け精神の平穏を著しく害されるおそれがあると認めるときは，被告人との間に遮へいの措置を採ることができ，さらに，裁判所が犯罪の性質等を考慮して相当と認めるときは，傍聴人との間に遮へいの措置を採ることができる（法 316 の 39）．

証人尋問の申出　被害者参加人等による証人尋問の申出は，検察官の尋問が終わった後直ちに，まずは，尋問事項を明らかにして検察官にしなければならない．検察官は，申出があった事項について自ら尋問する場合を除き，意見を付して，裁判所に通知する（法 316 の 36 II）[4]．裁判所は，被告人又は弁護人の意見を聴き，審理の状況，申出に係る尋問事項の内容，申出をした者の数その他の事情を考慮し，相当と認めるときは，被害者参加人等の尋問を許可する（同 I）．

情状に関する事項　被害者参加人等による証人尋問が認められるのは，情状に関する事項についての証人の供述の証明力を争うために必要な事項に限られる（法 316 の 36 I）．犯罪事実に関するものは除かれるため，情状に関する事実のうち犯罪事実自体に属する情状であるいわゆる犯情（動機，目的，計画性，犯行態様等）は含まれず，被告人やその親族の示談の申出や謝罪の状況等のように，犯罪事実に関係しない一般情状に関するものに限られることになる．また，証人が既にした供述の証明力を減殺するための弾劾的質問に限られており，新たな事項についての尋問は予定されていない[5]．

4）　被害者参加人等から証人尋問の申出があった場合，検察官は，被害者参加人等と打ち合わせて，尋問技術に習熟した検察官が尋問することが適当と判断すれば，検察官が自ら尋問することになり，被害者参加人等が直接尋問することが適当と判断すれば，許可相当という意見を付して裁判所に通知することになる．これに対し，尋問が法律上許されないなどの理由で不適当と判断すれば，被害者参加人等に説明して説得するであろうが，仮に被害者参加人等がそれでも自ら尋問することを希望するなら，許可不相当という意見を付して通知することになろう．

5）　尋問できる事項が限定されたのは，犯罪事実に関する検察官の主張・立証と矛盾する尋問が行われて，事案の真相解明が困難になるという弊害等を防止するためである．なお，裁判長は，被害者参加人等の尋問が既にした尋問と重複するなど相当でない場合のほか，情状に関する事項についての証人の供述の証明力を争うために必要な事項以外の事項にわたるときは，尋問を制限することができる（法 316 の 36 III）．

被告人質問　被害者参加人等による被告人質問の申出は，あらかじめ，質問する事項を明らかにして検察官にしなければならない．検察官は，申出があった事項について自ら質問する場合を除き，意見を付して，裁判所に通知する(法316の37Ⅱ)．裁判所は，被告人又は弁護人の意見を聴き，審理の状況，申出に係る質問事項の内容，申出をした者の数その他の事情を考慮し，相当と認めるときは，被害者参加人等の質問を許可する(同Ⅰ)[6]．

> **被告人への質問**　被害者参加人等による被告人質問が許されるのは，意見の陳述をするために必要があると認められる場合である(法316の37Ⅰ)．被害者参加人等が将来行う意見陳述(法292の2による被害に関する心情その他の意見の陳述と，法316の38による事実又は法律の適用についての意見の陳述)を実質的なものあるいは効果的なものにする趣旨で認められる．証人尋問の場合と異なり，情状に関する事項に限られるわけではないが[7]，検察官が質問した上でなお被害者参加人等が行うことが適当と考えられる場合に許されるというプロセスは，証人尋問の場合と異ならない．

意見陳述　被害者参加人等による意見陳述の申出は，あらかじめ，陳述する意見の要旨を明らかにして検察官にしなければならない．検察官は，意見を付して，裁判所に通知する(法316の38Ⅱ)．裁判所は，審理の状況，申出をした者の数その他の事情を考慮し，相当と認めるときは，被害者参加人等の意見陳述を許可する(同Ⅰ)[8]．

> **弁論としての意見陳述**　許可された被害者参加人等は，検察官の論告・求刑の後

---

[6]　裁判長は，被害者参加人等の質問が既にした質問と重複するなど相当でない場合のほか，意見陳述をするために必要な事項以外の事項にわたるときは，質問を制限することができる(法316の37Ⅲ)．

[7]　事実又は法律の適用についての意見陳述は，訴因として特定された事実の範囲内で行うこととされているから，被害者参加人等が訴因の範囲を超える事実について被告人質問をすることは許されない．例えば，傷害致死罪で起訴された事件において，被害者を殺すつもりではなかったのかというような殺人罪を前提とする質問である．また，被害者参加人等が検察官の主張・立証と抵触する独自の主張をすることは想定されていないから，独自の主張を立証するような質問も許されない．例えば，検察官が現場共謀との立証活動をしている場合に，事前共謀による計画的犯行との前提で行うような質問である．

[8]　ここでも検察官とのコミュニケーションが前提となっており，検察官のした論告では足りない部分について補足的に行うことが想定されている．裁判長は，被害者参加人等の意見陳述が既にした陳述と重複するなど相当でない場合のほか，意見陳述が訴因として特定された事実の範囲を超えるとき(前記注7参照)は，これを制限することができる(法316の38Ⅲ)．

に，訴因として特定された事実の範囲内で，事実又は法律の適用について意見を陳述することができる(法316の38 I)．事実又は法律の適用についての意見とは，公訴事実や量刑の基礎となる事実につき，どのような事実がどのような証拠によって認められるかを述べる意見や，認められる事実に対する実体法及び手続法の具体的な解釈，適用を述べる意見等をいう．この意見陳述は，検察官の論告や弁護人の弁論と同様，意見にすぎず，証拠とはならない(同IV)．

被害に関する心情その他の意見陳述(法292の2)との違い この意見陳述(⇨350頁注52)は，被害に関する心情を述べるものであり，申出があった場合には原則として認められ，その意見は量刑の資料とすることができるのに対し，弁論としての意見陳述は，事実又は法律の適用に関するものであり，審理の状況等に照らし相当と認められて許可された場合に限って行われ，その意見は証拠とならないという違いがある[9]．

3 被害者の氏名等の情報を保護する制度

性犯罪の被害者等は，公開の法廷でその氏名等が明らかにされると名誉やプライバシーが著しく害されるおそれがあることから，平成19年の法改正により，裁判所が，相当と認めるときは，公開の法廷でその氏名等を明らかにしない旨の決定をすることができる制度が設けられた．この決定がされると，起訴状の朗読等において，被害者の氏名等を明らかにしない方法で行うことになる[10]．

また，証拠開示によって被害者の氏名等が弁護人に明らかになることもあ

---

[9] 弁論としての意見陳述と被害に関する心情その他の意見陳述とは別個の制度であるから，被害者参加人等が両方の意見陳述をすることも可能であるが，被害に関する心情を述べるものとして弁論としての意見陳述とは別に陳述させるのが相当な場合でなければ，弁論としての意見陳述でまとめて陳述させるということも考えられるであろう．

[10] これに加えて，より確実に被害者等の氏名・住所等の個人特定事項が被疑者・被告人に伝わらないようにする制度を盛り込む法改正が計画されている．具体的には，性犯罪等の被害者や加害行為等を受けるおそれのある被害者等については，被告人に送達されるべき起訴状の謄本に代えて上記特定事項の記載されていない起訴状の抄本を被告人に送達し，公判廷でも同抄本の朗読で足りることとし，逮捕状，勾留状，判決書についても上記特定事項の記載されていない抄本を被疑者・被告人に示したり交付したりすることで足りるとするものである．被害者以外であっても，加害行為等を受けるおそれのある者の個人特定事項については，同様の措置を採ることができるものとされ，これらの措置による弁護側の防御権を保障する観点から，不服申立て制度も設けられる(令和3年9月16日法制審議会資料参照)．

るため，検察官は，証拠開示に際し，弁護人に対し，被害者の氏名等が被告人その他の者にみだりに知られないようにすることを求めることができる．

(1) 公開の法廷における被害者の氏名等の秘匿

被害者の氏名等の秘匿　裁判所は，一定の犯罪につき，被害者等(被害者と，被害者が死亡した場合又はその心身に重大な故障がある場合の配偶者，直系の親族，兄弟姉妹)若しくは被害者の法定代理人又はこれらの者から委託を受けた弁護士から申出があった場合は，被告人又は弁護人の意見を聴き，相当と認めるときは，公開の法廷で被害者特定事項を明らかにしない旨の決定をすることができる(法290の2 I)[11]．

> **対象となる犯罪**　対象となるのは，①(a) 強制わいせつ及び強制性交等の罪，わいせつ又は結婚の目的に係る略取・誘拐の罪等のいわゆる性犯罪に係る事件や，(b) 犯行の態様，被害の状況その他の事情により被害者特定事項が公開の法廷で明らかにされることにより被害者等の名誉・社会生活の平穏が著しく害されるおそれがあると認められる事件である(同条I)．また，② 犯行の態様，被害の状況その他の事情により被害者特定事項が公開の法廷で明らかにされることにより被害者若しくはその親族の身体・財産に害を加え，又はこれらの者を畏怖・困惑させる行為がなされるおそれがあると認められる事件も対象となる(同条III)．

被害者特定事項　秘匿されるのは，被害者の氏名及び住所その他の当該事件の被害者を特定させることとなる事項(被害者特定事項)である．その他の事項としては，被害者の勤務先や家族の氏名等が考えられる．

秘匿の方法　裁判所の決定があると，起訴状の朗読[12]や証拠書類の朗読は，被害者特定事項を明らかにしない方法，例えば，被害者が1名であれば氏名を読まずに単に被害者と言い換え，複数であれば被害者A，被害者Bと言い換えるなどして行われる(法291 II・305 III)．また，裁判長は，訴

---

11) 被害者以外の証人等についても，加害行為等のおそれがある場合に，証人等特定事項の秘匿が認められる(法290の3 ⇨ 322頁)．
12) 被害者特定事項を明らかにしないで起訴状を朗読する場合，検察官は，被告人に起訴状を示さなければならない(法291 II)．なお，裁判員裁判対象事件については，裁判員等選任手続の段階においても，被害者特定事項を明らかにしてはならず，明らかにされた場合には裁判員候補者がそれを公にしてはならない旨定められている．

訟関係人のする尋問又は陳述(証人尋問, 被告人質問, 冒頭陳述, 弁論等)が被害者特定事項にわたるときは, 当該尋問又は陳述を制限することができる. ただし, 制限することによって, 犯罪の証明に重大な支障を生ずるおそれがある場合, 又は被告人の防御に実質的な不利益を生ずるおそれがある場合は, 除かれる(法 295 Ⅲ).

(2) 証拠開示の際の被害者特定事項秘匿の要請

　　被害者特定事項
　　の秘匿の要請

検察官は, 証拠開示に当たり, 被害者特定事項が明らかにされることによって, 被害者等の名誉・社会生活の平穏が著しく害されるおそれがあると認めるとき, 又は被害者若しくはその親族の身体・財産に害を加え, 若しくはこれらの者を畏怖・困惑させる行為がなされるおそれがあると認めるときは, 弁護人に対し, その旨を告げ, 被害者特定事項が, 被告人の防御に関し必要がある場合を除き, 被告人その他の者に知られないようにすることを求めることができる(法 299 の 3)[13].

4　被害者の権利利益の保護を図る諸施策

　　法廷傍聴の配慮

被害者等が当該刑事事件の公判手続の傍聴を申し出た場合, 裁判長は, 傍聴席や傍聴希望者の数その他の事情を考慮しつつ, 申出をした者が傍聴できるように配慮しなければならない(被害者等保護法 2).

　　記録の閲
　　覧・謄写

犯罪被害者等については, 閲覧・謄写を求める理由が正当でないと認められる場合と, 犯罪の性質, 審理の状況その他の事情を考慮して相当でないと認められる場合を除き, 訴訟記録の閲覧・謄写が認められる(被害者等保護法 3). また, 同種余罪の被害者等についても, 損害賠償請求権の行使のために必要があると認められるなどの一定の場合に閲

---

[13] 同様の措置として, 検察官又は弁護人が, 証拠開示等の際に, 証人等の所在場所に関する情報が他に流出しないようにするなどの配慮を相手方に求めることができる(法 299 の 2 ⇨ 292 頁注28)が, これは, 証人, 鑑定人等の身体等への加害行為を防止するという証人保護の措置であり, 被害者保護の観点からのものではない.

覧・謄写が認められる(同法4).

民事上の和解　被告人と犯罪被害者等の間に民事上の争いについて合意が成立した場合には，共同して当該合意を刑事事件の公判調書に記載するよう求めることができ，それが記載された調書は，裁判上の和解と同一の効力(執行力)を有することになる(同法19).

損害賠償命令　犯罪被害者等が犯人に対して損害賠償を請求する場合，従来は，最終的には民事裁判によらなければならなかった．ところが，多くの労力・費用・時間を要することも少なくなかったし，独力で十分な証拠を得ることも困難であった．そこで，犯罪被害者等による損害賠償請求に係る紛争を刑事手続の成果を利用して簡易かつ迅速に解決できるよう，平成19年の法改正により損害賠償命令の制度が設けられた[14].

　　申立て　故意の犯罪行為により人を死傷させた罪，強制わいせつ及び強制性交等の罪，逮捕及び監禁の罪，略取誘拐及び人身売買の罪等[15]に係る刑事被告事件の被害者又はその一般承継人は，当該被告事件の係属する裁判所(地方裁判所に限る)に対し，その弁論の終結までに，当該被告事件の訴因を原因とする不法行為に基づく損害賠償の請求について，その賠償を被告人に命ずるよう申し立てることができる(被害者等保護法23).

　　審理　損害賠償命令の申立てについての審理・裁判は，刑事被告事件について終局裁判の告知があるまで，これを行わない(被害者等保護法26I)．民事に関する争いが刑事裁判に持ち込まれることによって迅速かつ適正な刑事裁判の実現が阻害されないようにとの配慮による．そして，有罪の言渡しがあった場合には，損害賠償命令の申立てについての審理期日を開かなければならず，最初の審理期日において，刑事事件の訴訟記録のうち必要でないと認めるものを除いて取調べをし

---

14) 大陸法系の附帯私訴制度は，被害者等による民事訴訟(**附帯私訴**)の審理が刑事手続の審理と併せて行われるため，刑事手続の中に複雑な民事上の問題が持ち込まれたりして，刑事手続が遅延するおそれがあるほか，証拠法則の違いなどによる複雑で解決困難な問題が生じるなどと指摘されていた．損害賠償命令の制度は，附帯私訴とは異なるもので，刑事裁判と民事裁判は独立している．刑事裁判で有罪判決を言い渡した裁判官が，その心証を民事の手続に事実上反映させることになるにすぎず，刑事裁判の法的拘束力はない．また，この制度は，英米法系の刑罰としての損害賠償命令とも異なるものである．

15) 対象事件は，被害者救済の必要性が特に強いとされている事件であり，概ね被害者参加制度の対象事件と重なるが，業務上過失致死傷及び自動車による過失運転致死傷等の罪が除かれている．それらの罪で損害賠償額を決める際には，過失相殺が問題となることが多く，それらの罪まで対象に含ませると，本来は民事裁判でやるべきことが刑事手続に持ち込まれて，迅速な刑事裁判を阻害するおそれがあるためである．

なければならない．また，特別の事情がある場合を除き，4回以内の審理期日で審理を終結しなければならない(同法30)．裁判は口頭弁論を経ないですることができ，口頭弁論をしない場合は，当事者を審尋することができる(同法29)．

裁判　損害賠償命令の申立てについての裁判は，決定によるものとされ，確定した場合には確定裁判と同一の効力を有し，必要があると認めるときは，申立てにより又は職権で，担保を立てて，又は立てないで仮執行できる旨を宣言することができる(同法32)．

異議　当事者は，決定書の送達を受けてから2週間以内に異議の申立てをすることができる．適法な異議申立てがあると，仮執行宣言が付されたものを除き，裁判はその効力を失い，損害賠償命令の申立ての時に，地方裁判所又は簡易裁判所に訴え(民事訴訟)の提起があったものとみなされる(同法33・34)．

民事訴訟手続への移行　裁判所は，最初の審理期日を開いた後，審理に日時を要するため，特別の事情がある場合を除いて4回以内の審理期日において審理を終結することが困難であると認めるときは，申立てにより又は職権で，損害賠償命令事件を終了させる旨の決定をすることができる．また，裁判所は，① 刑事被告事件の終局裁判があるまでに，申立人から，損害賠償命令の申立てに係る請求についての審理・裁判を民事訴訟手続で行うことを求める旨の申述があったとき，又は ② 損害賠償命令の申立てについての裁判の告知があるまでに，当事者から，当該申立てに係る請求についての審理・裁判を民事訴訟手続で行うことを求める旨の申述があり，相手方が同意したときは，損害賠償命令事件を終了させる旨の決定をしなければならない(同法38)．

V

刑事手続の概観

1 刑事手続の多様性

刑事手続の流れ　日本の刑事手続の流れを概観すると，図2 (58頁)のようになる．本書では，まず，警察・検察をまとめたいわゆる捜査の段階を説明して，その後，公判前手続と第1審公判手続を説明し，その中で証拠についても説明していくことにする．

　刑事手続は，一般に考えられている以上に多様であり(図1参照)，しかも，犯罪のごく一部にしか対応していないといえる．刑法犯の発生を警察などが認識しても，**検挙**される率は全犯罪で約45%にすぎない．そして，約18万2000人検挙されても，最終的に正規の裁判を受けて有罪・無罪の判決を受ける人間は約2万6000人にすぎず，そのうち無罪人員は50人に達しない．実は，刑事手続を代表する公判手続を経る事件はごく一部の重い刑罰が科される場合にすぎないということに注意する必要がある．

手続の分岐　警察は全部の事件を検察に送らなければならないのであるが，例外が認められている．警察段階で手続から離脱させることを**微罪処分**という(法246但書)．極めて軽微で処罰の必要のないことが明らかな犯罪，具体的には財産犯，特に窃盗罪と占有離脱物横領罪が中心である(2005年ころからは暴行罪も増加している)．さらに，近時，検挙される者の約10%を占める20歳未満の者は，少年法により，検察庁を経て，あるいは検察庁を経ずに直接，家庭裁判所に送られる(⇨210頁)．民法改正により成人年齢が18歳となったものの，少年法上は20歳未満の者が「少年」として家庭裁判所に送致されることに変わりはない．そのうちの18歳未満の者は，原則として刑罰を受けず，保護処分を受けるにすぎないので，普通の刑事手続の流

れにはのらないことになる．これに対し，18歳以上の者は，「特定少年」として，20歳以上の者に近い取扱いを受けるものとされ，重大事件等の一定の類型の犯罪については，刑事手続に戻すことが原則とされている[1]．

検察段階では，実質的な選別が行われ，起訴されて正式に裁判所に送られるのは一部にすぎない（不起訴・起訴猶予 ⇨ 217頁）．検察官には幅広い裁量権限が与えられているからである[2]（その結果，日本では無罪率が非常に低くなるという面がないとはいえない ⇨ 33頁）．

裁判のレベルでも，犯罪の軽重などによって手続は分かれる．軽微な事件は**略式手続**で処理される（⇨ 253頁）．さらに，実質的には罰金同様の効果があ

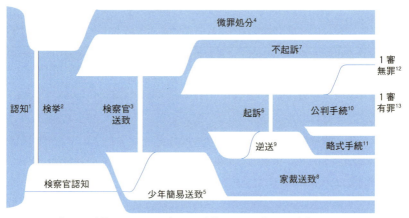

1：614,231（687,144）件　　2：279,185（352,098）件　　182,582（243,927）人
3：127,295（188,640）人　　4：51,823人　　5：3,464人　　6：64,778（106,590）人
7：108,617（152,569）人　　8：21,185（24,414）人　　9：154（179）人
10：46,141（68,351）人　　11：18,637（38,239）人　　12：48（75）人　　13：25,757（49,307）人
※この他，検察段階で，中止・移送が存在する．括弧内は特別刑法犯を含む数．

図1　令和2年（2020年）の刑法犯処理状況（交通関連過失致死傷罪を除く）

---

1) さらに少年の場合にも，軽微な事案を特別な形で処理する制度が存在し（**少年簡易送致**），警察が訓戒・注意をした上，簡易送致書のみが毎月一括して家庭裁判所に送致され，審判不開始となっている．

2) この制度の功罪は微妙である．一部の学説には，「もっと起訴して，裁判所の判断を求めるべきではないか」という趣旨の発言も見られた（平野龍一『団藤博士古稀祝賀論文集4巻』407頁以下）．ただ，被告人の側から見れば，少しでも早い段階で刑事手続から解放されるのが望ましい．もとより，不起訴の範囲が広がりすぎると，真実究明という刑訴法1条の目的を否定することになりかねない．また，被疑者の「無実であることを公に確認する」利益もないとはいえない．

るにもかかわらず裁判を経由せずに科されるものとして，反則金制度がある[3]．

ディバージョン　警察・検察・裁判段階という刑事司法の中で，主要手続から外れていく人員は多い．ディバージョンとは，このように，ある範囲の刑事事件の処理を，有罪・無罪の判定に向けた通常の流れから離脱させて処理することをいう．欧米では事件が多すぎて，刑事システムで対応しきれないのでディバージョンを設けざるを得ない面が強かった．一方，日本では，事件の数は必ずしも多くなかったが，警察段階・検察段階で処理した方が，刑事政策的によりよい効果が得られるのではないかという視点からディバージョンが論じられてきた．しかし，2002年をピークに，犯罪数が急増し，刑事施設が「溢れる」事態が生じて，「欧米型」のディバージョンを考えざるを得なくなってきたようにも見えた．ところが，その後犯罪発生状況は著しく改善し（⇨9頁），「望ましい刑事司法制度」の探求が可能となったといえよう．

2　主要な手続の流れ

警察段階　現在の刑法犯認知件数はピークだった平成14年に比べて約5分の1にまで減少し，約61万件（交通事件を除く）である．検挙件数が約28万件であり，検挙人員が約18万人である．1人検挙すると複数の事件の検挙に繋がることが多いので，件数は人員数の2倍以上であったが，最近は，検挙者1人当たりの検挙件数の比率が低下してきている（令和2年は1.5倍にすぎない）．

暗数　犯罪が発生しても認知されない部分のことを暗数という．暗数は，それを直接認識できないが，社会学的調査等から犯罪発生件数を推測できるとされる．

捜査の端緒　刑事警察の主要な任務は捜査にある．捜査というのは，基本的には裁判の準備作業であるといってよい（⇨66頁）．この捜査という作業を始めるきっかけのことを捜査の端緒という．

捜査の端緒としては，以下のようなものがある．被害者（関係者）の届出，第三者の届出，告訴・告発，職務質問，取調べ，現認・被害発見，聞込み，自首などである．圧倒的に被害者（関係者）の届出が多く，約90％である．最近は第三者

[3)] 交通事件の件数があまりにも多くなったため，刑事手続の負担減少を図って導入された．刑事罰でなく行政罰とされたことにより，その範囲は当初より広がっている．

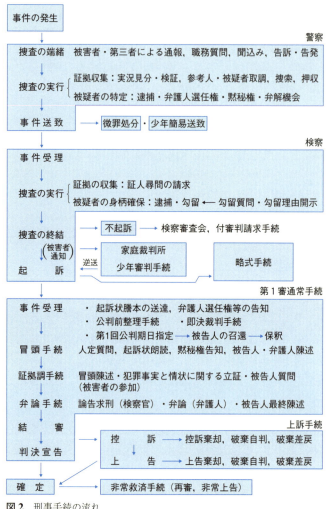

図2　刑事手続の流れ

の届出が増加してきている．とりわけ，特定の業種，つまり警備会社の届出の件数が増えてきている．告訴・告発は 0.7% にすぎず，さらに自首は 0.2% で，非常に少ない．それに比し，職務質問は重要な捜査の端緒となっている(2.6%)．取調べにより余罪が明らかになったような場合が 90 年代には 5% 程度あったのが減少し，2000 年代に入ると 2% 以下にまで減少した．その後，取調べが端

緒になる件数は変化が少ないものの，検挙総数が減少したため，令和2年には端緒の中で占める割合が4%を超えてきている．

捜査の実行　捜査の主たる目標は大きく2つに分かれる．① 狭い意味の**証拠の収集・確保**と ② **被疑者の特定**である．被疑者の特定とその身柄確保も一種の証拠集めではあるが，それを超えた意味を有する．

証拠収集の具体例は，比較的想定しやすい．例えば交通事故があったとすれば，スリップ痕の写真を撮るとか，自動車の塗料の破片を探すとか，その付近の聞込みをして目撃情報を得るとかの方法が考えられる．物だけでなく，人を調べるのも証拠収集の1つの方法である(参考人の取調べ，被疑者の取調べ)．

被疑者は裁判の一方の主体となる．捜査は起訴を目的とする以上，被疑者の特定は必須である．被疑者の特定をしないで裁判を始めるという制度も考えられないことはないが，現行法制下では被疑者を特定しなければ捜査の目的を完遂し得ないのである．

検挙と逮捕　検挙と逮捕は明確に区別されなければならない．多くの事件は，検挙した後も，逮捕することなく在宅で取り調べられる(逮捕するのは約3割である)．逮捕するか否かは，相当な嫌疑があり，証拠隠滅・逃亡のおそれが存在するかどうかなどを考慮して判断される(⇨129頁)．

逮捕　逮捕の種類には現行犯逮捕，通常逮捕，緊急逮捕の3種類がある(⇨123頁以下)．逮捕後，被疑者には犯罪事実の要旨，弁護人選任権，黙秘権が告げられ，弁解の機会がその場で与えられる(⇨135頁)．なお，弁護人選任権といっても，以前は被疑者段階では国選弁護人はつかなかったが，平成18年秋からは一定の重い犯罪の嫌疑で勾留された場合に，平成30年6月以降は勾留状が発せられた全被疑者に国選弁護人が付されることになった(⇨40頁)．留置の必要性があれば警察の留置施設に留置される(⇨136頁)．

警察の捜査の終了　警察が，認知した事件について捜査した場合は，事件を検察官に送致しなければならない．身柄を拘束したまま送検する場合(身柄付送検)と，逮捕せず在宅で取り調べて(ないしは拘束を解いた後)送検する書類送検がある．ただ，例外として**微罪処分**(⇨55頁)が認められている．微罪処分の範囲は細かいレベルの規範で決まっている．主として窃盗罪・遺失物等横領罪で，被害額についても目安がある．

検察における捜査 検察でも捜査を実行する(検察・警察の関係について ⇨31頁). ただ, 警察からの送致を待たず捜査を開始するのは, 政治性の高い事件, すなわち選挙関係事件, 重大な汚職事件, 大企業の横領・背任事件などに事実上は限られている. いくつかの地検に設けられた特別捜査部はそれらを専門的に担当する.

検察段階での手続で重要なのは, 被疑者の身柄確保の問題である. 警察から送られてきた身柄について, 検察官は24時間以内に, ① 起訴するか否かを, また, ② 起訴しない場合には, (a) 勾留するか, (b) 釈放するかを決定する. 身柄送検された者の約9割について勾留が請求される. 勾留の期間は10日間であり, 必要があればさらに10日間まで延長ができる(⇨140頁). 日本では, 身柄を拘束した場合には, 警察での48時間に加え, 検察での24時間, 勾留の10日間, 延長された場合の10日間の, 合計最長23日間の拘束が可能となっている[4].

接見交通 接見交通とは, 身柄を拘束されている人間が, 主として弁護人等と会い(接見), 書類や物の受け渡しをする(交通)ことである(⇨205頁). 留置中でも勾留中でも, 弁当等の糧食の授受は禁止できない. 捜査機関の側は証拠の隠滅等につながるような接見を制限しようとする. 捜査官は, 被疑者は弁護人と会うと被疑者に有利なことでさえしゃべらなくなるという意識を持っている. 逆に弁護人の側は, 弁護人に会わせないで無理に被疑者に不利なことをしゃべらせようとしていると考えている. 取調べの際の透明性の確保が求められる.

検察の事件処理 検察官は, 捜査が終了すると, 起訴するか, 不起訴(起訴猶予(⇨217頁)を含む)にするか, 家庭裁判所に送るかの選択をしなければならない. 被疑者の身柄を拘束している場合は, 時間的制約も存在する(⇨140頁). 家庭裁判所に送るのは被疑者が20歳未満の者の場合である.

令和2年の場合, 起訴されたのは106,590人(刑法犯64,778人)で, そのうち38,239人(刑法犯18,637人)が略式命令であった. そして, 不起訴が152,569

---

4) 比較法的にみると, 捜査段階での身柄拘束が許される期間は短い. この23日間で, 捜査機関は捜査を追行することになるが, その間の取調べによって, 自白を得ようと努力しているとされる. このことの当否については, 124頁注1参照.

人(刑法犯 108,617 人，うち刑法犯 70,641 人が起訴猶予)，家庭裁判所送致が 24,414 人(刑法犯 21,185 人)であった．逆送(⇨ 211 頁)されたのは 179 人(刑法犯 154 人)である．起訴するか否かの裁量の幅は大変広い．

検察審査会 不起訴の処理が妥当かどうかを吟味する制度が設けられている．11 人の一般国民で構成され，不起訴事案を検討して「起訴相当」か否かを判断する．検察審査会が処理した不起訴処分のうち約 5.4%(令和 2 年)について起訴相当又は不起訴不当とされたが，その後の捜査を経て起訴されたのは，そのうち 6.6% である．かつては検察審査会の議決に拘束力はなかったが，平成 21 年 5 月以降，2 度目の議決である起訴議決に法的拘束力が与えられた(⇨ 215 頁)．

付審判請求手続(準起訴手続) 検察官の不起訴処分を是正するもう 1 つの制度として付審判請求手続がある(⇨ 216 頁)．公務員の職権犯罪について，不起訴とされた事案を裁判所が審判に付し(起訴し)，検察官の役割を指定弁護士に行わせる手続である．公務員のなかでも特に捜査官が犯罪を犯したときに，仲間意識から起訴されないおそれがあるので，特別の手続が設けられた．毎年，数百件の申立てがあるが，この制度が始まってからこの手続で起訴された事案は非常に少ない．

第 1 審裁判所 裁判の段階に入る手続を**起訴**という(⇨ 214 頁)．具体的には，**起訴状**という書類を検察官が裁判所に提出する．この段階から，被疑者は被告人に変わる．起訴状というのは簡略なもので，氏名，生年月日等の被告人の特定に要する事項と，公訴事実，罪名・罰条しか書かれない．公訴事実も非常に簡明に書かれており，証拠は添付されていない(**起訴状一本主義** ⇨ 224 頁)．

起訴されると，起訴状の謄本が被告人に送達される．また，弁護人選任権が告知される(99% 以上の被告人に弁護人がつく)[5]．

起訴後の勾留 身柄を拘束されていた被疑者が被告人になると，より長期間の勾留が許される(2 か月．さらに，必要に応じ 1 か月単位での更新が可能 ⇨ 272 頁)．ただ，この長期の拘束からの解放の制度として，**保釈**が用意されている(⇨ 273 頁)．逆に，被疑者の段階には保釈はない．

法定刑に死刑又は無期刑を含む事件など一定の重大な事犯については，裁判員が参加して審理が行われる(⇨ 364 頁)．地裁に起訴される事件の 2% 程度

---

5) 約 85% が国選弁護人である．

である．罪名としては，強盗致傷，殺人，現住建造物等放火，傷害致死などの事件が多い．

裁判員裁判対象事件では，争点を整理して明確な審理計画を立てることが不可欠であるため，**公判前整理手続**(⇨ 259 頁)が行われる．その他の争点整理の必要な事件においても，公判前整理手続が行われ，その手続の中で，広汎な証拠開示や，争点を中心とする集中的・連日的審理を実施するための争点と証拠の整理や審理計画の策定が行われる．

第 1 回公判の冒頭には，① **人定質問**(被告人が起訴状記載の人物と同一であるかのチェック)，② **起訴状朗読**，③ **黙秘権告知**，④ 被告人・弁護人の陳述(この段階で起訴状記載の公訴事実を認めるか否かを述べる場合が多い―**罪状認否**)という手続が行われる(**冒頭手続**)．

その後，**証拠調べ手続**に入り，検察側の**冒頭陳述**[6]がまず行われる(検察官が，これから証拠によって証明すべき事実を明らかにする．捜査によって明らかとなった事件像がこの段階で公判廷において示されるわけである)．公判前整理手続が行われた事件，特に裁判員裁判では，弁護側も，引き続き冒頭陳述を行うことになる．その後，通常は検察側の証拠から調べ，次いで弁護側の証拠を調べる．その作業の中で，裁判官(裁判員裁判では裁判員も)は有罪か無罪か(さらには量刑)の結論を固めていく(**心証形成**)．黙秘権はあるが，被告人に対しても当事者や裁判所が質問することができる(法 311)．通常は，書証や証人を取り調べた後，被告人質問という形で，事実関係や情状などを質問する(**被告人質問**)．

証拠調べの最後に，**最終弁論**[7]が行われる．最終弁論の主体は検察官と弁護人・被告人の両方であるが，検察官の最終弁論のことを特に**論告**という．無罪の論告も論理的にはあり得るが事実上はほとんどない．論告には，検察側の科刑意見(**求刑**)が付される．そこで，**論告求刑**という言葉が使われる．これは検察官の意見である[8]．論告に対し，最後に被告人・弁護人の反論する機会が与えられている．弁護人の最終弁論，被告人の最終陳述である．刑訴法は，最

---

6) 意見を述べることを陳述といい，事実を述べることを供述という．
7) 当事者が公判廷で意見を述べることを弁論といい，最後に意見を述べることを最終弁論という．
8) 求刑と判決における言渡刑は強い相関がある．自白事件では求刑の 7～8 割の刑が言い渡されることが多いとされている．ただ，執行猶予を付ける場合には，求刑どおりになることも少なくない．求刑の基準というのは，基本的には，過去の裁判例の集積に基づいており，検察はそれを

終発言権を被告人・弁護人側に与えている(規211).

　被告人・弁護人側の最終弁論が終わると**結審**し,裁判所は判決を言い渡す.通常手続においては,約90%が自白事件であり,97%以上が有罪判決で終わっている[9].

<small>上訴審手続</small>　第1審判決が言い渡されてもすぐに刑罰が執行されるわけではなく,上訴の道が残っている(上訴期間を経過するか上訴の手段を尽くせば裁判は確定し,判決に執行力が生ずる.⇨519頁以下).

　通常の事件については,ごくごく例外的なものを除き,地方裁判所・簡易裁判所から高等裁判所に**控訴**される(地裁では約10%が控訴される).圧倒的に被告人・弁護人側の控訴である.そのうち70%以上の事件が量刑不当を理由とする.控訴審判決は,① **控訴棄却**(控訴申立て手続が違法ないし控訴理由がない場合),② **破棄差戻し**(控訴理由があり,原裁判所でさらに審理させる必要があると認めた場合),③ **破棄自判**(控訴理由があり,控訴審自身がさらに判決し得ると認めた場合)に分かれる.控訴審で破棄されるのは,控訴された事件の約10%である.

> **不利益変更の禁止**　被告人側のみが控訴した事件においては,原判決より重くすることができない(⇨538頁).原判決より重く変更できることを認めると,被告人の上訴の機会・権利を実質的に侵すことになるという考慮に基づく.検察側が控訴した場合は原審より重く量刑してよいのは当然である.

　控訴審判決には,上告の道が開かれている.控訴率より上告率の方が高く,約45%である.その99%は被告人側の上告である.上告も,控訴と同じように棄却・破棄に分かれるが,ほとんど棄却されているのが現状である.

<small>非常救済手続</small>　日本は三審制を採用しているが,ごくごく例外的に,再審と非常上告という非常救済手続が認められている.**再審**を認める

<small>分析して一種の物差しとし,それに依って求刑をしている.裁判所も,過去の裁判例の傾向を重視し,同様の事案に対しては同程度の量刑をすることがいろいろな面で望ましいと考えられるからである.

　なお,裁判員裁判においては,裁判員が従来の大まかな量刑の傾向を把握できるように,同種事案の量刑の分布状況を一覧できるグラフが量刑検索システムによって作成され,それが参考資料として裁判員に示されるのが通例である.同システムは,裁判所が全国的に整備され,検察官と弁護人も利用できるようになっている.

9) ただし,重大な犯罪類型では,否認事件の割合も高く,無罪率も相対的に高くなっていることに注意しなければならない.</small>

主な理由は，① 有罪の証拠が虚偽であったことが明らかになった場合と，② 無罪等を言い渡すべき明白な新証拠が出てきた場合である（法435）[10]．**非常上告**というのは，確定判決に法令違反があることを理由とする．検事総長だけが最高裁判所に申し立て得るもので，法令違反があれば違反した部分が破棄されるが，被告人の救済は副次的にのみ考慮される（⇨553頁）．

---

10) 無罪等を言い渡すべき明白な新証拠が出てきた場合の典型は，身代りであることが発覚したというパターンであり，これが一番多い．

第2章

捜 査

66 ● 第 2 章 捜 査

I

総 説

1 捜査の意義

証拠収集
身柄確保

　司法警察職員(⇨30頁)は，犯罪があると思料するときは犯人及び証拠を捜査し(法189 II)，検察官は，必要と認めるときは自ら犯罪を捜査することができる(法191 I⇨33頁．なお，警察と検察の関係につき31頁)．**捜査**とは，犯罪が発生したと思われる場合に犯罪を犯したと思われる者(被疑者)を探索して必要があればその**身柄を確保**し，その者を起訴して有罪判決を獲得するのに必要な**証拠を収集**する**捜査機関**の活動である[1]．ただ，捜査活動が有するその他の側面，すなわち，**犯罪抑止効果**や**被害防止効果**も決して軽視されてはならない(例えば，誘拐被害者の救出などは，証拠の確保や犯人の身柄確保より優先して行われる)．

　法196条は，「検察官，検察事務官及び司法警察職員並びに弁護人その他職務上捜査に関係のある者は，被疑者その他の者の名誉を害しないように注意し，且つ，捜査の妨げとならないように注意しなければならない」と定めている．捜査が名誉などの人権を侵害する側面を有するということを確認

---

[1] 国税犯則事件の調査等の行政機関が行う**調査**には，捜査に類似したものが存在するが，目的が公訴提起に向けられた活動ではないので，概念上は捜査とは区別される(最大決昭44・12・3刑集23・12・1525)．ただ，「国税犯則取締法による国税犯則事件の調査手続は，その内容として収税官吏の質問，検査，領置，臨検，捜索，差押等の行為が認められている点において刑訴法上の被疑事件の捜査手続と類似するところがあり，また，犯則事件は，告発によって被疑事件に移行し，さらに告発前に得られた資料は，被疑事件の捜査において利用されるものである等の点において，犯則事件の調査手続と被疑事件の捜査手続とはたがいに関連するところがある」ことも否定できない(最大決昭44・12・3，さらに最大判昭47・11・22刑集26・9・554参照)．そこで，捜索，差押えなどについては，令状主義が採られている(例えば，国税通則法132)．また，憲法38条I項の規定する供述拒否権の保障は，国税通則法上の犯則嫌疑者に対する質問調査手続にも及ぶものと解される(最判昭59・3・27刑集38・5・2037)．

しつつ，捜査の円滑な追行を要請している(名誉を保護する要請と捜査を効率的かつ的確に行う必要から，捜査密行の原則が求められる．公開捜査はこの原則の例外である)．

　検察官が公訴を提起するかどうかを決定するには，犯罪の証拠を集めてその内容を吟味しなければならないし，犯罪を犯した疑いのある者を確定しなければならない．そこで捜査は，原則として公訴提起までの間に行われる[2]．もっとも，証拠の収集は，公訴提起後にも，公訴を維持するため，補充的に行われることがある．

被疑者の身柄確保の意味　刑事訴訟においては，被告人の所在を確定できないと手続を進められないので(法271・286参照)，所在の確定が困難となるおそれのある場合は，捜査機関が犯人の身柄を拘束しておくことが必要となる．このような場合のほか，被疑者が犯罪の証拠を隠滅するおそれがある場合にも，身柄を拘束することができるとされている(法60，規143の3)．また，事実上，被疑者を取り調べることにより証拠が得られるという点も看過できない．被疑者が自ら進んで犯罪を犯したことを認めるのであれば，事案の解明は進むであろうし，証拠の収集も容易になろう．それと同時に，被疑者が真に犯罪を犯したのであれば，早い段階で更生への道を進むこともできるであろう．逆に，被疑者が犯罪を犯していないのであれば，それを確認する証拠の収集が早い段階で可能となり，当該被疑者の解放と真犯人の確保に資することにもなる．

被告弁護側の活動と「捜査」　被疑者及びその弁護人は，捜査機関に対抗して，自己に有利な証拠を収集することができるが，私人の行う証拠収集などの活動は本章にいう捜査の概念には含まれない．もとより，被疑者側は，自ら収集した証拠を，身柄の釈放や不起訴処分を求めるための資料として，捜査官に提出することができるし，公訴提起された場合には，公判において反証として用いることもできる(⇨326頁)．

---

2)　親告罪で告訴がない事件等，訴訟条件(⇨244頁)を欠く事件について捜査をすることができるかが問題となる．一般的には，訴訟条件は公訴において必要とされる条件であるから，訴訟条件が備わっていなくても捜査に支障はない．また，捜査は公訴提起を前提として行われるものであるから，現在訴訟条件が備わっていないにしても，将来訴訟条件が備わって公訴提起の可能性があるのであれば，捜査できると解すべきであろう．しかし，強制捜査の場合は，その点の見込みを慎重に検討しなければならず，将来も全く訴訟条件の備わる見込みがない場合(例えば，公訴時効の完成した事件)は，行うべきではない．

そして，公判段階における当事者主義を考えると，被疑者側の訴訟準備も重要である．そこで，捜査機関が用いるのと同じような強制的処分が必要である場合に，裁判官の手を介して行うことができるようにして，被疑者側も証拠収集ができるようにしている(⇨209頁)．すなわち，あらかじめ証拠を保全しておかなければ，後々その証拠を使用することが困難な事情がある場合に，裁判官に押収，捜索，検証，証人の尋問又は鑑定の処分を請求することができる(法179 I)．この請求を受けた裁判官は，その処分に関し，裁判所又は裁判長と同一の権限を有するので(法179 II．それぞれの処分に関する規定が準用される)，被疑者も捜査に準じた準備行為を行うことができる(**証拠保全**)[3]．この処分によって得られた書類及び証拠物は裁判所に保管され，被疑者側は必要に応じて証拠として用いることが可能となる[4]．

2　捜査の構造論

糺問的捜査観　　日本では，捜査における犯人の発見・身柄確保の面が重視されてきた．確かに，刑を受けるべき者を確保することは重要であるが，被疑者が当事者主義の下で訴訟の主体となるものだとすると(⇨21頁)，捜査の段階においても，一定の配慮が必要となる．

従来は，捜査を行うのは警察・検察などの捜査機関であり，被疑者は捜査の主体ではなく捜査の客体であると考えられてきた．このような伝統的な考え方，つまり「警察が被疑者を，上から下に向かって取り調べる」という考え方を**糺問的捜査観**と呼ぶ[5]．

糺問的捜査観の考え方の核は，捜査は国家機関たる捜査機関がすべて行い，被疑者はその客体にすぎないとする点にある．それ故，捜査機関は，有罪を導く証拠を集めることはもとより，捜査を独占する以上，無罪の証拠も含めあらゆる証拠を集めなければならないと考える．より根本的には，捜査は事

---

3) この証拠保全は，被告人になった後も，第1回公判期日前ならば可能である．
4) 検察官，弁護人は閲覧・謄写することができるし，弁護人のない場合は，被疑者・被告人でも，裁判官の許可を受けて，閲覧することができる(法180)．
5) 戦前は，基本的には糺問的な考え方であり，裁判の段階でも，検察官と裁判官が一緒になって，被告人を取り調べるという構造に近いものが存在した(⇨16頁)．

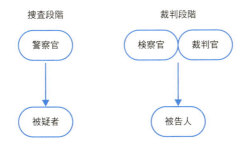

件の真相を明らかにするために行うものであり,一方当事者としての準備活動ではないとする点が重要である.被疑者を有罪にするように調べるのではなくて,裁判官的な「真相を究明する立場」に立った捜査でなければならないとするものであり,捜査段階でも予備的な裁判を行うということを意味する.この考え方は,旧刑訴法下では当然のものであって,予審制度(⇨ 18 頁)が存在し,予審判事が実質的な捜査をして事件を公判に付するか否かあらかじめ判断した.

公平・公正な捜査官 被疑者を取り調べる検察官には客観義務[6]があるという言い方をされる.真相を究明するという,いわば裁判官的な客観的役割をも果たすべきだとされるのである.こういう考え方を強調していくと,裁判段階になっても,客観義務を有しているという意味で検察官は裁判官と基本的に同質であり,当事者ではないという考え方に結び付きやすい.

弾劾的捜査観 しかし,現行刑事訴訟法が定着し,裁判の段階で検察官と被告人が対等に争うこととされたのと同じように,捜査の段階でも警察と被疑者が対等でなければ,裁判における当事者主義を実効性のあるものとできないのではないかという議論が有力化した.真の当事者主義を徹底するには,捜査段階でも警察と被疑者が対等でなければならないという議論である[7].このような捜査の理解の仕方を**弾劾的捜査観**という.英米法系

---

6) 「有罪か無罪か」を判断する裁判官的な役割をもつ以上は,一方に偏らず,真実かどうかを公平な目で見る客観的な判断をしなければならない.これを客観義務という.
7) 捜査の段階で,警察と被疑者が「取り調べる—取り調べられる」という関係では,それが裁判の段階にも持ち込まれて,上下関係が出てきてしまい,対等ではなくなるという議論である.

では現在でもかなり有力な考え方であるが，大陸法系ではあまり主張されていない．

弾劾的捜査観は，被疑者は裁判段階で被告人という一方当事者になる以上，捜査段階でも捜査機関と相対立するものとして捉える．それ故，警察・検察の捜査というのは，一方当事者としての活動にすぎないことになる．そこから，捜査段階においても捜査機関と被疑者は原則として対等であるとし，それを実現するため捜査の許容範囲を限定しようとする．また，事件の真相の解明はすべて裁判によるので，捜査の際には「真相の究明」を考えなくてよいことになる．このように，捜査についても，当事者としての活動という面が強調されることになる．

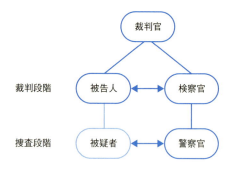

弾劾的捜査観のねらい 糾問的捜査観は，捜査は被疑者を取り調べる手段であると考える．その結果，強制処分は捜査側に本来許されるものであるが，濫用の危険があるので法律が限定していると考えることになる．これに対し，弾劾的捜査観は，捜査は捜査機関という一方当事者の準備活動であるから，対等当事者間では原則的に強制処分は許されないが，例外的に法律が認めているので許容されるにすぎないと考える．実質的な争点は，強制処分をどの程度緩やかに認めるべきか，そして，被疑者の取調べはどこまで強制的に行い得るかということにある．糾問的捜査観では「真実を究明するのだから取調べを最大限実効性のあるものにすべきである」ということになりやすいのに対し，弾劾的捜査観は，被疑者・被告人の防御を十分なものにするという実質的効果を目指す．対等当事者である以上，被疑者は答えたいときだけ答えればよいということになる．さらには，弁護人との接見の充実（⇨205

頁)が主張される．弾劾主義的に考えれば，接見は自由なのが当たり前であるが，糺問主義的に考えると，弁護人と会って相談すると真相の究明が停滞するということも考慮される．

その他，逮捕状は命令状か許可状かという対立も捜査観によって左右される(⇨124頁)[8]．逮捕は，捜査機関が行うのを裁判所が許可するものなのか(許可状)，裁判所が一方当事者である捜査機関に命じるものなのか(命令状)という対立である．

捜査と人権の均衡 わが国の刑事司法の大きな流れとしては，戦前の糺問主義的傾向が弱まり弾劾主義的に変わってきたということができる[9]．しかし，常に探求されてきたのは，捜査機関の活動と被疑者その他関係者の人権との最も合理的な調和点である．

犯罪を解決して国民の安全な生活を守るためには，捜査機関が犯人を効率よく的確に検挙し，証拠を収集できなければならない．ところが，犯罪はその性質上隠密裏に行われることが多いので，犯人の検挙と証拠の収集は必ずしも容易ではない．そこで，捜査においては，被疑者その他関係者の人権侵害を伴う危険のある措置であってもある程度認めざるを得ない．被疑者の意思に反する処分は，捜査には不可欠なのである．しかし，その濫用が人権侵害を引き起こすことも否定できないので，捜査は，常にその必要性と人権保障

---

8) 捜査においても弾劾主義を徹底し，警察が被告人に有利な証拠を隠して有罪を勝ちとればよいというわけにはいかない(弁護人に関しては，被告人に不利になる証拠を提出する義務はないとされているが，捜査官には，被告人に有利な証拠を隠してはならない義務があろう)．「被告人側に対等当事者としての捜査能力を付与すべき」といっても，現実化するのは不可能に近い．また，「当事者主義の理念があるから対等であるべきだ」といっても，強制的な捜査を一定の範囲で認めざるを得ない以上，捜査官と被疑者の関係が対等でないことは否定できない．弾劾捜査観の主張は，被疑者の人権を実質的に守るためには「上下関係」をできる限り除去すべきであるとする趣旨と解すべきであろう．

9) 明治期は，形式的には弾劾的捜査観であった．つまり，捜査官は一方当事者にすぎなかったのであり，警察が強制処分を行うということは，建前としては非常に限定されていた(予審判事が強制処分を行うという建前になっていた)．その意味で，法律の構造からみると，現在よりはるかに弾劾的捜査観が妥当する世界であった．しかし，実態は必ずしもそのように運用されず，例えば，予審判事のチェックはあまり機能しなかったとされている．明治期・大正期・昭和前期，特に昭和の一時期には，かなりひどい強制処分・強制捜査と著しい人権侵害が行われたとされている．

戦後，憲法の改正に伴って，刑事訴訟の実質的な意味での弾劾主義的修正が試みられた．糺問主義的であったドイツ型の旧刑訴法を修正して，アメリカの要求する弾劾主義的なものを取り入れようとしたのであるが，一部に旧刑訴法との折衷的な部分が残されている．それに対し，憲法は刑事訴訟法以上に弾劾主義的であるため，憲法と刑事訴訟法には微妙なギャップが存在することになった．

との合理的な調和を全うしつつ適正に行われるようにしなければならない[10]。
　この問題を解決するために，現行刑事訴訟法は，任意捜査の原則，強制処分についての令状主義を採用している。さらに，被疑者の取調べにおいても，捜査と人権の調和が要請される。

身柄拘束中の被疑者　捜査の許容範囲という意味で，最も激しく争われているのが，拘束された被疑者の取調べであるとされてきた(⇨158頁)。被疑者は犯罪を犯したのではないかとの見込み(犯罪の嫌疑)で拘束されており，しかも，その取調べには捜査機関しか立ち会わないから，厳しい追及がされかねない。そこで，身柄を拘束された被疑者の取調べを禁止すべきであるという議論も存在する。しかし，法198条Ⅰ項は，拘束された被疑者の取調べ自体を禁じてはいないし，取調べが事実上できないような規制も他に存在しない。また，被疑者に供述義務を負わせてもいない(同条Ⅱ項)。そこで，(a) 身柄拘束中の被疑者の取調べはできるが被疑者はこれを拒否できると解する立場(**取調べ受忍義務否定説**。平野106頁)と，(b) 取調べを認める以上被疑者にこれを受忍する義務は認めざるを得ないとする立場(**取調べ受忍義務肯定説**)が対立する(⇨159頁)。後者も，もちろん被疑者に供述義務を負わせるものではない(黙秘権の保障 ⇨ 36, 200頁)。

捜査観と受忍義務　弾劾的捜査観(⇨69頁)に立脚すると，一方当事者である被疑者が相手方当事者である捜査機関の訴訟準備に協力する義務を負うのは不合理だということになる。つまり，被疑者は捜査機関による取調べを受忍する義務はないと考える。被疑者の拘束から取調べ目的を排除し，強制処分はすべて裁判所の行う独自の処分だとするのである(⇨159頁)。

---

10) 最大判昭45・11・25(刑集24・12・1670)は，「思うに，捜査手続といえども，憲法の保障下にある刑事手続の一環である以上，刑訴法1条所定の精神に則り，公共の福祉の維持と個人の基本的人権の保障とを全うしつつ適正に行なわれるべきものであることにかんがみれば，捜査官が被疑者を取り調べるにあたり偽計を用いて被疑者を錯誤に陥れ自白を獲得するような尋問方法を厳に避けるべきであることはいうまでもないところであるが，もしも偽計によって被疑者が心理的強制を受け，その結果虚偽の自白が誘発されるおそれのある場合には，右の自白はその任意性に疑いがあるものとして，証拠能力を否定すべきであり，このような自白を証拠に採用することは，刑訴法319条Ⅰ項の規定に違反し，ひいては憲法38条Ⅱ項にも違反するものといわなければばらない」と判示している(⇨409頁)。

しかし,「被疑者は,逮捕又は勾留されている場合を除いては,出頭を拒み,又は出頭後,何時でも退去することができる」という法198条Ⅰ項ただし書の文言からすれば,拘束された被疑者には取調べの場への出頭とその場に滞留する義務が存在すると解される.取調官からの質問に対して供述する義務を負うものではないが,取調官から質問される場にとどまる義務があるという意味で,取調べを受忍する義務があるといえる.被疑者に存在する人権侵害の危険性と,身柄拘束中の被疑者の取調べの必要性を衡量した場合,受忍義務そのものを否定することは刑訴法1条の定める真相解明の目的を軽視しすぎるものといわざるを得ない.取調べの行き過ぎの規制を充実させる方向での議論は必要であるが,現実に機能している捜査実務と全くかけ離れた受忍義務否定説は,実践的解釈論としての妥当性を欠くといえる.

　被疑者の身柄を拘束することを正当化するだけの嫌疑と必要性が備わっていれば,それに対して質問して取り調べることは,相当な捜査方法と解すべきである(⇨159頁).

3　任意捜査と強制捜査

> **197条 Ⅰ**　捜査については,その目的を達するため必要な取調をすることができる.但し,強制の処分は,この法律に特別の定のある場合でなければ,これをすることができない.

(1)　強制捜査と令状主義

強制捜査の意義　法197条Ⅰ項は,捜査の目的を達するため必要な取調べをすることができると定める.「取調べ」とは広義のもので,「捜査活動一般」と読み替えてよいものと解されている.ただし書で,強制の処分(**強制捜査**)は刑訴法に特別の定めがある場合でなければすることができないと定めていることから[11],本文は,「任意のものであれば,必要なことは自

---

11)　ここから「法197条は,刑訴法における罪刑法定主義に相当するものである」とされることがある.

由に行える」という原則を定めているものと理解できる．ここから，① 同一の目的を任意捜査で達し得る場合は，強制捜査を避けて任意捜査によるべきであり，② 強制捜査によって生じる弊害がそれによって得られる利益より不均衡に大きい場合は，強制捜査は許されないという要請が派生する(**任意捜査の原則**)．このように，強制捜査を法規上も運用上もなるべく例外にとどめることによって，捜査と人権との調和を図ろうとしている．ただ，ここで注意しておかなければならないのは，「任意であれば，いかなる捜査も許される」というわけではないという点である(⇨ 106 頁)．

令状主義 令状主義とは，逮捕，差押えなど最も人権侵害の危険のある強制処分について，捜査機関の判断だけでこれらの処分ができるとするのではなく，原則として，裁判官の事前の審査を要求することをいう．**令状**とは，強制処分を認める裁判書であり(逮捕状，勾引状，勾留状等)，強制処分はこのような令状によらなければ許されないものとされる[12]．「令状なしでは行えない処分」を狭義の強制処分という．憲法 33 条は，「何人も，現行犯として逮捕される場合を除いては，権限を有する司法官憲が発し，且つ理由となっている犯罪を明示する令状によらなければ，逮捕されない」と定める(さらに憲法 35 条参照)．公平な立場で，捜査の必要性と人権の調和をよく考慮することができる裁判官のチェックを受けるという趣旨である．このように令状主義は，強制処分に対する司法的抑制の理念に基づくものである[13]．

> **適式の令状** 令状は，一定の要件を備えたものでなければならない．すなわち，逮捕状には逮捕の理由となっている犯罪の明示が求められるし(憲33)，捜索状，差押状には捜索する場所及び押収する物の明示が求められる(憲35)[14]．1 通の令状さえ

---

[12] 令状主義は，強制処分一般に妥当する原則であって(法 62・106・167 II・199 I・207・218・225 III)，必ずしも捜査における強制処分のみに限らないが，実際上問題となるのは捜査においてである．

[13] したがって，憲法の前記規定にいう「司法官憲」とは，裁判所又は裁判官を指し，検察官を含まないと解されている．また，憲法 33 条の「逮捕」は，訴訟法にいう逮捕に限らず，勾引，勾留をも含む．

[14] 前者は，逮捕の根拠となる犯罪事実を明確にするための要請である．後者は，その令状によって，捜索できる場所，押収できる物を限定し，場所が違ったり，押収する物が違うときには，その令状は通用しないという趣旨である．

あれば，どこでも捜索し，何でも押収できるというのであれば，令状主義によるチェックが意味をなさないからである(一般令状の禁止)．同様の趣旨から，各別の機会に行う捜索，差押えを1通の令状で行うことも許されない(憲35Ⅱ)[15]．

令状が捜査機関の請求によって発付される場合に，裁判官が当該強制処分の要件のみでなくその処分の必要性についてまで審査できるかどうかについては争いがある．例えば，逮捕状の請求を受けた裁判官は，被疑者に犯罪の嫌疑があるかどうか審査できるのは当然である(法199Ⅰ・Ⅱ)としても，「逮捕することが必要であるか否か」についてまで審査し得るかという問題である．当事者主義(弾劾主義)を強調すれば，強制処分の必要性については，捜査官の判断に従うべきで，裁判官はこれに介入する余地はないと解することになる．しかし，犯罪の嫌疑がない被疑者が逮捕されるのを防ぐことのみでなく，逮捕しなくてもすむ被疑者の逮捕を防ぐように裁判官が介入することも認めるべきである(⇨129頁)[16]．

令状主義の例外としては，①現行犯逮捕(憲33，法213)や，②逮捕の現場における捜索，差押えなど(憲35，法220・126)令状審査を不要とするに足りる事情がある場合と，③裁判所がする公判廷内における捜索，差押え(法106)や，④裁判所がする検証(法128)など裁判所の判断を経ているために令状を必要としない場合がある．

強制捜査・任意捜査の具体例 具体的な強制捜査の例としては，①令状なしで許されるものとして，現行犯逮捕，緊急逮捕，逮捕に伴う捜索・押収等があり，②令状があれば許されるものとして，通常逮捕，勾留，通常の捜索・押収等が挙げられる．また，裁判官に行ってもらう強制捜査として証人尋問(法226・227)がある．

任意捜査の具体例としては，①刑訴法上のものとして，被疑者の出頭要求，取調べ(法198Ⅰ)，第三者の出頭要求，取調べ(法223Ⅰ前段)，鑑定等の嘱託(法223Ⅰ後

---

15) 捜索に引き続きその対象物を差し押さえる場合であれば，捜索状と差押状を1通の令状に記載することは差し支えない．実際にも，捜索差押許可状の発付されることが多い(⇨173頁)．
16) 条文上も，逮捕の場合は，法199条Ⅱ項ただし書，規則143条の3によって，逮捕状の請求を受けた裁判官が逮捕の必要性について判断できることは明らかである．勾留についても，勾留の必要がなくなれば勾留を取り消さなければならないのであるから(法87Ⅰ)，初めから勾留の必要がないときは，勾留状を発すべきでないと解するのが相当である．判例も，差押許可状に基づく捜査官の差押処分に対する不服申立てを受けた裁判所が差押えの必要性を審査できるとして，必要性の判断基準を示しており(最決昭44・3・18刑集23・3・153)，令状を発付する裁判官が必要性を審査できることを認めている(逮捕の必要性について判断した例として，最判平10・9・7判時1661・70参照)．

段），任意提出された物の領置(法221)等があり，②法に規定されていないものとして，聞き込み，尾行，張り込み，任意同行(⇨114頁)等がある．

しかし，捜査官が行う処分には，本人の同意を得ない写真撮影や秘密録音，秘密裏に行う指紋・体液の収集などのように，強制か任意かが微妙なものが存在する．強制処分に該当するということになれば，令状なしに行った以上，原則として違法となり，証拠として用い得ない場合(⇨479頁)が生じてくる．

(2) 任意捜査と強制捜査の限界

　　　　　　　　根拠規定がなければ許されない**強制捜査**と，規定がなくても許さ
判例の定義　　れる**任意捜査**を区別することは重要であるが，任意捜査・強制捜査という概念が規範的概念であり，個々の捜査ごとに具体的検討を加えて実質的な判断を行わざるを得ないことに注意しなければならない．

この点，判例は，「強制手段とは，有形力の行使を伴う手段を意味するものではなく，個人の意思を制圧し，身体，住居，財産等に制約を加えて強制的に捜査目的を実現する行為など，特別の根拠規定がなければ許容することが相当でない手段を意味するものであ」るとしている(最決昭51・3・16刑集30・2・187，さらに最決平21・9・28刑集63・7・868，最大判平29・3・15刑集71・3・13)．強制捜査は法律上の根拠がある場合に限り許容されるとした上で，強制処分(捜査)を，①**個人の意思を制圧し**，②**身体，住居，財産等に制約を加えて**，③**強制的に捜査目的を実現する行為など**，④**特別の根拠規定がなければ許容することが相当でない手段**としている．

> 判例における強制と任意の区別
> ①個人の意思を制圧し
> ②身体，住居，財産等に制約を加え
> ⟶ ③強制的に捜査目的を実現するような
> 　　④特別の根拠規定がなければ許容することが相当でない手段

判例の「強制処分」とは「特別の根拠規定がなければ許容できない手段」であり，その内容の中心を占めるのが「強制的に捜査目的を実現する」ことであり，その「強制」の典型は，①「個人の意思を制圧するもの」と，②「個

人の権利に制約を加えるもの」なのである[17]．

<small>個人の意思の制圧</small>　「強制」の語義からは，抵抗を排除したり目に見える形で明示の意思に反して行う処分が典型であるが，文字どおり，現実に相手方の反対意思を制圧するわけではない．例えば通信傍受(⇨195頁)[18]やGPS捜査(⇨78-79頁)，一部の写真撮影(⇨107頁)も強制処分たり得る[19]．同意を得ずに権利を制約する捜査でも，すべての場合に根拠規定が必須なわけではなく，次項の「侵害される権利の質や侵害の程度」と捜査目的によっては，任意捜査となり得る．

合理的に推認される当事者の意思に反して行う処分　東京高判平 28・8・23(高刑集 69・1・16)は，捜査官が，犯行現場から採取された DNA サンプルに係る DNA 型が被疑者と一致するか否かを確認するため，任意捜査として，自己が警察官であることや DNA 採取目的であることを秘して，お茶の入った紙コップを被疑者に手渡し，使用後の紙コップを回収し，そこから唾液を採取して DNA 型鑑定を行った捜査手法について，被疑者の「意思を制圧して行われたものと認めるのが相当である」とした(違法捜査として，DNA 鑑定等の証拠を排除している⇨479頁参照)．その理由として，「当事者が認識しない間に行う捜査について，本人が知れば当然拒否すると考えられる場合に，そのように合理的に推認される当事者の意思に反してその人の重要な権利・利益を奪うのも，現実に表明された当事者の反対意思を制圧して同様のことを行うのと，価値的には何ら変わらないというべきであるから，**合理的に推認される当事者の意思に反する場合も個人の意思を制圧する場合に該当する**」と判示し

---

17) 例示である①②の典型的なもの以外にも，強制的に捜査目的を実現する行為，特別の根拠規定がなければ許容することが相当でない手段が存在することには注意を要する．
　　なお，①と②の関係につき，①は，相手方の意思に反する処分であるかどうかという個別的・具体的な判断を行うものであるのに対し，②は，処分の性質上，重要な権利・利益の制約を伴うものであるかどうかという**一般的・類型的な**判断を行うものであり，両者を区別して用いることが有用であるとの指摘もあるが(井上正仁『強制捜査と任意捜査〔新版〕』8頁)，区別をすることは妥当であるものの，判断の類型性において①と②の間に質的差異があるとまではいえないであろう(⇨80-81頁)．
18) 通信傍受が強制処分であることは，立法により明確にされたが，それ以前から判例は強制処分とし，いかなる要件で許容されるのか，検証令状をいかに修正するかを論じてきた(最決平 11・12・16 刑集 53・9・1327)．
19) 写真撮影は，望遠レンズによる居宅内の私生活の撮影のように個人の意思に反してすることが許されないという意味で強制捜査となる場合と，法218条による身柄拘束中の撮影のように積極的に受忍義務を課したり直接強制を加える点で強制捜査となる場合とがあるとされてきた(香城敏麿『最高裁判所判例解説刑事編昭和51年度』72頁)．

ている．しかし，一般的な形で「合理的に推認される当事者の意思に反する処分」をすべて強制捜査とすることには問題があろう[20]．当事者の**現実の反対意思を制圧したと同視できるだけの事情**が必要である．

実質的権利侵害性　現実の強制処分性の判断においては，権利侵害の有無・程度が重要な位置を占めている．捜査における処分は，軽度のものを含めれば被疑者等の権利・利益を侵害することが想定されるが，そのうちでも「特別の根拠規定がなければ許容し得ない程度」の権利侵害を伴う場合を強制処分とするのである[21]．

X線検査　最決平21・9・28(刑集63・7・868 ⇨ 109, 188頁)は，覚せい剤の入っている疑いのある宅配便の荷物に対し，荷送人・荷受人に無断で，宅配便業者の承諾を得て，空港内税関において行ったX線検査につき，「その射影によって荷物の内容物の形状や材質をうかがい知ることができる上，内容物によってはその品目等を相当程度具体的に特定することも可能であって，荷送人や荷受人の内容物に対する**プライバシー等を大きく侵害するもの**であるから，検証としての性質を有する強制処分に当たるものと解される」とし，検証許可状の発付を得ることが可能だったX線検査について，検証許可状によることなく行ったもので，違法であるとした．いかに薬物事犯の嫌疑が濃くても，プライバシー等を大きく侵害するもので，財産等に制約を加えて強制的に捜査目的を実現する行為に該当するから，「特別の根拠規定が必要な処分」としたものといえよう(⇨ 188頁)．

GPS捜査　最大判平29・3・15(刑集71・3・13)は，複数の共犯者と犯したと疑われる

---

20)　薬物に関する**おとり捜査**は任意捜査とされるが(最決平16・7・12刑集58・5・333 ⇨ 113頁)，「当事者が認識しない間に行われる捜査」に該当するように思われ，相手方が捜査官であると認識していれば薬物を交付しようとはしないと推認されるから，「合理的に推認される当事者の意思に反する捜査」ということになりかねない．同様に，捜査官が被疑者その他の関係者と会話するに当たり相手方に告げずに内容を録音する**秘密録音**も，任意捜査とされているが(⇨ 111頁)，「合理的に推認される当事者の意思に反する捜査」とされ得ることになろう．やはり，合理的に推認される当事者の意思に反して行う場合であっても，「現実の反対意思の制圧と同視し得る事情」の存在が必要である．

21)　この権利侵害性に関しては，「およそ何らかの権利や利益の制約があれば強制処分だというわけではなく，やはり，そのような法定の厳格な要件・手続によって保護する必要のあるほど重要な権利・利益に対する実質的な侵害ないし制約を伴う場合にはじめて，強制処分ということになるものと解すべきであろう」とする見解が有力であり(井上前掲書12頁)，さらに，権利・利益の質(重要性)だけでなく，侵害ないし制約の程度(実質的なものか否か)をも検討すべきである(川出敏裕『判例講座刑事訴訟法』6頁)．

広域窃盗事件に関し，組織性の有無，程度や組織内における被告人の役割を含む犯行の全容を解明するための捜査の一環として，約6か月半の間，被告人，共犯者のほか，被告人の知人女性も使用する蓋然性があった自動車等合計19台に，同人らの承諾なく，かつ，令状を取得することなく，GPS（衛星利用測位システム）端末を取り付けた上，その所在を検索して移動状況を把握した行為に関し，「GPS捜査は，対象車両の時々刻々の位置情報を検索し，把握すべく行われるものであるが，その性質上，公道上のもののみならず，個人のプライバシーが強く保護されるべき場所や空間に関わるものも含めて，対象車両及びその使用者の所在と移動状況を逐一把握することを可能にする．このような捜査手法は，個人の行動を継続的，網羅的に把握することを必然的に伴うから，個人のプライバシーを侵害し得るものであり，また，そのような侵害を可能とする機器を個人の所持品に秘かに装着することによって行う点において，公道上の所在を肉眼で把握したりカメラで撮影したりするような手法とは異なり，公権力による私的領域への侵入を伴うもの」であるとし，憲法35条の保障対象には「住居，書類及び所持品」に限らずこれらに準ずる私的領域に「侵入」されることのない権利が含まれるので，**「個人のプライバシーの侵害を可能とする機器をその所持品に秘かに装着することによって，合理的に推認される個人の意思に反してその私的領域に侵入する捜査手法であるGPS捜査は，個人の意思を制圧して憲法の保障する重要な法的利益を侵害するものとして，刑訴法上，特別の根拠規定がなければ許容されない強制の処分に当たる」**とした[22]．

---

22) それまでのGPS捜査に関する下級審裁判例の中には，①GPS発信器によって得られる情報は車両の位置情報にとどまり，②公道や一般に利用可能な駐車場といった場所を示すものと考えられ，**③相当期間にわたり位置情報を間断なく取得してこれを蓄積し，それにより過去の位置（移動）情報を網羅的に把握したような場合でなければ**，④位置情報を得ることは，プライバシーや移動の自由への制約になるとはいい難いとするものがあった．
　これに対し，最高裁は，GPS捜査は，公道上のもののみならず，個人のプライバシーが強く保護されるべき場所や空間に関わるものも含めて対象者の所在と移動状況を逐一把握することを可能にし，「**個人の行動を継続的，網羅的に把握することを必然的に伴う**」から，個人のプライバシーを侵害し得るものであるとした．大法廷は，「GPS捜査一般がプライバシー侵害を伴う」とし，そして，それを，憲法35条の保障対象に含まれる「**私的領域に『侵入』されることのない権利**」と位置付けた．
　ただ，同じくプライバシー侵害を伴う捜査手法である「令状なしに行う写真（ビデオ）撮影」については，最決平20・4・15刑集62・5・1398（⇒108頁）が，「類型として強制処分に当たる」とはせず，違法性もないとした．GPS捜査とはプライバシー侵害の程度が質的に異なるとしたものといえよう．

最大判平29・3・15は，①GPS捜査は「検証」を超えた性質を有し検証令状にはなじまず，②令状により対象となる車両及び罪名を特定しただけでは，被疑事実と関係のない使用者の行動の過剰な把握を抑制することができず，③秘かに行う同捜査に「事前の令状呈示」は想定できず，④事前の令状呈示に代わる公正の担保の手段が制度化されていないので，同捜査を適法化する令状が考えにくいところ，これらの問題を解消するためには実施可能期間の限定，第三者の立会い，事後の通知等が考えられるが，どのような手段を選択するかは立法府に委ねられた問題であり，立法を行わずに現行刑事訴訟法下での「令状」を発付することには疑義があるとした[23]。

強制処分を許容する令状

確かに，GPS捜査を許容し得る条件(検証の対象や期間の特定等)については，立法的措置が講じられるべきである。ただ，我が国固有の「立法作業の困難性」という事情もあり，従来は判例が立法の隙間を「解釈」で補ってきた面があった[24]ことにも留意すべきである。

強制処分に関する学説

かつては，強制処分と任意処分の限界は，**有形力の行使**の有無によると考えられていた。より厳密には，①物理的強制力(有形力)を行使したり，②法的に義務を課すような手段を用いることが強制処分(捜査)の実体であるとされてきた(田宮71頁，田口42-44頁参照)[25]。そして，このような形式的な区分により，捜査の違法性を判定し得ると考えられていた面があった。強制を伴っていない写真撮影は捜査官が自由に行い得るという任意処分説と，写真撮影の規定が存在しない以上原則として許さ

---

23) この点，上記最決平21・9・28は，X線検査について，強制処分であり，検証許可状によることなくこれを行った行為は違法といわざるを得ないと判示しているが，検証令状をとっていれば同検査を行うことが可能であったとする点が，GPS捜査の場合と異なっている。
24) 強制採尿に関する最決昭55・10・23刑集34・5・300(⇨193頁)や，通信傍受に関する決平11・12・16刑集53・9・1327(⇨196頁)がその典型例である。刑法でも，不正指令電磁的記録や強制執行関係の刑法改正などが，立法に長時間を要した例である。
25) このような，直接的で有形的な実力の行使(直接強制)及び制裁を予定した義務づけ(間接強制)を伴う処分が強制処分であり，それ以外の処分は任意処分であるとする説が最も有力だったといえるが，法197条Ⅱ項にいう公務所等への照会のように制裁の伴わない法的義務づけの場合も強制処分に含まれるとする説もあった。ただ，強制と任意との間に「強制にわたらない実力」という段階があり，「説得」のための有形力行使(中間的な実力的説得)が任意処分として許される場合があるとする説も存在してきた(三井誠『刑事手続法(1)新版』80頁以下参照)。

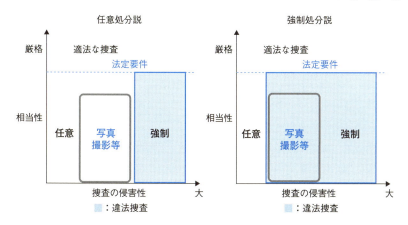

れないと考える強制処分説のいずれが妥当かという形で，類型的に論じられていた時期があった(⇨ 83, 107 頁).

有形力と権利侵害 写真撮影のみでなく，ポリグラフ検査，秘聴・秘密録音，電話傍受等がしばしば用いられるようになり，他方で，肖像権やプライバシー等が重要視されるようになっていく中で，「有形力の行使の有無」「権利を害するものであるか否か」を軸に強制捜査か任意捜査かを区分することの限界が意識されるようになる．有形力を行使しない方法が任意捜査として無制限に許容されるとするのも，義務を課すものは，有形力を伴わなくても，その程度等にかかわらずすべて強制捜査になるとするのも，いずれも妥当ではないし，他方，有形力を少しでも行使すれば任意捜査に当たらないとするのも不当だという認識が定着していく．

同意と強制捜査 その結果，学説上は，有形力の行使の有無ではなく，同意を得ないで個人の権利・法益を侵犯する処分か否かや，明示又は黙示の意思に反して重要な権利・利益の制約を伴う処分か否かを基準とする説が有力化する．同意の有無と権利侵害の有無・程度を考慮して強制捜査か否かを判定しようとするものといえよう．

しかし，同意なしの任意捜査もあり得る(尾行，張り込み等)．また，本人の同意があればいかなる捜査(取調べ)も許されるというものでもない．例えば，警察官は被疑者の同意があっても極度に人権侵害性の強い捜査手法を用いて

よいわけではなく[26]，根拠規定が必要な手法も考えられるのである．さらに，同意があるといっても，捜査の手法によっては，その意味や効果も異なり得るし，そもそも，「真の同意」から「拒否」までの間に「不承不承の同意」等様々なレベルの「同意」が考えられ，その程度についても，捜査手法の法益侵害性と捜査を行う必要性(罪名や嫌疑の程度)と関連させて考慮しなければ判断できない面があるのである[27]．

その結果，現在では，① 個人の意思を制圧し，② 権利に制約を加えて，③ 強制的に捜査目的を実現する行為など，④ 特別の根拠規定を要する手段か否かという実質的基準が用いられることになったといってよい．

(3) 任意捜査として許容される限界

必要な取調べ　「強制的に捜査目的を実現する」とまではいえず，「特別の根拠規定がなければ許容することが相当でない権利侵害を伴う」とまではいえない捜査であっても，強制処分ではないからといってすべて許されるわけではない[28]．刑事訴訟法が「任意捜査を原則とする」という意味は，任意捜査に分類されれば捜査官は何をやっても許容されるという意味ではない(⇨ 106 頁)．任意捜査の許容範囲は，法全体の意思を解釈しつつ，それぞれの捜査手法ごとに，諸事情を総合して捜査としての相当性の有無を具体的に検討すべきことになる．

科学と人権の対立　科学技術の進展に伴い，新しい捜査方法が次々と生み出されてきている．いわゆる「うそ発見器」(⇨ 202, 479 頁)，DNA 型鑑定(⇨ 477 頁)，麻酔分析(⇨ 203 頁注 4)，通信傍受(⇨ 195 頁)などの新しい捜査手法は，その方法次第では人権を侵害する危険性を内包していることに注意しなければならない．真

---

26) そのような捜査は，同意がある以上，任意捜査であるが捜査としての相当性が欠けるので違法であるとして処理することも可能であろう．ただ，そうなると，何のために強制捜査を区別するのかが問われることになる．
27) これに対しては，程度や量を問題にすると基準が曖昧になるという批判が想定される．しかし，現行の刑事法規は，法益侵害を伴うあらゆる処分について根拠付けを与えるものとはなっていないし，**強制処分法定主義**は，そのような場合をすべて違法とするよう要請しているわけではない．
28) 強制か任意かの判断と任意捜査がどこから違法になるかの判断は，異なるが，実質的には近似する．ただ，より細かな利益衡量でその違法性を判断し，具体的な事実に対応し得る後者の方が，解釈論として合理性が高いともいえよう．

実の解明にとっていかに絶対的な効果を有するものであっても，人間の尊厳を侵すような捜査手法は許されない．捜査は，犯罪を糾明してそれを抑止し減少させるためのものであり，その究極には国民全体の利益が存在する．たとえ犯罪防止のためであっても，国民の人権が侵されるのであれば，やはり認められない．

写真撮影の実質的許容性　任意処分説を徹底すると，強制を伴っていない写真撮影は捜査官が自由に行い得るということになり，「肖像権」を余りにも軽視するものと批判され，逆に，写真撮影の規定が存在しない以上原則として許されないと考える強制処分説を徹底する立場も，客観的証拠の収集の要請を軽視しすぎるものであるとして強く批判された．その結果，任意処分説も，「強制処分に準じた要件が要る」と解するようになり（⇨107頁），強制処分説も，「直接の法的根拠がなくても憲法35条等により許される」という緩やかな強制処分説に発展していく．

問題は，「実質的に許される範囲」，すなわち任意処分説の「強制処分に準じた要件」，強制処分説の「憲法35条等による実質的な限定の基準」の中身と異同であった．

写真撮影と相当性　そのような中で，最大判昭44・12・24（刑集23・12・1625）は，憲法13条を根拠に，承諾なしに容ぼう等を撮影されない自由が存在することを認めた上で，捜査の場合には，承諾を得ない写真撮影が任意捜査として許される場合があるとし，その許容範囲として，①現行犯ないし準現行犯的状況が存在し，②証拠保全の必要性・緊急性があり，③写真の撮り方が手段の相当性の範囲内である場合を指摘している．①〜③に加え「被疑事実の重要性」も考慮して，被疑者の同意なしに行っても許容される写真撮影の限界が判定されることになる[29]．

同意があっても違法な捜査　処分を受ける者の同意があれば，捜査として許容される範囲は広くなる．しかし，同意があればいかなる捜査（取調べ）も許されるというものではない．形式上被疑者の同意を得て行った場合でも，実質上逮捕に当たると評価される場合が存在する（富山地決昭54・

---

29) 現行犯的な場合以外でも容ぼう等の撮影が許されることがあるのは当然であり，最決平20・4・15（刑集62・5・1398 ⇨ 108頁）も，防犯ビデオに映っていた強盗殺人等の犯人と思われる人物との同一性を判断するため，公道上など他人から容ぼう等を観察されること自体は通常受忍せざるを得ない場所で行われた写真撮影について，捜査活動として適法としている．

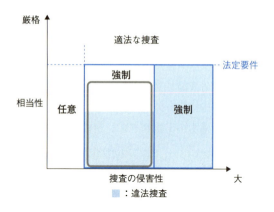

7・26 判時 946・137 ⇨ 119 頁). この判決の事案は, 監視により外に自由に出られる雰囲気はなく, 事実上は逮捕が行われていたと同視し得るものであり, 令状がなければできない捜査を事実上令状なしに行ったとして, 違法だとされた. 任意捜査であっても「相当な範囲」を超えたので違法とされたが, 相当性の基準は,「実質的に強制捜査である逮捕と同じような侵害性を伴う捜査を行ったと評価できるか」にあった. その後判例は, 任意捜査であっても許されない行為の限界を具体的に示していく.

同意を得た取調べの限界 最決昭 59・2・29 (刑集 38・3・479 ⇨ 120 頁) は, 物証がほとんどない殺人事件の任意捜査の段階で, 4 夜にわたりホテルなどの宿泊施設に宿泊させるなどして取り調べたことの適法性が争われた事案に関し, ①任意捜査の一環としての被疑者の取調べは, 社会通念上相当と認められる方法ないし態様及び限度において許容され, ②本件取調べは, 長時間の取調べに応じざるを得ない状況におかれていたものと見られる一面もあり, その期間も長く, 任意取調べの方法として必ずしも妥当なものであったとはいい難いとしつつ, ③しかし, 被告人が任意に応じたものと認められるばかりでなく, 事案の性質上速やかに被告人から詳細な事情及び弁解を聴取する必要性があったので,「社会通念上やむを得なかったもの」といえると判断した. 任意という形を採ったとしても限界があることを示すとともに, その限界の判断基準について実質的要件を提示した.

また, 最決平 1・7・4 (刑集 43・7・581) は, 殺人事件で深夜に任意同行し, 徹夜で 22 時間取り調べた事案につき, ①被疑者が自ら取調べを願っており, 途中で帰宅

しようとした形跡がなかったこと，②捜査官が逮捕の時間的制限を免れる目的ではなかったことなどを挙げ，社会通念上任意捜査として許容される限度を逸脱したものであったとまでは断ずることができないとした．

有形力を伴う任意捜査　他方，任意捜査であっても，全く有形力を用いられないわけではなく，例外的に，一定の範囲内では有形力の行使が許容される(最決昭51・3・16刑集30・2・187 ⇨ 76, 121頁)．最高裁は，有形力の行使を伴っても，個人の意思を制圧し個人の法益に制約を加える捜査方法で法的根拠を必要とするものに当たらない限り，任意捜査であるとしたが，同時に，その程度に至らない有形力行使の許容限度について，以下のように判示した．「強制手段にあたらない有形力の行使であっても，何らかの法益を侵害し又は侵害するおそれがあるのであるから，状況のいかんを問わず常に許容されるものと解するのは相当でなく，**必要性，緊急性**などをも考慮したうえ，**具体的状況のもとで相当**と認められる限度において許容されるものと解すべきである」．

捜査の許容性と比例原則　このように，有形力を伴う捜査も任意捜査であり得るとすると，より一層，「任意捜査内での実質的許容範囲」が問題となる．そもそも，逮捕や捜索・押収などの典型的な強制捜査でも，具体的捜査行為・付随行為の適法性は実質的に判断されている(⇨ 126-127, 129頁)．そして，最高裁が示した，任意捜査における有形力行使の限界としての「必要性，緊急性などをも考慮した具体的状況のもとでの相当性」の判断は，捜査の適法性に関する相当性判断の「資料を整理する視点」として最も骨格となる部分といえる．

職務質問や所持品検査などの行政警察の部分も含め(⇨96頁)，捜査手法は多様であるが，その個性は，比例原則の各要素に組み込まれ得る．総合評価は，基本的には，Ⅰ手段としての相当性(捜査が人権を侵害する程度)と，Ⅱ捜査を必要とする要請(目的の正当性)の衡量である．さらに，捜査を違法とすることにより生じる手続上のマイナス効果との比較衡量が加わる[30]．

---

30)　Ⅰの中心は，被疑者の利益侵害の種類・程度である．侵害性の高いものは，強制捜査として分類され，法定の要件の明示が要請される．それに至らない場合でも，捜査の違法性判断にとって非常に重要な因子であることは変わらない．侵害性の高さは，有形力の程度のように量的に

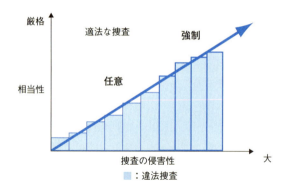

　当該捜査が違法かについては，個々の捜査手法ごとに具体的に検討する必要がある(⇨ 107 頁以下)．その際には，「強制捜査なのか任意捜査なのか」という分類だけでは対応できないことに注意しなければならない[31]．重要なの

　計りやすいものばかりではない．強制採尿(⇨ 193 頁)で争われたように，人格の尊厳のような「価値的なもの」も，衡量される．
　被疑者の同意の程度も，捜査手段の侵害性の大小と関連する．同意があるといっても，積極的な承諾がある場合から消極的認容にすぎない場合まで，幅(程度)が存在する．また，当初は自ら望んで協力していたが，長時間にわたる中で，意思が変わる場合もある．したがって，捜査の違法性を判断する際には，「同意があったか否か」の二者択一的判断ではなく，① 捜査官からの圧力の程度など当時の状況を前提とした同意の「程度」や，② 捜査の流れの中で同意の「程度」に変化がなかったかなど，被疑者の意思を具体的に考慮し，用いられた捜査手法の侵害性の大小や，犯罪の重大性，捜査の必要性などと総合的に衡量して，「相当性」を判断する必要がある(⇨ 106 頁以下)．
　II の中心は，問題となっている犯罪(構成要件)の重大性と嫌疑の程度である．そもそも，全犯罪類型ではなく重大なものに限定してその解決に用いるべき捜査方法もある．そして，その場で敢えて行わなければならない事情(必要性・緊急性)も，犯罪類型によって異なってくる．
31) 強制処分と比例原則に関しては，最決平 11・12・16(刑集 53・9・1327 ⇨ 196 頁)が，通信傍受に関する法改正より前に検証許可状に基づいて実施した電話傍受を適法とした判断内容が参考になる．① 電話傍受は検証としての性質をも有し，② 傍受の要件の充足につき事前審査可能で，③ 検証許可状の記載で対象通話，電話回線，方法・場所，期間を限定・特定し得るし，④ 第三者の立会いなどの条件を付し得るほか，⑤ 傍受すべき通話に該当するかどうかが明らかでない通話について，その判断に必要な限度で傍受をすることは刑訴法 129 条所定の『必要な処分』に含まれるとした上で，検証許可状による場合，法律や規則上，通話当事者に対する事後通知の措置や通話当事者からの不服申立ては規定されておらず，その点に問題があることは否定し難いが，電話傍受は，これを行うことが犯罪の捜査上真にやむを得ないと認められる場合に限り，かつ，前述のような手続に従うことによって初めて実施され得ることなどを考慮すると，検証許可状による電話傍受が許されなかったとは解されないとしている点が参考となる．

は当該捜査が違法なのか否かの判断であり，違法収集証拠排除法則(⇨479頁)も視野に入れなければならない．

その基準は，結局，捜査の適法性の一般基準，すなわち① 被疑者の利益侵害の種類・程度，② 事案の重大性・嫌疑の強さ，③ 当該具体的捜査の必要性・緊急性，④ 被疑者の同意の範囲・程度等の総合的考慮なのである．最高裁の他の判例も総合すると，判例も，同様の考え方を示しているものと理解できる[32]．今後は，どういう捜査は違法で，どういう捜査は違法でないかを，個々の捜査手法ごとに分析する作業が重視されるようになっていくと考えられる．

捜査の適法性

① 捜査の利益侵害性の程度（有形力の程度　プライバシー侵害の程度）
② 犯罪の重大性と嫌疑の程度
③ その場で行う必要性・緊急性　⟵　それまでの被疑者の態度
④ 被疑者の意思の侵害の程度
　　（明示の意思に反す　⟵　秘かに行う　⟶　明示の同意を得て行う）

4　違法捜査とその救済

違法な捜査に対する対応　捜査が違法とされた場合はどのように取り扱われるのであろうか．例えば，警察官が違法な捜査をした場合，被疑者としてはどのような争い方ができるのか，裁判所からどのように救済してもらえるのかという問題である．この点は，**刑事手続内部**と**刑事手続外**

---

[32] これらの基準をより具体的にみると，まず，(a)その捜査の法益侵害性の程度が問題となり，その程度が高ければ捜査方法はより限定され，その程度が低ければより自由に行うことができる．次に，(b)被疑者の自由意思を侵害する程度が問題となり，その大小によって同様の判断が導かれる．さらに，(a)(b)を組み合わせたものと比較しなければならないのが，(c)捜査の具体的必要性である．それは主として，(イ)事件の重大性，(ロ)嫌疑の強さ，(ハ)その捜査の必要性である．(イ)事件の重大性とは，例えば，殺人事件と窃盗事件では殺人事件の方が重大であり，強い捜査ができる，ということである．また，(ロ)嫌疑の強さとは，「どれだけ疑わしいか」「嫌疑がどれだけ強いか」ということであり，目撃証人が何人もいるような場合と，噂で「あいつはどうもこの頃羽振りがいい」という程度の場合など，いろいろな段階があり，嫌疑が強ければ強いほど強い捜査が許されるということになる．最後に，(ハ)その捜査の必要性が考慮される．「それしか事件を解明する方法がないかどうか」という判断基準である．

とに大きく分けて考える必要がある．違法捜査に対する対応は，刑事訴訟法の最も主要な論点といってもよく，それぞれの手続段階で，詳細に検討するが(⇨242, 479頁等)，ここではそれらについて概観しておくことにする．

手続内部の救済 まず，勾留や差押え等の強制処分について争う道としては，**準抗告**の手続が存在する．具体的には，裁判官がした一定の裁判又は捜査官がした一定の処分について，裁判所に対して取消し又は変更を請求することである(法429・430)．裁判官の行った裁判(命令)，例えば勾留状を出した裁判官の判断について争う(違法な逮捕を理由に，検察側の勾留請求を却下すべきであるというような主張がなされる)とか，捜査官のした処分について，裁判所に対して不服を申し立てるのである(⇨547頁)．準抗告に対して，裁判所は決定をもって答える．取り消す決定をするか，変更する決定をするか，それらを認めない決定をすることになる．

次に，手続が進行し公判手続が開始される時点で捜査の違法を争う方法として，「公訴が無効なので**公訴棄却**(法338④)を求める」ということが考えられる(公訴権濫用論⇨241頁)．公訴棄却とは，起訴の段階でいわば門前払いにする措置である．公訴棄却が認められる場合としては様々な態様のものがあるが(⇨517頁)，その1つとして，重大な違法捜査が行われた以上，それ以降の審理を行うことなく手続を打ち切るという場合が考えられる[33]．

さらに，裁判段階での違法捜査に対するチェックとして，**違法収集証拠排除**という考え方が存在する(⇨479頁)．裁判が進行し，証拠調べの段階に入った後に，「違法な捜査によって得られた証拠は，証拠として用いることができない」という形で違法捜査のチェックをするのである[34]．「違法な捜査をしてまで証拠を集めても使えない」ということを示すことにより，違法捜査を抑制する効果を狙ったものである．ただ，証拠を広く排除すればそれで足りるというわけにもいかない．例えば，警察官が被疑者の同意なしにそのポケットの中に手を入れて探し回るような行為は，違法な捜査であるが，「覚醒剤を

---

[33] 「やり方が悪かったといっても，それと有罪・無罪は別の問題である．やり方の悪さを批判しつつ，裁判を続ければよい」というのは，実体法的な考え方であり，手続の公正さが求められる以上，「やり方」を理由に裁判を打ち切ることもあり得るのである．

[34] 条文上の直接的な根拠はない．外国の議論にも影響されながら，判例法として形成されてきたものといえよう．

やっているらしい」という情報を得て，顔色もおかしいしポケットが異様に膨れているのでポケットに手を突っ込んだところ覚醒剤が出てきたという事案を考えた場合，このポケットから出てきた覚醒剤は違法に収集された証拠となって，覚醒剤所持罪については無罪にせざるを得ないのであろうか．このような点をめぐって，違法収集証拠の問題は激しく争われているのである．

手続法判断の特色　手続は「動的」なものであるから，それぞれの段階で手続の違法とその効果を考える必要がある．特に，実体法(刑法)の世界では，「〇か×か」を1回判断するという意識が強いが，訴訟法では，その発展段階に応じて，必要な利益衡量を行い，総体としての刑事手続の合理性を維持することが重要なのである．また，ある手続の違法が次に続く手続まで違法にするかということも問題となる(⇨141頁)．

違法捜査と量刑　捜査の違法を被告人の量刑に反映させることができるかについては，議論がある．量刑は，基本的に，被告人の犯罪行為に相応した刑事責任を明らかにするものであり，法定刑を前提として，動機，手段・方法，被害の程度など犯罪事実に属する情状(犯情⇨391頁)を主たる考慮要素とし，被告人の属性，犯行後の事情，被害者側の事情などを付随的要素として併せ考慮して，決められる(前田『刑法総論講義第7版』8章2(2)参照)．したがって，違法捜査それ自体を量刑上考慮する余地はないし，違法収集証拠排除法則と関連させることもできない．確かに，被告人が違法捜査によって精神的・肉体的苦痛を受けたとすれば，それを犯行後の事情の一つとして考慮する余地があり(原田國男『量刑判断の実際第3版』167頁)，地裁の裁判例の中には考慮できるとしたものがある(大阪地判平18・9・20判時1955・172)[35]．しかし，犯行後の事情が量刑を左右する度合は限られたものであること，どのような精神的・肉体的苦痛をどの程度考慮すべきか明確でないこと，量刑により「捜査の違法性が一部治癒する」という発想に繋がると違法捜査抑止の効果をかえって弱めることにならないか疑問があること，違法捜査に対する法的賠償の機能が不十分であることなどを量刑によって補おうとするのが犯罪被害

---

35) 大阪地判平18・9・20は，薬物事犯の捜査段階において，取調警察官が何らかの有形力を行使してスチール机をXに向かって押し出し，その角がXの左側胸部に当たってXが左肋軟骨折の傷害を負ったことに関し，このような事実があってもXの捜査段階の各供述調書の任意性は肯定できるとし，その余の証拠についても違法収集証拠といえないとして有罪を認定した上で，警察官の行為は著しく妥当性を欠いた違法な取調べであったと認められ，これに対し国家賠償訴訟を提起することも考えられるが，立証責任や本件の証拠構造からして必ずしも勝訴が確実であるとまではいえないことに照らすと，違法な暴行によりXが苦痛を被った事実を量刑判断において相当程度考慮することが必要であるとした．

者の立場から妥当なのか疑問があること，違法収集証拠か否かが争点となっていないような事件でも捜査手続の適法性を争点として審理することになるのは不自然であることなどの理由から，実務的には消極的見解が強い．

手続外の救済　違法捜査に対する対応としてむしろ一般的にわかりやすいのは，違法捜査を行った者を処分するということであろう．①違法な捜査をした警察官を懲戒処分にすることは，今後の違法捜査の抑止にとって効果がある．懲戒等の行政的な処分では足りず刑罰を科すべき場合であれば，職権濫用罪の適用が問題となる(刑193〜196)．公務員が捜査で行き過ぎをした場合に処罰することを想定した規定が職権濫用罪であるといっても過言ではない．刑法193条が基本であるが，同条以下の各条を見れば，いかに捜査に関連して職権濫用のおそれがあるか分かる．具体的な例としては，警察官が取調べの時に殴ったような場合であり，こういう場合を念頭に置いた規定である．このように，刑罰を科すという制裁も存在する．②また，被疑者が捜査官(国・地方公共団体)を相手に損害賠償(民709)を請求することも考えられる．不当な捜査をされたので損害賠償を求めるというものである．公的機関が行っているので，国家賠償(国家賠償法1)も問題となる．

　もっとも，被疑者・被告人にとってより重要な救済手段は，手続外のものより手続内部のものであるといえる．

捜査の端緒

1 捜査の開始

犯罪があると思料するとき

犯罪があると思われるときに，捜査は開始される（法189 II）．犯罪の嫌疑が生じた原因，すなわち捜査が開始された手掛かりを**捜査の端緒**という．捜査の端緒には制限がない．被害者・第三者の申告，捜査機関の現認などは，典型的な例である．法に規定されているものとして，職務質問，検視，告訴，自首，現行犯逮捕などがある．他事件の捜査，新聞記事，投書風評等のほか，外国議会における発言などによっても捜査の開始されることがある．訴訟条件（⇨244頁）がまだ具備するに至っていなくてもよい．

図1　捜査の端緒（令和2年）　　図2　被害者届出以外の捜査の端緒（令和2年）

嫌疑の有無を判断する権限は，まず司法警察職員にある[1)2)]．捜査官の恣意

---

1) 法189条II項は，「司法警察職員は，犯罪があると思料するときは，犯人及び証拠を捜査するものとする」と規定する．検察官については，法191条I項が，「検察官は，必要と認めるときは，自ら犯罪を捜査することができる」と規定する．
2) 検察官しか行えないものとして検視がある（法229 ⇨ 94頁）．ただ，検察官の専権であるといっても，実際は警察官が行うことが多い（代行検視，法229 II）．

的な判断ではなく，特定の犯罪が行われたことを疑わせるに足る客観的な事情の存在が必要である．特定の犯罪についての嫌疑までは存在せず，何らかの犯罪となるべき不正・違法が行われたかもしれないと認められるにすぎない程度では，刑訴法上これを捜査と呼ぶのは困難である．もっとも，犯罪の予防・制止や，治安の維持のために行う警察活動が，捜査の準備としての意味を持つ場合や，一面において捜査にあたるという場合もある(⇨66頁)．

2 捜査の端緒の具体例

通報 捜査の端緒として最も多いのは通報であり，最近では90%近くが通報による(図1)．通報の主体は被害者ないし被害関係者であり，近時は，警備会社の通報が増加している．なお，交通事故を起こした者は，事故の状況等について警察に通報しなければならない(道交法72 I，最大判昭37・5・2刑集16・5・495参照⇨黙秘権202頁)．また，死体を検案して異状を認めた医師は，その死因等について届け出る医師法上の義務がある(最判平16・4・13刑集58・4・247⇨202頁)．

現行犯 実際上，捜査の端緒として，職務質問等をきっかけとした現行犯逮捕が重要な役割を果たしている．現行犯とは，現に罪を行っているか現に罪を行い終わった者である(法212 I．罪を行い終わってから間がないと明らかに認められる者も現行犯人とみなされる―法212 II)．現行犯人は，何人でも逮捕状なしに逮捕することができるので(法213)，捜査の開始と逮捕がつながってしまうのであるが，厳密には，捜査の端緒は犯罪の現認であり，「逮捕」を端緒というのはミスリーディングであろう．

告訴・告発・請求 告訴とは，被害者その他告訴権を有する一定の者が捜査機関に対し犯罪事実を申告し，犯人の処罰を求める意思表示である(法230)．単なる事件の通報ではなく，処罰を求める意思表示でなければならず，後の刑事手続においても重要な意味を持つ．告訴がないと公訴を提起できない犯罪類型(**親告罪**)がかなり存在するからである．告訴し得るのは被害者本人又はその法定代理人(親権者，後見人)であり(法230, 231 I)，親族というだけでは告訴できない．ただし，被害者が死亡した場合や死者の名誉毀損の

場合等は，一定の親族が告訴できる(法231Ⅱ·232·233)[3]．

告訴期間は，名誉毀損等に関する外国の代表者等による告訴の場合を除き，犯人を知った日から6か月である(法235Ⅰ)．なお，かつて親告罪であった性犯罪については，平成12年の法改正により一部犯罪の告訴期間が撤廃されたが，その後，平成29年の刑法改正により，非親告罪とされた．

告訴は，書面又は口頭で，検察官又は司法警察員に対して行う(法241Ⅰ)．口頭でされた場合には，調書が作成される(法241Ⅱ)．告訴の効力として，告訴不可分の原則がある(⇨247頁)．複数の人間が関与している場合(共犯など)に，1人に対してのみ告訴したとしても，告訴の効力は全員に及ぶものとされる(法238Ⅰ，主観的不可分)．また，1個の犯罪事実の一部に対する告訴の効力はその全部に及ぶ(客観的不可分)．

告訴は，公訴の提起があるまでは取り消すこと(性質は撤回)ができる(法237Ⅰ)．取り消した者は，更に告訴をすることはできない(法237Ⅱ)．

被害届 告訴と類似するものに被害届があるが，必ずしも処罰を求める意思表示とはいえないこともあり，その点で告訴とは区別される．犯罪の通報がされた場合に常に被害届が提出されるわけではないが，被害届が出されれば，捜査機関は所定の捜査を行わなければならない．そのため，被害届の受理に慎重な態度が見られたが，長崎ストーカー殺人事件を受け，警察庁は，全被害届を原則受理するという通達を出している(平成24年8月)．

告発とは，第三者が捜査機関に対し犯罪事実を申告し，犯人の訴追を求める意思表示である．告発は誰でもできる(法239Ⅰ)．公務員は，職務を行うことにより犯罪を知ったときは，告発しなければならないが(法239Ⅱ)，たまたま犯罪に遭遇したというだけではそれに該当しない．告発の手続と効果は，告訴の場合と同様である．

告発がなければ訴追されない犯罪類型が例外的にある．主要なものとしては，独占禁止法違反，議院証言法違反，関税法違反がある．

---

[3] 告訴できるのは，原則として本人と法定代理人であるが，被害者が死亡したときは，その配偶者，直系の親族又は兄弟姉妹が告訴権者とされ(法231Ⅱ)，また，死者の名誉毀損(刑230Ⅱ)の場合には，死者に関して本人あるいは法定代理人というのはあり得ないから，親族・子孫が告訴権者とされている(法233)．

請求とは，請求権を持った一定の機関が捜査機関に犯罪事実を申告し訴追を求めることである．告訴・告発に類似したものであるが，実際の例は非常に少ない．請求がなければ訴追されない犯罪として，外国国章損壊罪(刑92)があり，外国政府の請求が必要とされる．

自　首　自首とは，捜査機関に発覚する以前に，犯人が自ら進んで自己の犯罪事実を述べ，訴追を求める意思表示である．自分から申し出ればすべて自首というわけではなく，「捜査機関に発覚する以前に」なされ，訴追を求める趣旨である必要がある．自首は，刑事訴訟法上は捜査の端緒の1つであり，その方式及び手続については，告訴のそれが準用される(法245)．刑法上は，自首があると刑を減軽することができる(刑42)．

検　視　変死者又は変死の疑いのある死体について，死亡が犯罪に起因するものかどうかを判断するために死体の状況を見分することを検視[4]という(法229)．司法検視は，検証(⇨188頁)と区別されなければならない．令状は不要である．一時期，検視の不十分さが社会問題化し，死因究明推進法(平成24年)が制定されるなどし，検視官の臨場率は向上した．しかし死体の解剖は，必ずしも十分ではないとの指摘がある(⇨167頁参照)．

---

4)　検視には，司法検視と行政検視とがある．犯罪による死亡でないことが明白な場合には，司法検視の対象とはならず，公衆衛生などの行政上の目的からの行政検視の対象となり得る．司法検視は，令状を要しない反面，単に外観を観察できるにとどまるが，行政検視の場合には，解剖が許される場合がある(食品衛生64等)．この点，脳死段階での検視が問題となる(⇨167頁注18)．

　現行の検視制度のみでは，犯罪による死亡であることを見逃すおそれがあるとの指摘が強かったことに加え，平成23年3月の東日本大震災の際に身元確認のための態勢の重要性が広く認識されたことなどから，平成24年6月に死因究明等の推進に関する法律が制定された．同法によって，内閣府に死因究明等推進会議が設置され，平成26年6月には死因究明等推進計画の閣議決定がなされ，法医学に関する知見を活用して死因究明を行う専門的な機関の全国的な整備を行い，捜査機関においては，検視官の臨場率の向上，死因・身元調査法に基づく解剖の実施の徹底，科学捜査の体制整備，医師会，法医学教室等との連携の強化，死亡時画像診断の一層の実施，DNA型情報等を整理・保管・対照する仕組みの構築，DNA型鑑定実施体制の整備等が要請された．現在は，死因究明等推進基本法に基づき，厚生労働省に死因究明等推進本部が置かれている．

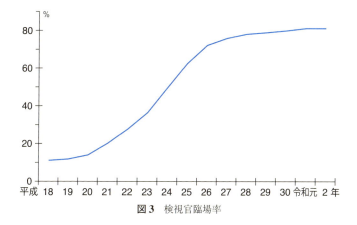

図3 検視官臨場率

3 職務質問とその問題点

警察官職務執行法
1条 I この法律は，警察官が警察法に規定する個人の生命，身体及び財産の保護，犯罪の予防，公安の維持並びに他の法令の執行等の職権職務を忠実に遂行するために，必要な手段を定めることを目的とする．
 II この法律に規定する手段は，前項の目的のため必要な最小の限度において用いるべきものであって，いやしくもその濫用にわたるようなことがあってはならない．
2条 I 警察官は，異常な挙動その他周囲の事情から合理的に判断して何らかの犯罪を犯し，若しくは犯そうとしていると疑うに足りる相当な理由のある者又は既に行われた犯罪について，若しくは犯罪が行われようとしていることについて知っていると認められる者を停止させて質問することができる．
 II その場で前項の質問をすることが本人に対して不利であり，又は交通の妨害になると認められる場合においては，質問するため，その者に附近の警察署，派出所又は駐在所に同行することを求めることができる．
 III 前2項に規定する者は，刑事訴訟に関する法律の規定によらない限り，身柄を拘束され，又はその意に反して警察署，派出所若しくは駐在所に連行され，若しくは答弁を強要されることはない．
 IV 警察官は，刑事訴訟に関する法律により逮捕されている者については，その身体について凶器を所持しているかどうかを調べることができる．
5条 警察官は，犯罪がまさに行われようとするのを認めたときは，その予防のた

> め関係者に必要な警告を発し，又，もしその行為により人の生命若しくは身体に危険が及び，又は財産に重大な損害を受ける虞があって，急を要する場合においては，その行為を制止することができる．

(1) 警察官職務執行法

職務質問　警職法2条による職務質問は，犯罪捜査自体ではないが，それによって犯罪が発覚することも多いので，捜査の端緒として重要なものの1つである．異常な挙動その他周囲の事情から合理的に判断して，何らかの犯罪を犯しているか犯そうとしていると疑うに足りる相当な理由がある者，又は既に行われた犯罪若しくは行われようとしている犯罪について知っていると認められる者を停止させて質問し，あるいは付近の警察署への同行を求めて質問することを**職務質問**という．その際に身柄を拘束することはできないし，答弁を強要することも許されない(同法2Ⅲ)．ただ，質問に協力するよう説得することは許されている(その限界について⇨ 100, 115頁)．

この点，不審者が呼び止めに応じないで逃げ出したような場合，そのまま放置する以外に方法はないのであろうか．実務上は，捜査の端緒として実効性のあるものとするため，職務質問にも一定の範囲内で有形力の行使を認め，裁判所もそのガイドラインを示してきた(⇨ 98頁)．任意捜査であっても一定の有形力の行使が認められ得るからである(⇨ 85頁)．また，職務質問に付随して行う所持品検査も，一定の限度で許されるとするのが判例である(⇨ 98頁)．

> **警察官職務執行法**　警察官の活動の限界を示すもので，立法時に大変議論を呼んだものである．同法1条Ⅱ項が，「この法律に規定する手段は，前項の目的のため必要な最小の限度において用いるべきものであって，いやしくもその濫用にわたるようなことがあってはならない」と定めているのも，その間の経緯を象徴している．

停止・質問　職務質問の意義として重要なのは，警職法2条Ⅰ項が，何らかの犯罪を犯し，若しくは犯そうとしていると疑うに足りる相当な理由のある者などを停止させて質問することができると定めている点であ

る.「停止させること」は法的に認められているが[5],身柄の拘束にわたるようなことは許されない.この点,判例は古くから,質問中すきを見て逃げ出した者を,さらに質問を続行すべく追跡して背後から腕に手を掛けて停止させるような行為は,正当な職務行為の範囲を超えないとしてきた(最決昭29・7・15刑集8・7・1137).

任意捜査の限界 職務質問に際して,ある程度の物理力の行使が許容されるか否かに関しては,学説が対立してきた.**完全否定説**は,職務質問が任意捜査である以上,物理的強制は一切許されず,被疑者の肩に手をかけても違法であり,本人の任意の協力がない以上,すべての「拘束」は違法となるとする.これに対し,**実力説**は,捜査の実質上の必要性を背景に,強制にわたらない程度の「実力」の行使はよいとする.「実力」とは,任意と強制の中間に位置づけられるものであって,一定の有形力であるとする.さらに,**中間説**として,身柄拘束に至らない軽度の一時的拘束は許されるとする説が主張されている(田宮58頁).

実力説に対しては,「実力」という概念が曖昧すぎるし,「任意と強制の中間である」というが実際は強制と同じになるのではないか,という批判が強い.完全否定説は,捜査の端緒としての職務質問の機能を軽視しすぎているといえよう.中間説も,「身柄拘束に至らない軽度の一時的拘束」の内容が必ずしも明らかではない.

実質的判断基準 中間説が最も有力であるとされるが,単に拘束の強弱や時間の長短のみで許容範囲が決定されるべきではない.任意捜査の限界を考える以上,疑われている犯罪の大小,嫌疑の強弱,質問の必要性の大小等をも併せ総合して判断する必要があろう.重大な犯罪,例えば複数人に対する強盗殺人の嫌疑が濃厚であり,この場をそのまま通してしまったらその後は捕捉しにくいというような場合,質問の必要性が高い.そのような場合には,「止める」ということにつきかなりの程度の有形力の行使が許

---

5) 警職法2条II項は,その場で質問すること,例えば通行人の多い路上で質問することが,本人に不利な場合や,交通の妨害になるような場合には,警察署・派出所(交番)等に同行を求めることができると定めているが,その場合でも,刑事訴訟法の規定によらない限りは,身柄を拘束されたり,意に反して連行されたり,答弁を強要されることはない(同法2III).

されることもあり得ることになろうが，このような極端なものではなくても，社会的に相当な範囲内であれば許されることになると思われる．

人に対する職務質問の限界は，肩や腕に手をかけて呼び止める程度であり，それ以上に，抱きかかえるとか，2人がかりで両腕を抱えるというのは，原則として違法となる．逆に言えば，「身柄拘束に至らない程度の一時的拘束」はやはり許さざるを得ない．ただ，重大な犯罪であったり嫌疑が濃厚で，しかも必要性が高いときには，それを超えた物理力の行使が許されることもある．

　　最決昭53・9・22（刑集32・6・1774）は，警察官が赤信号を無視して交差点に進入した車両を発見したため，これを停止させて運転免許証の提示を求め，さらに酒気帯び運転の疑いがあるので呼気検査をする旨告げたところ，Xが免許証を奪い取り車を発車させようとしたので，警察官が車の中に手を突っ込んでエンジンキーを回して車両を止めた事案[6]について，①警職法2条1項の規定に基づく職務質問を行うため**停止させる方法として必要かつ相当な行為**であり，②この場合には，道交法の規定に基づき，酒気帯び運転をするおそれがあるときに**交通の危険を防止するためにとった必要な応急の措置**でもあったと判示した．ここでも，拘束の程度のみでなく，「交通の危険を防止する必要性」という面が加味されている．原則としては，よほどのことがない限り警察官がエンジンスイッチを切る行為は許されない（最決平6・9・16刑集48・6・420参照 ⇨ 115頁）．

(2) 所持品検査

　　　　　　職務質問の際に持ち物を検査してよいかが問題となる[7]．基本的
所持品検査　には，警察官から持ち物を探索される理由はなく，そのことは憲法35条が定める「令状なしに捜索を受けない権利」からも当然のことと考えられる．ただ，昭和40年代の学生運動の激しかったころから，所持品を警察官がチェックすることが許されるかどうかが争われるようになった（福岡高決昭45・11・25高刑集23・4・806参照）．

6）これに対しXは憤激し，警察官に暴行を加えて負傷させた．Xは，公務執行妨害・傷害罪で起訴され，エンジンスイッチを切った行為が適法な職務行為といえるかが問題となった．第1審が，不適法な職務行為だから公務執行妨害罪にはならないとして無罪にしたのに対し，控訴審は有罪にし，最高裁もその結論を維持した．

7）「見せて下さい」という警察官に対し，不承不承であっても「はい，どうぞ」と言って見せた場合は，所持品検査の問題は生じない．意思に反して中身を見ることができるかが問題となる．

この点，警職法2条IV項は，逮捕された者について，身体に凶器を所持しているかどうかを調べてもよい旨を定めている(⇨95頁)．また，銃砲刀剣類所持等取締法24条の2は，銃砲刀剣類を携帯又は運搬していると疑われる者に対し一定の要件の下に提示・開示させて調べることを認めている．昭和50年代からは，「警職法2条IV項より広く所持品検査を行い得るか」が争われていく．

否定説・肯定説　かつては，本人が承諾しない限り，所持品検査は一切許されないとする**否定説**が有力であった．最近では，一定範囲で許されるとする**肯定説**が有力である．肯定説は，(ア)警職法2条I項で許される「停止させて質問する」行為の一部として所持品検査をすることができるとする見解(**警職法2条I項説**)と，(イ)警察法2条I項により，警察官には公共の安全と秩序の維持のために様々なことをする責務があるから，所持品検査も許されるとする見解(**警察法2条I項説**)に分かれる．

> **警察法**　警察法は，警察組織について定める警察活動の基本法である．捜査の方法などの刑事警察に関するものに限られない．第1条にあるように，同法は，「個人の権利と自由を保護し，公共の安全と秩序を維持するため，民主的理念を基調とする警察の管理と運営を保障し，且つ，能率的にその任務を遂行するに足る警察の組織を定めることを目的とする」のである．そして，第2条で，警察が何をなすべきか，いかなる権限を有するかの原則が示されている．同条I項は，「警察は，個人の生命，身体及び財産の保護に任じ，犯罪の予防，鎮圧及び捜査，被疑者の逮捕，交通の取締その他公共の安全と秩序の維持に当ることをもってその責務とする」と規定し，警察官が，国民の個人法益を保護し，犯罪を予防し，捜査を行い，逮捕をし，交通を取り締まるなど「公共の安全と秩序の維持に当ること」が責務であるとしている．

米子銀行事件判決　最判昭53・6・20(刑集32・4・670)は，①明文の規定はないが，所持品検査は，口頭による質問と密接に関連し，かつ，職務質問の効果をあげる上で必要性，有効性の認められる行為であるから，職務質問に附随して行うことができる場合があるとし，②任意手段である**職務質問の附随行為**として許容されるのであるから，所持人の承諾を得て行うのが原則であるが，③迅速適正にこれを処理すべき行政警察の責務にかんがみる

と，所持人の承諾がなくても，**捜索に至らない程度の行為**は，強制にわたらない限り，所持品検査においても許容される場合があり，④ 限定的な場合において，**所持品検査の必要性**，**緊急性**，これによって害される個人の法益と保護されるべき公共の利益との権衡などを考慮し，**具体的状況のもとで相当と認められる限度においてのみ**，**許容される**とした．

　　最判昭 53・6・20 の事案は，銀行強盗犯人が現金を強奪して逃走中であるという通報を得て緊急配備についていた警察官が，午前 0 時ころ手配人相と似た 2 人に職務質問をして，所持していたボーリングバッグとアタッシュケースの中身を見せるよう繰り返し求め，質問を続けたが，2 人は拒否し続けた．そこで，2 人を警察署に同行し，そのバッグ等を開けるよう求めて質問を続けたが拒み続けたため，午前 1 時 40 分ころ，承諾のないまま，ボーリングバッグのチャックを開けると，大量の紙幣が無造作に入っているのが見え，続いて，アタッシュケースの鍵をドライバーでこじ開けると，大量の紙幣が入っていて，被害銀行の帯封のある札束も見えたため，2 人を緊急逮捕し，バッグや現金等を差し押さえた．

　　最高裁は，同意なしにボーリングバッグのチャックを開けた行為について，持凶器銀行強盗という重大な犯罪が発生し，深夜に検問の現場を通りかかった濃厚な容疑が存在し，凶器を所持している疑いもあった者に対し職務質問を行ったが，黙秘し所持品の開披要求を拒否し続けたため，所持品検査の緊急性，必要性が強かったとし，その態様は「携行中の所持品であるバッグの施錠されていないチャックを開披し内部を一べつしたにすぎず，これによる法益の侵害はさほど大きいものではなく，上述の経過に照らせば**相当**と認めうる行為であるから，警職法 2 条 I 項の職務質問に附随する行為として許容される」と判示した．また，アタッシュケースをこじ開けた行為についても，ボーリングバッグの適法な開披によって緊急逮捕できるだけの要件が整い，しかも極めて接着した時間内にその現場で緊急逮捕手続が行われており，緊急逮捕手続に先行して逮捕の現場で時間的に接着してなされた捜索手続と同一視し得るとした (緊急逮捕 ⇒ 132 頁)．

質問附随性　判例は，「所持品検査は職務質問に附随する行為である」として，その限界を質問附随性に求める．職務質問に附随して行うものとして必要・有効な範囲で許容されるとするのである (警職法 2 条 I 項説)．確かに，警察法は，警察官の職務を根拠づける一般的規定にすぎず，具体的な捜査の限界の直接の根拠には適さないといえる．

　なお，警職法 2 条 I 項説の中でも，① 職務質問の実効性を高めるために相

当なものは許されるとする通説に対して，②同じく警職法2条I項に根拠を求めるものの，職務質問の際に警察官の安全を確保するのに必要な範囲で許されるという説が有力に主張されている(田宮60頁)．ただ，②説では，所持品検査は，咄嗟の攻撃のために犯人の手の届く範囲の物，具体的には犯人が凶器を身につけていないか身体を検査する行為に限られるが，凶器に関しては警職法2条IV項が，逮捕されている者についてのみ身体の凶器の所持の有無を調べることができると定めており，逮捕されていない場合には，身体について凶器の有無を調べることは許されないと解されよう．やはり，①説のように質問に付随した限度で許されるといわざるを得ない．問題は，許容される限界がどこかである．

具体的許容限界　所持品検査の態様としては，①所持品を外部から観察し，その内容について質問すること，②任意の提示を求め，提示された所持品の内容を検査すること，③相手方の承諾なしに，着衣等の外部に手を触れて所持品を検査すること，④承諾のないまま，実力を行使して所持品を取り出し，その内容を検査することなどが考えられる．問題は③④のように任意の承諾がない場合にも実力行使の余地が認められるかであるが，「捜索」にわたらないという範囲内で，個別的に許容し得る範囲が判断されなければならない．その際には，職務質問をできる要件が存在し，所持品検査の必要性・緊急性が存在することが必要である．しかも，その手段が相当なものでなければならないが，その判断にあたっては，具体的な検査の箇所や態様などから認められる個人の権利が侵害される程度と，疑われている犯罪の重大性，嫌疑の強さ，物件所持の疑いの強さ，その物件の危険性の強さなどから認められる公共の利益とを比較衡量して決定する必要がある．容疑内容が重大で，凶器所持の疑いが強い場合には，③の態様はもちろん，④の態様も許容される余地があるが，薬物事犯等の容疑で凶器所持の疑いがない場合には，③の態様が許される余地はあるとしても，④の態様は違法とされる場合が多いであろう[8]．

---

8) 最判昭53・6・20の事案において，はじめにアタッシュケースをこじ開けてしまったらどうなるか，あるいは，ボーリングバッグは持っておらず，鍵のかかったアタッシュケースしか持っていなかったらどうなるかが問題となる．他に採り得る方法があったかどうかなどのその場の状況

> 所持品検査の相当性（職務質問の附随行為の枠内）
> ①検査による法益侵害の大小 ←（捜査に至らない程度の行為）
> ②検査協力への説得の態様 ←（捜索に至らない程度の行為）
> ③犯罪の種類・嫌疑の濃さ
> ④所持品検査の必要性，緊急性
> ⑤被疑者の拒否の程度 → 具体的状況のもとで相当と認められる限度

違法な所持品検査の例 最判昭53・9・7(刑集32・6・1672)は，警察官が，覚醒剤の使用ないし所持の容疑がかなり強い者に所持品の提示を求めたところ，拒絶されたため，上衣の内ポケットに手を入れて所持品を取り出すと，覚醒剤が出てきたという事案に関し，覚醒剤の使用ないし所持の容疑がかなり濃厚に認められ，職務質問に妨害が入りかねない状況もあったから，所持品を検査する必要性ないし緊急性は認められるが，被告人の承諾がないのに，その上衣左側内ポケットに手を差し入れて所持品を取り出したうえ検査した行為は，一般にプライバシー侵害の程度の高い行為であり，かつ，その態様において捜索に類するものであるから，本件の具体的な状況の下においては相当でなく，職務質問に附随する所持品検査の許容限度を逸脱しているとした[9]。

最決平7・5・30(刑集49・5・703)は，パトカーで警ら中，信号が青色に変わったのに発進しない自動車を認めた警察官が，運転していた被告人に対し職務質問を開始したところ，免許証を携帯しておらず，照会の結果覚醒剤の前歴5件等のあることが判明し，さらに，被告人のしゃべり方が普通と異なっていたこともあり，約20分間にわたり所持品や自動車内を調べたいなどと説得したものの，被告人はこれに応じようとしなかったため，被告人を自動車のそばに立たせた上，車内に乗り込み，自動車の内部を丹念に調べたところ，運転席下の床の上に白い結晶状の粉末の入ったビニール袋1袋が発見されたという事案に関し，被告人の任意の承諾がない限り，職務質問に付随して行う所持品検査として許容される限度を超えているところ，被告人の任意の承諾はなかったのであるから，その行為は違法であるとした[10]。さらに最決平15・5・26(刑集57・5・620⇨488頁)参照。

にもよるが，侵害の程度がより軽い方法もあるのに，直ちにドライバーで鍵を壊してアタッシュケースをこじ開けてしまったら，これは違法な捜査となろう．
9) 最高裁は，この判断に続けて，「右違法な所持品検査及びこれに続いて行われた試薬検査によってはじめて覚醒剤所持の事実が明らかとなった結果，被告人を覚醒剤取締法違反被疑事実で現行犯逮捕する要件が整った本件事案においては，右逮捕に伴い行われた本件証拠物の差押手続は違法といわざるをえないものである」と判断した．
10) 最高裁は，それに引き続く現行犯逮捕手続も違法であるが，引き続き行われた採尿手続により得られた尿の鑑定書の証拠能力は肯定できるとした(⇨488頁)．「右行為が違法であることは否

(3) 自動車検問

　　　　　　　自動車検問も職務質問の一態様である．**検問**とは，犯罪の予防・
　3つの類型　検挙のため，警察官が一定の場所で走行中の自動車を停止させ
て，運転者等に必要な質問を行うことをいう．職務質問が疑わしい者につ
いてのみ停止を求めて行うのに対し，自動車検問は，質問を行う前提として無
差別に自動車の停止を要求するところに特色がある．

　自動車検問には3つの類型がある．まず，① **緊急配備活動**としての検問で，
犯罪が発生し，「そちらの方に車で逃走した」という通報があったような場合
に行われる．犯人の検挙及び情報収集のために停止を求める高い必要性が存
在する．特定の犯罪について行われるものであるから，警職法2条1項を根
拠に許されるとされる．次に，② **交通検問**と呼ばれるものがある．これは交通
違反の予防・検挙のために行われる．整備不良車と認められる場合（道交63）
や，危険防止に必要な場合（道交61）には，道路交通法上，警察官に停止権限が
認められている．そのような目的に絞った交通検問であれば，法的根拠のあ
る捜査といえる．これに対し，③ いわゆる**一斉検問**は，道交法違反の取締り目
的だけで行われるわけではなく，犯罪一般の予防・検挙のために行われるも
のであり，次に述べる警戒検問の要素がかなり含まれている．①②のような
明確な根拠が存在しないため，原則としては任意に停止した車にしか質問は

定し難いが，警察官は，停止の求めを無視して自動車で逃走するなどの不審な挙動を示した被告
人について，覚醒剤の所持又は使用の嫌疑があり，その所持品を検査する必要性，緊急性が認め
られる状況の下で，覚醒剤の存在する可能性の高い本件自動車内を調べたものであり，また，被
告人は，これに対し明示的に異議を唱えるなどの言動を示していないのであって，これらの事情
に徴すると，右違法の程度は大きいとはいえない．次に，本件採尿手続についてみると，右のと
おり，警察官が本件自動車内を調べた行為が違法である以上，右行為に基づき発見された覚醒剤
の所持を被疑事実とする本件現行犯逮捕手続は違法であり，さらに，本件採尿手続も，右一連
の違法な手続によりもたらされた状態を直接利用し，これに引き続いて行われたものであるか
ら，違法性を帯びるといわざるを得ないが，被告人は，その後の警察署への同行には任意に応じ
ており，また，採尿手続自体も，何らの強制も加えられることなく，被告人の自由な意思による
応諾に基づいて行われているのであって，前記のとおり，警察官が本件自動車内を調べた行為の
違法の程度が大きいとはいえないことをも併せ勘案すると，右採尿手続の違法は，いまだ重大と
はいえず，これによって得られた証拠を被告人の罪証に供することが違法捜査抑制の見地から相
当でないとは認められないから，被告人の尿の鑑定書の証拠能力は，これを肯定することができ
ると解するのが相当である」と判断している．

できないことになる．

一斉検問の正当化根拠　職務質問にも一定の物理力の行使が許されるのと同じように，実質的に判断して，適法な警戒検問を認める学説が有力になってきている．(a) **警察法 2 条 I 項根拠説**は，警戒検問の正当化根拠を警察法 2 条 I 項に求める．「犯罪の予防，鎮圧及び捜査，被疑者の逮捕，交通の取締その他公共の安全と秩序の維持」という警察の責務の一環であるとする．ただ，やはり，警察組織の規定である同条は，それだけでは具体的な捜査の適法性の根拠としては抽象的にすぎる．そこで，(b) **警職法 2 条 I 項根拠説**が有力化した．職務質問は，歩行者のみでなく自動車に乗っている人にもできるはずであり，自動車は止めなければ質問できないし，また，自動車は止めてみなければ職務質問をすべき嫌疑があるかどうかもわからないとするのである．警職法 2 条 I 項は，自動車に関しては一応すべてについて停止を求め得ることを前提に，止めて嫌疑があれば質問すればよいし，嫌疑がなければそのまま通せばよいとする趣旨だと解する．しかし，この説明は，無差別に停止させる根拠としては十分でない．そこで，判例は，一定の方法で行われる場合に限って適法であるとしている．

　　最決昭 55・9・22(刑集 34・5・272)[11]は，① 交通の安全及び交通秩序の維持などに必要な警察の諸活動は，任意手段による限り一般的に許容されるべきものであるが(警察法 2 条 I 項)，② それが国民の権利，自由の干渉にわたるおそれのある事項にかかわる場合には，任意手段によるからといって無制限に許されるべきものでない(警職法 1 条など)とした上で，③ 自動車の運転者は，**公道において自動車を利用することを許されている**ことに伴う当然の負担として，合理的に必要な限度で行われる交通の取締りに協力すべきものであり，④ 警察官が，交通取締りの一環として交通違反の多発する地域等の適当な場所において，交通違反の予防，検挙のための自動車検問を実施し，同所を通過する自動車に対して走行の外観上の不審な点の有無にかかわりなく短時分の停止を求めて，運転者などに対し必要な事項についての質問などをすることは，それが相手方の任意の協力を求める形で行われ，自動車の利用

---

11) 　飲酒運転で起訴された事案である．交通違反の取締りをしていて，被告人の自動車を止めたところ，酒くさいので免許証の提示を求めたりして，任意同行して取り調べると，アルコールが検出された．被告人は，一斉検問は違法な捜査であり，検問が端緒となって収集された証拠に証拠能力はなく，無罪であると主張した．

者の自由を不当に制約することにならない方法,態様で行われる限り,適法なものと解すべきであるとしている.

「任意の協力を求める形」で行われ,相手方の自由への侵害が少ない以上は,適法な捜査といえよう(任意捜査の限界 ⇨ 82 頁).

任意捜査の限界

1 任意捜査の許される範囲

必要な取調べ　法 197 条 I 項本文は,「捜査については,その目的を達するため必要な取調をすることができる」と定める.任意のものであれば必要なことは自由に行うことができるという趣旨(⇨73 頁)ではあるが,強制にわたらない捜査方法をすべて任意捜査とし,それを行うことが全面的に認められるという趣旨ではない.写真撮影,おとり捜査などの捜査方法が無限定に許容されるということまで規定しているわけではない[1].言い換えれば,法 197 条 I 項本文は,捜査について必要な取調べを行う抽象的権限のあることを明らかにした規定であるにとどまり,具体的捜査方法をとる権限まで定めたものではないのである.

任意処分の許容範囲は,法全体の意思を解釈しつつ,それぞれの捜査手法ごとに,諸事情を総合して捜査としての相当性の有無を具体的に検討すべきことになる.従来の,任意処分説の「強制処分に準じた要件」や,強制処分説の「実質的な限定の基準」より,実質的な判断が求められているといえる(⇨86-87 頁).

---

1) 法 191 条 I 項は,「検察官は,必要と認めるときは,自ら犯罪を捜査することができる」とし,権限を付与する書き方をしているが,検察官が捜査をする職務権限を有し,その活動が違法とならないことを明らかにするにとどまり,具体的な捜査方法は個々の規定に委ねられている.

2 写真撮影

強制処分に準じた要件

捜査としての写真撮影の適法性が問題となるのは，被撮影者が同意していない場合である．「意思に反する」というよりは「密かに行う」場合なのである．このような同意を得ずに行う（人格権の侵害を伴う）写真撮影は，強制捜査なのか任意捜査なのかが争われた．強制捜査か任意捜査かを有形力の行使の有無を基準に判断する見解によれば，写真撮影は物理的強制を伴わないから任意捜査ということになる．しかし，任意処分説を徹底すると，捜査官が自由に行い得るということになって「肖像権」を軽視すると批判され，他方，写真撮影に関する規定[2]が存在しない以上原則として許されないとする強制処分説を徹底する立場も，客観的証拠の収集の要請を軽視していると批判された（⇨ 83 頁）．

その結果，任意処分説も「強制処分に準じた要件が要る」とし，強制処分説も「直接の法的根拠がなくても憲法 35 条等により許される」という緩やかな強制処分説に発展していく[3]．強制処分といっても法 197 条 I 項で処理するのでなく，その上位規範である捜索押収に関する憲法 35 条（捜査の際の令状）の問題として，実質的に許される範囲を認定すべきだとするのである．

判例の相当性判断

最大判昭 44・12・24（刑集 23・12・1625）[4]は，憲法 13 条を根拠に，承諾なしに容ぼう等を撮影されない自由が存在することを認めた上で，捜査の場合には，承諾を得ない写真撮影が許される場合があ

---

[2] ただし，身柄を拘束された人間は強制的に写真撮影できる（法 218 条 III 項は「身体の拘束を受けている被疑者の指紋若しくは足型を採取し，身長若しくは体重を測定し，又は写真を撮影するには，被疑者を裸にしない限り，第 I 項の令状によることを要しない」と定めている）のであるから，身柄拘束状態にある者についてだけは写真撮影が許されることになる．

[3] 田宮 72 頁は，強制処分というのは直接強制を用いる場合以外にも膨らむものと解すべきであるから，伝統的な令状主義で律し切れず，法 197 条は，法律で定められた既成の強制処分はその定めに従うという意味にとどまることになり，定められていない強制処分は実質的基準で限界を考えるべきであるとし，「写真の場合は既存の強制処分より緩やかな規制で足りる」とする．

[4] 最大判昭 44・12・24 は，何人も，その承諾なしに，みだりにその容ぼう，姿態を撮影されない自由を有するとし，警察官が正当な理由もないのに個人の容ぼう等を撮影することは，憲法 13 条の趣旨に反し，許されないとした．ただ，個人の有する自由も，公共の福祉のため必要のある場合には相当の制限を受けるとし，警察官が犯罪捜査の必要上写真を撮影する際，その対象の中に犯人のみならず第三者である個人の容ぼう等が含まれても，これが許容される場合があり得るのであり，身体の拘束を受けている被疑者の写真撮影を規定した刑訴法 218 条 II 項

るとし，その許容範囲として，①現行犯ないし準現行犯的状況が存在し，②証拠保全の必要性・緊急性があり，③写真の撮り方が手段の相当性の範囲内である場合を指摘している．①～③に加え「被疑事実の重要性」も考慮して，被疑者の同意なしに行っても許容される写真撮影の限界が判定される[5]．

　最決平20・4・15（刑集62・5・1398⇨83頁注29）は，写真撮影についても，犯罪・嫌疑の重大性，撮影の必要性，プライバシー侵害の程度等を総合的に考慮してその適法・違法を判断すべきことを明らかにした．同決定は，防犯ビデオに映っていた犯人と思われる人物と被疑者Xとの同一性を判断するため，Xが公道上を歩いている際とパチンコ店で遊技している際にその容ぼう等をビデオカメラで撮影した行為の適法性が争われた事案[6]において，被告人が犯人である疑いを持つ合理的な理由が存在し，犯人の特定のための重要な判断に必要な証拠資料を入手するため，これに必要な限度において，公道上を歩いている被告人の容ぼう等を撮影し，あるいは不特定多数の客が集まるパチンコ店内において被告人の容ぼう等を撮影したものであり，他人から容ぼう等を観察されること自体は受忍せざるを得ない場所におけるものであるとして，捜査目的を達成するため，必要な範囲において，かつ，相当な方法によって行われたもので，捜査活動として適法であると判断した．①重大犯罪が問題となっており，②犯人の特定という重要な判断に必要な証拠資料を入手するためで，③公道上など，他人から容ぼう等を観察されること自体は通常受忍せざるを得ない場所での撮影であり，手段として相当であることなどを勘案すれば，妥当な結論といえよう．

　　［現Ⅲ項］のような場合のほか，「**現に犯罪が行なわれもしくは行なわれたのち間がないと認められる場合**であって，しかも証拠保全の必要性および緊急性があり，かつその撮影が一般的に許容される限度をこえない相当な方法をもって行なわれるとき」は，本人の同意がなく，また裁判官の令状がなくても許容されるとした．
5) なお，最大判昭44・12・24は，「現行犯ないしこれに準じる場合などそこに掲げられた要件を満たす場合にのみ捜査官による容ぼう等の撮影が許される」というように解される余地を残していたが，現行犯的な場合以外でも容ぼう等の撮影が許されることがあるのは当然である．
6) 最決平20・4・15の事案は，金品強取の目的で被害者を殺害してキャッシュカード等を強取し，同カードを用いて現金自動預払機から多額の現金を窃取するなどしたという強盗殺人，窃盗，窃盗未遂の事案であり，捜査官は，現金自動預払機から現金を引き出そうとした者を撮影した防犯ビデオに映っていた人物と，本件にかかわっている疑いが生じていたXの同一性を判断するため，Xの容ぼう等をビデオ撮影することとし，X宅近くに停車した捜査車両の中から，あるいは付近に借りたマンションの部屋から，公道上を歩いているXをビデオカメラで撮影した．また，捜査官は，防犯ビデオに映っていた人物がはめていた腕時計とXがはめている腕時計との同一性を確認するため，Xが遊技していたパチンコ店の店長に依頼し，店内の防犯カメラによって，あるいは警察官が小型カメラを用いて，店内のXをビデオ撮影した（⇨171頁参照）．

強制捜査と任意捜査の限界　覚醒剤が入っている疑いのある宅配便の荷物について，荷送人・荷受人に無断で，宅配便業者の承諾を得てX線検査を行った行為の適法性について，最決平21・9・28(刑集63・7・868 ⇨ 78, 188頁)の第1審と控訴審は，①X線検査による方法はプライバシー侵害の程度が極めて軽度にとどまり，②大規模な覚醒剤譲受けに関与しているとの嫌疑があり，③この方法によらなければ真相を解明し犯人検挙に至るのが困難であるという状況下においては，任意捜査として相当であるとした．これに対し，最高裁は，「荷送人や荷受人の内容物に対する**プライバシー等を大きく侵害**するものであるから，検証としての性質を有する強制処分に当たる」とし，本件行為が「プライバシー等を大きく侵害する」もので，「財産等に制約を加えて強制的に捜査目的を実現する行為」なので，「特別の根拠規定が必要な処分」であるとした[7]．

また，東京高判平28・8・23(高刑集69・1・16 ⇨ 171頁)は，DNAを採取する目的を秘して，紙コップに入ったお茶を飲ませ紙コップを回収し，そこから唾液を採取してDNA型鑑定を行った捜査手法について，被告人の意思を制圧して行われた強制捜査とした．

判例は，プライバシー侵害が著しい場合には，他の要素との衡量なしに強制捜査とするが(⇨ GPS捜査78-79頁)，侵害権利の重大性のみでなく，「意思の制圧」も考慮しており，任意捜査の適法性の判断と，構造は「連続的」ともいえよう．

自動撮影(オービスIII)　交通違反を取り締まるために，制限速度を超える一定速度以上の運行車両につき機械(オービスIII)により自動的に写真を撮っているが，その際には運転者の顔や同乗者まで写ってしまい，「肖像権」の侵害が問題となる．交通犯罪捜査では他に有効な手段がないために許されると説明されるが，道

---

[7] もっとも，最高裁は，当該覚醒剤の証拠能力について，①本件X線検査当時，覚醒剤譲受け事犯の嫌疑が高まっており，②事案を解明するためには本件検査を行う実質的必要性があったこと，③荷物そのものを現実に占有し管理している宅配便業者の承諾を得ており，④検査の対象を限定する配慮もしていたのであって，⑤令状主義に関する諸規定を潜脱する意図があったとはいえないこと，⑥本件覚醒剤等は，本件X線検査の結果以外の証拠も考慮して発付された令状に基づく捜索において発見されたもので，X線検査と関連性を有するとしても，その証拠収集過程に重大な違法があるとまではいえず，証拠の重要性等諸般の事情を総合すると，その証拠能力を肯定することができるとしている(⇨ 488頁)．

路交通法違反等の軽い犯罪で制約なしに撮影することになるため，その正当化はかなり微妙である．証拠保全の必要性・緊急性，つまり，犯罪は軽くても，件数が非常に多いし，その場で撮影しておかなければ後で摘発するのは困難であり，他に手段がないということで，どうにか正当化できよう．

最判昭61・2・14（刑集40・1・48）は，運転者の容ぼうの写真撮影は，現に犯罪が行われている場合になされ，犯罪の性質，態様からいって緊急に証拠保全をする必要性があり，その方法も一般的に許容される限度を超えない相当なものであるから，憲法13条に違反せず，また，右写真撮影の際，運転者の近くにいるため除外できない状況にある同乗者の容ぼうを撮影することになっても，憲法13条，21条に違反しないとしている．

防犯カメラ問題 防犯のために設置されるカメラの法的問題点の一部は，任意捜査としての相当性の基準により処理される．犯罪が発生する相当高度の蓋然性が認められる場合に，事前に証拠保全の手段，方法としてビデオに録画しておく行為が問題となった事例として，東京高判昭63・4・1（判時1278・152．山谷テレビカメラ事件）がある．警察車両に対する器物損壊事件の公判において，当該事件以前に予め設置されていたテレビカメラによって捜査官が撮影・録画したビデオテープの証拠能力が争われた事案で，東京高裁は，最大判昭44・12・24を援用し，「当該現場において犯罪が発生する相当高度の蓋然性が認められる場合であり，あらかじめ証拠保全の手段，方法をとっておく必要性及び緊急性があり，かつ，その撮影，録画が社会通念に照らして相当と認められる方法でもって行われるときには，現に犯罪が行われる時点以前から犯罪の発生が予想される場所を継続的，自動的に撮影，録画することも許されると解すべきである」とした．

また，大阪地判平6・4・27（判時1515・116）は，大阪府警がいわゆるあいりん地区に街頭防犯目的で15か所の交差点等の高所にテレビカメラを設置し，警察署等においてモニターに映像を映し出すなどして使用したところ，原告らが，このようなテレビカメラの設置及び使用は「公権力から監視されない自由」等を犯すものだなどとして，大阪府に対しテレビカメラの撤去及び慰謝料等の支払を求めたのに対し，本件防犯カメラの設置・使用目的は十分正当であり，カメラの設置・使用は十分に必要性が認められ，設置状況も，街頭犯罪の抑止目的も考慮すれば，未だ裁量の範囲を逸脱するほどの不当性があるとまではいえないとした．具体的使用方法の相当性についても，証拠上，事件・事故等の発生もないのに長時間にわたり特定人をズームアップして監視したり，追跡するような使用方法がなされたというべき状況は見られず，肖像権の侵害は認められないとし，プライバシーの利益についても，カメラ設置場所は主要道路や公園であり，保持されなければならないプライバシーの利益はさほど大きくないのに対し，集団不法事案が発生

した場合の状況把握の必要性が高く，路上犯罪を警戒しなければならない必要性もあるから，それらの監視の際に，原告らがたまたまこれら道路を通過することによって監視下に置かれ，なにがしかのプライバシーが侵害されることがあっても，受忍すべき限度にとどまると判断した．

　防犯カメラの問題は，今後，民間で撮影された映像を，捜査や公判でどのような条件の下で利用し得るか，さらには，民間におけるカメラ撮影の限界という，民法，公法的な論点の解決が重要となっていく．

3　秘密録音

多様な秘密録音　会話を両当事者の承諾なく秘密裡に聴取したり，録音したりすることは，プライバシーの侵害が認められ，捜査官がこれを行う場合には，その違法性が問題となる[8]．広義の秘密録音には，**通信傍受**(⇨195頁)や，欧米で広く行われている**会話傍受**(住居に侵入して傍受・録音などを行う)のように強制捜査に当たる場合も含まれるが[9]，ここでは，(1)公共の場での会話を秘密に録音する場合と，(2)捜査官が会話の一方当事者であるか，会話の一方当事者の承諾を得て録音する場合について，捜査の許容性を検討する．このような秘密録音については，写真撮影同様，原則は**任意捜査**であると考えられ，その適否に関しては，**相当性**の有無を実質的に判断していかなければならない．(1)公共の場で第三者が容易に聴取できる態様による会話の場合は，プライバシーの利益は放棄されているか，縮減されたものとなっていると考えることができ[10]，(2)会話内容のプライバシーは会話の

---

[8]　防犯カメラの場合同様，私人の行う録音の問題も存在する．

[9]　秘密録音と関連して，欧米諸国の中には会話傍受を実施している国が見られる．会話傍受とは，通例，「対象者が管理する住居等に秘かに侵入し，録音・録画機器等の監視機器を設置して，対象者の言動を，対象者の同意なしで，傍受・記録して証拠化する手法」である．もしわが国でこれを実施するとすれば，まさに「個人の意思を制圧し，身体，住居，財産等に制約を加えて強制的に捜査目的を実現する行為など，特別の根拠規定がなければ許容することが相当でない手段」ということになろう．会話傍受については，法制審議会新時代の刑事司法特別部会において，場面を限定して導入することの当否が検討されたが，個人のプライバシーを侵害する危険が大きいなどという異論も強く，引き続き検討することとされた．

[10]　例えば，マンションのベランダで携帯電話を用いて通話する者の肉声について，捜査官が，いずれの通話者の同意も得ずに上階のベランダから録音しても，適法とされる(東京高判平22・12・8東高時報61・317)．

相手方に委ねられており，その相手方がそれを処分するのであるから，権利侵害性はやはり縮減していると考えられる．

秘密録音の相当性　会話の一方当事者による秘密録音については，従来，モラルの問題は別として違法とはいえないとする**合法説**と，プライバシーの侵害がある以上，会話当事者であっても秘密録音は原則として違法とする**原則違法説**の対立として，議論は整理されてきた．これは，写真撮影が任意捜査なので許容されるとするのか，強制捜査なので違法だとするのかという問題と類似した対立であった．しかし，任意捜査であっても，その相当性を欠けば違法となる．

① 会話の内容・場所・状況等から見てプライバシー侵害がどの程度であるか，② いかなる犯罪についての証拠収集なのか，③ それ以外の証拠で嫌疑がどれだけ固まっているのか，④ 秘密録音でなければ情報が得にくい状況なのかなどを衡量する必要がある．

捜査官が一方の会話当事者である場合の秘密録音について，東京地判平 2・7・26（判時 1358・151）が，秘密録音は対話者の人格権をある程度侵害するおそれを生じさせるが，対話者は会話の秘密性を放棄し，その会話内容を相手方の支配下に委ねたものと見得るから，「会話録音の適法性については，録音の目的，対象，手段方法，対象となる会話の内容，会話時の状況等の諸事情を総合して，その手続に著しく不当な点があるか否かを考慮して」決めるのが相当であるとし，千葉地判平 3・3・29（判時 1384・141）も，録音した脅迫電話の音声と，捜索差押時に密かに録音した立会人の音声を声紋鑑定した点に関し，捜査機関が相手方の知らないうちに会話を録音することは，原則として違法であるが，録音の経緯，内容，目的，必要性，侵害される個人の法益と保護されるべき公共の利益との権衡等を考慮し，具体的状況の下で相当と認められる限度においては許容されるとした．

私人間の秘密録音　最決平 12・7・12（刑集 54・6・513）は，詐欺の被害を受けたと考えた者が，後日の証拠とするため相手の同意を得ないで会話を録音した行為に関して，「このような場合に，一方の当事者が相手方との会話を録音することは，たとえそれが相手方の同意を得ないで行われたものであっても，違法ではなく」，その

録音テープの証拠能力は否定されないとした．

4　おとり捜査

<small>機会提供型</small>　おとり捜査とは，**捜査機関又はその依頼を受けた捜査協力者**が，その身分や意図を相手方に秘して犯罪を実行するように働き掛け，相手方がこれに応じて犯罪の実行に出たところで**現行犯逮捕等により検挙するものである**（最決平 16・7・12 刑集 58・5・333）．アメリカなどでは，売春事犯や薬物犯罪など通常の捜査では解明の困難な犯罪にとどまらず幅広く利用されている．わが国でも麻薬及び向精神薬取締法 58 条が，「麻薬取締官及び麻薬取締員は，麻薬に関する犯罪の捜査にあたり，厚生労働大臣の許可を受けて，この法律の規定にかかわらず，何人からも麻薬を譲り受けることができる」と規定している．ただ，麻薬取締官（員）が他人をおとりとして同法違反行為を誘発させた場合にまで捜査手法として正当視していると解すべきかについては，争いがあった．犯罪の防止にあたる捜査機関が犯罪を作り出す側面がないとはいえず，刑訴法上の違法性の存在が指摘されてきた．

この点，最決昭 28・3・5（刑集 7・3・482）は，「おとり捜査は，これによって犯意を誘発された者の犯罪構成要件該当性，責任性又は違法性を阻却するものではなく，公訴提起の手続に違反し又は公訴権を消滅させるものでもない」と判示した．この判例の事案がいわゆる機会提供型のものであったことから，一般には，おとり捜査を**犯意誘発型**と**機会提供型**に分け，後者については捜査の違法はないと解されてきたといってよい[11]．

---

11)　おとり捜査については，わが国の国民感情に合わないなどの理由により，犯意誘発型については，公訴を棄却すべきとの見解，公訴権が消滅した場合に準じて免訴の判決をすべきであるとの見解，違法収集証拠でありその証拠能力を排除すべきであるとの見解等が主張されてきた．そのような見解の対立は，それぞれの論者がおとり捜査としてどのような態様のものを想定しているかということにもかかっているが，違法性の判断に当たっては，おとり捜査によることの必要性（そこでは対象とされる犯罪の種類・性質，捜査の困難性，犯人が犯罪に関与している疑いの有無・程度などが考慮される）と，おとり捜査の態様の相当性が考慮されるべきであろう．これまでの裁判例に現れた事例をみる限りでは，免訴あるいは公訴棄却となり得るほど違法性が著しく強い事案は実際上想定し難く，犯罪を犯す蓋然性の低い状況にある者に対し執拗な態様や脅迫的な態様で犯意を誘発するなどの例外的事案に限られるであろうから，違法収集証拠の排除法則に従って対処するのが最も現実的な解決ということになろう．

そして，最決平 16・7・12 は，少なくとも，① **直接の被害者がいない薬物犯罪等**の捜査において，② **通常の捜査方法のみでは当該犯罪の摘発が困難である場合**に，③ **機会があれば犯罪を行う意思があると疑われる者を対象**におとり捜査を行うことは，刑訴法 197 条 I 項に基づく**任意捜査**として許容されると判示した．麻薬取締官において，捜査協力者からの情報によっても，被告人の住居や大麻樹脂の隠匿場所等を把握することができず，他の捜査手法によって証拠を収集し，被告人を検挙することが困難な状況にあり，一方，被告人は既に大麻樹脂の有償譲渡を企図して買手を求めていたという事案であった[12]．

コントロールド・デリバリー　薬物の不正取引が行われる場合に，取締当局がその事情を知りながら直ちに検挙することなく，十分な監視の下に薬物の運搬を許容して追跡し，不正取引に関与する人物を特定するための捜査手法をいう．なお，最決平 9・10・30 (刑集 51・9・816) は，コントロールド・デリバリーが実施された事案に関し，配送業者が，捜査機関から事情を知らされ，捜査協力を要請されてその監視の下に置かれたからといって，運送業者による引取り行為等が被告人らからの依頼に基づく運送契約上の義務の履行としての性格を失うものということはできず，被告人らは，その意図したとおり，第三者の行為を自己の犯罪実現のための道具として利用したというに妨げないとして，禁制品輸入罪が既遂に達したものと認めている．このような捜査手法も，おとり捜査と同様，かつては不公正なものとされていたが，不公正か否かの判断も，結局は，捜査の必要性とその手段の相当性を勘案して，その時代の国民が納得し得るものであるか否かにかかっているといえる．

5　任意同行と取調べ

任意同行とは，被疑者を取り調べるため，同意を得て警察署への出頭を求めるものである[13]．ただ，同意といっても，積極的な承諾がある場合から，消極的認容にすぎない場合まで幅があ

---

12)　最高裁は，①により，犯罪促進による法益侵害の少なさと，薬物犯罪という法定刑の重い犯罪ということを指摘し，②により，おとり捜査にとって特徴的な必要性の点を示し，③により，すでに犯意が形成されて危険性が高く嫌疑も存在していることを求めているといえよう．
13)　この任意同行は，法 198 条 I 項によるものである（第三者の取調べに関する法 223 条 I 項に

る．また，当初は積極的に承諾していたが，その後の手続が進んでいく中で，消極的認容や拒否に変わる場合もある．任意同行の当初の段階であれば，警察署まで同行することについて積極的承諾がある場合はもちろん，消極的認容にすぎない場合でも許されるであろうが，段階が進み，被疑者の自由への制約が大きくなると，消極的認容では許されなくなり，さらには，積極的承諾があっても任意捜査としては許されない段階[14]に至ると考えられる．したがって，任意捜査の限界を判断する際には，時間軸も意識しつつ，同意の有無という二者択一的判断ではなく，被疑者の意思を具体的に考慮した上，当該捜査手法のその段階における侵害性の種類・程度，事案の重大性・嫌疑の程度，捜査の必要性・緊急性等と併せ総合的に考慮する必要がある(⇨87頁)．

同行を求める説得行為の限界

まず，任意同行を求める場面において，その場に留め置いて説得行為を続けることの許容性が問題となる．最決平6・9・16(刑集48・6・420)は，覚せい剤使用の嫌疑のあるXに対し，自動車のエンジンキーを取り上げるなどして運転を阻止した上，任意同行を求めて約6時間半以上にわたり職務質問の現場に留め置いた警察官の措置について，エンジンキーを取り上げた行為は，**職務質問を行うため停止させる方法として必要かつ相当な行為**であるのみならず，交通の危険を防止するため採った必要な応急の措置に当たるということができるとしたが(⇨98頁)，その後Xの身体に対する捜索差押許可状の執行が開始されるまで**約6時間半以上も現場に留め置いた措置**は，Xの覚せい剤使用の嫌疑が濃厚になっていたことを考慮しても，Xに対する任意同行を求めるための説得行為としてはその限度を超え，**任意捜査として許容される範囲を逸脱し違法**であるとした[15][16]．捜査官が

よる場合もあろう⇨重要参考人163頁)．したがって，「出頭を拒み，又は出頭後，何時でも退去することができる」ものでなければならない．警察官職務執行法2条Ⅱ項による職務質問(⇨96頁)のための任意同行から連続的に移行する場合や，それと一部重なる場合などもある．
14) 例えば，被疑者を留置施設に収容することは，承諾があっても，令状なしには許されない(法により令状を要しないとされている場合を除く)．
15) 本件では，強制捜査に移行するか被告人を解放するかの警察官の見極めが遅れたため，結果として令状に基づくことなく被告人の移動の自由を長時間奪った点に着目する必要がある．午前11時10分ころ職務質問を開始し，午後3時26分ころS警部が令状請求のため現場を離れて強制採尿令状の発付を請求し，午後5時2分ころ令状が発付され，午後5時45分ころ強制採尿令状を呈示したというのであるから，裁判所が，「捜査官の令状請求をすべきか否かの迷い」から生じる被疑者の不利益は看過し得ないと考え，留め置きを違法としたのは，決して不

合理性のある範囲内で翻意させようと説得することは許容されるが，説得に応じる見込みがない状況のまま現場に留め置くことは許されない(⇨117頁).

所持品検査の説得　警ら中の警察官が，無免許運転，酒気帯び運転の疑いを抱き，規制品等所持の可能性もあると考えて，午前2時ころから5時半ころまで警察官が取り囲むなどして所持品検査に応じるように説得した事案に関し，本件の職務質問等は任意捜査として行われたもので，合理的な時間内に協力が得られなければ打ち切らざるを得ない性質のものであるとした上で，①本件の職務質問等は約3時間半，事実上移動することが不可能な状態で留め置いたもので，②Xらが所持品検査を拒否し立ち去りを求める意思は明確で，任意に応じる見込みはなく，留め置いて職務質問を継続する必要性は乏しかったとし，さらに③格別強い嫌疑があったわけではなく，直ちに令状請求をすることは困難と判断していたのであり，④少なくとも，Xらが帰らせてほしい旨を繰り返し要求するようになった午前4時ころには，説得を断念して立ち去らせるべきであり，任意捜査の限界を超えているとした例がある(東京高判平19・9・18判タ1273・338)．深夜に3時間半も留め置くには，それを相当とする特別の事情が必要となろう．

強制採尿令状請求後の説得　他方，東京高判平22・11・8(判タ1374・248)は，午後3時50分ころ自動車を運転中に職務質問及び所持品検査を受け，午後4時30分ころ請求準備にとりかかった強制採尿令状が執行される午後7時51分まで，警察官や警察車両に一定距離を置いて取り囲まれた状態でその場に留め置かれた事案に関し，**強制採尿令状の請求に取りかかった時点を分水嶺として，強制手続への移行段階に至ったとみるべきであるとした**．そして，後半の段階については，依然として任意捜査ではあるが，純粋に任意捜査として行われていた段階とは性質的に異なるとし，同令状執行までの約3時間20分は特に著しく長いとまでは認められず，留め置きの態様も距離を置いて取り巻いたり，被告人車両の周囲に警察車両を駐車させたものの，身体を押さえつけたり引っ張ったりするなどの物理力を行使した形跡はなく，

合理ではない．警察官は，身柄を拘束していなくても，実質的に自由を侵害している場合には，迅速かつ適切な対応が必要となる．

16) ただ，最高裁は，任意捜査として許容される範囲を逸脱し，違法であるが，被疑者が覚醒剤中毒をうかがわせる異常な言動を繰り返していたことなどから運転を阻止する必要性が高く，そのために警察官が行使した有形力も必要最小限度の範囲にとどまり，被疑者が自ら運転することに固執して任意同行をかたくなに拒否し続けたために説得に長時間を要したものであるほか，その後引き続き行われた強制採尿手続自体に違法がないなどの本件事情の下においては，一連の手続を全体としてみてもその違法の程度はいまだ令状主義の精神を没却するような重大なものとはいえず，強制採尿手続により得られた尿についての鑑定書の証拠能力は否定されないとした(⇨487頁)．

強制採尿令状の請求手続が進行中で所在確保の要請が非常に高まっている段階にあったことを考慮すると，そのために必要な最小限度のものにとどまっていると評価できるとして，違法な任意捜査ではないとした(なお，東京高判平 21・7・1 判タ 1314・302 ⇨ 118 頁参照)．

<small>「任意同行」と「逮捕」</small>　被疑者の同意があれば，警察署などに同行を求めて事情を聞くことは許される．その限りでは，呼出しに応じて警察署に出頭した被疑者を取り調べるのと変わりはない．ただ，喜んで任意同行の求めに応じる被疑者は少ないであろうから，そこで警察官の説得等が行われることになる(説得行為の限界 ⇨ 97 頁)が，たとえ消極的なものであっても「同意」(あるいは拒否し得るのに拒否しない言動)がなければ，警察署への連行までは許されない．

例えば，最判昭 61・4・25(刑集 40・3・215)は，覚醒剤使用事犯の捜査に当たり，警察官が被疑者宅寝室内に承諾なしに立ち入り，また明確な承諾のないまま同人を警察署に任意同行した上，退去の申し出にも応ぜず同署に留め置いた行為について，任意捜査の域を逸脱したものとし[17]，最決昭 63・9・16(刑集 42・7・1051)は，同行の前後の被疑者の抵抗状況に徴し，同行について承諾があったものとは認められないとして，その手続に違法があるとした[18]．

被疑者は逮捕されていないのであるから，同行を拒否(あるいは同行後も退去)し得る状態でなければならない．拒否し得ない状況で「任意同行」すれば，実質的な逮捕と解される[19]．

[17) ただ，それに引き続いて尿の提出，押収が行われた点につき，その採尿手続は違法性を帯びるが，被疑者に対し警察署に留まることを強要するような警察官の言動はなく，また，尿の提出自体は何らの強制も加えられることなく，任意の承諾に基づいているなどの本件事情の下では，その違法の程度はいまだ重大であるとはいえず，尿についての鑑定書の証拠能力は否定されないとした(⇨ 487 頁)．
18) ただ，その状況を直接利用して所持品検査及び採尿を行った点につき，その手続に違法があっても，連行の際に被疑者が落とした紙包みの中身が覚醒剤であると判断され，その時点で被疑者を逮捕することが許された本件事情の下では，その違法の程度はいまだ重大であるとはいえず，その手続により得られた覚醒剤等の証拠の証拠能力は否定されないとした(⇨ 487 頁)．
19) 捜査官は，逮捕できる状況(例えば，逮捕状の発付を得ていたり，緊急逮捕できる状況)にあっても，逮捕された場合の被疑者の名誉等に配慮して，任意同行を選択することがある．そのような配慮は望ましいことであるが，それが強制捜査に移行した場合の法的制約等を潜脱する目的で行われるのであれば，許容されない．

東京高判昭54・8・14（判時973・130）は，手配中の窃盗犯人に酷似する被疑者を最寄りの駐在所に同行し，その約2時間半経過後である午後11時ころ取調べのためパトカーに乗せて警察署に任意同行した事案につき，任意同行の場所，方法，態様，時刻，同行後の状況等から，逮捕と同一視できる程度の強制力を加えられていたもので，実質的な逮捕行為に当たるとして違法としたが，違法性の程度は，実質的逮捕の時点において緊急逮捕の理由と必要性があったと認められること，実質的逮捕の約3時間後には逮捕状による通常逮捕の手続がとられたこと，実質的逮捕の時から48時間以内に検察官への送致手続がとられ勾留請求の時期も違法ではないことから，その後の勾留を違法にするほど重大ではないとした．

任意同行後の留め置きの限界　警察署などに同行した後も，被疑者の同意があれば，取調べを続けることができるが，呼出しに応じて任意に出頭した者を取り調べる場合と同様，逮捕することなく警察署に留め置くには限度がある．例えば，尿の任意提出を拒む者を強制採尿の令状(⇨194頁)の発付を得て執行するまでの間留め置くことの適法性が問題となる．

東京高判平21・7・1（判タ1314・302）は，薬物常習者特有の表情で態度に落ち着きがないXに職務質問し，前歴照会により覚醒剤事犯の前歴が判明し，スタンガン1個を発見したので，軽犯罪法違反の容疑で警察署への任意同行を求め，午後6時ころ取調室に入ったのち，尿の任意提出を求めても応じないため，午後6時30分ころ強制採尿令状を請求する準備に取りかかり，午後8時45分ころ裁判所に令状を請求し，午後9時10分ころその発付を受け，午後9時28分ころXに令状を示し，強制採尿のため病院に連行したという事案に関し，**純粋に任意捜査として行われている段階の留め置きと，強制採尿令状の執行に向けて行われた段階の留め置きを**区別して判断すべきとした．そして，令状請求の準備から令状発付までの約2時間40分の留め置きについては[20]，①令状の執行に向けて対象者の所在確保を主たる目的として行われたものであって，②薬物使用の嫌疑の濃い対象者の所在確保の

---

[20] 東京高裁は，留め置きについて，純粋に任意捜査として行われた段階と，強制採尿令状の執行に向けて行われた段階（強制手続への移行段階）を分けて考えるべきで，前者は30分程度であり，その間は取調室内に滞留することがXの意思に反するものではなかったといえるとし，強制手続への移行段階に関しては，覚醒剤の体内残留期間はせいぜい2週間前後であり，その間所在をくらますことは十分可能と見られ，強制採尿令状を請求するためには採尿担当医師を確保しておくため，他の令状請求に比べても長い準備時間を要することがあり得るなどとして，留め置き期間が長引くこともあり得るとした．問題となる留め置きは，令状請求の準備に着手してから令状の発付を受けるまでの約2時間40分であるとした．

必要性は高く，令状請求によって留め置きの必要性・緊急性が解消されたわけではなく，③留め置きの態様も，説得を続けつつ留め置くため X の前に立ち塞がったり背中で押し返すといった受動的なもので，場所的な行動の自由が制約されるにとどまっていたし，④令状主義を潜脱する意図はなかったなどとして，いまだ**任意捜査**として許容される範囲を逸脱したとはいえないとしている（東京高判平 22・11・8 判タ 1374・248 ⇨ 116 頁）．

これに対し，被疑者の同意なしに限度を超えて留め置いた場合は，実質的な逮捕に当たり，違法とされる．例えば，警察官が，任意同行後，午前 8 時から翌日午前 0 時ころまで，事実上の監視付きで被疑者を取り調べ，その間に請求していた逮捕状を夜中の 0 時 20 分に執行したという事案に関し，夕食時の午後 7 時以降の取調べは，帰宅の意思の確認や外部との連絡機会の付与もされておらず，実質上逮捕に当たるとされ，そのような違法な逮捕が存在する以上勾留は認められないとされた（富山地決昭 54・7・26 判時 946・137）．逮捕状も発付されているから，令状執行前は任意捜査で，逮捕の時点から強制捜査であると形式的には説明できるようにみえるが，事実上は，警察の持ち時間である 48 時間（⇨ 135 頁）を超えて被疑者の自由を制約したという意味を持つ[21]．そのため，夜になっても帰宅の意思の確認などがされなかった夕食後については，事実上は逮捕されていたのと同視できるので違法とされた．任意捜査である以上「何時でも退去することができる」状況（法 198 I）にあることが求められるから，被疑者の自由の制約が質的に異なる段階に至ったような場合には，改めて同意を確認する必要が生じると考えられる．

徹夜の任意聴取　任意同行後の徹夜での取調べは，被疑者に多大の苦痛等を与えるもので，任意捜査として一般的に許されるものではない．ただ最決平 1・7・4（刑集 43・7・581 ⇨ 84 頁）は，被疑者に対する任意の取調べは，**事案の性質，容疑の程度，被疑者の態度等を勘案し，社会通念上相当と認めら**

---

[21] 確かに，警察・検察の持ち時間は短い．その中で，「何とか取調べの時間を長くしたい」という気持ちが捜査官にあるのは当然である．取調べの時間をなるべく有効に使って，少しでも真相を解明したいという意欲は理解できるが，一方で被疑者の人権が制約されていることを認識しなければならない．任意同行を求められたときの反応には個人差があるが，48 時間という警察段階における身柄拘束時間の制約には従わなければならない．また，「任意である」といっても「具体的にどういう接し方をしたのか」が重要であろう．

れる方法・態様及び限度において許容されるとし，殺害された被害者の生前の生活状況等をよく知る被告人から事情を聴取するため，深夜に任意同行し，冒頭被告人から進んで取調べを願う旨の承諾を得て徹夜で 22 時間取り調べた事案につき，自白を強要するため取調べを続け，あるいは逮捕の際の時間制限を免れる意図のもとに任意取調べを装って取調べを続けた結果ではなく，それまでの捜査により既に逮捕に必要な資料は得ており，被告人が取調べを拒否して帰宅しようとしたり，休息させてほしいと申し出た形跡はなく，虚偽の供述や弁解を続けるなどの態度を示しており，本件事案の性質，重大性を総合勘案すると，本件取調べは，社会通念上任意捜査として許容される限度を逸脱したものとまでは断ずることができないとした．① 被告人が自ら取調べを願い，途中で取調べを拒否しようとした形跡はなく，② 捜査官が逮捕の時間的制限を免れる目的もなく，取調べを必要とする状況にあったほか，③ 事案が重大であったことなどから，社会通念上任意捜査として許容されるとしたのである．

宿泊を伴う任意聴取 宿泊させた態様が留置施設に収容したのと実質的に変わらないものであれば，被疑者が同意していても，許される任意捜査とはいえない．ただ，最決昭 59・2・29(刑集 38・3・479 ⇨ 84 頁)は，任意捜査の段階で，4 夜にわたりホテル等に宿泊させるなどして取り調べた行為の適法性に関し，**任意捜査の一環としての被疑者に対する取調べは，事案の性質，被疑者に対する容疑の程度，被疑者の態度等諸般の事情を勘案して，社会通念上相当と認められる方法ないし態様及び限度において許容される**とし，「4 夜にわたり所轄警察署近辺のホテル等に宿泊させるなどした上，連日，同警察署に出頭させ，午前中から夜間に至るまで長時間取調べをすることは，任意捜査の方法として必ずしも妥当とはいい難いが，同人が右のような宿泊を伴う取調べに任意に応じており，事案の性質上速やかに同人から詳細な事情及び弁解を聴取する必要性があるなど本件の具体的状況のもとにおいては，任意捜査の限界を越えた違法なものとはいえない」とした．

これに対し，捜査段階において 9 泊 10 日にわたる宿泊を伴う取調べが行われた事案について，東京高判平 14・9・4 (判時 1808・144) は，当初の 2 日間長女のいた病院の

病室に宿泊させたことは相当であったとしたものの，その後ビジネスホテルに宿泊させ，厳重に監視し，ほぼ外界と隔絶された状態で連日長時間にわたって取調べに応じざるを得ない状況においたもので，事実上の身柄拘束に近い状況にあったものと認め，任意捜査として許容される限界を超えた違法なものであるとした．そして，その取調べによって得られた上申書とこれに引き続く逮捕・勾留中に得られた自白の証拠能力につき，違法収集証拠排除法則に基づき，証拠能力を否定した（⇨492頁）．

6 任意捜査における有形力の行使

有形力の行使を伴う任意捜査　判例は，有形力を伴うか否かで任意捜査と強制捜査を区別するものではなく，**有形力の行使を伴う任意捜査**を一定範囲で認めている（⇨85頁）．最決昭51・3・16（刑集30・2・187）は，酒酔い運転のうえ物損事故を起こした被告人が，アルコール保有量検査のための呼気検査を拒否して出入口の方へ行きかけたところ，それを阻止しようと手首をつかんだ巡査に暴行を加えた事案（公務執行妨害被告事件）に関して，「手首をつかんだのは明らかに任意捜査を超えた違法な捜査であり，公務とはいえない」との被告人側の主張に対し，任意捜査であり違法とはいえないとした[22]．最高裁は，法的根拠を必要とするような程度に至らない有形力の行使は，任意捜査においても許容される場合があるとし，その具体的な判断基準として，「必要性，緊急性などをも考慮したうえ，具体的状況のもとで相当と認められる限度において許容されるものと解すべきである」としている．任意捜査が許される限界の判断枠組みは，**必要性，緊急性等を考慮した具体的状況の下での相当性**を基本に，具体的な捜査手法に応じて判断される．

職務質問と有形力の行使　もともと，最高裁は，有形力の行使を直ちに強制の手段とみることはできないと明言してきた．最決昭29・7・15（刑集8・7・1137 ⇨97頁）は，警察官が，犯罪捜査のための職務質問をしている際に逃走した者を約130m追いかけ，その腕に手をかけたという事案に

---

[22] 第1審は，物理的に制止したのだから任意捜査ではなく，違法な捜査であって，公務執行妨害罪は成立しないとしたのに対し，控訴審はこれを覆し，最高裁も違法な捜査ではないとした．

ついて，正当な職務執行の手段方法であるとした原判断を正当と是認した[23]．

昭和51年決定の**総合考量方式**の提示後も，最決昭53・9・22（刑集32・6・1774 ⇨ 98頁）は，警察官が赤信号を無視して交差点に進入した車両を停止させて運転免許証の提示を求めたが，運転者が強引に発車させようとしたので車の中に手を突っ込んでエンジンキーを回して車両を止めた事案について，**警察官の行為は職務質問を行うため停止させる方法として必要かつ相当な行為**であるとしている[24]．

---

[23] 最決昭29・7・15は，原判決が，「逮捕と停止行為とは明らかにその観念を異にし，逮捕は被逮捕者の意思如何に拘らず或る程度の時間的拘束を含む観念であるのに反し，停止行為は停止のための一時的行為であって，停止を求められた者が任意に停止することによって直ちに中止されねばならぬ性質のものであるから……本件停止行為は毫も逮捕行為と目すべきものでなく又これに準ずべき性質のものであるとも謂い得ない」とし，「距離の如何に拘らず停止を求めるためにその跡を追いかけることは事物自然の要求する通常の手段方法であって，客観的に妥当なものである」，「同巡査が被告人の背後より『何うして逃げるのか』と言いながらその腕に手をかけたことも任意に停止しない被告人を停止させるためにはこの程度の実力行為に出でることは真に止むを得ないことであって正当な職務執行の手段方法である」と判断したのを正当と是認した．

[24] 最決昭53・9・22は，道交法の規定に基づき，酒気帯び運転をするおそれがあるときに交通の危険を防止するためにとった必要な応急の措置でもあったとも判示した（⇨98頁）．拘束の程度のみでなく，「交通の危険を防止する必要性」という点が重視されている．

IV 被疑者の逮捕・勾留

1 逮捕の意義

(1) 逮捕と令状

身柄の確保　捜査の具体的な内容を検討する際,核になるのは,① 被疑者の身柄の確保と,② 証拠の収集である.被疑者の身柄の確保は,原則として逮捕,勾留という強制処分によって行われる.身柄を拘束する手段として実質的に重要なのは,拘束時間も長い勾留である.

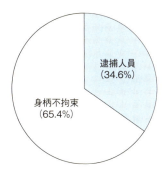

図4　検挙人員中の逮捕者(令和2年)

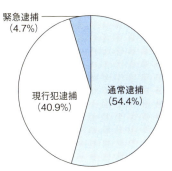

図5　逮捕の割合(令和2年)

逮捕　被疑者の身体を拘束し,引き続き短時間の拘束を継続すること(留置)である.検挙された被疑者の 34.6% が逮捕されている(令和2年).手続の本質的な流れからいえば,勾留が重要であるが,日常の捜査,国民に接する部分の捜査としては,逮捕も非常に重要である.逮捕は,現行犯逮捕,通常逮捕,緊急逮捕の3種類に分かれる.現行犯逮捕の場合は令状を必要と

しないが，後の2つは逮捕状によることが必要である(憲33)．ただ，逮捕状の発付の時期が，通常逮捕は逮捕前であるのに対し，緊急逮捕は逮捕後であるところが違っている．逮捕後の手続は，どの場合も同じである(法211・216)．

逮捕と令状 憲法33条は，「何人も，現行犯として逮捕される場合を除いては，権限を有する司法官憲が発し，且つ理由となっている犯罪を明示する令状によらなければ，逮捕されない」と規定する．ここで示された「令状主義」は，重大な人権の制約となる逮捕を合理的な範囲のものに限定することを保障している．嫌疑があって[1]，裁判官が令状を発する場合に限り，逮捕は可能となるのである．

逮捕状の性格 逮捕の実質的意味は，逮捕状の性格をどう解するかという形で議論されてきた．(a) 逮捕状は裁判官が捜査官に対して出す**命令状**であるとする説と，(b) 逮捕の主体は捜査官であり，逮捕状は裁判官がそれを許す**許可状**にすぎないという対立である．(a)説は，令状裁判官(憲法には「司法官憲」とあるが，現在では実際に逮捕状を出すのは裁判官である)が逮捕の主役であると考えるのに対し，(b)説は，捜査官が逮捕するのであるが，その行き過ぎ等をチェックするために裁判官が許可するものと説明する．前者は弾劾的捜査観に結びつき，後者は糾問的な捜査観に馴染むとされる[2]．

ただ，逮捕状が発付されても逮捕する必要がなくなれば，捜査官は逮捕し

---

1) 「逮捕は捜査の終点」といわれることがある．これは「嫌疑」を非常に重視する立場からの発言である．つまり，捜査を積み上げて嫌疑が濃厚な段階に至って，はじめて逮捕できるとする．なぜなら，逮捕は重大な人権の制約であり，逮捕した後の身柄拘束は「逃亡を防ぎ，罪証の隠滅を防ぐ」ためであって，被逮捕者に対する取調べなどはあり得ないということになる．英米法的発想(⇨16頁)を徹底していくと，「逮捕は，調べるためのものではない」という考え方に至る．

しかし，このような極端な捜査観は，わが国の法規や実情に合わない．法198条は，逮捕中に取調べをしてもよいとしており(⇨158頁)，取調べは，被疑者が犯人であるという方向にも，逆に犯人ではないという方向にも，真相の解明に役立つものである．とはいえ，取調べの必要さえあれば逮捕できるというものではない．逮捕はあくまでも逃亡と罪証隠滅を防止するためのものであり，逮捕による身柄拘束の間にも取調べを行うことができるというにすぎない．逮捕後の身柄拘束時間は限られている．そして逮捕という自由の制約を必要最小限度のものにするために，逮捕の理由と必要性の存在が慎重に検討されなければならない．

2) ただ，そのような対応関係は，一般論・抽象論でしかない．(b)説が合理的であるからといって，必ずしも弾劾的捜査観は誤りで，糾問的捜査観を採用しなければならないというわけではない．

なくてもよい(⇨129頁)．また，捜査官は逮捕した被疑者を釈放することができる．この点は(a)説からは説明が困難である[3]．そして，実際上の運用からみても，逮捕状の性格は許可状であると解さざるを得ない．理念としては，裁判官が主体的に嫌疑を吟味した方がよいとも考えられるが，逆に，裁判官が第三者的な視点で捜査官の請求の当否をチェックする方がよいともいえよう．令状裁判官が逮捕状請求を却下するというのは，実際には非常に少ないが(令和2年では0.08%にすぎない[4])，令状審査が捜査官に対する抑止力となり，違法な捜査を防いでいるということは疑いがない．

(2) 現行犯逮捕

> **212条 I** 現に罪を行い，又は現に罪を行い終った者を現行犯人とする．
> **II** 左の各号の一にあたる者が，罪を行い終ってから間がないと明らかに認められるときは，これを現行犯人とみなす．
> ① 犯人として追呼されているとき．
> ② 贓物又は明らかに犯罪の用に供したと思われる兇器その他の物を所持しているとき．
> ③ 身体又は被服に犯罪の顕著な証跡があるとき．
> ④ 誰何されて逃走しようとするとき．
> **213条** 現行犯人は，何人でも，逮捕状なくしてこれを逮捕することができる．
> **214条** 検察官，検察事務官及び司法警察職員以外の者は，現行犯人を逮捕したときは，直ちにこれを地方検察庁若しくは区検察庁の検察官又は司法警察職員に引き渡さなければならない．

意義 現行犯人とは，現に罪を行っている者，又は現に罪を行い終わった者である(法212 I)．犯罪の実行行為を行いつつある者に加え，犯罪の実行行為を終了した直後の者も現行犯人とされている(さらに準現行犯につき127頁参照)．逮捕状なしで(**令状主義の例外**)，誰でも(通常人でも)逮捕できる(法213)．ただし，一定の軽微な犯罪については，犯人の住居又は氏名が明らかでないか，

---

[3] 逮捕状の発付により裁判官から逮捕するように命じられたと考えると，捜査官の独自の判断で逮捕を取りやめることはできないことになる．逮捕状が出ているなら逮捕しなければならないのであり，そのような裁量の余地はないはずである．しかし，現実には，裁量を認めなければ，逆に不必要・不合理な人権侵害を惹き起こすことになる．
[4] 捜査官が自ら取り下げたものが1.30%存在する(令和2年)(⇨129頁注10)．

犯人が逃亡するおそれがある場合に限って現行犯人を逮捕することができる—法217）．なぜなら，① 犯人であることが逮捕者に明らかであるから，誤認逮捕のおそれがなく，② 犯人を確保し，犯罪を制圧するなど直ちに逮捕する必要性が大きいからである．なお，通常人が逮捕した場合は捜査機関に直ちに引き渡さなければならない（法214）．

一般人にとっての明白性　現行犯は，犯罪を行っていることが皆に分かるから一般人でも逮捕できるとされるが，一般人にとって犯罪を行っていることが外形的に明らかである必要があるのかが問題となる．(a) 事情を何も知らない一般人にとっても明らかでなければならないのか，(b) 逮捕者本人に明らかであればいいのかという争いである．例えば，人が現に殴られて血を出しているというのは，誰から見ても明らかである．問題は，事情を知らない一般人では犯罪を行っているとは分からないが，内偵している警察官から見れば明らかであるような場合である．

東京高判昭41・6・28（判タ195・125）では，競馬のいわゆる呑み行為（正規の馬券を買わずに，同様の配当率で賭けをすること）について現行犯逮捕の適法性が争われた．外見上は単なる申込みの受付にすぎないが，内偵していた警察官からみれば呑み行為の実行をしていることが明らかであった事案につき，適法であるとされた．逮捕者が得ている知識（資料）を一般人が持ったならば，その者にとって現行犯であることが明らかであるというのも，現行犯における「明白性」に当たるわけである．

現に罪を行い終わった　ここにいう「現に」とは「直後」を意味するが，どの範囲まで含まれるかは微妙である．まずは時間的な接着性によって決められることになるが，逮捕者がこの要件を判断できることを予定していると考えられるから，時間的接着性のほか場所的な接着性も考慮されることになる．比喩的にいえば，「犯罪の生々しい痕跡が残り，犯罪が終わったばかりの状況」などと表現できる状況にあることが必要である[5]．

例えば，最決昭33・6・4（刑集12・9・1971）は，「今，若い衆が2人塀を乗り越えて入り煙突なんかを壊しているからすぐ来て下さい」との申告を受けて現場に急行

---

[5] 例えば，犯罪が終わって通報があり，数分後にパトカーが来てその場にいる犯人を逮捕するというのは，正に「現に罪を行い終わった者」の逮捕といえるであろう．現行犯逮捕で圧倒的に多いのは，私人による通報により駆けつけた警察官が逮捕する場合なのである．なお，その際には，駆けつけた警察官自身が，その状況からみて，「現に罪を行い終わった」と評価することができなければならない．もっとも，警察官自身は判断できないような状況にあったとしても，犯行を現認していた私人に代わって逮捕行為を行うことは可能である．

した警察官が，約30m離れた路上で犯人を逮捕したのを適法と判断し，また，最決昭 31·10·25(刑集 10·10·1439)は，酔っ払いがガラスを割って暴れているとの通報を受けて甲店に急行した警察官が，同店の従業員から暴行及び器物損壊の被害を訴えられ，犯人が乙店にいると告げられたため，直ちに約20m離れた乙店に赴き，手を負傷して大声で叫びながら足を洗っていた犯人を逮捕した事案につき，犯行後30〜40分経過したにすぎないことなどを指摘して，適法な逮捕としている．なお，逮捕行為に出ようとしたが犯人の抵抗等にあって逮捕を完了するまでに時間がかかった場合であっても，その間追跡等が継続されていれば，適法な逮捕と認められる(最判昭 50·4·3 刑集 29·4·132)．

準現行犯 法212条Ⅱ項1号の「犯人として追呼されているとき」とは，例えば「泥棒，泥棒」と言われながら追われている場合で，2号の「贓物又は明らかに犯罪の用に供したと思われる兇器その他の物を所持しているとき」とは，例えば盗品を持っていたり，血の付いた凶器を持っているような場合である．3号の「身体又は被服に犯罪の顕著な証跡があるとき」とは，例えば返り血を浴びているような場合であり，4号の「誰何されて逃走しようとするとき」とは，例えば警察官に「こんな夜更に何やっている」と言われてダッと逃げ出したような場合である．このいずれかの要件に該当する者が，罪を行い終わってから間がないと明らかに認められるときは，現行犯人とみなされる．ただ，1号から4号の各要件が存在すれば，その強弱に差異はあっても，「罪を行い終わってから間がない」と推認させる場合が多いであろう．憲法33条は現行犯として逮捕する場合には令状を要しないものとしているが，憲法も準現行犯にあたるものは予想していると考えられている．

具体的判断 最決平 8·1·29(刑集 50·1·1)は，いわゆる内ゲバ事件が発生したとの無線情報を受けて逃走犯人を警戒，検索中の警察官らが，犯行終了の約1時間ないし1時間40分後に，犯行場所からいずれも約4km離れた各地点で，それぞれ被疑者らを発見し，その挙動や着衣の汚れ等を見て職務質問のために停止するよう求めたところ，いずれの被疑者も逃げ出した上，腕に籠手を装着していたり，顔面に新しい傷跡が認められたなどの場合には，被疑者らに対する逮捕は，法212条Ⅱ項2号ないし4号に当たる者が罪を行い終わってから間がないと明らかに認められるときにされたものであって，適法である旨判示している(⇨187頁)．

(3) 通常逮捕

> **199条 I** 検察官，検察事務官又は司法警察職員は，被疑者が罪を犯したことを疑うに足りる相当な理由があるときは，裁判官のあらかじめ発する逮捕状により，これを逮捕することができる．ただし，30万円(刑法，暴力行為等処罰に関する法律及び経済関係罰則の整備に関する法律の罪以外の罪については，当分の間，2万円)以下の罰金，拘留又は科料に当たる罪については，被疑者が定まった住居を有しない場合又は正当な理由がなく前条の規定による出頭の求めに応じない場合に限る．
>
> **II** 裁判官は，被疑者が罪を犯したことを疑うに足りる相当な理由があると認めるときは，検察官又は司法警察員(警察官たる司法警察員については，国家公安委員会又は都道府県公安委員会が指定する警部以上の者に限る．以下本条において同じ．)の請求により，前項の逮捕状を発する．但し，明らかに逮捕の必要がないと認めるときは，この限りでない．
>
> **201条 I** 逮捕状により被疑者を逮捕するには，逮捕状を被疑者に示さなければならない．
>
> **II** 第73条第III項の規定[6]は，逮捕状により被疑者を逮捕する場合にこれを準用する．

逮捕の形式的要件 単に「逮捕」といえば通常逮捕を指すことが多い．形式的要件として，逮捕するためには逮捕状が必要となる．逮捕状は，検察官又は司法警察員の請求により，裁判官(原則として，地方裁判所又は簡易裁判所の裁判官)が，罪を犯したことを疑うに足りる相当な理由のある者について発付するものである[7)8)]．ただし，一定の軽微な犯罪については，被疑者が住居不定か正当な理由がないのに出頭要求に応じない場合に限られる．

逮捕状には一定の事項の記載が必要である(法200 I)．具体的には，被疑者

---

6) **73条 III** 勾引状又は勾留状を所持しないためこれを示すことができない場合において，急速を要するときは，前2項の規定にかかわらず，被告人に対し公訴事実の要旨及び令状が発せられている旨を告げて，その執行をすることができる．但し，令状は，できる限り速やかにこれを示さなければならない．

7) 司法警察員については，警部以上で公安委員会に指定された者である(法199 II)．

8) 請求を受けた裁判官は，逮捕状請求書及び資料を審査し，さらに必要があれば，逮捕状請求者の出頭を求めてその陳述を聴き，書類その他の物の提示を求めることができる(規142・143・143の2)．

の氏名[9]のほか，年齢・住居・職業等の被疑者の特定に関する事項や，罪名と被疑事実の要旨，引致すべき場所，有効期間，請求者の氏名等が記載され(実際には，被疑者の氏名と有効期間以外は，それらの事項が記載された請求書が添付されて引用される)，逮捕を許可した裁判官の記名・押印がされる．

実体的要件 　裁判官は，逮捕の理由があれば，明らかに逮捕の必要がない場合を除き，逮捕状を発付しなければならない(法199，規143の3)．逮捕の実体的要件は，逮捕の理由と必要性の存在である．

逮捕の理由とは，罪を犯したと疑うに足りる相当な理由(**相当の嫌疑**)が存在していることである(法199 II)．罪とは具体的な特定の犯罪である．相当な理由は，単なる「可能性」では足りないが，「確信」までは不要である．逮捕の理由は，積極的に認められることが必要であり，その存否は逮捕状を請求された裁判官が評価・判断する[10]．

逮捕の必要性は，逃亡又は罪証隠滅のおそれがあるということであり，被疑者の年齢・境遇，犯罪の軽重・態様その他諸般の事情を総合的に考慮して，判断される(規143の3参照)．相当な嫌疑のある被疑者をすべて逮捕するわけではなく，逃亡・罪証隠滅のおそれがあり，拘束することが必要な場合に限られるという趣旨である．ただ，逮捕状請求時に逃亡・罪証隠滅のおそれを基礎づける具体的な事実の立証が常に必要とされるわけではなく，逮捕の理由があれば通常は逮捕の必要性があるものと考えられるので，明らかに逃亡・罪証隠滅のおそれがないと判断された場合に限り，令状請求は却下される．また，発付された後に必要性がなくなったのに逮捕した場合には，違法な逮捕となる(⇨125頁)．

逮捕状の執行 　捜査機関は，逮捕状により被疑者を逮捕することができる．逮捕状により被疑者を逮捕するには，逮捕状を被疑者に示さなければならない(法201 I)．呈示のない逮捕は違法である(最判平15・2・14刑集57・2・121 ⇨488頁)．逮捕状が発付されていれば，急速を要する場合には，捜

---

9) 氏名不詳の場合は，人相，体格その他被疑者を特定するに足りる事項(例えば通称名)を指摘すればよい．写真による特定でもよい．
10) 現実には，逮捕状の請求に対して99%以上が認められている．これは，理由のない逮捕状の請求が行われていないということを示しているともみることができる(⇨125頁注4)．

<div style="text-align:center">逮 捕 状（通常逮捕）</div>	
被疑者の氏名	鈴 木 一 彦
被疑者の年齢 住 居 ， 職 業 逮捕を許可する罪名 被疑事実の要旨 被疑者を引致すべき場所 請求者の官公職氏名	別紙逮捕状請求書のとおり
有 効 期 間	令和 2 年 6 月 30 日まで

　有効期間経過後は，この令状により逮捕に着手することができない。この場合には，これを当裁判所に返還しなければならない。
　有効期間内であっても，逮捕の必要がなくなったときは，直ちにこれを当裁判所に返還しなければならない。

　上記の被疑事実により，被疑者を逮捕することを許可する。
　　　令和 2 年 6 月 23 日
　　　　東 京 簡 易 裁 判 所
　　　　　　裁 判 官　　米 田 俊 雄 ㊞

逮捕者の官公職氏名印	警視庁渋谷警察署司法警察員巡査部長　早川優一 ㊞
逮捕の年月日時 及 び 場 所	令和 2 年 6 月 23 日　午後 10 時 30 分 東京都新宿区新宿 2 丁目 3 番 4 号先路上　で逮捕
引致の年月日時 及 び 場 所	令和 2 年 6 月 23 日　午後 10 時 50 分 東京都渋谷区渋谷 3 丁目 8 番 15 号警視庁渋谷警察署
記 名 押 印	警視庁渋谷警察署司法警察員巡査部長　早川優一 ㊞
送致する手続をした 年　　月　　日　時	令和 2 年 6 月 25 日　午前 8 時 15 分
記 名 押 印	警視庁渋谷警察署司法警察員警部補　本山 徹 ㊞
送致を受けた年月日時	令和 2 年 6 月 25 日　午前 9 時 50 分
記 名 押 印	東京地方検察庁　検察事務官　石川佳子 ㊞

　注意　本逮捕の際，同時に現場において捜索，差押え又は検証することができるが，被疑者の名誉を尊重し，かつ，なるべく他人に迷惑を及ぼさぬように注意を要する。
　　　なお，この令状によって逮捕された被疑者は，弁護人を選任することができる。

様式第11号（刑訴199条，規則第139条，第142条，第143条）

逮 捕 状 請 求 書（甲）

令和 2 年 6 月 23 日

東京簡易裁判所
　　　裁判官　殿

　　　　　　警視庁渋谷　警察署
　　　　　　　　　刑事訴訟法第199条第2項による指定を受けた司法警察員
　　　　　　　　司法警察員　警部　　　　　北　山　和　夫　㊞

　下記被疑者に対し，　　　　　　殺人　　　　　　被疑事件につき，逮捕状の発付を請求する。

記

1　被疑者
　　　氏　　名　　鈴木一彦
　　　年　　齢　　　　　　　昭和62年4月23日生（33歳）
　　　職　　業　　不詳
　　　住　　居　　東京都新宿区若松町2丁目3番4号
2　7日を超える有効期間を必要とするときは，その期間及び事由
　　㊞
3　引致すべき官公署又はその他の場所
　　　警視庁渋谷警察署又は逮捕地を管轄する警察署
4　逮捕状を数通必要とするときは，その数及び事由
　　㊞
5　被疑者が罪を犯したことを疑うに足りる相当な理由
　　　(1) 捜査報告書　(2) 実況見分調書　(3) 死体検案調書　(4) 供述調書
　　　(5) その他各報告書　(6) その他照会文書
6　被疑者の逮捕を必要とする事由
　　　嫌疑は重大なものである上，被疑者は単身居住者であり，逃走及び罪証隠滅のおそれがある。
7　被疑者に対し，同一の犯罪事実又は現に捜査中である他の犯罪事実について，前に逮捕状の請求又はその発付があったときは，その旨及びその犯罪事実並びに同一の犯罪事実につき更に逮捕状を請求する理由
　　㊞
8　30万円(刑法，暴力行為等処罰に関する法律及び経済関係罰則の整備に関する法律の罪以外の罪については，2万円)以下の罰金，拘留又は科料に当たる罪については，刑事訴訟法第199条第1項ただし書に定める事由
9　被疑事実の要旨
　　　被疑者は，令和2年6月22日午後11時ころ，東京都渋谷区恵比寿4丁目5番6号木村二郎(当時27歳)方において，殺意をもって，同人の左前胸部を果物ナイフ(刃体の長さ約10 cm)で突き刺し，よって，同日午後11時58分ころ，同都目黒区駒場1丁目1番23号山田病院において，同人を左前胸部刺創に基づく出血により死亡させて殺害したものである。

査官が現実に逮捕状を所持していなくても，被疑者に被疑事実の要旨と逮捕状が発せられている旨とを告げて逮捕することができるが(**緊急執行**)，その後，できるだけ速やかに逮捕状を示さなければならない(法201 II ⇨ 法73 III)．

> **逮捕の際の有形力の行使**　逮捕する際には，被疑者が抵抗することも少なくないから，捜査官が相当な範囲内で物理的な力を行使することも許容される(刑35)．場合によっては，**拳銃**を相手の足や腕に撃って逮捕することも許容される．必ずしも，正当防衛(刑36)，緊急避難(刑37)の要件を満たす必要はない．ただ，死を招く危険が存在する以上，相当性は厳格に解されなければならない(警察官の武器使用の基準の変化について，警察学論集55巻5号101頁参照)．
>
> **逮捕と指名手配**　日本の警察は地方警察であり，各都道府県警単位で捜査を行う．そこで相互に協力しあう必要が生じる．**指名手配**とは，他の都道府県警に逮捕を依頼し，逮捕後身柄の引渡しを要求する手配のことである[11]．

(4)　緊急逮捕

> **210条 I**　検察官，検察事務官又は司法警察職員は，死刑又は無期若しくは長期3年以上の懲役若しくは禁錮にあたる罪を犯したことを疑うに足りる充分な理由がある場合で，急速を要し，裁判官の逮捕状を求めることができないときは，その理由を告げて被疑者を逮捕することができる．この場合には，直ちに裁判官の逮捕状を求める手続をしなければならない．逮捕状が発せられないときは，直ちに被疑者を釈放しなければならない．

緊急逮捕の合憲性　緊急逮捕とは，緊急の場合に，後で逮捕状の発付を求めることを条件として，まず被疑者を逮捕することである(法210)[12]．重大な犯罪の犯人であることが明らかであっても，現行犯以外の場合には事前に逮捕状の発付が必要であるとすると，その手続をしている間に被疑者が逃亡してしまい，その後の逮捕が極めて困難になる場合も少なくないであろう．そこで，一定の重い犯罪については，厳格な制約の下に令状なく

---

11) 類似の概念である**事件手配**とは，容疑者及び捜査資料その他参考事項について通報を求める手配のことである．そして，**指名通報**とは，被疑者が発見された場合に身柄の引渡しを求めず，その事件の処理を当該警察に委ねる手配のことである．事件手配は情報交換であるが，指名手配では身柄の確保までを他の警察に任せ，指名通報になるとその事件の処理を全部任せることになる．

12) 緊急逮捕は，逮捕してから逮捕状を請求するのであり，逮捕状が出ているが逮捕時に呈示しない緊急執行(法201 II ⇨ 法73 III，128頁注6)とは全く異なる．

して逮捕することを認め，その代わり，逮捕後直ちに令状の発付を求めることが必要であり，発付されなければ直ちに釈放しなければならないこととしたのである．

　憲法33条は，現行犯逮捕の場合を除き，司法官憲が発した令状によらなければ逮捕されない旨明示している．そこで，かつては緊急逮捕についての刑訴法の規定は憲法違反ではないかという議論が存在した．しかし，違憲説も，緊急逮捕が必要だということ自体は認めざるを得なかった．現行犯以外はすべて逮捕状を得てからでないと逮捕できないことになると，重大な事件の被疑者をみすみす取り逃がすことになり，国民の生活の安全を守る上で大きな障害が生じるからである．現在は合憲論が通説であり，判例は，古くから合憲論を採用してきた（最大判昭30・12・14刑集9・13・2760）．

> 最大判昭30・12・14は，法210条に定められたような「厳格な制約の下に，罪状の重い一定の犯罪のみについて，緊急已むを得ない場合に限り，逮捕後直ちに裁判官の審査を受けて逮捕状の発行を求めることを条件とし，被疑者の逮捕を認めることは，憲法33条規定の趣旨に反するものではない」と判示した．

　憲法33条の文言にもかかわらず緊急逮捕が許容されるのは，逮捕手続を全体としてみれば令状によるチェックが及んでいると解し得る点である．逮捕後直ちに逮捕状を請求し，逮捕状が発付された場合だけ身柄の拘束が続けられるのであるから，時間的に少し前後するように見えても，やはり「逮捕状によって逮捕した」という関係が認められ得る．これが実質的な理由である[13]．

緊急逮捕の要件　逮捕状を後から速やかに請求すればすべて緊急逮捕になるというわけではない．① **重大な犯罪**に限られ（死刑，無期，長期3年以上の刑の犯罪），② これらの罪を犯したと疑うに足りる**十分な理由**と，③ **逮捕の緊急な必要性**（急速を要すること）の存在が必要である．その上で，④ 逮捕

---

[13] 憲法制定の際，取引があったともいわれる．緊急逮捕を認めることが前提とされていた面がある．憲法制定時，最後までもめたポイントの1つに，憲法33条の「司法官憲」が検察官を含むのかという問題が存在した．積極説は，緊急事態においては裁判官に令状発付を任せていては間に合わないという実質論を根拠としていた．しかし，アメリカの要請等から，憲法33条の「司法官憲」は検察官を含まないとせざるを得ず，その代わりに，刑事訴訟法に緊急逮捕の規定を作り逮捕状の運用をある程度緩やかにするという解決策が考えられたとされている．

したら直ちに逮捕状を請求しなければならず，逮捕状が発せられないときは直ちに被疑者を釈放しなければならないのである(法210Ⅰ後段).

　　なお，通常逮捕より手続的要件が緩和されている側面があることにも注意しなければならない．緊急逮捕の場合は，検察事務官や司法巡査も逮捕状を請求することができる点である．これは，一刻も早く令状を請求させることが重要であるとの法の趣旨が反映されたものである．

(5) 逮捕後の手続

> **202条**　検察事務官又は司法巡査が逮捕状により被疑者を逮捕したときは，直ちに，検察事務官はこれを検察官に，司法巡査はこれを司法警察員に引致しなければならない．
>
> **203条Ⅰ**　司法警察員は，逮捕状により被疑者を逮捕したとき，又は逮捕状により逮捕された被疑者を受け取ったときは，直ちに犯罪事実の要旨及び弁護人を選任することができる旨を告げた上，弁解の機会を与え，留置の必要がないと思料するときは直ちにこれを釈放し，留置の必要があると思料するときは被疑者が身体を拘束された時から48時間以内に書類及び証拠物とともにこれを検察官に送致する手続をしなければならない．
>
> 　Ⅱ　前項の場合において，被疑者に弁護人の有無を尋ね，弁護人があるときは，弁護人を選任することができる旨は，これを告げることを要しない．
>
> 　Ⅴ　第Ⅰ項の時間の制限内に送致の手続をしないときは，直ちに被疑者を釈放しなければならない．
>
> **204条Ⅰ**　検察官は，逮捕状により被疑者を逮捕したとき，又は逮捕状により逮捕された被疑者(前条の規定により送致された被疑者を除く．)を受け取ったときは，直ちに犯罪事実の要旨及び弁護人を選任することができる旨を告げた上，弁解の機会を与え，留置の必要がないと思料するときは直ちにこれを釈放し，留置の必要があると思料するときは被疑者が身体を拘束された時から48時間以内に裁判官に被疑者の勾留を請求しなければならない．但し，その時間の制限内に公訴を提起したときは，勾留の請求をすることを要しない．
>
> 　Ⅳ　第Ⅰ項の時間の制限内に勾留の請求又は公訴の提起をしないときは，直ちに被疑者を釈放しなければならない．
>
> 　Ⅴ　前条第Ⅱ項の規定は，第Ⅰ項の場合にこれを準用する．
>
> **205条Ⅰ**　検察官は，第203条の規定により送致された被疑者を受け取ったときは，弁解の機会を与え，留置の必要がないと思料するときは直ちにこれを釈放し，

> 留置の必要があると思料するときは被疑者を受け取った時から 24 時間以内に裁判官に被疑者の勾留を請求しなければならない．
> 　**II**　前項の時間の制限は，被疑者が身体を拘束された時から 72 時間を超えることができない．
> 　**III**　前 2 項の時間の制限内に公訴を提起したときは，勾留の請求をすることを要しない．
> 　**IV**　第 I 項及び第 II 項の時間の制限内に勾留の請求又は公訴の提起をしないときは，直ちに被疑者を釈放しなければならない．

告知　司法巡査が被疑者を逮捕したときは，直ちに司法警察員に引致（連行）しなければならない（法 202）[14]．司法警察員は，被疑者に対し，直ちに ① 逮捕の理由となった**犯罪事実の要旨**と ② **弁護人選任権**[15] のあることを告げた上，③ **弁解の機会**を与えなければならない[16]．留置（身柄拘束）の必要があると判断すれば被疑者を留置することができるが，その場合には，逮捕の時から 48 時間以内に書類・証拠物とともに身柄を検察官に送致しなければならない（法 203 I）．逆に，留置の必要がないと思うときは，直ちに被疑者を釈放しなければならない．

　身柄の送致を受けた検察官は，被疑者に弁解の機会を与え，留置の必要がないと思うときは直ちに釈放し，留置の必要があると思うときは，身柄受領の時から 24 時間以内（ただし，逮捕の時から通算して 72 時間以内）に，裁判官に

---

[14]　検察事務官が被疑者を逮捕したときは，直ちに検察官に引致しなければならない（法 202）．
[15]　以前は，被疑者の段階では，弁護人を選任することはできても（私選），国選弁護人を請求することはできなかった．平成 16 年の法改正により，一定の重大犯罪について被疑者段階から公的弁護人の選任を請求できるようになり（⇨ 204 頁），その後，対象事件の範囲が拡げられ，平成 30 年 6 月以降は勾留状が発せられているすべての被疑者が請求できるようになった（⇨ 204 頁）．そこで，逮捕された被疑者に対して弁護人選任権を告知するに当たっては，被疑者に対し，裁判所や刑事施設の長等に弁護士，弁護士法人又は弁護士会を指定して弁護人の選任を申し出ることができる旨を教示するほか，引き続き勾留を請求された場合において貧困等の事由により弁護人を選任できないときは国選弁護人の選任を請求できる旨と，請求する際には資力申告書を提出しなければならず，基準額以上の資力を有する場合にはあらかじめ弁護士会に弁護人選任の申出をしなければならない旨を教示する必要がある（法 203 III・IV）．
[16]　検察事務官から身柄を受け取った検察官のなすべきことは，送致の点を除いて，司法警察員の場合と同様であり，留置の必要があると思うときは，逮捕の時から 48 時間以内に，裁判官に被疑者の勾留を請求するか，公訴の提起をしなければならない（法 204）．

被疑者の勾留を請求するか，公訴の提起をしなければならない(法205)[17]．

留置の意義　留置は，捜査段階における身柄の拘束(ないし拘束されている状態)を意味するが，通常は勾留(⇨137頁)以外のものを指す．警察段階では48時間以内で留置が可能であり，その時間が経過するまでに，原則として検察庁に送らなければならない．留置の制度的意義に関しては，議論があった．逮捕を本格的捜査の開始時点であると解すれば，広義の留置は主として被疑者の取調べの時間であると解することになる．被疑者を逮捕した後，留置して本格的に取り調べるものと考える．これに対し，逮捕を捜査の終了時点であるとする考え方(⇨70頁，124頁注1)によれば，被疑者の逃亡・罪証隠滅を阻止した状態で捜査を実行し得る時間であると解することになる[18]．被疑者の取調べを許す規定が存在する以上，後説を徹底することには無理があり，非現実的でもある．とはいえ，取調べができるとしても，自白の強要が許されないのは当然である．

留置の期間　検察官は，留置の必要があると思うときは，24時間以内に勾留を請求するかどうか決定しなければならない(法205)．もし勾留請求も公訴提起もしないなら，被疑者を釈放しなければならない．これにより，警察では最大48時間，検察官に送られた後は最大24時間，合計72時間までの留置が可能である．そして，この間に，勾留するか起訴するか釈放するかが決定されることになる．

例外的であるが，検察官が自ら逮捕した場合，警察官が逮捕したときと同じような手続を踏まなければならない．つまり，犯罪事実の要旨，弁護人選任権を告げ，弁解の機会を与えた上で，留置の必要があると思うときは，48時間以内に，勾留を請求するか公訴の提起をしなければならない(法204)．

この時間を過ぎてしまうと，やむを得ない事情で時間の制限に従うことができなかった場合を除き(法206)，勾留請求(⇨138頁)はできなくなる．

逮捕に伴う捜索・差押え　捜査官が，令状なしに他人の持ち物や財産を探索することは，原則として行い得ない(⇨170頁)．ただ，逮捕するときには，一定の範囲内で令状なしにその場で所持品等の捜索・差押えなどを行うことができる(法220 I)．1つは，逮捕のための被疑者の捜索(1号)

---

[17] やむを得ない事情によって以上の時間の制限に従うことができなかったときは，検察官は，裁判官にその事情を疎明して勾留を請求することができる．裁判官は，その遅延がやむを得ない事情に基づく正当なものであると認める場合に限り，勾留状を発することができる(法206)．
[18] 逮捕を捜査の終了時点と考える見解は，「もう犯人は留置場の中にいるから，逃亡たり証拠を隠したりする心配がない．その間に安心して証拠を収集できる」というのが留置の趣旨であるとする．

であり，もう1つは，逮捕に伴うその事件の証拠物の捜索・差押えなど(2号)である．例えば，逮捕するときに相手が凶器を持っているかどうか調べたり，薬物事犯で逮捕したときにその事件の証拠物である薬物等を持っていないか調べたりすることができる(⇨186頁)．

2 勾 留

> **207条 I** 前3条の規定による勾留の請求を受けた裁判官は，その処分に関し裁判所又は裁判長と同一の権限を有する．但し，保釈については，この限りでない．
> 　**V** 裁判官は，第I項の勾留の請求を受けたときは，速やかに勾留状を発しなければならない．ただし，勾留の理由がないと認めるとき，及び前条第II項の規定により勾留状を発することができないときは，勾留状を発しないで，直ちに被疑者の釈放を命じなければならない．
> **208条 I** 前条の規定により被疑者を勾留した事件につき，勾留の請求をした日から10日以内に公訴を提起しないときは，検察官は，直ちに被疑者を釈放しなければならない．
> 　**II** 裁判官は，やむを得ない事由があると認めるときは，検察官の請求により，前項の期間を延長することができる．この期間の延長は，通じて10日を超えることができない．
> **60条 I** 裁判所は，被告人が罪を犯したことを疑うに足りる相当な理由がある場合で，左の各号の一にあたるときは，これを勾留することができる．
> 　① 被告人が定まった住居を有しないとき．
> 　② 被告人が罪証を隠滅すると疑うに足りる相当な理由があるとき．
> 　③ 被告人が逃亡し又は逃亡すると疑うに足りる相当な理由があるとき．

(1) 勾留の手続

　　被疑者の勾留　　勾留とは，被疑者又は被告人を拘禁する裁判及びその執行である．拘禁とは，刑事施設に拘束することであり，そのためには，裁判官の勾留の裁判を要する．単に勾留という場合，拘禁する裁判自体を意味する場合もあるが，それによって執行されることを意味することもある．逮捕された者は，かなりの割合で勾留される(令和2年の逮捕されて送検された者の勾留率92.5%)．勾留されると，取調べも継続されることになる．

被告人の刑が確定した後に拘束されることも勾留（既決勾留）というので、これと区別して、**未決勾留**という語が用いられる。未決勾留には、被疑者段階の勾留と被告人段階の勾留が含まれる。被告人段階の勾留の期間は長い（⇨ 272 頁）。ここでは、被疑者の勾留について説明する。

勾留請求　勾留の請求権者は検察官に限られる。検察官は、警察から被疑者の身柄の送致を受けたときは 24 時間以内に（法 205）、また、検察官自身又は検察事務官が逮捕したときは 48 時間以内に（法 204）、勾留請求を行わなければならない。

勾留の請求を受けた裁判官は、検察官の提出した資料を検討し、被疑者の陳述（**勾留質問**⇨ 140 頁）をも考慮して、勾留の要件の存否を判断する。勾留の要件は、① 勾留請求の手続が適法で、② 勾留の理由があり、③ 勾留の必要性もあることである。

勾留請求手続の適法性の要件で、実際に問題になることが多いのは、検察官送致又は勾留請求の時間の制限を遵守しているか否かということのほか（法 206 ⇨ 136 頁注 17）、勾留に先行する逮捕手続の適法性の有無である。有効期間を徒過した令状によって逮捕したり、現行犯逮捕の要件がないのに現行犯逮捕をした場合のように、逮捕の手続に重大な違法があるときは、勾留請求をすることが許されないものと解される（⇨ 141 頁）。また、逮捕前置主義（⇨ 146 頁）に反した場合も、勾留請求は許されない。

勾留の実質的要件　勾留の理由と必要性が存在しなければならない。**勾留の理由**とは、被疑者が罪を犯したことを疑うに足りる相当な理由（**相当の嫌疑**）があること、及び法 60 条 I 項各号に掲げる、① 被疑者が住居不定のとき[19]、② 被疑者に罪証隠滅のおそれがあるとき、③ 被疑者に逃亡のおそれがあるとき[20] のいずれかに該当することである[21]。

勾留の必要性とは、起訴の可能性（事案の軽重等）、捜査の進展の程度、被疑者の個人的事情（年齢、身体の状況等）などから判断した勾留の相当性である。勾留

---

[19] 「住居不定」とは、定まった住所又は居所を有しない場合のみでなく、住居が明らかでないときや判らないときも、これに含まれる。

[20] 逃亡のおそれとは、訴追や刑の執行を免れる目的で所在不明になることである。

[21] ただし、一定の軽微な犯罪については、被疑者が住居不定である場合しか勾留することは許されない（法 60 III）。

の必要性についても，裁判官が判断し得る(⇨75頁注16).

罪証隠滅のおそれ　罪証は，被疑事実の証拠に限られず，検察官の起訴不起訴の判断や量刑において重要な意味を持つ事情に関する証拠も含まれる．証拠を隠したり，共犯者と口裏合わせをするおそれなどが典型であるが，証人等に圧力をかけて供述を変えさせることも問題となる．ただ，被疑者(被告人)は自分に有利になるように防御活動をする権利を有する．そこで，許される防御活動と罪証隠滅行動との限界が問題となるが，証人への圧力や，共犯者との通謀・連絡などの危険性が具体的なものであれば，罪証隠滅のおそれがあるといえよう．なお，被疑者が犯罪事実を否認していること自体から罪証隠滅のおそれがあると解することは許されないが，その供述態度によっては他の事情が加わることにより罪証隠滅のおそれが認められることもある．他方，被疑者が犯罪事実を認めている場合は，種々の弁解をしている場合に比して罪証隠滅のおそれがないとされることが多くなろう．

勾留請求却下率の変化　勾留請求の却下率は，かつては地裁で0.5%程度であったが，司法制度改革の過程で被疑者(被告人)の身柄拘束の要件を厳格に解釈することの必要性が再確認された上，最高裁も，罪証隠滅のおそれについては現実的な可能性の程度を検討する必要があることを改めて指摘するなど(最決平26・11・17判時2245・124参照)，身柄を釈放する方向で度々職権判断を示したことなどの影響もあり，犯罪が急激に減少し始めた平成17年ころから急上昇し，9.8%(令和元年)になったこともある．

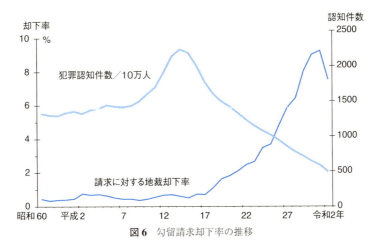

図6　勾留請求却下率の推移

勾留の期間　被疑者の勾留期間は，原則として勾留の請求をした日から **10 日** である(法 208 I)[22]．被疑者の利益を考え，初日を算入し，末日が休日に当たるときも，これを期間に算入する．この期間内に公訴の提起をしないときは(次に述べる勾留期間の延長が認められた場合を除き)，検察官は直ちに被疑者を釈放しなければならない(法 208 I)．裁判官は，やむを得ない事情がある場合に限り，検察官の請求により，10 日を超えない限度でこの期間を**延長**することができる(法 208 II)[23][24]．

やむを得ない事由　事件が複雑困難なものであったり，必要な証拠の収集が困難であったりして，勾留期間を延長して捜査を継続しなければ検察官が事件の処分を決すること(起訴するか否か，起訴する場合は公判請求するか略式命令を請求するか)ができない場合が，これに当たる．

(2) 勾留の裁判

勾留質問　勾留を決定する前に被疑者に弁解の機会を与える手続を**勾留質問**という(法 207 I ⇨ 法 61)．裁判官は，被疑者に対し被疑事件を告げ，これに関する陳述を聴いて，勾留の可否を判断しなければならない(法 61)[25]．

---

22) 請求の翌日に勾留質問が行われて勾留状が発せられることもあるが，その場合も，勾留期間が請求の日から 10 日であることに変わりはない．
23) また，騒乱罪等の特別な事件については，さらに 5 日を超えない限度で再延長が許される(法 208 の 2)．
24) 被疑者が勾留期間内に勾留されている被疑事件によって起訴されると，被疑者に対する勾留はそのまま被告人に対する勾留に変わり，勾留期間も公訴が提起された日から 2 か月となる(法 60 II)．
25) 勾留請求された被疑者に弁護人が付いていない場合は，勾留質問の際に，被疑者に対し，弁護人選任権がある旨と貧困その他の事情で自ら選任できないときは国選弁護人の選任を請求できる旨が告げられる(法 207 II)．

逮捕の段階より慎重に，弁解の機会を与えることとされているのは，勾留は期間が長いからである．勾留の裁判に対しては，準抗告ができる(法429)．

　裁判官は，勾留の要件が満たされていると判断したときは，速やかに勾留状を発する．勾留状は検察官が執行する[26]．逆に，勾留の要件が満たされていないと判断したときは，勾留状を発しないで，直ちに被疑者の釈放を命じなければならない(法207V)．

　　勾留状　勾留状には，被疑者の氏名・年齢・住居・職業，罪名，被疑事実の要旨，勾留の理由(法60条I項各号の事由)が記載され，さらに勾留する場所が表示される．警察の留置施設(⇨144頁)に勾留されることも多い．

違法な逮捕に基づく勾留請求　手続の違法は当然その手続の段階ごとに考慮されるが，それ以前の手続における違法が後の段階にまで影響を及ぼす場合もある．例えば，捜査段階における違法は，公訴提起の効力を直ちに失わせるものではないが(⇨242頁)，証拠の収集に関する重大な違法であれば，証拠能力を失わせることになる(⇨479頁)．そこでは，両手続の関連性の強さや，先行手続における違法性の程度等が考慮されることになる．身柄の拘束についてみれば，前の手続を前提として後の手続がとられるという性格が強いため，違法な逮捕が行われた場合には，勾留請求が許されないという場合が多くなる．もっとも，逮捕状に小さな誤記があったという程度であれば，後の手続の効力にまでは影響しないであろう．一定程度の重大な違法でなければ，勾留請求が許されないということにはならない(逮捕手続の違法がその後の勾留を違法とするものではないとした例として，東京高判昭54・8・14判時973・130⇨118頁)．違法の程度を測る尺度としては，①その違法が被疑者の自由や利益を侵害する程度や，②捜査官が当該違法捜査を繰り返すおそれの程度などが考慮される．

(3)　勾留理由開示

　　勾留理由開示　現に勾留されている被疑者(被告人)のほか，その弁護人，法定代理人，保佐人，配偶者，直系親族，兄弟姉妹，利害関係人

---

[26] 勾留状は，検察官の指揮によって，検察事務官又は司法警察職員が執行する(法70I)．その場合には，被疑者に勾留状を示して，速やかに指定された刑事施設に引致しなければならない(法73II)．なお，勾留期間の始期は，勾留状が執行された日ではなく，勾留請求がされた日である．

勾　留　状

被疑者	氏　　　名	鈴木一彦
	年　　　齢	33歳　　　　昭和62年4月23日生
	住　　　居	東京都新宿区若松町2丁目3番4号
	職　　　業	無職

罪　　　　名	殺人
被疑事実の要旨	別紙のとおり
刑事訴訟法60条1項各号に定める事由	裏面のとおり
勾　留　場　所	警視庁渋谷警察署留置施設

この令状の有効期間は発付の日から7日とする。有効期間経過後は，その執行に着手することができない。この場合には，これを当裁判所に返還しなければならない。

上記被疑事件について，被疑者を勾留する。

　　　令和2年6月25日
　　　　東　京　地　方　裁　判　所
　　　　　　　裁　判　官　　　内　田　正　夫　㊞

勾留請求の年月日	令和2年6月25日
執行した年月日時及び場所	令和2年6月25日　午後4時10分 東京地方裁判所
記　名　押　印	警視庁総務部留置管理課 司法警察員巡査部長　　小川和雄　㊞
執行することができなかったときはその事由	
記　名　押　印	令和　年　月　日
勾留した年月日時及び取扱者	令和2年6月25日　午後4時50分 警視庁渋谷警察署　司法巡査　大野秀二　㊞

勾留理由開示済　令和　年(む)第　　　号　書記官印　　　（被疑者用）

［別紙被疑事実の要旨は省略］

刑事訴訟法60条1項各号に定める事由
下記の　　2, 3　　号に当たる。 1　被疑者が定まった住居を有しない。 2　被疑者が罪証を隠滅すると疑うに足りる相当な理由がある。 3　被疑者が逃亡し又は逃亡すると疑うに足りる相当な理由がある。

勾　留　期　間　の　延　長	
延　　長　　期　　間 　　令和2年7月14日まで	延　　長　　期　　間 　　令和　年　月　日まで
理　　　　　　　　由 　多数の関係者取調べ未了 　被疑者取調べ未了 　鑑定未了	理　　　　　　　　由
令和2年7月4日 　　東京地方裁判所 　　　　裁判官　内田正夫 ㊞	令和　年　月　日 　　東京地方裁判所 　　　　裁判官
勾留状を検察官に交付した年月日	勾留状を検察官に交付した年月日
令和2年7月4日 　　裁判所書記官　島田道男 ㊞	令和　年　月　日 　　裁判所書記官
勾留状を被疑者に示した年月日時	勾留状を被疑者に示した年月日時
令和2年7月4日　午後8時30分 　　刑事施設職員　警視庁渋谷警察署 　　　　　　　　　司法警察員警部補 　　　　　　　　　　斎藤　健 ㊞	令和　年　月　日　午　時　分 　　刑事施設職員

［勾留状の裏面］

も，裁判官に勾留理由の開示を請求することができる(法 82 I・II)[27]．憲法 34 条後段は「何人も，正当な理由がなければ，拘禁されず，要求があれば，その理由は，直ちに本人及びその弁護人の出席する公開の法廷で示されなければならない」と規定しており，これに基づいて人身保護法が制定され，さらに刑訴法で勾留理由開示の制度が設けられた．

> 勾留理由開示の制度の趣旨としては，勾留理由の公開を要求できるにとどまると解する見解と，不当な拘束からの救済を目的とすると解する見解に分かれる．
> 開示請求権は，被疑者に加えて，弁護人，親族，さらに広く利害関係人にも与えられている．これは，国家が私人を勾留している理由を民衆の前に明らかにすべきであるという考えに源が存する．ただ，理由が開示されることにより，勾留に対する不服申立て(準抗告)や勾留取消請求が実を結ぶこともあり得よう．

勾留理由の開示は，**公開の法廷**でしなければならない(法 83 I)．法廷は，原則として被疑者(被告人)と弁護人の出頭がなければ開廷できない(法 83 III)．法廷において，裁判官は勾留の理由(勾留の基礎となっている犯罪事実と法 60 条 I 項各号の事由)を告げなければならず，検察官，被疑者(被告人)，弁護人，その他の請求者は，**意見**を述べることができる(法 84)．

同一の勾留について重ねて勾留理由の開示を請求することは許されない(最決昭 28・10・15 刑集 7・10・1938)．同一の勾留について理由開示の請求が 2 つ以上ある場合は，最初の請求についてだけ開示を行えば足りる(法 86)．

> **荒れる法廷** 昭和 40 年代，いわゆる公安事件などにおいては勾留理由開示の法廷が混乱することもしばしばあった．最近ではそのような法廷は稀になったが，勾留理由開示の制度は，勾留に対する不服申立ての手続ではなく，理由の公開を求められるにとどまるのであるから，不服申立てと混同してはならない．

(4) 勾留の場所

「代用監獄」　留置(逮捕による身柄の拘束)は，通常，警察が行い，警察署内に設置された留置施設(従来は「留置場」)に収容される．それに対し，

---

[27] ただし，保釈(被告人の場合に限る)，勾留の執行停止若しくは勾留の取消しがあったとき，又は勾留状の効力が消滅したときは，勾留理由開示の請求はその効力を失う(法 82 III)．なお，勾留の取消しにつき 272 頁，勾留執行停止につき 275 頁参照．

勾留の場合，その場所は**刑事施設**(刑務所・拘置所．従来は「監獄」)であるが，旧監獄法1条III項により「留置場」を「監獄」に代用し得るとされ(そのため留置場は「代用監獄」と呼ばれた)，平成18年に改正された刑事収容施設及び被収容者等の処遇に関する法律15条も，「刑事施設に収容することに代えて，留置施設に留置することができる」と定めている．

そのため，多くの被疑者は，勾留の期間中(起訴された後に刑事施設に移されるまでの間)は留置施設に収容されている．すべての被疑者を収容できるだけの刑事施設が存在しないため，多数存在する留置施設を利用せざるを得ないのが実情である．ただ，留置施設を代替施設として勾留場所としてきた背景には，捜査機関の側も，取調べ時間の確保等の面において便利であったことが指摘できる．そのため，警察の管理する留置施設に勾留することは自白の強要などの不当な捜査を誘発するという批判がされてきた．

> 鳥取地決昭44・11・6(判時591・104)は，裁判官が勾留場所を拘置所に指定したところ，検察官が面通しのための透視鏡等の備わった取調室のある警察の留置施設に勾留するよう争った事件において，勾留場所は原則として拘置所であって，留置施設に勾留できるのは拘置所で捜査することが不可能又は著しく困難であるような場合であるとした．

> これに対して，東京地決昭47・12・1(判時702・118)は，裁判官が勾留場所を警察の留置施設と指定したのに対し，弁護人が拘置所にするよう争った事案において，勾留場所を拘置所にするか，代替施設である留置施設にするかは，検察官の意見を参酌し，拘置所の物的・人的施設能力，交通の便否のほか，捜査上の必要性，被疑者又は被告人の利益等を比較衡量したうえ，裁判官の裁量によって決すべきものであると判断した．現在の裁判実務は，後者の見解で運用されている．

合理的な勾留場所　刑事収容施設法15条は，刑事施設に代えて留置施設に留置することができる旨定めているが，①勾留段階での取調べにおいて被疑者の人権を確保しつつ，②捜査の目的を可能な限り合理的に実現するという，相対立する要請を考慮して解釈されなければならない．

留置施設については，その収容生活条件を利用した自白の誘導・強要や接見交通権の侵害が生じやすいと指摘される．例えば，「留置施設では，警察官が24時間監視しており，留置施設の管理者が実質的に取調べを行うから，冤

罪を産む」との指摘もある．しかし，少なくとも現在は，取調べ等の捜査を担当する者と留置施設に係る留置業務を管理する者とは警察の組織上完全に区別されているから(刑事収容施設法16条以下で明確にされた)，収容生活条件を利用した違法な取調べが行われる危険性は低下している．他方，留置施設の場合には，十分な取調べの時間が確保できるほか[28]，被害者・目撃者等との面通し，犯行現場への引き当たり，多数の証拠物の被疑者への展示などにおいて，捜査機関にとって効率的な面がある．

そこで，勾留場所を決める裁判官としては，個々の事件の性格(被疑者の供述内容や証拠の構造など)に照らし，留置施設とした場合の弊害と捜査の便益等を考慮して，拘置所とするか留置施設とするかを判断すべきものと考えられる[29]．なお，勾留場所がどこであっても，被疑者の取調べに当たって被疑者の人権の確保が図られなければならないのは当然である(なお，勾留中の外部との接触の制限につき272頁，弁護人との接見交通につき205頁参照)．

3　逮捕・勾留の諸問題

(1)　逮捕と勾留の関係

逮捕前置主義　被疑者の勾留を請求するには，同一事実について，既に被疑者が逮捕されていることを要する(法207)．これを**逮捕前置主義**という[30]．逮捕前置主義は，軽微な事案は比較的時間の短い逮捕の間に捜査が完了することを期待し，その余の事案は逮捕と勾留の2段階において司法審査を行うことにより，被疑者の拘束についての司法的抑制[31]を徹底させよ

---

28) これに対し，身柄拘束中は原則として取り調べるべきではないという考え方については，158頁参照．
29) 例えば，警察官を被害者とする重大事件や，被疑者が病人であり病室に収容する必要がある事件などでは，留置施設にした場合の弊害が大きいとして，拘置所が勾留場所とされる例が多い．これに対し，犯行場所への引き当たりや被害者・目撃者等との面通しが不可欠である事件や，拘置所にすると家族等との面会が距離的に困難になる事件などでは，留置施設が勾留場所とされることが多くなる．
30) 起訴後の勾留については，逮捕前置の必要はない．
31) 逮捕には令状が必要であり(現行犯逮捕を除く)，勾留には勾留の裁判が必要である．どちらも裁判官がその理由と必要性を判断する．勾留が身体の自由という基本的な人権の制約である以

うとする趣旨である．したがって，逮捕を経ないでいきなり勾留請求をすることはもちろん，甲事実で逮捕しながら，別の乙事実で勾留請求をすることも許されない．もっとも，同一の事実であれば，逮捕と勾留で罪名が異なっても（例えば，傷害の嫌疑で逮捕したが，被害者がその後死亡したため傷害致死罪で勾留すること），差し支えない．

逮捕事実と勾留事実　刑法の世界では確定した事実を前提として議論することが多いが，訴訟法の世界では事実が手続の発展に応じて変化することが少なくないため，それぞれの段階でそのような変化のもたらす効果を検討しなければならない．例えば，逮捕の時点では甲事実と乙事実を犯したものと考えられたために両事実で逮捕したが，その後の捜査により，甲事実の嫌疑はなくなり，乙事実の嫌疑だけが残った場合が考えられる．その場合に乙事実だけで勾留することは，逮捕前置主義に反せず，認められる．

逆に，甲事実で逮捕して調べたら，別の乙事実も明らかになった場合，甲乙両事実で勾留できるであろうか．この場合，甲事実だけでも勾留ができるのであるから，乙事実を付加して勾留することも，許されよう．特に，勾留の期間は甲事実のみでも乙事実が加わっても同一なのであるから，乙事実について改めて逮捕・勾留されるより，被疑者にとってかえって有利になるといえる．

以上と異なり，甲事実で逮捕したところ，捜査によりその不存在が明らかになった場合は，別の乙事実が明らかになったとしても，乙事実を根拠に勾留することは許されない．逮捕前置主義に反するからである．

逮捕勾留中の余罪取調べ　逮捕・勾留の基礎となった事実以外の事実（余罪）についても取り調べることができるかが問題となる．もとより，形式的に「取調官は逮捕・勾留事実以外の事実に一切触れてはいけない」とするのは非現実的である．特に，余罪が逮捕・勾留事実と密接に関連する場合，余罪についての取調べが逮捕・勾留事実の真相の解明に不可欠であることも少なくないであろう．しかし，逆に，逮捕・勾留事実の捜査を行うことなく，その事実と全く無関係な余罪を主として取り調べることを許容すれば，別の事件に名を借りて令状なしに逮捕・勾留したのと同じ効果を認めることになってしまう．問題は，余罪の取調べが違法な程度に達し

上，裁判官による2度のチェックを経るべきであるという実質論である．

ているといえるか否かにある．この点を判断するには，逮捕・勾留事実と余罪の関連性の程度と，取調べの中で占める双方の事実の取調べ時間の割合などを勘案して検討されることになろう(別件逮捕 ⇨ 150 頁)．

(2) 事件単位の原則──逮捕・勾留の効力の及ぶ範囲

事件単位　逮捕・勾留の効力は，逮捕・勾留の基礎となっている被疑事実にのみ及ぶ．すなわち，逮捕状・勾留状に記載されていない事実には及ばない．このように犯罪事実を単位として逮捕・勾留の効力が決せられ，その事実に限って逮捕・勾留の効力が及ぶことを**事件単位の原則**(犯罪事実単位の原則)と呼ぶ[32]．裁判官が逮捕・勾留の理由と必要性を審査できるのは特定の事件に関してであるから，逮捕・勾留の効力を事件単位とすることは，被疑者の人権を保障しようとする令状主義の趣旨にも沿うものと考えられる．

そこで，逮捕・勾留の要件，勾留期間延長の事由の存否等の判断は，逮捕事実又は勾留事実についてのみなされることになる．例えば，甲事実について勾留請求がなされたところ，甲事実については勾留の理由がないという場合は，勾留請求されていない乙事実(余罪)については勾留の理由があるとしても，それを考慮して勾留することは許されない．

人単位　以上のような事件単位の考え方によると，逮捕・勾留の基礎となっていない犯罪事実について逮捕・勾留する必要がある場合には，別個の逮捕状・勾留状が必要となる．そこで，同一の被疑者に対して，複数の逮捕・勾留が競合する可能性がある．しかし，1 人の人間を二重に拘禁するというのは余りにも観念的であるし，複数回の逮捕・勾留が繰り返されるのは被疑者にとって不利益なこともある．そこで，逮捕・勾留の効力を被疑者・被告人単位で考えようとする**人単位説**が主張されることになった．しかし，特定の事件ごとに令状審査が行われる必要があることを考えれば，基本的にはやはり事件単位の原則を維持し，手続上不都合が生ずるような場合にのみ原則を修正する形で対処すべきであろう[33]．

---

32) 事件単位の原則は，起訴後の勾留についても妥当する．勾留更新や保釈等の場面で問題となる．
33) 例えば，未決勾留日数の算入に関し，最判昭 30・12・26(刑集 9・14・2996)は，併合罪の関係に

IV 被疑者の逮捕・勾留 ● 149

逮捕・勾留の
1回性の原則
同一事実についての逮捕・勾留は，原則として1回しか行うことができないと解されている(刑訴法規の明文はない). **再逮捕・再勾留**を無条件に認めれば，逮捕・勾留の期間の制限は意味を失うからである．なお，同一事実についての再逮捕といえるか否かは，別件逮捕に関連しても論じられることになる(⇨ 151頁)．

逮捕・勾留の1回性の原則にも例外がないわけではない．例えば，逮捕中に逃亡した被疑者を再逮捕することは認められよう．さらに，事情の変更により，逮捕・勾留の不当な蒸し返しにならないと評価されるような場合には，再逮捕・再勾留の必要性が認められよう[34]．

> 逮捕・勾留の1回性の原則は，「一罪一逮捕」あるいは「一罪一勾留」の原則ともいわれる．それには2つ意味がある．まず，(ア)同じ事実については，時間が経過しても1回しか逮捕・勾留できないという意味である．ある事件で1回勾留して，また1か月経って同じ事件について勾留することは許されない(例外的に再逮捕・再勾留の許される場合があることについては，本文記載のとおりである)．次に，(イ)同じ事実について同時に2個の勾留をすることは許されないという意味も

> ある複数の公訴事実が併合審理され，そのうちの一部の事実について勾留されている場合は，他の事実についても身柄拘束の効果が及ぶから，勾留されている事実について無罪となったときでも，勾留されていない有罪となった事実の刑に対し，その未決勾留日数を算入できるとして，被疑者の利益のために事件単位の原則を修正している．
> 　そして，刑事補償についても，最大決昭31・12・24(刑集10・12・1692)は，憲法40条にいう「抑留又は拘禁」の中には，たとえ不起訴となった事実に基づく抑留又は拘禁であっても，そのうちに実質上は無罪となった事実の取調べのための抑留又は拘禁であると認められるものがあるときは，その部分の抑留及び拘禁もまたこれを包含すると判示し，刑事補償の対象とすべきものとしている．

[34] 「一罪」すなわち「同じ事実」とは，基本的には刑法上の罪数に従い，単一・同一の犯罪事実をいう．この点については，(a) 罪数に従わず，個々の犯罪事実ごとに分けて逮捕・勾留が可能であるとする見解もあり得る．しかし，二重起訴・既判力(一事不再理)の範囲等の他の論点との整合性を欠くばかりでなく，1個の行為で複数の法益を侵害した観念的競合の場合のように通常は同時に捜査することが可能な場合にも複数回の逮捕・勾留を許すことになり，妥当でない．
　他方，(b) いかなる場合にも罪数に従うとする見解もあり得る．しかし，一罪とされるものの中には，包括一罪や常習一罪のように，個々の犯罪事実の独立性が強く，捜査をしてみないとそれらが一罪の関係にあるか分からない場合がある．特に，常習一罪を犯したものとして勾留され起訴された者が，保釈中に新たに同じ常習一罪の一部となるべき犯罪を犯した場合のように，一罪であっても同時に捜査することが不可能な例もある．したがって，この見解を徹底するのも相当でない．そこで，(c) 基本的には刑法上の罪数に従いつつ，捜査官が同時に捜査して処理することが不可能であったり，著しく困難である場合には，例外的に新たな逮捕・勾留が許されるものと解すべきであろう．

含む．同じ事実について，重複して，あるいは二重に評価して 2 個の勾留を認めるというようなことは許されないということである．

(3) 別件逮捕・勾留

別件逮捕の意義 　別件逮捕・勾留というのは法令上の用語ではないので，必ずしも概念は一定していないが，例えば，強盗事件の証拠がいまだに揃っておらず，その事件で被疑者を逮捕することができない場合に，専ら強盗事件について取調べをする目的で，証拠の揃っている万引き等の軽微な事実を捉えて，被疑者を窃盗罪で逮捕・勾留し，強盗事件の取調べをする捜査手法をいう．この事例で，万引きの方を**別件**といい，強盗の方を**本件**という．すなわち，手がかりにする多くの場合軽い犯罪事実を別件と呼び，本来のねらいである重大な犯罪事実を本件という．

学説の対立 　別件逮捕については，捜査上やむを得ないもので適法であるとする (a) **別件適法説**と，令状主義を潜脱するもので違法であるとする (c) **別件違法説**が両極に存在し得るが，現実に争いが存在するのは，別件逮捕の中には適法なものも違法なものもあるとする (b) **一部違法説**のうちの見解の対立であり，違法の内実をいかに理解するかという点に違いがある．具体的には，(ア) 別件基準説と (イ) 本件基準説の対立である．

```
(a) 別件適法説
(b) 一部違法説 ┌ (ア) 別件基準説
              └ (イ) 本件基準説
(c) 別件違法説
```

　捜査機関が意図した本件を基準にして，逮捕 (勾留) が違法か否かを判断しようとするのが**本件基準説**である．つまり，本件について令状審査が実質的に行われているかということを問題とするため，この見解は，実質的に別件違法説に近いものとなる．なぜなら，別件逮捕の場合には，別件のみが令状審査の対象となっており，本件を基準に評価すれば令状主義を潜脱するものといえるから，本件と別件の間に密接な関係のある場合などを除き，原則として違法となるのである．これに対し，**別件基準説**は，別件を基準として逮捕 (勾

留)が違法か否かを判断しようとする見解であるが，別件逮捕の場合には，別件について適式な令状手続が行われているのであるから，この見解は別件適法説に重なることとなる．

別件の意義 ここで，別件逮捕の「別件」といわれるものには論者によって広義と狭義の2つがあることに注意しなければならない．**広義の別件**は，形式的にみて令状に記載されていない事実についての取調べ目的があれば，すべて別件逮捕であるとするものである．これに対し**狭義の別件**は，令状に記載されていない事実についての取調べ目的に加えて，記載された事実について逮捕の理由・必要性もない場合が別件逮捕であるとする．例えば，消しゴム1個を万引きしたような逮捕の必要性のない場合に，殺人事件を追及するために窃盗罪で逮捕するというのが別件逮捕であると考える．

狭義の別件を前提とすれば，別件違法説に当然傾くことになる．しかし，実際上，本件の捜査を意図しているということを除外しても軽微な別件で逮捕すること自体が違法であるような場合は，議論の対象とならない．別件逮捕の議論で争われるのは，別件で逮捕すること自体は一応適法な場合なのである．そこで，広義の別件概念を前提として，別件逮捕はどこまで許されるかを考察すべきである．

別件逮捕・勾留の問題点 従来，別件逮捕の問題点として指摘されてきたのは，以下の5点である．まず，① **令状主義の潜脱**という点である．令状に記載されていない犯罪事実を取り調べてよいとすれば，厳格な要件の下で令状を要求する意味が失われる．本件については逮捕に必要な「嫌疑」が十分でないのに，本件について取り調べるために逮捕するのは，令状主義を潜脱することになる．次に，② **事件単位の原則**(⇨148頁)**に反する**という点である．令状が1つの事実(別件)に対応したものであるのに，別の事実(本件)についての取調べを認めてしまうからである．

また，③ 自白の獲得を目的とした**見込み捜査を許容**することになるという批判もある．例えば，「前歴・手口からみて強盗事件の犯人ではないか」という思い込みで，その事件の十分な証拠がないのに別件で逮捕して本件について自白させるというような見込み捜査を認めることになるとされる．さらに，④ 本件について再逮捕・勾留を認めると，**逮捕・勾留期間の脱法的な延長**を認めることになるという批判がある．例えば，別件の財産犯で逮捕・勾留を行い，その間にも本件の殺人について取調べを行った上，別件の逮捕・勾留期間の満

了後に本件で逮捕・勾留すると，身柄拘束期間を脱法的に長くすることが可能となる．

なお，⑤別件逮捕下での供述が証拠となるかという議論もあるが，この点は，当該別件逮捕が違法である場合にそこで得られた供述証拠をどう評価するかという別個の問題として整理すべきである(⇨ 491 頁)．

3つの時点 以上のように，別件逮捕の論点には次元の異なるものが含まれているため，手続の段階ごとに整理して議論することが必要である．まず第1に，別件についての令状が請求されたときに，本件についての取調べの意図を考慮して発付すべきか否かを判断すべきかが問題となる．第2段階は，令状が発付されて身柄を拘束した後に本件について取り調べることは適法か否かという問題である．第3段階は，別件の逮捕・勾留期間中に本件についての取調べが行われた場合も，その逮捕・勾留期間が過ぎた後にもう一度本件を理由に再逮捕・勾留してよいかという問題である．以下，この3つの段階に分けて検討する．

令状発付時の判断 令状請求の時点で考察すると，令状請求は表面上は「別件」について行われるので，その適否は別件を基準に判断されざるを得ない．令状裁判官としては，逮捕・勾留の理由と必要性は「別件」を基準に判断せざるを得ず，「書かれざる捜査官の意図」を推測して判断することはできない．確かに，資料等から，本件の取調べの意図がうかがわれるという場合もあり得るが，それを常に解明するのは困難であろう．その範囲では，別件基準説が正しい(最決昭 52・8・9 刑集 31・5・821)[35]．

一般的には，逮捕・勾留の理由と必要性を，別件を基準として厳格に審査すれば，軽微な別件を理由とした口実的身柄拘束は排除することができる．別件を基準とすれば，この程度でなぜ身柄を拘束しなければならないのかという身柄拘束の必要性の吟味が当然行われることになる．仮に本件取調べの意図がうかがわれたとしても，それを理由として別件による身柄拘束の必要性を認めることはできないのであり，むしろそれによって別件自体の捜査の

---

[35] 最決昭 52・8・9 は，「第1次逮捕・勾留は，その基礎となった被疑事実について逮捕・勾留の理由と必要性があったことは明らかである」として，別件による身柄拘束という令状裁判官の判断を是認している．

必要性を減殺することになるから，かえって厳格な審査が期待できるともいえる．他方，仮に，捜査官が別件に名を借りて専ら本件の取調べを行う意図であることが判明した場合には，別件での逮捕・勾留は許されないから，請求は却下されることになる．

本件の取調べの可否　別件逮捕の議論の本体は，別件で逮捕した場合に本件についての取調べがどこまで許されるかにある．別件を基準にした令状による身柄拘束である以上，別件の捜査のために逃亡・罪証隠滅を防止すべきものでなければならず，本件の捜査のために令状を流用するようなことは許されない．すなわち，別件の逮捕・勾留に理由と必要性がない場合はもとより，それがある場合においても実質的に令状主義の潜脱になるのであれば，本件の取調べは違法となる（大阪高判昭 59・4・19 高刑集 37・1・98）．判例において，実質的に令状主義を潜脱したとされるのは，① 甲事実につき逮捕・勾留中の被疑者に対する乙事実についての取調べが，甲事実に基づく逮捕・勾留に名を借りて，その身柄拘束を利用し，乙事実について逮捕・勾留して取り調べるのと同様の効果を得ることをねらいとして行われたといえる場合であり，② それに該当するか否かは，両事実の罪質・態様の相違，法定刑の軽重，捜査の重点の置き方の違いの程度，乙事実に関する客観的な証拠の程度，甲事実についての身柄拘束の必要性の程度，両事実の関連性の有無・程度，取調官の主観的意図等の諸事情に照らして判断される（前掲大阪高判昭 59・4・19）．

　　　最決昭 52・8・9（刑集 31・5・821）は，当該事案においては「第 1 次逮捕・勾留当時『本件』について逮捕・勾留するだけの証拠が揃っておらず，その後に発見・収集した証拠を併せて事実を解明することによって，初めて『本件』について逮捕・勾留の理由と必要性を明らかにして，第 2 次逮捕・勾留を請求することができるに至ったものと認められる」とした上，「別件」と「本件」について同時に逮捕・勾留して捜査することができるのに，専ら逮捕・勾留期間の制限を免れるため，罪名を小出しにして逮捕・勾留を繰り返す意図のもとに各別に請求したものであれば，違法となるが，当該事案はそうではないとする[36]．

36）最決昭 52・8・9 は，「『別件』中の恐喝未遂と『本件』とは社会的事実として一連の密接な関連があり，『別件』の捜査として事件当時の被告人の行動状況について被告人を取調べることは，他面においては『本件』の捜査ともなるのであるから，第 1 次逮捕・勾留中に『別件』のみならず『本件』についても被告人を取調べているとしても，それは，専ら『本件』のためにする取調

問題は，捜査の実効性を図るために，令状主義の趣旨を確保しつつ，どこまで事件単位の原則を緩和して，令状に記載されていない事実(本件)の取調べを許容できるかにあるといってもよい．(1) 別件と本件の**大小・軽重関係**，(2) 本件を取り調べた**時間の割合**の大小，(3) 両事実の関連性の程度等の前記②の諸事情を考慮して**専ら本件を取り調べた**ものか否かが判断されよう[37]．そして，両事実が**密接に関連**し，本件を取り調べることが別件の取調べともいえるのであれば，本件に重点を置いた取調べも許容される．被疑者にとっても，本件で再度逮捕されるよりは，まとめて調べてもらった方が有利と考えられる場合もある．また，被疑者が**自発的に供述**するのであれば，同様の理由で本件に取調べが及んでも許容される．

蒸し返し逮捕　別件によって逮捕・勾留していた間に本件の取調べをしながら，改めて本件についての逮捕・勾留を認めた場合には，一罪一逮捕あるいは一罪一勾留の原則に抵触するという形で，その違法性が顕在化する．既述のように，1つの犯罪事実については，原則として1回しか逮捕・勾留できない．違法な別件逮捕は，実質上は逮捕・勾留の違法な蒸し返しにつながる場合が多いといえよう．したがって，違法な別件逮捕・勾留が行われたとされた場合は，本件による再逮捕・勾留は許されない．また，別件による身柄拘束を利用して本件の取調べが行われた場合は，本件による逮捕・勾留の期間から本件の取調べを行った期間が差し引かれることになる．

> なお，この点，前掲最決昭52・8・9は，「また，『別件』についての第1次逮捕・勾留中の捜査が，専ら『本件』の被疑事実に利用されたものでないことはすでに述べたとおりであるから，第2次逮捕・勾留が第1次逮捕・勾留の被疑事実と実質的に同一の被疑事実について再逮捕・再勾留をしたものではないことは明らかである」と判示している．

　　というべきではなく，『別件』について当然しなければならない取調をしたものにほかならない．それ故，第1次逮捕・勾留は，専ら，いまだ証拠の揃っていない『本件』について被告人を取調べる目的で，証拠の揃っている『別件』の逮捕・勾留に名を借り，その身柄の拘束を利用して，『本件』について逮捕・勾留して取調べるのと同様な効果を得ることをねらいとしたものである，とすることはできない」と判示する．
37) 第1次逮捕・勾留が，本件の取調べにより，別件による身柄拘束としての実体を失えば，余罪の取調べとして違法となるとする基準も，実質的には同様の考え方である(余罪取調べに関し，浦和地判平2・10・12判時1376・24，東京地決平12・11・13判タ1067・283参照).

V 被疑者等の取調べ

1 証拠収集の方法

人的証拠と物的証拠　捜査の端緒(⇨91頁)によっては，それ以上の証拠の収集が不要な場合もないわけではないが，通常は起訴して有罪判決を獲得するに足る証拠の収集が必要となる．

捜査において収集の対象となる証拠には，① 被疑者の供述，第三者の供述，鑑定などの**人的証拠**と，② 証拠書類，証拠物，現場の状況などの**物的証拠**がある．人的証拠の収集は，原則として任意捜査によって行われるが，裁判官による証人尋問(法226・227)などの強制処分による場合もある．物的証拠の収集は，領置，実況見分などの任意処分による場合と，捜索，差押え，検証，通信傍受などの強制処分による場合とがある．強制処分は，原則として裁判官の発付した令状によって行うことが必要であるが，例外的に令状を必要としない場合もある．

	任意捜査	強制捜査
人的証拠の収集	被疑者の取調べ 第三者の取調べ 鑑定等の嘱託 公務所等への照会	(取調べ受忍義務) 証人尋問 (鑑定処分)
物的証拠の収集	領置 実況見分	捜索・差押え 検証 通信傍受

法197条は，捜査の目的を達するため必要な取調べ，すなわち各種の方法の捜査をすることができると規定する(⇨73頁)．証拠を収集するための捜査として，人的証拠に関しては，① 被疑者の取調べ(法198)，② 第三者(参考人)への出頭要請，

取調べ(法223 I)，③ 証人尋問(法226・227)，④ 鑑定等の嘱託(法223 I)，⑤ 公務所等に対する照会(法197 II)，⑥ 聞き込み等があり，物的証拠に関しては，① 捜索・差押え(法218)，② 領置，③ 検証，④ 実況見分，⑤ 通信傍受等がある．

2 被疑者の取調べ

> **198条 I** 検察官，検察事務官又は司法警察職員は，犯罪の捜査をするについて必要があるときは，被疑者の出頭を求め，これを取り調べることができる．但し，被疑者は，逮捕又は勾留されている場合を除いては，出頭を拒み，又は出頭後，何時でも退去することができる．
> **II** 前項の取調に際しては，被疑者に対し，あらかじめ，自己の意思に反して供述をする必要がない旨を告げなければならない．
> **III** 被疑者の供述は，これを調書に録取することができる．
> **IV** 前項の調書は，これを被疑者に閲覧させ，又は読み聞かせて，誤がないかどうかを問い，被疑者が増減変更の申立をしたときは，その供述を調書に記載しなければならない．
> **V** 被疑者が，調書に誤のないことを申し立てたときは，これに署名押印することを求めることができる．但し，これを拒絶した場合は，この限りでない．

(1) 取調べの意義

取調べ 法197条の「取調」が捜査方法一般を指すのに対し(⇨73頁)，法198条のそれは，相手に直接質問して答えを得る捜査方法である狭義の取調べを意味する．被疑者の取調べに関し，法198条 I 項本文は，出頭を求めて取り調べることができる旨定めている．すなわち，① 被疑者の出頭を求めて質問することを認めている．しかし，② 被疑者は，身柄を拘束されている場合を除き，出頭要求に応じる義務はなく，仮に出頭してもいつでも退去できる(法198 I 但書)．また，③ 被疑者は，質問に応じる義務はない(法198 II)．質問は，任意の同意がある範囲でできる．つまり，供述を強制することはできないという趣旨で任意処分なのである[1]．

---

1) 被疑者の取調べの場面を想定する場合，通常は身柄を拘束された者の取調べの場面を想像するであろうが，ここでは，身柄拘束の有無を問わず，取調べ(質問)に対して供述することが強制されないことを指摘している．

被疑者を取り調べて証拠を集めるのは当然のことと考えられるが，それを捜査官に自由に行わせた場合には，①真実を歪め（虚偽の自白を誘発し），②被疑者の人権を害するおそれがあるので，取調べに応じて供述することの任意性を原則とし，さらに「自己に不利益な供述を強要されない」とする（憲 38 I，法 198 II）．

取調べは，被疑者の弁解を聞いてそれに対応した証拠収集を可能にするものであることから，仮に被疑者が真の犯人でなければ，被疑者の弁解に基づいて早期にその者を刑事手続外に戻す役割を果たすことになり，また，仮に被疑者が真の犯人であれば，早期に反省して更生への途を進み始めることができるようにするという積極面もあることを指摘することができる．

不利益供述　取調べの際は（被疑者の身柄拘束の有無を問わない），被疑者に対し，あらかじめ，自己の意思に反して供述をする必要がない旨を告げなければならない（法 198 II）．これは，憲法が何人も自己に不利益な供述を強要されないと規定していること（憲 38 I）に基づくものである．

供述の録取　被疑者が供述した場合，その供述は調書に録取した上，被疑者に読み聞かせて誤りがないかどうかを確かめ，誤りがないことを被疑者が申し立てたときは，任意の署名押印を求めることができる（法 198 III・IV・V）．このようにして作成されたものを，被疑者の**供述録取書**（又は**供述調書**）という．書証に転換された被疑者の供述は，一定の制限の下に証拠として用いることができる（法 322 I ⇨ 434 頁）．その中でも証拠法上重要なものは，犯罪事実を認める供述，すなわち自白（⇨ 400 頁）である．

(2)　身柄不拘束の被疑者の取調べ

出頭要求　捜査機関は，捜査のために被疑者の出頭を求めて取り調べることができる．ただし，被疑者は，逮捕又は勾留されている場合を除き，出頭を拒み，また，いつでも退去することができる（法 198 I）．身柄拘束されていない場合は，被疑者の取調べは任意の協力を得て行う捜査であるといえる．

なお，「警察に一緒に来てください」という形で出頭を求める**任意同行**は，事実上は強制的色彩を帯びることもあり，逮捕との限界が問題となる（⇨ 117

頁)[2]．実質的に逮捕と同視し得る状態で行われた取調べに関しては，身柄拘束中の者に対する取調べに関する議論が参考となる．

(3) 身柄拘束中の取調べ受忍義務

現行法の趣旨　上記のような身柄不拘束の被疑者と対比して，身柄拘束中の被疑者については，より強制的な取調べが可能なのであろうか．そのような被疑者には取調べ受忍義務があるのであろうか．もちろん，逮捕・勾留されていても，意思に反して供述しない自由は当然に保障されているが，取調室への出頭あるいは滞留を拒むことはできるのであろうか[3]．

被疑者は犯罪の嫌疑があるものとして拘束されており，しかも，取調室には捜査機関しか立ち会わないので，取調べが強圧的になる危険性を常に孕んでいる．そこで，刑訴法は，強制，拷問等による自白の証拠能力を否定するなどして（法319 I ⇨ 400頁），自白の強要を防止しているが，より直接的に，身柄を拘束された被疑者の取調べを規制すべきであるという意見も強い．弾劾的捜査観を強調する極端な見解は，捜査官による被疑者の取調べを全面的に禁ずべきであるとする．

しかし，法198条 I 項本文は，「犯罪の捜査をするについて必要があるときは，被疑者の出頭を求め，これを取り調べることができる」として被疑者の身柄拘束の有無に触れず，ただし書で被疑者が逮捕又は勾留されていない場合について規定していることから考えると，身柄拘束の有無を問わず，被疑者の取調べ自体は肯認しているようにみえる．ほかに，取調べが事実上できなくなるような規制もない．

肯定説と否定説　そこで，「被疑者は捜査機関と相対立する一方当事者であり，相手方に協力すべき義務はない」として身柄拘束中の被疑者の取調べを限定しようとする説は，取調べは不可能ではないが被疑者はこれを拒否できるとする取調**受忍義務否定説**を主張する．これに対し，被疑者が

---

2) そもそも，任意同行の形式を口実に身柄拘束の時間制限を脱法する行為が行われた場合には，逮捕自体が違法なものとなり得るほか（⇨ 119頁），任意同行の時点から逮捕の時間が計算されることになる．
3) 逮捕・勾留されていない被疑者は，取調室に行かなくてもよいし，行っても自己の意思で退出することができる（法198 I）．

それに応じて供述する義務まで負うものでないことはもちろんであるが，被疑者を取り調べることはできるし，被疑者も取調べの場にとどまる義務があるとする**受忍義務肯定説**が，判例である（最大判平 11・3・24 民集 53・3・514）[4]．法 198 条 I 項ただし書が「被疑者は，逮捕又は勾留されている場合を除いては，出頭を拒み，又は出頭後，何時でも退去することができる」と定めている以上，拘束された被疑者は出頭を拒んだり随時退去することはできず，取調べを受忍する義務があると解するのは，ごく自然である（⇨ 73 頁）．

これに対し，受忍義務否定説は，法 198 条 I 項の「逮捕又は勾留されている場合を除いては」の部分を，拘束された被疑者が取調べのための出頭を拒否するのを認めることが，逮捕・勾留の効力自体を否定するものではない趣旨を，注意的に明らかにしたにとどまるものと解するのである（平野 106 頁）．被疑者の拘束から取調べ目的をできる限り排除すべきであり，強制処分は捜査機関ではなく裁判所のみが行い得る処分であるとする発想が根底に存在する．

しかし，捜査とは本来捜査機関が犯罪事実に関して真相を究明するための手続であって，強制処分が認められるのもその必要性があるからである．その範囲で強制処分権限は捜査機関にも与えられており，人権保障の観点に基づく司法的抑制の枠内で行使することが認められているのである（⇨ 73 頁）．もっとも，取調べの場に滞留する義務があるといっても，限度はあろう．特に，被疑者が黙秘権を行使し，供述しないことを明らかにしているときは，その意思が変わらないか説得するための合理的な時間と回数を超えてまで滞留させることはできないであろう．

取調べの可視化　　肯定説を前提としつつも，取調べの際に生じる人権侵害は防止しなければならない．そして，取調べへの過度の依存

---

4) 最大判平 11・3・24 は，上告理由の「憲法 38 条 I 項が何人も自己に不利益な供述を強要されない旨を定めていることを根拠に，逮捕，勾留中の被疑者には捜査機関による取調べを受忍する義務はなく，刑訴法 198 条 I 項ただし書の規定は，それが逮捕，勾留中の被疑者に対し取調べ受忍義務を定めているとすると違憲であって，被疑者が望むならいつでも取調べを中断しなければならないから，被疑者の取調べは接見交通権の行使を制限する理由にはおよそならない」という主張に対し，「身体の拘束を受けている被疑者に取調べのために出頭し，滞留する義務があると解することが，直ちに被疑者からその意思に反して供述することを拒否する自由を奪うことを意味するものでないことは明らかである」としている．

を避けるために客観的証拠をより広範囲に収集することが要請されてきた（⇨475頁）．

不適切な捜査への批判を受けて，平成20年4月に犯罪捜査規範が改正され，取調べ状況報告書の作成が義務化され，被疑者等がその記載内容を確認し署名押印することになった（同規範182の2）．また，取調室等の取調べ環境の改善が図られ，具体的には，自殺を防止し，プライバシーを護る構造・設備にするほか，取調べ状況の把握のため透視鏡などを備えることとなった（同182の5）ほか，平成21年4月からは，捜査担当者の取調べそのものをチェックする「被疑者取調べ監督制度」が導入された[5]．さらに，自白が重要な証拠となり得る重大事件を手始めとして，取調べ状況の録音・録画[6]が，検察において平成18年8月から，警察において平成20年9月から試行され，その実施範囲は広がる状況にあった．その後，平成28年の法改正により，取調べ状況の録音・録画が一定範囲で義務化された（令和元年6月1日施行）．これにより，従来は任意性が争われる例も少なくなかった重大事件等においては，身柄拘束中の被疑者の取調べの適正な実施が担保されることになった．

録音・録画義務　検察官又は検察事務官は，裁判員制度対象事件と検察官独自捜査事件について，逮捕・勾留中の被疑者の取調べや弁解録取を行うときは，原則として，その全過程を録音・録画しておかなければならず，司法警察職員が裁判員制度対象事件について逮捕・勾留中の被疑者の取調べ等を行うときも，同様とされる（法301の2 IV）．

対象事件が裁判員制度対象事件[7]と検察官独自捜査事件とされたのは，こ

5）ほかにも，身柄拘束中であるか否かを問わず，外形的に取調べを適正化する定めが設けられた．すなわち，犯罪捜査規範168条III項は，「取調べは，やむを得ない理由がある場合のほか，深夜又は長時間にわたり行うことを避けなければならない．この場合において，午後10時から午前5時までの間に，又は1日につき8時間を超えて，被疑者の取調べを行うときは，警察本部長又は警察署長の承認を受けなければならない」と規定している．

6）従来は，自白の任意性・信用性を判断するため，長時間かけて取調官の証人尋問等を行うことも少なくなかったが，裁判員裁判においては，裁判員にとって理解しやすい立証方法を工夫する必要があることを忘れてはならない．この点につき，規198条の4が設けられ，「検察官は，被告人又は被告人以外の者の供述に関し，その取調べの状況を立証しようとするときは，できる限り，取調べの状況を記録した書面その他の取調べ状況に関する資料を用いるなどして，迅速かつ的確な立証に努めなければならない」と定めている．そこで，取調べ状況の録音・録画の導入が議論され，試行もされることになった．

7）法301条の2は，対象事件を法定刑に基づいて規定しているため，裁判員制度対象事件では

れまで任意性に深刻な争いがあった実例や，裁判員裁判では裁判員に分かりやすい立証が求められること(⇨ 368頁)，制度運用に伴う人的・物的な負担，上記のような検察・警察における試行の実情などに照らし，録音・録画の必要性が最も高いと考えられる類型の事件から導入することとされたためである．

対象となる取調べ等は，逮捕又は勾留されている被疑者の取調べ(法198 I)又は弁解録取手続(法203 I等)，すなわち，被疑者として逮捕又は勾留されている間に行われた取調べ又は弁解録取手続である．そこで，在宅での取調べや，起訴後勾留中の被告人の取調べ(⇨ 269頁)は，任意捜査としての取調べであるから，含まれないことになる．他方，逮捕・勾留の理由とされている被疑事実が対象事件であることは不要とされているので，非対象事件で逮捕・勾留されている被疑者を対象事件について取り調べるとき(例えば，死体遺棄で逮捕・勾留されている被疑者を殺人について取り調べるとき)は，録音・録画義務の対象となる．

録音・録画義務の履行として，取調官は，取調べ等の開始から終了に至るまでの全過程を録音・録画しておかなければならない．ただし，① 機器の故障その他のやむを得ない事情により，記録をすることができないとき，② 被疑者が記録を拒むなど，その言動により記録をすると被疑者が十分な供述をすることができないと認めるとき，③ 当該事件が指定暴力団の構成員による犯罪であると認めるとき，④ 被疑者の供述やその状況が明らかにされた場合には被疑者又はその親族に対し，身体・財産への加害行為又は畏怖・困惑させる行為がなされるおそれがあることにより，記録をすると被疑者が十分な供述をすることができないと認めるときは，録音・録画の義務はない(法301の2 IV ①〜④)[8]．

検察官は，対象事件の公判において，それらの取調べ等の際に作成された供述調書等の証拠調べを請求した場合，その任意性が争われたときに録音・

ない内乱罪等も対象事件となる．
8) 例外事由に該当するか否かは，取調官が判断することになるが，公判で供述調書等の証拠調べ請求がされて例外事由の存否が問題となったときは，検察官が例外事由の存在を立証しなければならない．

録画した記録媒体(DVD等)の取調べを請求しなければならないとされているから(同条Ⅰ),録音・録画義務が履行されていないと,当該供述調書等の証拠調べ請求は却下されることになる(同条Ⅱ⇨411頁).

米国の取調制限 日本では被疑者の取調べは原則として許されている.しかし,英米法系では,他の証拠を収集すべきで,被疑者の取調べに依存すべきではないとされてきた.

そこでアメリカでは,裁判官の許への迅速な引渡しを要求することにより,実質的に取調時間を短くするマクナブ゠マロリー・ルールが採用され,さらには,弁護人が立ち会わなければ取調べを認めないというミランダ・ルールが採用された.このミランダ・ルールに従った州においては,一時期,被疑者の尋問が実質的に禁じられることになった.しかしミランダ・ルールは,適用範囲が限定されるなどして,取調べが認められていく[9].いずれにせよ,わが国の刑事訴訟法はアメリカの影響が強いものの,実質的にかなり異なる側面を有するのであるから(⇨19頁),単純に,アメリカの議論を手本とすれば解決するというわけにはいかない.

3 その他の人的証拠の収集

(1) 第三者の取調べ

> **223条 Ⅰ** 検察官,検察事務官又は司法警察職員は,犯罪の捜査をするについて必要があるときは,被疑者以外の者の出頭を求め,これを取り調べ,又はこれに鑑定,通訳若しくは翻訳を嘱託することができる.

参考人 捜査機関は,捜査のために,被疑者以外の者(参考人)[10]の出頭を求めて取り調べることができる(法223Ⅰ).これらの者は出頭を拒み,また,いつでも退去できる(法223Ⅱ⇨法198Ⅰ但書).

---

9) 1960年代から70年代にかけては,アメリカが最も自由主義的な時代であったといえよう.その後の連邦最高裁の変化については,「連邦最高裁の裁判官が政治的人選により保守化した」とされることが多いが,そのような捜査のやり方では,治安を維持し難くなったという社会情勢の変化なども影響しているものと考えられる.また,9・11同時多発テロ事件以降,アメリカの刑事司法の運用に変化が生じていることにも注意しなければならない.
10) 被疑者以外の者は捜査段階では一般的に参考人と称されるが,被疑者との関係は様々である.いずれにせよ,身柄を拘束されていない被疑者が取り調べられる場合と同様の扱いを受ける(もっとも,単なる参考人であれば,供述拒否権を告知する必要はない).

参考人には様々な立場のものがいるが，新聞報道等で用いられる「重要参考人」のように被疑者と連続的な面を有する場合もある．このような参考人に対して出頭を求める場合には，事実上は強制的色彩を帯びることもないとはいえないことに留意しなければならない(⇨ 115 頁)．

　参考人の供述は，被疑者の場合と同様，調書に録取して書証に転換することができる(法 223 II ⇨法 198 III〜V)．このようにして得られた供述は，一定の制限の下に，検察官の面前のものであれば法 321 条 I 項 2 号により，その他の捜査官の面前のものであれば同項 3 号により，証拠として用いることができる．

(2) 合意制度

制度の趣旨　取調べや供述調書に過度に依存する捜査手法を改める必要性などが議論される中で，従来は，取調べ以外に，組織的な犯罪等において首謀者の関与状況等を含めた事案の解明に資する有効な手法がなかったことが指摘された．そこで，そのような供述等を得ることを可能とする新たな証拠収集方法として，平成 28 年法改正により，**合意制度**及び**刑事免責制度**(⇨ 336 頁)が導入された(平成 30 年 6 月 1 日施行)[11]．

合意制度の概要　検察官と被疑者・被告人は，一定の財政経済犯罪及び薬物銃器犯罪について，弁護人の同意がある場合に，被疑者・被告人が共犯者等の他人の刑事事件の解明に資する協力行為を行い，検察官がこれを被疑者・被告人に有利に考慮して不起訴処分や一定の軽い求刑等をすることを内容とする合意をすることができる．被疑者等が他人の刑事事件の捜査・公判に協力すれば検察官が処分の軽減等をするという合意であり，そのような合意が可能である根拠は，検察官の有する広範な訴追裁量権に求められる．当該供述が証拠として用いられる場合には，それが合意に基づくものであることを示す合意内容書面も証拠調べ請求されることになり，当該

---

11)　対象犯罪は後記のとおりであるが，制度導入の必要性が高く，利用に適している犯罪で，被害者を含む国民の理解も得やすいと考えられるものに限定された．実施された例は，施行後の 3 年間で 3 例と報じられており，いずれも財政経済犯罪である．会社である法人が被疑者であった例もある．

供述の信用性判断が適切に行われることを担保している．

合意の主体　合意の主体は，検察官と被疑者・被告人である（法350の2Ⅰ）．会社等の法人も，両罰規定により被疑者・被告人となり得るが，その場合の合意の手続は，法人の代表者が行うことになる（法27Ⅰ）．

合意の内容　被疑者等による協力行為として合意の内容となるのは，他人の刑事事件について，①捜査官による取調べの際に真実の供述（自己の記憶に従った供述）をすること，②証人尋問において真実の供述をすること，③捜査官による証拠の取得に関し証拠の提出等の必要な協力をすることである（法350の2Ⅰ①）．他方，検察官による処分の軽減等として合意の内容となるのは，①公訴を提起しない，あるいは取り消すこと，②特定の訴因・罰条によって公訴を提起・維持する，あるいは特定の訴因・罰条の追加・撤回・変更を請求すること，③論告で特定の科刑意見を述べること，④即決裁判手続の申立てあるいは略式命令の請求をすることなどである（同項②）．

合意の手続　対象犯罪は，一定の財政経済犯罪と薬物銃器犯罪に限定されており，死刑又は無期刑に当たる罪は除外される．検察官は，合意の相手方となる被疑者等の協力行為によって得られる証拠の重要性，関係する犯罪（被疑者等と他人の双方の事件）の軽重・情状・関連性の程度その他の事情を考慮して，必要と認めるときに合意することができる（法350の2）．

合意をするためには，弁護人の同意が必要である．合意は要式行為であり，内容を明らかにする書面（**合意内容書面**）に検察官，被疑者・被告人，弁護人の三者が連署することで成立する（法350の3）[12]．

公判手続の特例　検察官は，合意をした被告人の公判において合意内容書面の証拠調べ請求をする義務を負う（法350の7）ほか，合意に基づく供述が証拠として用いられる他人の公判においても，合意内容書面の証拠調べ請求をする義務を負う（法350の8・350の9）[13]．合意の存在と内容

---

12) 合意の前提として必要となる協議は，検察官と被疑者・被告人及び弁護人との間で行われる（法350の4）．検察官は，司法警察員が送致した事件について被疑者との間で協議しようとするときは，事前に司法警察員と協議しなければならない（法350の6）．なお，検察官は，協議の過程で被疑者等から他人の刑事事件に関する供述を得ることになるが，合意の成立に至らなかったときは，当該供述を被疑者等の事件においても，他人の刑事事件においても，証拠とすることはできない（法350の5）．

が，前者の公判ではその訴訟進行と被告人の情状に関連し，後者の公判では合意に基づく供述の信用性の判断(巻き込みの危険 ⇨ 472 頁)に関連するからである．

合意からの離脱　合意の当事者が合意に違反した場合，相手方は合意から離脱することができる．また，検察官が合意に基づいて求刑したものの裁判所がより重い刑を言い渡した場合などは被告人が，逆に，被疑者等が合意に基づいて供述した内容が真実でないことが明らかになった場合などは検察官が，それぞれ合意から離脱することができる(法 350 の 10)．離脱も要式行為であり，離脱により合意は将来に向かって解消される．

合意違反の効果　検察官が合意に違反して公訴を提起した場合等においては，裁判所は，公訴棄却の判決等をしなければならない(法 350 の 13)．また，検察官が合意に違反した場合，協議における被疑者等の供述や，合意に基づく被疑者等の行為によって得られた証拠は，証拠とすることができなくなる(法 350 の 14)．他方，合意に違反して捜査官に対し虚偽の供述をし又は偽造・変造の証拠を提出した者は，5 年以下の懲役に処することとされている(法 350 の 15)．

(3) 証人尋問

> **226 条**　犯罪の捜査に欠くことのできない知識を有すると明らかに認められる者が，第 223 条第Ⅰ項の規定による取調に対して，出頭又は供述を拒んだ場合には，第 1 回の公判期日前に限り，検察官は，裁判官にその者の証人尋問を請求することができる．
>
> **227 条　Ⅰ**　第 223 条第Ⅰ項の規定による検察官，検察事務官又は司法警察職員の取調べに際して任意の供述をした者が，公判期日においては前にした供述と異なる供述をするおそれがあり，かつ，その者の供述が犯罪の証明に欠くことができないと認められる場合には，第 1 回の公判期日前に限り，検察官は，裁判官にその者の証人尋問を請求することができる．
>
> 　Ⅱ　前項の請求をするには，検察官は，証人尋問を必要とする理由及びそれが犯罪の証明に欠くことができないものであることを疎明しなければならない．

---

13) 合意から離脱した場合に作成される合意離脱書面についても，証拠調べ請求の義務がある．

制度の趣旨　捜査機関は参考人に対して強制力を行使することはできない．そこで，裁判官に強制的に取り調べてもらう制度が証人尋問である．

まず，①犯罪捜査に欠くことのできない知識を有すると明らかに認められる者が，任意の取調べに対しては出頭又は供述を拒んだ場合(法226)か，②取調べにおいて任意の供述をした者が，公判期日に証人として出廷する場合には異なる供述をするおそれがあり，しかも，その者の供述が犯罪の証明に欠くことができないと認められる場合(法227)でなければならない．このような場合は，任意捜査だけでは証拠の収集が十分に行えないため，第1回公判期日前に限り，検察官の請求に基づき，裁判官[14]による証人尋問ができる．警察官は請求できない．

証人尋問によって得られた尋問調書[15]は，一定の制限の下に，法321条Ⅰ項1号の証拠(裁判官面前調書)として用いることができる(⇨445頁)．

> 法227条の証人尋問は，任意に供述した者を公判期日前，つまり正規の公判手続の前に，公判を担当しない裁判官の前に呼び出して，質問して調書を作成することを目的とする．重要な供述であるが，参考人の立場からは法廷で供述を覆すおそれが強いという場合に，供述を覆せば直ちに証拠能力が得られる証拠を保全しておくための制度である[16]．

(4) 鑑定等の嘱託

168条Ⅰ　鑑定人は，鑑定について必要がある場合には，裁判所の許可を受けて，人の住居若しくは人の看守する邸宅，建造物若しくは船舶内に入り，身体を検査

---

14) 法226条又は227条の証人尋問の請求を受けた裁判官は，証人の尋問に関し，裁判所又は裁判長と同一の権限を有する(法228Ⅰ)．したがって，その手続については裁判所の行う証人尋問の規定が準用され，**刑事免責制度**(⇨336頁)も利用することができるが，被告人，被疑者，弁護人の立会いは，裁判官が捜査に支障を生ずるおそれがないと認めた場合に限られる(法228Ⅱ)．
15) 裁判官は，この手続によって証人尋問をしたときは，速やかにこれに関する書類を検察官に送付しなければならない(規163)．
16) 法227条Ⅰ項は，従前は，「公判期日においては圧迫を受け前にした供述と異る供述をする虞があり」と規定されていたが，要件が厳格で，同条による証人尋問は余り利用されなかった．そこで，利用しやすいものとするため，平成16年の法改正により，「圧迫を受け」という要件が削られた．

し，死体を解剖し，墳墓を発掘し，又は物を破壊することができる．

Ⅱ　裁判所は，前項の許可をするには，被告人の氏名，罪名及び立ち入るべき場所，検査すべき身体，解剖すべき死体，発掘すべき墳墓又は破壊すべき物並びに鑑定人の氏名その他裁判所の規則で定める事項を記載した許可状を発して，これをしなければならない．

Ⅲ　裁判所は，身体の検査に関し，適当と認める条件を附することができる．

Ⅳ　鑑定人は，第Ⅰ項の処分を受ける者に許可状を示さなければならない．

鑑定　捜査機関は，捜査のために被疑者以外の者[17]に鑑定を嘱託することができる(法223Ⅰ．鑑定⇨344頁)．鑑定の嘱託をする際，精神鑑定等のために被疑者の**鑑定留置**(法167Ⅰ)を必要とする場合には，捜査機関は，裁判官にその旨を請求することができる(法224Ⅰ)．裁判官は，その請求を相当と認めるときは，期間を定め，病院その他の相当な場所を定めた鑑定留置状を発することになる．

鑑定処分許可状　捜査機関による鑑定の嘱託自体は任意の処分であるが，鑑定を実施するためには強制力の行使を必要とする場合がある．そこで，鑑定の嘱託を受けた者(鑑定受託者)が，鑑定の必要上，人の住居などに立ち入り，身体を検査し，死体を解剖し[18]，墳墓を発掘し，又は物の破壊をするには，裁判官の許可状(鑑定処分許可状)が必要とされる(法225・168Ⅰ)．もっとも，身体検査等の対象者がこれを拒んだ場合，間接強制はできるが，直接強制を行う措置は認められていない[19]．

鑑定受託者が鑑定の結果を記載した鑑定書は，法321条Ⅳ項の準用により，真正に作成した旨の作成者の供述があれば，証拠として用いることができる(⇨439頁)．

---

17) その意味では，鑑定受託者も「参考人」である．
18) 脳死段階での検視には困難な問題が存在する．移植に用いられる臓器を提供する脳死者は，どこの国でも交通事故死等の検視の対象となる者がかなり含まれる．心臓死後の解剖と異なり，臓器移植が予定された脳死体の解剖は，捜査手段としての適正・厳格さを重視するのか，移植の成功率を考慮してできる限り速やかな処理を行うのかで，微妙な差異が生じ得るのである．
19) 法225条Ⅳ項が168条Ⅵ項(法137・138条―間接強制)を準用しているのに対し，法139・172条(直接強制)は準用していないことによる．そこで，間接強制でも効果がない場合には，捜査官が身体検査令状(法218)を求めて，直接強制により(法222Ⅰ⇨法139)鑑定の目的を達成することになろう(身体検査令状⇨189頁)．

鑑定処分許可状

被疑者の氏名及び年齢	鈴木一彦 昭和 62 年 4 月 23 日生
罪　名	殺人
鑑定人　氏　名 　　　　職　業	春日一郎　　　　　　　　　　　51歳 霞が関大学医学部法医学教室教授
立ち入るべき場所，検査すべき身体，解剖すべき死体，発掘すべき墳墓又は破壊すべき物	東京都渋谷区恵比寿4丁目5番6号 木村二郎（27歳） の死体
身体の検査に関する条件	
請求者の官公職氏名	司法警察員警部　　北山和夫
有　効　期　間	令和 2 年 6 月 30 日まで

有効期間経過後は，この令状により許可された処分に着手することができない。この場合には，これを当裁判所に返還しなければならない。

被疑者に対する上記被疑事件について，鑑定人が上記の処分をすることを許可する。

　　令和 2 年 6 月 23 日
　　　東 京 簡 易 裁 判 所
　　　　　　裁 判 官　　米 田 俊 雄　㊞

(5) その他

> **197条 II** 捜査については，公務所又は公私の団体に照会して必要な事項の報告を求めることができる．

公務所照会　捜査機関は，公務所又は公私の団体に照会して，必要な事項の報告を求めることができる（法197 II）．正式の照会がされた場合，公務所等には報告する義務があるが，その履行を強制する方法はない[20]．公務所照会を行う場合においても，必要があるときは，みだりにこれらに関する事項を漏らさないよう照会先等に求めることができる（法197 V．電磁的記録 ⇨ 184頁）．

聞き込み等　第三者から犯罪に関する情報を聴取する聞き込みは，警察に呼んで事情を聴くのではなく，犯罪発生地や被疑者の関係先等で犯罪情報を収集する態様のものであるが，参考人取調べの一種である．

---

20) 同じような公務所照会は，公判段階では裁判所が公判準備として行うことができ（法279 ⇨ 324頁），裁判の執行の場面では検察官・裁判官も行うことができる（法507）とされている．

VI 物の押収・捜索と検証

1 捜索・差押え

(1) 捜索・差押えと令状

> **218条 I** 検察官，検察事務官又は司法警察職員は，犯罪の捜査をするについて必要があるときは，裁判官の発する令状により差押え，記録命令付差押え，捜索又は検証をすることができる．この場合において，身体の検査は，身体検査令状によらなければならない．
>
> **219条 I** 前条の令状には，被疑者若しくは被告人の氏名，罪名，差し押さえるべき物，記録させ若しくは印刷させるべき電磁的記録及びこれを記録させ若しくは印刷させるべき者，捜索すべき場所，身体若しくは物，検証すべき場所若しくは物又は検査すべき身体及び身体の検査に関する条件，有効期間及びその期間経過後は差押え，記録命令付差押え，捜索又は検証に着手することができず令状はこれを返還しなければならない旨並びに発付の年月日その他裁判所の規則で定める事項を記載し，裁判官が，これに記名押印しなければならない．

押収・捜索　物的証拠の収集として最も重要な意味を持つのが，強制処分としての押収・捜索である．捜査機関の行う**押収**，すなわち物の占有を取得する処分には，証拠物又は没収すべきと考えられる物の強制的占有取得である強制処分としての**差押え**と，遺留品又は任意提出物に対する占有取得である**領置**(後述)とがある[1]．**捜索**とは，人の身体，物件又は住居その他の場所について被疑者や証拠物等を発見するための強制的処分である．

---

1) 憲法35条の「押収」は差押えのみをいうが，刑訴法の「押収」は，強制処分である差押えと任意処分である領置の両者を含む概念である．さらに提出命令(法99 III ⇒ 182頁注12)を含む．

領　置　法221条は，捜査官は，「被疑者その他の者が遺留した物又は所有者，所持者若しくは保管者が任意に提出した物は，これを領置することができる」と規定する．物の占有を取得する唯一の任意捜査である．客体は，遺留された物と任意に提出された物に限られる．もっとも，一度占有を取得したら，強制的に占有を継続することができる．占有所得時は任意でなければならないが，領置した後は強制的な占有である．

> **遺留物の領置**　「遺留物」とは，遺失物に限られず，自己の意思によって占有を放棄し，離脱させた物も含む．最決平20・4・15(刑集62・5・1398)は，不要物として公道上のごみ集積所に排出されたごみも，捜査機関は法221条により遺留物として領置することができるとしている[2]．なお，東京高判平28・8・23(高刑集69・1・16⇨109頁)は，捜査官が，DNA採取目的であることを秘して，お茶の入った紙コップを被疑者に手渡し，使用後に回収した事案について，紙コップにつき領置の手続が行われたとしても，廃棄されるものと思い込んでいた被疑者が錯誤に基づいて捜査官に占有を委ねたに過ぎないから，遺留物に当たらず，領置は違法であるとしている．

　プライバシーを含む国民の人権を保護するため，憲法35条は，原則として捜索する場所及び押収する物を明示して発する令状なしには捜索・差押えを認めない旨を定め，法218条は，捜査機関(検察官，検察事務官，司法警察職員)は，捜査の必要があるときは，裁判官の発する令状により捜索，差押えをすることができる旨規定する(なお，記録命令付差押えにつき181頁)．**差押えの対象**は証拠物・没収すべきと思われる物で，捜索は物件又は住居その他の場所

---

[2]　最決平20・4・15の事案は，強盗殺人等の事案で(⇨108頁)，犯人を特定するための捜査として，被疑者とその妻が自宅付近の公道上にあるごみ集積所に出したごみ袋を回収し，そのごみ袋の中身を確認し，犯人と思われる人物が着用していたのと類似するダウンベスト，腕時計等を発見し，領置した行為について，「被告人及びその妻は，これらを入れたごみ袋を不要物として公道上のごみ集積所に排出し，その占有を放棄していたものであって，排出されたごみについては，通常，そのまま収集されて他人にその内容が見られることはないという期待があるとしても，捜査の必要がある場合には，刑訴法221条により，これを遺留物として領置することができるというべきである」と判示した．プライバシーを侵害した面が皆無とはいえないであろうが，公道上のごみ集積場に排出することによってそれを放棄したとも考えられるから，捜査の必要性があれば領置できるものと解される．したがって，自宅敷地内に置かれたごみ箱の中に捨てられているものは，別異に考えるべきであろう(なお，マンション内のごみ集積場に排出されたごみについては，マンション管理者等の所持者から任意提出を受けて領置すれば，適法である．東京高判平30・9・5高刑集71・2・1参照)．

捜索差押許可状

被疑者の氏名及び年齢	鈴木一彦 昭和62年4月23日生
罪名	殺人
捜索すべき場所，身体又は物	東京都新宿区若松町2丁目3番4号 　被疑者方自宅
差し押さえるべき物	本件犯行に使用された果物ナイフ　1丁
請求者の官公職氏名	司法警察員警部　　北山和夫
有効期間	令和2年6月30日まで

　有効期間経過後は，この令状により捜索又は差押えに着手することができない。この場合には，これを当裁判所に返還しなければならない。
　有効期間内であっても，捜索又は差押えの必要がなくなったときは，直ちにこれを当裁判所に返還しなければならない。

　被疑者に対する上記被疑事件について，上記のとおり捜索及び差押えをすることを許可する。

　　令和2年6月23日
　　　　東京簡易裁判所
　　　　　　裁判官　　米田俊雄　㊞

この令状は日出前又は日没後でも執行することができる。　　　裁判官　㊞

のほか，人の身体にも及ぶ．体内も捜索し得る(⇨ 192 頁)．

　　差押対象物が既に捜査機関の占有下にある場合や，差押対象物の占有者がそれを特定することが期待できるような場合には，差押許可状のみが発せられるが，実際には，捜索と差押えの両者を許可する捜索差押許可状が発付されることが圧倒的に多い．数か所について行う捜索を 1 通の令状で行ったりすることはできないが(⇨ 75 頁)，同一機会に同一場所で行う捜索と差押えを 1 通の令状によることは許されている(最大判昭 27・3・19 刑集 6・3・502)．

(2)　捜索差押許可状の形式要件

令状の記載内容　　裁判官の発する適式の令状がなければ捜索・差押えはできない．捜索令状には，被疑者の名前と罪名のほか，捜索すべき場所，身体又は物が明示されなければならない．差押えの場合には，「差し押さえるべき物」が記載されなければならない(法 219)．捜索すべき場所は，管理権者と空間的位置等の明示によって，他と区別できる程度に特定されればよく，記載内容に明白な誤記が含まれていても，特定に欠けるわけではない．差押えの場合には，「差し押さえるべき物」が具体的に示されなければならない．ただ，捜索・差押えは捜査の初期の段階で行われることも少なくないが，そのような場合を考えれば明らかなように，捜索する前から差し押さえるべき物を詳細に把握できるわけではない．そこで，想定できる物品を具体的にできるだけ列挙した上，「その他本件に関連があると思料される物件」というように，例示物件に準ずる物件が概括的に表示されることも少なくない．

　　最大決昭 33・7・29 (刑集 12・12・2776)は，地方公務員法違反の事件につき，教職員組合本部を捜索場所とした捜索差押許可状に記載された「本件に関係ありと思料せられる一切の文書及び物件」は，「会議議事録，闘争日誌，指令，通達類，連絡文書，報告書，メモ」と記載された具体的な例示に付加されたものであって，同許可状に記載された地方公務員法違反事件に関係があり，しかもその例示の物件に準じられるような闘争関係の文書，物件を指すことが明らかであるから，同許可状が物の明示に欠けるところがあるということはできないと判断した．

　　逮捕状との差異　記載すべき事項について，逮捕状と異なるのは，犯罪事実の記載の有無である．捜索差押許可状の場合にはそれが要求されていない(第三者に対して執行される場合の被疑者の名誉や捜査の秘密などが考慮されている)．罪名と，

場所や物が明示されていればよいのである．ここに，身柄を直接拘束する逮捕との差が存在する．

記録命令付差押許可状の記載事項　記録命令付差押許可状(⇨ 181 頁)には，通常の記載事項に加えて，記録させ又は印刷させるべき電磁的記録と，これを記録させ又は印刷させるべき者を記載しなければならない(法 219 I)．

(3)　捜索・差押えの必要性——実質要件

必要性　法 218 条には，犯罪の捜査をする必要があれば裁判官の発する令状により捜索・差押え等が可能であると規定されている．逮捕の場合に法 199 条 II 項ただし書が逮捕の必要性(⇨ 129 頁)を明確に要求しているのと異なり，同様の規定がないため，捜索・差押えが必要かどうかは捜査機関が判断すべきであり，裁判官による審査は予定されていないとする**必要性不要説**もある．しかし，捜索・差押えは，捜索場所の居住者等の平穏な生活やプライバシー等を脅かし，対象物件の所有者の財産権等を制約するものであるから，裁判官による審査を経ることを要求する令状主義の趣旨に照らしても，裁判官が捜索・差押えの必要性があると判断した場合にのみ許可状を発付すべきものとする**必要性必要説**が相当であろう(最大決昭 44・11・26 刑集 23・11・1490 参照⇨ 175 頁注 4)．もっとも，捜索・差押えが捜査の初期の段階で行われることが少なくないこと，自白に頼らずに物証(物的証拠)を重視するような捜査方法が望ましいこと，対物的強制処分である捜索・差押えは権利の制約の程度が対人的強制処分である逮捕に比すると軽いといえることなどから，実務的には，捜索・差押えの必要性についての判断において，令状発付裁判官としては，捜査機関の判断をより重視すべきものと考えられている．

具体的衡量　差押えの対象物が証拠物又は没収すべき物であれば，一般的には差押えの必要性を肯定できることが多いと考えられるが，具体的には，当該犯罪の重大性，証拠としての価値の重要性，代替手段の困難性等から認められる差押えの必要性と，差押えを受ける者の不利益等の諸事情を比較衡量して，必要性の有無を判断することになる[3]．

---

3)　電磁的記録物の差押えの場合には，コンピュータ等自体の差押えに代えて記録命令付差押え(⇨ 181 頁)で捜査の目的を達成できないか，差押えの執行の場面でも代替的方法(⇨ 182 頁)で足りないかについて検討する必要がある．

捜査官が令状(捜索差押許可状等)に基づいて差し押さえる場合にも，個々の差押物についてこのような必要性の有無の判断が求められることになる．差押えを受けた者が差押処分の適法性・相当性を争うには，捜査官の差押処分について準抗告(法430)を申し立てることができる．

最決昭44・3・18(刑集23・3・153)は，大学の映画研究会が新宿での騒乱状況を撮影した16ミリフィルム等を司法警察員が捜索差押許可状に基づいて差し押さえたことの適法性が争われた事件において，「差押物が証拠物または没収すべき物と思料されるものである場合においては，差押の必要性が認められることが多いであろう．しかし，差押物が右のようなものである場合であっても，犯罪の態様，軽重，差押物の証拠としての価値，重要性，差押物が隠滅毀損されるおそれの有無，差押によって受ける被差押者の不利益の程度その他諸般の事情に照らし明らかに差押の必要がないと認められるときにまで，差押を是認しなければならない理由はない」と判示した[4]．

(4) 捜索差押許可状の執行

令状の執行　捜索差押許可状が発付されると，捜査機関はこれを執行する[5]ことができる．その際には，原則として執行着手前に処分を受ける

---

4) 差押対象物件が報道機関の取材ビデオテープである場合には，取材の自由に対する制約の程度等を考慮して，必要性を審査することになる．最大決昭44・11・26(刑集23・11・1490)は，報道機関の取材フィルムに対する提出命令が許容されるか否かにつき，審判の対象とされている犯罪の性質・態様・軽重，取材フィルムの証拠としての価値，公正な刑事裁判を実現するに当たっての必要性の有無を考慮するとともに，それによって報道機関の取材の自由が妨げられる程度，報道の自由に及ぼす影響の度合その他諸般の事情を比較衡量して決せられるべきであり，刑事裁判の証拠として使用することがやむを得ないと認められる場合でも，それによって受ける報道機関の不利益が必要な限度を超えないように配慮されなければならないとしている(さらに，捜査機関による報道機関の取材ビデオテープの差押処分を是認した最決平1・1・30刑集43・1・19，最決平2・7・9刑集44・5・421参照)．
5) 捜索差押許可状は，許可状であるから，捜査機関は令状によって付与された権限の行使として

者に令状を呈示しなければならないが，呈示するより前に執行に着手しなければ差押対象物件を破棄されることが明白であるような例外的な場合には，執行に着手した後に速やかに呈示すればよいものと考えられる(最決平14・10・4刑集56・8・507)[6]．人の住居等における執行は，日出前，日没後に行わなければならない場合もあるが，令状発付裁判官の許可があれば許される(法222 III ⇨ 法116・117)．また，人の住居等において令状を執行する場合には，その公正を担保するために住居主等(それができない場合は隣人や消防署員等)を立ち会わせる必要がある(法222 I ⇨ 法114)．被疑者及び弁護人には立会権が認められていないが(法222条I項は法113条を準用していない)，捜査機関が弁護人等の立会いを認めることはできる．

令状記載の目的物の範囲　捜索の場所や差し押さえるべき物をいかに特定しても，その範囲を逸脱して物を差し押さえることが横行するのであれば，令状主義は事実上否定される．とはいえ，捜索するより前に差押対象物件を詳細に把握することは困難である以上，記載が多少概括的なものとなることは避けられないのであるから(⇨173頁)，具体的に明示された物件以外の物件の差押えをすべて違法とすることもできない．そこで，差し押さえられた物件が令状に記載された物件，特に「その他本件に関連すると思料される物件」というように概括的に記載されたものに含まれるか否かが問題となるが，被疑事実の内容や具体的に列挙された他の物件の内容等を考慮して，事案ごとに判断されることになる．

対象物件該当性と別件捜索・押収　対象物件に該当するか否かについて判断した判例として，最判昭42・6・8(判時487・38)がある．賭博事件に関する捜索差押許可状に，捜索場所を麻雀荘，差し押さえるべき物を「本件に関係ありと思料される帳簿，メモ，書類等」と記載されていた場合において，麻雀パイと計算棒の差押えも適法であるとした．当該令状に記載された差押対象物件に含まれると判断した

各処分を行うのであり，裁判の執行という観念は伴わない．ただ，命令状である捜索状・差押状を司法警察職員等が執行する場合(法108 I)と現象面で差異がなく，命令状の執行と同様の論点もあるため，ここでは便宜上「執行」と表現する．

[6] 最決平14・10・4は，覚醒剤事犯の前科のある被疑者が令状執行の動きを察知すれば覚醒剤等を破棄隠匿するおそれがあったため，令状の呈示に先立って被疑者の宿泊しているホテル客室のドアをマスターキーで開けて入室した措置を適法とした．

ものであるが，そこでは被疑事実の内容や捜索場所等も考慮要素にされたものと考えられる．

また，この点に関連する判例として，最判昭 51・11・18(判時 837・104)がある．恐喝事件について発付された捜索差押許可状に差し押さえるべき物として「本件に関係ある暴力団を標章する状，バッチ，メモ等」と記載されていたところ，その令状によって賭博の状況を記録したメモが押収され，それを基に恐喝ではなく賭博罪で訴追された．この賭博被告事件において，弁護側は「令状に記載されていない物を差し押さえた違法な捜査である」と主張し，原判決も，本件メモの押収は違法であり，令状主義に違反する重大な違法であるからメモは証拠にできないとして，無罪を言い渡した(違法収集証拠排除 ⇨ 479 頁)．これに対し最高裁は，「憲法 35 条 I 項及びこれを受けた刑訴法 218 条 I 項，219 条 I 項は，差押は差し押えるべき物を明示した令状によらなければすることができない旨を定めているが，その趣旨からすると，令状に明示されていない物の差押が禁止されるばかりでなく，**捜査機関が専ら別罪の証拠に利用する目的で差押許可状に明示された物を差し押えることも禁止されるものというべきである**」としながらも，当該メモについては，別罪である賭博被疑事件の直接の証拠となるものではあるが，同時に，被疑者らが所属する暴力団組織の性格や事件の組織的背景などを解明するために必要な証拠であって，恐喝被疑事件の証拠ともなるものであるとした上，捜査機関が専ら別罪である賭博被疑事件の証拠に利用する目的でこれを差し押さえたとみるべき証跡は存在しないとして，メモの差押えに違法はないと判断した．当該メモは，恐喝事件に関してはかなり間接的な証拠であるとはいえ，暴力団組織の性格や恐喝事件の組織的背景を知る上で必要な物でもあったといえるのであり，捜査官はあくまでも恐喝事件の証拠として差し押さえたのであって，専ら別事件の証拠とする目的で差し押さえたものではないから，令状主義を潜脱するような違法な捜査とはいえないとしたのである．

執行現場での
目的物の確認等 捜査官は，捜索の現場で差押対象物件の発見に努めることになるが，そのために必要であれば開錠，開封等の処分をすることができる(法 222 I ⇨ 法 111)．例えば，ある物件が外形上は差押対象物件に該当するとしても，その内容を確認しなければ当該事件との関連が明確でない場合や，差押えの必要性の有無を判断できない場合である．電磁的記録物の場合には，その場で内容をディスプレイに表示させて確認することやプリントアウトさせて確認することなども，必要な処分として許されるが，それを行っていたのでは記録されている情報を損壊される危険

があるような例外的な場合には，内容を確認せずに差し押さえることも許される(電磁的記録物の押収 ⇨下記(5))[7]．

捜索場所に居合わせた者に対する捜索　特定の場所に対する捜索差押許可状により，その場所に居合わせた人の身体や所持品を捜索することも，捜索すべき物を所持していると認められる場合などは，可能である．

　最決平6・9・8(刑集48・6・263)は，警察官が，被告人の内妻に対する覚醒剤取締法違反被疑事件につき，同女及び被告人が居住するマンションの居室を捜索場所とする捜索差押許可状の発付を受けて，居室の捜索を実施した際，同室にいた被告人が携帯するボストンバッグの中を捜索した事案について，捜索差押許可状に基づき被告人が携帯するボストンバッグについても捜索できる旨判示している．捜索場所の居住者がその場で携帯しているバッグ等は捜索場所にある物と同一視できるとしたものと考えられる．

　また，最決平19・2・8(刑集61・1・1)は，被疑者方居室に対する捜索差押許可状により同居室を捜索中に被疑者あてに配達されて同人が受領した荷物についても，同許可状に基づいて捜索することができるとしている．

(5)　電磁的記録物

電磁的記録物の押収　コンピュータ・システムの飛躍的な発展・普及により，従来は文書という形式で記録・保存されていた情報がHD(ハードディスク)，CD-ROM, DVD等の電磁的記録媒体等に記録・保存されることが多くなった．HD等は大量の情報を容れることができる上，文書類のようには可視性・可読性がなく，情報の処理・加工・消去等が容易であることなどから，文書類の差押えとは異なる種々の問題が生じる．情報を収集する方法としては，HD等に記録された情報をディスプレイに表示させるか用紙にプリントアウトさせて検証する方法，プリントアウトしてそれを差し押さえる方法，別のHD等にコピーしてそれを差し押さえる方法などもあり，被処分者の受ける不利益を考慮して，それらの方法で捜査の目的が達せられるのであればそれによるのが相当と考えられる．特に，被処分者が被疑

---

7)　押収した物についても，その内容を確認するために未現像のフィルムを現像したり，電磁的記録物をプリントアウトすることなどは，必要な処分として許される(法222Ⅰ⇨法111Ⅱ)．

者と関係のない第三者であり，HD 等自体を差し押さえられたのでは業務に支障が生じる場合や，必要な情報部分が HD 等の内容のごく一部にとどまる場合には，必要な情報部分のみについてそのような方法によるべきであろう．以下で説明する平成 23 年の法改正も，そのような配慮から新たな捜査手法等について規定したものである．

しかし，以上の方法では捜査の目的が達せられないときには，HD 等自体を差し押さえる方法も許容される．その際には，HD 等自体を差し押さえることによって被処分者が受ける不利益のほか，HD 等自体を差し押さえることの証拠方法としての必要性，検証等の他の方法によることの困難性等の事情が考慮されることになる．

> 最決平 10・5・1（刑集 52・4・275）は，電磁的公正証書原本不実記録，同供用被疑事件に関して発付された捜索差押許可状に差し押さえるべき物として「組織的犯行であることを明らかにするための磁気記録テープ，光磁気ディスク，フロッピーディスク，パソコン一式」等と記載されていた場合に，パソコン，フロッピーディスク等を捜索差押えの現場で内容を確認することなく差し押さえた事案に関し，次のように判示している．「令状により差し押さえようとするパソコン，フロッピーディスク等の中に被疑事実に関する情報が記録されている蓋然性が認められる場合において，そのような情報が実際に記録されているかをその場で確認していたのでは記録された情報を損壊される危険があるときは，内容を確認することなしに右パソコン，フロッピーディスク等を差し押さえることが許されるものと解される」．このように，判例は，① 被疑事実に関する情報が記録されている蓋然性が認められ，② その場で確認していたら情報を損壊される危険がある場合に，パソコン等それ自体の差押えが認められるとしている[8]．

平成 23 年の法改正　IT 社会の進展により適切に対応するため，平成 23 年に刑法と併せて刑訴法の一部改正が行われた．その内容は，① 従来の記録媒体の差押えに加えて，コンピュータに接続されている記録媒体から複写して差し押さえることを認め，② 新たな強制処分として記録命令付

---

8) リモート・アクセスによる電磁的記録の複写の処分を許可した捜索差押許可状の執行に当たっても，差押えの現場における電磁的記録の内容確認の困難性や確認作業を行う間に情報の毀損等が生ずるおそれの程度によっては，個々の電磁的記録について個別に内容を確認することなく複写の処分を行うことが許される場合がある（最決令 3・2・1 刑集 75・2・123）．

差押えを創設し，③電磁的記録物の差押えの執行方法として，特定の情報にとどめる代替的方法を認め，④電磁的記録物の差押状の執行を受ける者等に協力を要請できるとし，⑤通信履歴の保全要請ができるとしたものである．

コンピュータに接続された記録媒体からの複写

コンピュータ・ネットワークが高度に発展し，クラウドコンピューティングなど，遠隔のコンピュータの記録媒体に電磁的記録を保管し，あるいは必要の都度これをダウンロードするなどといった利用（**リモート・アクセス**）がかなり一般化していることから，従来の記録媒体を差し押さえるという方法だけでは捜査の目的を十分に達成できないおそれが生じていた．そこで，法218条Ⅱ項は，検察官，検察事務官又は司法警察職員による差押えについて[9]，コンピュータ（電子計算機）を差し押さえる場合には，当該コンピュータに接続している記録媒体のうち，当該コンピュータで作成・変更した電磁的記録又は変更・消去できるとされている電磁的記録を保管するために使用されていると認めるに足りる状況にあるものから，当該コンピュータを操作して，必要な電磁的記録をそのコンピュータ又は他の記録媒体に複写した上，当該コンピュータ又は記録媒体を差し押さえることができることとした．

当該コンピュータで作成・変更した（又は変更・消去できる）電磁的記録を**保管するために使用されていると認めるに足りる状況にあるもの**の例としては，コンピュータで処理すべき文書ファイルを保管するために使用されているリモート・ストレージ・サービスの記録媒体等が想定されている．また，「保管するために使用されていると認められる状況にある」というのは，差し押さえるべきコンピュータの使用状況等から，保管するために使用されている蓋然性が認められるということであり，具体的には，差し押さえるべきコンピュータにリモート・ストレージ・サービスのアカウントの設定がなされている場合などがこれに当たると考えられる．

国外の記録媒体へのリモート・アクセス

コンピュータ・ネットワークの発展により，他国に所在するサーバなどに電磁的記録を保管することも容易となったため，捜査機関においてもそのように保管された

---

9) 裁判所による差押えについては，法99条Ⅱ項が同様に規定している．

データへのアクセスが必要となることが少なくない．欧州評議会によるサイバー犯罪条約（日本もこれに署名し，国会で承認されている．平成24年条約7号）は，他国に所在するデータであっても，それが一般に公開された情報である場合には，所在国の許可を得ることなく，当該データにアクセスすることを認めている．そこで，電磁的記録を保管した記録媒体が国外にあっても，それが同条約の締約国に所在し，同記録を開示する正当な権限を有する者の合法的かつ任意の同意がある場合には，国際捜査共助[10]によることなく同記録媒体へのリモート・アクセス及び同記録の複写を行うことが許される（最決令3・2・1刑集75・2・123）．

記録命令付差押え　法99条の2により，「電磁的記録を保管する者その他電磁的記録を利用する権限を有する者に命じて必要な電磁的記録を記録媒体に記録させ，又は印刷させた上，当該記録媒体を差し押さえること」と定義された記録命令付差押えが創設された．この制度は捜査段階でも用いることができ，検察官，検察事務官又は司法警察職員は，犯罪の捜査をするについて必要がある場合に，裁判官の発する令状により，記録命令付差押えをすることができる（法218 I）．その場合に発付される**記録命令付差押許可状**には，差し押さえるべき物のほか，記録させ又は印刷させるべき電磁的記録及びこれを記録させ又は印刷させるべき者を記載しなければならない（法219 I）．

この制度が必要となったのは，①コンピュータ・ネットワークの発展により，従来の記録媒体そのものの差押えでは，電磁的記録が記録されている記録媒体を特定することが困難である場合や，電磁的記録が複数の記録媒体に分散して保管されている場合等には，捜査の目的を十分に達成できないおそ

---

10) 捜査機関の捜査権限に地理的制約はないが，捜査権の行使は主権の行使であるから，外国における捜査活動には当該国の承認ないし同意が必要であるところ，強制捜査は主権の行使そのものであるから承認・同意が得られるとは考えられないので，実際に行われることはなく，関係者の任意の取調べや実況見分等に限られているのが実情である．そこで，外国の捜査機関に証拠の収集・提供等を要請することが考えられるが，それには当該国との間で**捜査共助**に関する条約を締結することが不可欠である．アメリカ，韓国，中国，EU，ロシア等との間で捜査共助に関する条約が締結されているが，条約の前提として，相手国から同様の要請があればこれに応じて共助を行うという相互主義の保証が条件となるのが国際慣習であるため，外国の要請に協力する体制を作る趣旨で，国際捜査共助法が設けられている．

れがあり[11],②他方,これまでも,令状があれば,プロバイダ等の電磁的記録を保管している者は,必要な電磁的記録をディスク等の他の記録媒体に記録して,その記録媒体を提出する場合も少なくなかったという事情がある.③また,現代のコンピュータ・システムは極めて複雑であり,その操作には種々の専門的な知識等が必要であるため,必要な電磁的記録を特定し,他の記録媒体に記録する操作も,捜査機関が行うよりも,コンピュータ・システムの管理者等に行わせる方が効率的であるばかりでなく,コンピュータ・システムの保護にも資するからである.

記録命令付差押えは,命令の相手方に記録又は印刷する義務を負わせる新たな強制処分であるが,その性質は,一種の提出命令[12]と考えられる.

電磁的記録物の差押えの執行方法　法改正後も,電磁的記録に係る証拠の収集方法としては,記録媒体そのものを差し押さえることも行われるが,例えば,記録媒体が大型のサーバであるような場合は,これを差し押さえると,被疑事実と関係のない情報が多く含まれる可能性があるし,差押えを受ける者の業務に著しい支障を生じさせるおそれもある一方,差押えをする捜査機関にとっても,そのサーバ自体を差し押さえなくても捜査の目的を達成できることがあり得る.このような場合には,記録媒体自体の差押えによらない必要にして十分な代替的方法によるのが相当である.そこで,法110条の2が設けられた(捜査機関による場合も,法222条Ⅰ項により準用される).

代替的方法として,捜査機関が自ら他の記録媒体に複写,印刷又は移転した上,当該他の記録媒体を差し押さえること(法110の2①)も,差押えを受ける者にこれらを行わせた上,当該他の記録媒体を差し押さえること(同条②)も,許容される.**複写**とは,電磁的記録をディスク等の他の記録媒体にコピーすること,**印刷**とは,電磁的記録を紙媒体にプリントアウトすることである.

---

11) コンピュータ・ネットワークの高度化などにより,遠隔のサーバなどに電磁的記録を保管し,必要の都度これをダウンロードするなどして利用することがかなり一般化してきている現状がある(⇨180頁).
12) **提出命令**　裁判所は,差し押さえるべき物を指定して,所有者,所持者又は保管者にその物の提出を命ずることができる(法99Ⅲ).直ちに差押えという直接強制によらなくても目的を達することができる場合があることから設けられた制度である(提出命令の例として,175頁注4参照).

移転とは，電磁的記録を他の記録媒体に移すこと，すなわち，電磁的記録をディスク等の他の記録媒体に複写した上で，元の記録媒体からはその電磁的記録を消去することである．

還付　平成23年改正により法123条にⅢ項が設けられた．法110条の2の処分において，差押えを受ける者が当該「他の記録媒体」の所有者，所持者，あるいは保管者である場合には，差押えを受ける者から当該「他の記録媒体」の占有を奪っていることから，留置の必要がなくなったときには，原状回復として差押えを受ける者にそれを還付することになる．これに対して，捜査機関側が当該「他の記録媒体」の所有者等である場合には，捜査機関は，差押えを受ける者からその占有の移転を受けたものではなく，また，これを差押えを受ける者に返還する関係にもないことから，還付の対象とはならない．しかし，その場合であっても，他の記録媒体に電磁的記録を移転してこれを差し押さえた場合には，差押えを受ける者のもとから電磁的記録が消去されているので，原状回復として，当該「他の記録媒体」を差押えを受けた者に交付し，あるいは当該電磁的記録を複写することを許す必要がある（捜査機関による差押えについても，法222条Ⅰ項により準用される）．

協力要請　電磁的記録に係る記録媒体の差押え等を行うに当たっては，コンピュータ・システムの構成，システムを構成する個々のコンピュータの役割・機能や操作方法，セキュリティの解除方法，差し押さえるべき記録媒体や必要な電磁的記録が記録されているファイルの特定方法等について，技術的，専門的な知識が必要となる場合が多いことから，差押え等を実施する捜査機関等があらゆる面で自力執行するのは困難な場合が多いし，処分を受ける者の利益の保護等の面からも適当ではないことがある．このように，記録媒体の差押え等に当たっては，コンピュータ・システムの構成等について最も知識を有すると思われる被処分者の協力を得ることが必要であり，また，被処分者の中には，記録媒体に記録されている電磁的記録について権限を有する者との関係で，これを開示しない義務を有する者もあることなどから，捜索・差押えを実施する者が被処分者に協力を求め，また，被処分者もこれに協力することができる法的根拠を明確にしておくことが必要と考えられる．そこで，法111条の2が設けられ，被処分者に必要な協力を求めることができるとされた．同条は，裁判所がする検証に準用され（法142），検察官，検察事務官又は司法警察職員がする差押え，捜索又は検証にも準用される（法222Ⅰ）．

保全要請等　法197条III項により，書面によって30日以内のログの保全を要請することが可能となった．ネットワーク等の電気通信を利用した犯罪の捜査においては，その匿名性といった特徴から，犯人の特定等のために通信履歴の電磁的記録を確保することが非常に重要であるが，通信履歴の電磁的記録は，一般的に短期間で消去されていくことが多い．捜査の実務では，差押許可状を取得する前の段階において，通信履歴の電磁的記録の任意の保全を求めている場合もあるが，通信履歴の電磁的記録は，通信当事者の利益にもかかわるものであり，その保全を求める法律上の根拠を明確にする必要性が大きかった．

　検察官，検察事務官又は司法警察員は，差押え又は記録命令付差押えをするため必要があるときは，「電気通信を行うための設備を他人の通信の用に供する事業を営む者」（プロバイダ）又は「自己の業務のために不特定若しくは多数の者の通信を媒介することのできる電気通信を行うための設備を設置している者」（LANを設置している会社等）に対し，「その業務上記録している電気通信の送信元，送信先，通信日時その他の通信履歴の電磁的記録」（ログ等）のうち必要なものを特定して，30日を超えない期間を定めて，これを消去しないよう書面で求めることができる（法197 III）．

　消去しないように求める期間は，特に必要があるときは30日を超えない範囲で延長することができる（同条IV．ただし，その期間は通算して60日を超えることができない）．

　法197条V項により，保全要請と捜査関係事項照会（法197 II．公務所照会⇨169頁）に関する事項の秘密保持を求めることが可能となった．保全要請や捜査関係事項照会は，その性質上，捜査の初期段階に行われることが多く，密行性が強く求められるため，これを受ける者に対して，これらに関する事項をみだりに漏らしてはならない法律上の義務を負わせる必要があることから規定された．保全要請を受けたプロバイダや，捜査関係事項照会を受けた金融機関等は，秘密保持が求められると，その顧客等からこれらの要請に関する事項について問われても，みだりにこれに答えてはならないことになる．

(6) 令状によらない捜索・差押え

> **220条 I** 検察官，検察事務官又は司法警察職員は，第199条の規定により被疑者を逮捕する場合又は現行犯人を逮捕する場合において必要があるときは，左の処分をすることができる．第210条の規定により被疑者を逮捕する場合において必要があるときも，同様である．
> ① 人の住居又は人の看守する邸宅，建造物若しくは船舶内に入り被疑者の捜索をすること．
> ② 逮捕の現場で差押，捜索又は検証をすること．
> **II** 前項後段の場合において逮捕状が得られなかったときは，差押物は，直ちにこれを還付しなければならない．第123条第III項[電磁的記録に係る記録媒体の交付等]の規定は，この場合についてこれを準用する．
> **III** 第I項の処分をするには，令状は，これを必要としない．

逮捕の際の捜索・差押え 憲法35条は，被疑者を逮捕する場合には令状によらないで捜索・差押えすることを認めている(**令状主義の例外**)．これを受けて刑訴法は，令状なしでの捜索・差押えを例外的に認めている．具体的には，被疑者を逮捕する場合に必要があるときは，令状なしで人の住居等に立ち入って被疑者を捜索することができ，また，逮捕の現場では，令状なしで証拠の捜索・差押えをすることができる(法220 I・III)．ただし，緊急逮捕の場合に，逮捕現場で差押えをしたが逮捕状が得られなかったときは，差押物を直ちに還付しなければならない(法220 II)．

このような場合には，証拠が存在する蓋然性が高く，令状によることなくその逮捕に関連して必要な捜索・押収等の強制処分を行うことを認めても，人権の保障上格別の弊害はなく，捜査上の便益にも適うことが考慮されたものといえよう(最大判昭36・6・7刑集15・6・915；蓋然性説)．学説上は，逃亡と証拠隠滅を防ぐ緊急の必要性がある範囲に限られるとする説(緊急処分説)も有力であるが，必ずしもそのように限定する必然性はない．

法220条I項1号は，逮捕するために人の住居等に立ち入って被疑者を捜索することを認める．被疑者宅であればもちろんのこと，他人の住居であっても，家に立ち入る捜索令状がなければその中にいる被疑者を逮捕できないというのは不合理だからである．2号は，逮捕の現場での捜索・差押え・検

証を認める．問題は，逮捕の現場の意義である．

最大判昭36・6・7(刑集15・6・915)は，「『逮捕する場合において』と『逮捕の現場で』の意義であるが，前者は，単なる時点よりも幅のある逮捕する際をいうのであり，後者は，場所的同一性を意味するにとどまるものと解するを相当とし，なお，前者の場合は，逮捕との時間的接着を必要とするけれども，逮捕着手時の前後関係は，これを問わないものと解すべきであって，このことは，同条Ⅰ項1号の規定の趣旨からも窺うことができるのである．従って，例えば，緊急逮捕のため被疑者方に赴いたところ，被疑者がたまたま他出不在であっても，帰宅次第緊急逮捕する態勢の下に捜索，差押がなされ，且つ，これと時間的に接着して逮捕がなされる限り[13]，その捜索，差押は，なお，緊急逮捕する場合その現場でなされたとするのを妨げるものではない」と判示した[14]．

逮捕の現場　令状がないのに捜索・差押えが許されるのは，逮捕の現場であれば，①逮捕事実に関する証拠を緊急に収集・保全する必要性があり，②逮捕者に危険を及ぼす武器等を押収することにより逮捕を円滑に遂行する必要性があることによる．なお，捜索の場合には，③逮捕によって既に住居の平穏等を侵害している面があり，捜索を行っても新たな法益侵害は相対的に小さいという事情もある．

問題は，逮捕からどの程度時間的・場所的に離れた場合まで差押え等が許容されるかにある．例えば，公務執行妨害罪で現行犯逮捕された現場から約400m離れた警察署に連行し，逮捕から約30分経過するまでの間に機関紙・腕章・ヘルメット等の所持品を押収した事案について，東京高判昭53・11・15(高刑集31・3・265)は，適法な手続であるとした．その際考慮されたのは，時間と距離だけではなく，群衆に取り囲まれた逮捕現場での押収が，混乱を防止し，被疑者の名誉を保護する上で適当ではないという事情であった．逮捕のその場で直ちに捜索・差押えをするのが本来の姿であるが，それが困難な事情があれば，その程度に応じて時間と場所が離れても許容されるということ

---

13) 警察官が緊急逮捕しようとして被疑者方へ行ったところ本人が外出中であったので，帰宅次第逮捕しようと考えて先に捜索を開始してしまった．すると，20分ほど経って被疑者が帰ってきたため，被疑者を緊急逮捕したという事件である．
14) 逮捕状が出ていれば本人不在中でも捜索・差押えができるというわけではない．逮捕したのと同時に行ったと同視できるような範囲の捜索・差押えに限られるのである．

になろう．

　最決平 8・1・29（刑集 50・1・1）は，準現行犯の現場から約 3km 離れた警察署に連行し，逮捕から約 1 時間後に差押えを実施した場合について[15]，「逮捕した被疑者の身体又は所持品の捜索，差押えについては，逮捕現場付近の状況に照らし，被疑者の名誉等を害し，被疑者らの抵抗による混乱を生じ，又は現場付近の交通を妨げるおそれがあるなどの事情のため，その場で直ちに捜索，差押えを実施することが適当でないときは，速やかに被疑者を捜索，差押えの実施に適する最寄りの場所まで連行した上でこれらの処分を実施することも，刑訴法 220 条 I 項 2 号にいう『逮捕の現場』における捜索，差押えと同視することができる」と判示した（⇨127 頁）．

　逮捕時の余罪の証拠の捜索・押収　暴行事件に関する逮捕状により被疑者を逮捕した際，被疑者の居室を捜索し，布団の枕もとにあった箱などの中から白色粉末と注射器を発見して，被疑者の同意を得て白色粉末を検査したところ，覚醒剤の反応が出たので，覚醒剤所持罪で現行犯逮捕したという事案に関し，札幌高判昭 58・12・26（判時 1111・143）は，覚醒剤の捜索押収は違法だとした．居間，寝室，玄関，便所，押入れ，ストーブ，さらにはぬいぐるみの中身まで調べるという捜査状況等から，暴行事件の逮捕の機会に行う同事件の捜索としては必要な範囲を超えており，別件である覚醒剤の所持・使用の嫌疑を裏付ける証拠の発見・収集を意図したものと認められると判断されたものである[16]．逮捕の際に可能な捜索・押収

---

15) 事案の具体的内容は，以下のとおりである．A が腕に装着していた籠手（こて）及び B，C がそれぞれ持っていた所持品（バッグ等）は，いずれも逮捕の時に警察官らがその存在を現認したものの，逮捕後直ちには差し押さえられず，A の逮捕場所からは約 500m，B，C の逮捕場所からは約 3km の直線距離がある警察署に各人を連行した後に差し押さえられている．A が準現行犯逮捕された場所は店舗裏搬入口付近であって，逮捕直後の興奮さめやらぬ A の抵抗を抑えて籠手を取り上げるのに適当な場所でなく，逃走を防止するためにも至急 A を警察車両に乗せる必要があった上，警察官らは，逮捕後直ちに同車両で同所を出発した後も，車内において実力で籠手を差し押さえようとすると，A が抵抗してさらに混乱を生ずるおそれがあったため，そのまま A を警察署に連行し，約 5 分を掛けて同署に到着した後間もなくその差押えを実施した．また，B，C が準現行犯逮捕された場所も，追幅の狭い道路上であり，車両が通る危険性等もあった上，警察官らは，逮捕場所近くの駐在所でいったん B らの前記所持品の差押えに着手し，これを取り上げようとしたが，B らの抵抗を受け，さらに実力で差押えを実施しようとすると不測の事態を来すなど，混乱を招くおそれがあるとして，やむなく中止し，その後手配によって来た警察車両に B らを乗せて警察署に連行し，その後間もなく，逮捕の時点からは約 1 時間後に，その差押えを実施した．
16) 札幌高判昭 58・12・26 は，覚醒剤の捜索は違法であるが，全く無権限で開始されたわけではなく，暴行事件に関する適法な逮捕に伴うものであったことや，覚醒剤の発見・収集手続上の違法性は重大なものではないことなどを理由として，違法収集証拠（⇨479 頁）として排除すべきではないとした．

は，逮捕された事件に関連する証拠と，逮捕の際の安全を確保するための武器等に限られ，余罪の証拠の発見・収集のために行うことは許されない．逮捕事実に関する適法な捜索によってたまたま別事件の証拠である覚醒剤が発見されたような場合には，任意提出を求めて領置するか，新たに差押許可状の発付を得て執行するか，覚醒剤所持罪で所持者を現行犯逮捕し，その逮捕に伴った差押えをすべきことになる．

2　検　証

(1)　検証と令状

検証許可状　検証とは，直接自己の感覚作用により場所や人，物についてその存在及び状態などを強制的に認識し，証拠資料を得ることである[17]．捜査機関は，捜査の必要があるときは，裁判官の発付する検証許可状により検証することができる(法218 I)．検証するために必要であれば，死体の解剖，墳墓の発掘，物の破壊などの処分をすることができる(法222 I ⇨ 法129)．強制的に認識するものであり，場所や物については，被疑者等が隠しても開示を命じることができる(なお検視 ⇨ 94頁)．なお，捜査機関の行う広義の検証には，任意処分としての**実況見分**(⇨ 192頁)も含まれる．

捜査機関の検証の結果を記載した書面(検証調書)は，法321条Ⅲ項により証拠として用いることができる．任意処分である実況見分の結果を記載した調書についても，同条の適用あるいは準用があるものと解される(⇨ 437頁)．

> 最決平21・9・28(刑集63・7・868 ⇨ 78, 109頁)は，覚醒剤の入っている疑いのある宅配便の荷物を，宅配便業者の承諾を得て，空港内税関において行ったX線検査につき，荷送人や荷受人の内容物に対するプライバシー等を大きく侵害するものであるから，**検証としての性質を有する強制処分**に当たるとし，検証許可状の発付を得ることが可能であったとした(任意・強制の限界 ⇨ 76頁)[18]．

---

17) 公判裁判所も証拠調べとして検証を行うことが少なくない．捜査機関の行う検証は，裁判所の行う検証の規定を多く準用する形で規定されている(法222 I ⇨ 法129・131)．
18) 「検証としての性質を有する強制処分に当たる」とは，検証とは区別された「検証としての性質を有する強制処分」に当たるとしているようにも見えるが，「検証」に該当するから検証許可

GPS 捜査と検証　最大判平 29・3・15(刑集 71・3・13)は，GPS 捜査(⇨ 78-79 頁)につき，対象車両の所在と移動状況を把握する点では刑訴法上の「検証」と同様の性質を有するものの，対象車両に GPS 端末を取り付けることにより対象車両及びその使用者の**所在の検索**を行う点において，「検証」では捉えきれない性質を有するとし，仮に，検証許可状の発付を受け(それと併せて捜索許可状の発付を受け)て行うとしても，GPS 端末を取り付けるべき**車両及び罪名を特定しただけでは被疑事実と関係のない使用者の行動の過剰な把握を抑制することができず，裁判官による令状請求の審査を要することとされている趣旨を満たすことができないおそれがある**とし，事前の令状呈示を行うことは想定できないので，適正手続の保障という観点から問題が残るとした．そして，法 197 条 I 項ただし書の「この法律に特別の定のある場合」に当たるとして，同法が規定する令状を発付することには疑義があり，GPS 捜査を用いるのであれば立法的な措置が講じられることが望ましいとした．なお，同判決は，携帯電話会社等を被処分者とする検証許可状を得て携帯電話等の位置情報を取得している実務(⇨ 197 頁注 26)に関して判断を示したものではない．

(2)　身体検査

<small>身体検査許可状</small>　狭義の身体検査は検証の一種であり，捜査官が強制的に認識し証拠資料を得る捜査方法である[19]．ただ，対象が人体であることから，時間・場所・方法の指定，例えば医師の立会いなどの適当と認められる条件を付し得る特別の令状(**身体検査令状**)によらなければならない(法 218 I 後段・VI)．ただし，身体の拘束を受けている被疑者の指紋・足型の採取，身長・体重の測定，写真の撮影をするには，被疑者を裸にしない限り，身体

状の発付が必要で，それを欠いたのだから違法であるとしたことと法的な効果に差はないといえよう．ただ，最高裁は，本件捜査により得られた覚醒剤等は，本件 X 線検査の結果以外の証拠も考慮して発付された令状に基づく捜索において発見されたもので，X 線検査と関連性を有するとしても，その証拠収集過程に重大な違法があるとまではいえず，証拠能力を肯定することができるとした(⇨ 488 頁)．

なお，税関職員は，関税法 76 条に基づき，輸出入の簡易手続として，信書以外の郵便物を無令状で検査することができるとされているが，これは，捜査ではなく，行政上の目的を達成するための手続として認められているものである(その合憲性につき，最判平 28・12・9 刑集 70・8・806 参照)．

19)　身体検査を正当な理由なく拒むと，過料又は刑罰(罰金・拘留)が科される(間接強制)ほか，直接強制されることになる(法 222 I ⇨ 法 137〜139)．

検査令状を必要としない(法218 III)．身体の拘束に伴う効果と考えられるからである．

　　　身体検査令状は，検査に関する条件を書く欄がある点に特徴がある．例えば，場所の指定や，医師により医学的に相当と認められる方法により行う旨などの条件を記載することができる．男女の差も考慮される(例えば，女性の身体を検査するには，医師又は成人の女性の**立会い**が必要である．法222 I ⇨ 法131 II)．

広義の身体検査　刑訴法上の身体検査には，狭義の(検証としての)身体検査に加え，身体の捜索，鑑定のための身体検査が含まれる．

　通常の身体検査の概念としては，**身体の捜索**(法218 I・102)を想起しやすい．人体につき着衣の外部から行う捜索(凶器所持の有無を調べるボディチェック等)である．原則として捜索令状が必要であるが(なお逮捕時の捜索 ⇨ 185頁)，身体検査令状は要らない．裸にしたり，体内を検査する場合には，身体検査令状が必要となる．

　法223条により鑑定を嘱託された者は，裁判官の許可を得て(鑑定処分許可状に基づき)，被疑者等の身体検査ができる(**鑑定のための身体検査**—法225 I ⇨ 法168 I)．ただ，鑑定のためには，身体に傷をつけるおそれなどもあるので，裁判官は適当と認める条件を付することができ(法225 IV ⇨ 法168 III)，その条件が令状に記載される．

(3)　令状によらない検証

逮捕する場合　捜索・差押えと同様に(⇨ 185頁)，逮捕の現場では令状なしで検証が可能である(法220 I ②)．① 逮捕した場合には，その事案に関する証拠を緊急に保全する必要があるし，② その逮捕に関連してその場の検証を行っても新たに住居等の平穏を害するおそれが少ないので，令状なしの検証が許されるのである．

　逮捕の現場での身体検査も許されるが，逮捕事実に関して必要な範囲に限られるのは当然である(それを超えて身体検査をするには，身体検査令状が必要である．法218 I)．ただ，逮捕されている者については，指紋・足型の採取，身長・体重の測定，写真の撮影が認められている(法218 III)．

写真撮影と指紋採取　逮捕した場合は無令状で被疑者の写真を撮れる(写真撮影 ⇨ 83頁)．そして，指紋が採取され余罪及び指名手配の有無が照会される．法は，逮捕

身 体 検 査 令 状

被疑者の氏名及び年齢	鈴木一彦 昭和 62 年 4 月 23 日 生
罪　　　　名	殺人
検査すべき身体	被疑者の身体
身体の検査に関する条件	

　身体の検査を受ける者が正当な理由がなく身体の検査を拒んだときは，10万円以下の過料又は10万円以下の罰金若しくは拘留に処せられ，あるいは罰金と拘留を併科されることがある。

請求者の官公職氏名	司法警察員警部　北山和夫
有 効 期 間	令和 2 年 6 月 30 日まで

　有効期間経過後は，この令状により身体の検査をすることができない。この場合には，これを当裁判所に返還しなければならない。
　有効期間内であっても，身体の検査の必要がなくなったときは，直ちにこれを当裁判所に返還しなければならない。

被疑者に対する上記被疑事件について，上記の者の身体の検査を許可する。

　令和 2 年 6 月 23 日
　　東京簡易裁判所
　　　　裁判官　　米田俊雄　㊞

の必要性・相当性を満たす以上，この程度の侵害は許容されるとしていると解される．そして，このような形で採取された指紋等は，被疑者の同一性を確認する手段という意味を超えて，その後の捜査の際の資料として重要な役割を果たしている．なお，DNAも指紋と類似した価値を有しており，国際的にそのデータベース化の動きが進行している．被疑者の遺伝情報そのものを国家が管理することは許されないが，被疑者と真犯人との同一性判断の資料としては有用であり，捜査における国際的な協調の要請も軽視できない．

(4) 実況見分

実況見分　犯罪現場などで任意処分として行われる検証である．交通事犯などの捜査において非常に重要な機能を果たしている．その結果を記載した実況見分調書は，法321条III項の適用又は準用により証拠になる（⇨437頁）．

3　その他の証拠収集手段

(1) 体液の採取

検証の限界　捜査官は，直接自己の感覚作用によって強制的に認識する捜査方法である検証（身体検査を含む）により，着衣を脱がせたり，口を開けさせてその中を認識するなど，外から見える範囲で体内を検査することができる．それでは，検証として，血液を採取したり，口から胃カメラを入れて胃の中を調べたり，胃の内容物を採取したり，吐剤を注入して腹中の物を吐き出させることまで許されるであろうか．これらの方法は，身体に対する損傷を伴うものであり，検証（身体検査を含む）の範囲を超えるものであるから，検証として行うことは違法と考えられる[20]．

---

20) 嚥下された疑いのある証拠物については，捜索差押許可状を用いて自然に排出されたその物を押収することができる．証拠物発見のためレントゲンで透視したり，下剤・吐剤を使用することは，捜索・差押えに必要な処分（法222 I ⇨ 法111）として可能とする見解もあるが，人権保障の観点から，捜索差押許可状のほか専門家に鑑定を嘱託して鑑定処分許可状を得，併せ執行するのが望ましいといえよう（強制採尿の項を参照すること）．

血液の採取 　血液の採取は，飲酒運転などの捜査においてしばしば必要となる．呼気検査を拒否された場合には，その者から強制的に採血して，血中アルコール濃度を調べるのが，飲酒の程度を立証する上で最も客観的な証拠を収集することになるからである．かつては，飲酒運転の疑いがあれば令状なしで採血してよいという考え方もあったが，採血を拒む者の血液を採取することが強制捜査であることには疑いがないので，令状なしには行い得ないとされ，実務上も，令状を得て行う運用が定着した．

　ただ，用いる令状の種類については，検証としての身体検査令状（法218 I）によるべきか，鑑定処分許可状（法225 I・168 I）によるべきか争いがあった．検証に含まれるとする考え方もあるが，注射器を用いて身体に傷を付け，血液を採って身体の完全性を損なうことになる以上，安全性等の観点からの制限を要求するのが相当であるといえる．もっとも，対象者が執行を拒否すると，鑑定処分許可状では直接強制できないことから，直接強制が可能な身体検査令状も必要となり，結局，実務では**両方の令状**を得て併せて執行する運用を行うようになっていく[21]．

強制採尿の可否 　その後，覚醒剤事犯において，尿の任意提出を拒む者に対しカテーテル（導尿管）を用いて体内から強制的に採尿できるかが，激しく争われることになった．自然排尿を待たずに強制的に尿を採ることは人間の尊厳を侵すから，いくら令状があっても許されないとする**否定説**と，生体の一部である血液を採取することも令状により許されるのであるから，いずれ体外に排出されるべき尿を身体の傷害を伴わずに採取することも一定の態様のものであれば許容されるとする**肯定説**が対立する中で，最高裁は肯定説を採用した．

最決昭55・10・23（刑集34・5・300）　「尿を任意に提出しない被疑者に対し，強制力を用いてその身体から尿を採取することは，身体に対する侵入行為であるとともに**屈辱感等の精神的打撃を与える行為**であるが，右採尿につき通常用いられるカテーテル

---

21) 強制採尿の場合に捜索差押許可状による運用になった後も，採血の場合には身体検査令状と鑑定処分許可状を併用する運用に変わりはない．生体の一部である血液といずれは体外に排出されるべき尿とは異なるといえるであろう．この場合の身体検査令状には，「採血は医師をして医学的に相当と認められる方法により行わせること」という条件が付されるのが通例である．

を尿道に挿入して尿を採取する方法は，被採取者に対しある程度の肉体的不快感ないし抵抗感を与えるとはいえ，**医師等これに習熟した技能者によって適切に行われる限り**，身体上ないし健康上格別の障害をもたらす**危険性は比較的乏しく**，仮に障害を起こすことがあっても軽微なものにすぎないと考えられるし，また，右強制採尿が被疑者に与える屈辱感等の精神的打撃は，検証の方法としての身体検査においても同程度の場合がありうるのであるから，被疑者に対する右のような方法による強制採尿が捜査手続上の**強制処分として絶対に許されないとすべき理由はなく**，**被疑事件の重大性**，**嫌疑の存在**，当該**証拠の重要性**とその取得の**必要性**，適当な**代替手段の不存在**等の事情に照らし，犯罪の捜査上真にやむをえないと認められる場合には，最終的手段として，適切な法律上の手続を経てこれを行うことも許されてしかるべきであり，ただ，その実施にあたっては，被疑者の身体の安全とその人格の保護のため十分な配慮が施されるべきものと解するのが相当である．」

最高裁のこの決定に対しては，現行法上，強制的に排尿させることを内容とする種類の令状はないという批判があった．しかし，意思に反して体内から尿という証拠物を採取することは，強制採血などと同様の意味で可能である．強制的に被疑者に排尿行為をさせるわけではなく，医師がカテーテルを挿入して尿を採るのを被疑者に受忍させるにとどまるからである．

被疑者が尿の任意提出を拒む場合に，犯罪の重大性，嫌疑の濃さ，証拠としての重要性(取得の必要性と代替手段の有無)などを勘案して，やむを得ないときは，令状を用いて強制採尿することも許される．

> 錯乱状態に陥り任意の尿の提出が期待できない状況にあった者に対しては，犯罪の捜査上真にやむを得ない場合に実施されたものであれば，強制採尿は違法ではない(最決平3・7・16刑集45・6・201)．前掲最決昭55・10・23は任意提出を拒んだ事案であったが，そのような場合に限られないとしたものである．なお，覚醒剤事犯の前科が多数あり，それまで尿の任意提出に応じたことのない被疑者であっても，任意提出を求めるなどすることなしに強制採尿令状を請求し，その発付を得て強制採尿すれば，その手続は違法とされる(最判令4・4・28裁判所ウェブサイト．当該事案では，令状請求の疎明資料において令状発付の合理的根拠の欠如が客観的に明らかであったとはいえず，重大な違法はないなどとして，尿の鑑定書の証拠能力は肯定された⇒489頁)．

実務では，かつて，強制採尿の際にも，強制採血の場合と同様，
強制採尿の令状の種類　身体検査令状と鑑定処分許可状の 2 つの令状を併せて用いていた．しかし，前掲最決昭 55・10・23 は，体内に存在する尿を犯罪の証拠物として強制的に採取する行為は捜索・差押えの性質を有するものとみるべきであるから，**捜索差押許可状**を必要とするとした．ただし，強制採尿は，人権の侵害にわたるおそれがある点では検証の方法としての身体検査と共通の性質を有しているので，**身体検査令状に関する法 218 条 VI 項を準用**して，その捜索差押令状には「医師をして医学的に相当と認められる方法により行わせなければならない」旨の条件の記載が不可欠であるとした．そのため，実務では，その後，最高裁決定に従った条件の記載のある捜索差押許可状が用いられるようになった．

なお，強制採尿のための捜索差押許可状が出されている場合，身柄を拘束されていない被疑者を採尿する医療施設などへ任意に同行することが事実上不可能であるときは，その令状の効果として，採尿に適する最寄りの場所まで連行することができる（最決平 6・9・16 刑集 48・6・420．それ以前には，法 222 条 I 項で準用される法 111 条の「**必要な処分**」として許されるとした下級審の裁判例もあったが，最決平 6・9・16 は，令状自体の効力であるとした．なお，強制採尿令状請求の準備時点から令状発付までの間の被疑者の留め置きにつき ⇨ 116, 118 頁）．

(2)　通信傍受

法改正前の状況　薬物犯罪を含む組織的犯罪に対する捜査手法として，電話を中心とした通信を傍受することが欧米諸国で行われるようになり，わが国でも，犯罪捜査のため検証許可状に基づき通話者双方に知られずに電話を傍受・録音する捜査手法が用いられるようになった[22]．

これに対し，学説では，(a) 任意捜査だから許されるとする見解と，(b) 強制

---

22)　薬物の密売のために複数の電話を巧妙に利用する事案が多く，摘発が困難な面があった．傍受できれば密売に関係している者を把握できるが，一方の通信者の同意を得ることが必要だとすると，捜査の目的を達することができなくなるため，電話傍受という捜査手法が用いられるようになった．法改正前に検証許可状に基づいて実施した電話傍受を適法とした下級審判例としては，東京高判平 4・10・15 高刑集 45・3・85，札幌高判平 9・5・15 判時 1636・153（最決平 11・12・16 の原判決）等がある．

処分だから許されないとする見解の対立に加え，(c) 加重要件を加味した検証として令状により許されるとする説と，(d) 現行法上その方式が規定されていないので許されないという説が対立してきた．

電話等の通話内容を通話中の当事者双方に知られずに傍受・録音することは，憲法 21 条 II 項の保障する通信の秘密を侵害し，ひいては個人のプライバシーを侵害する行為であるから，犯罪捜査のためといえども，無制約に許されるものでないことはいうまでもない．また，通信傍受については，**密行性**(処分を受ける者に秘匿して行われる性格)を有するため，令状の事前呈示の原則に抵触する[23]という懸念も存在する．さらに，対象が特定しにくく正当に保護すべき情報が入ってくる危険が大きいこと，令状発付時以降の「将来の会話」を対象にするもので，将来の犯罪の見込みによる捜査に当たるなどという指摘も存在した．

ただ，法 222 条 I 項(⇨ 法 100)は，捜査官による郵便物及び電信に関する書類の押収を認めており，電話による会話の傍受についても，捜査手段として用いることが全く許されないものではない．通信の秘密の重要性を考慮しつつ，それが侵害されるおそれの程度と，犯罪の重大性，嫌疑の明白性，証拠方法としての重要性と必要性，他の手段によることの困難性等に照らして，真にやむを得ないと認められる場合か否かが判断されなければならない[24]．

最決平 11・12・16 (刑集 53・9・1327)は，法改正前に検証許可状に基づいて実施した電話傍受の事案を法改正後に判断したものであるが，通信傍受の適法性に関し，電話傍受を直接の目的とした令状は存していなかったけれども，対象の特定に資する適切な記載がある検証許可状により電話傍受を実施することは，本件当時においても法律上許されていたものと解するのが相当であるとし，(1)電話傍受は，通話内容を聴覚により認識し，それを記録するという点で，五官の作用によって対象の存否，性質，状態，内容等を認識，保全する検証としての性質をも有し，(2)裁判官は，当該電話傍受が前記の要件を満たすか否かを事前に審査することが可能で，

---

23) 処分実施時に，処分対象者が，その根拠と必要性，侵害範囲等について認識し，不服を申し立てる機会がないことになる．
24) この判断枠組みは，写真撮影の場合(⇨ 83 頁)と類似する．写真撮影の場合は憲法 13 条の人格権・肖像権の侵害が問題となったが，通信の秘密の侵害の場合の方がより厳密な要件の下でのみ正当化されるといえよう．

(3)検証許可状の「検証すべき場所若しくは物」(法219条I項)の記載に当たり,傍受すべき通話,傍受の対象となる電話回線,傍受実施の方法及び場所,傍受ができる期間をできる限り限定することにより,傍受対象の特定という要請を相当程度満たすことができるとした[25]。

通信傍受法 このような状況の中で,平成11年に法222条の2として「通信の当事者のいずれの同意も得ないで電気通信の傍受を行う強制の処分については,別に法律で定めるところによる」という規定が加えられ,同時に,**犯罪捜査のための通信傍受に関する法律**が成立した。これにより,通信傍受自体の合法性が確立するとともに,その手法に具体的な限定が加えられることになった[26]が,その後も,令状発付件数が諸外国に比較して著しく少なく,10~30件程度という状況が続く中で(図参照),組織的な犯罪に適切に対処しつつ,取調べ及び供述調書への過度の依存から脱却するために必要であるとの考えに基づき,平成28年法改正により,対象犯罪の拡大等が行われた。

傍受の対象となる**通信手段**は,電話番号その他発信元又は発信先を識別するための番号又は符号によって特定された通信手段であって,犯人による犯罪関連通信に用いられると疑うに足りるものである(通信傍受法3 I)。同法では,当初,**傍受の対象**が,傍受が必要不可欠と考えられる組織的な犯罪,すなわ

---

25) 最高裁は,さらに,「(4)身体検査令状に関する同法218条V項〔現VI項〕は,その規定する条件の付加が強制処分の範囲,程度を減縮させる方向に作用する点において,身体検査令状以外の検証許可状にもその準用を肯定し得ると解されるから,裁判官は,電話傍受の実施に関し適当と認める条件,例えば,捜査機関以外の第三者を立ち会わせて,対象外と思料される通話内容の傍受を速やかに遮断する措置を採らせなければならない旨を検証の条件として付することができる。(5)なお,捜査機関において,電話傍受の実施中,傍受すべき通話に該当するかどうかが明らかでない通話について,その判断に必要な限度で,当該通話の傍受をすることは,同法129条所定の『必要な処分』に含まれると解し得る。もっとも,検証許可状による場合,法律や規則上,通話当事者に対する事後通知の措置や通話当事者からの不服申立ては規定されておらず,その点に問題があることは否定し難いが,電話傍受は,これを行うことが犯罪の捜査上真にやむを得ないと認められる場合に限り,かつ,前述のような手続に従うことによって初めて実施され得ることなどを考慮すると,右の点を理由に検証許可状による電話傍受が許されなかったとまで解するのは相当でない」としている。
26) 法222条の2が新設されて,通信傍受に関する法律が設けられたことにより,電話の傍受を検証許可状によって行うことは許されなくなったが,通信履歴や携帯電話の位置情報等の探知のみを目的として他人間の通信を対象とする場合には,検証許可状によって行うべきことになる。

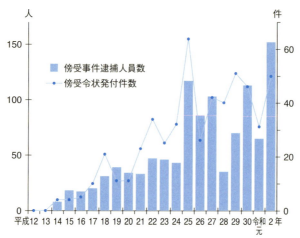

＊逮捕された数は傍受事件に関するもので，令和2年までに確定した分
図7 通信傍受令状と逮捕

ち，薬物関連犯罪，銃器関連犯罪，集団密航に関する罪，組織的な殺人罪に限定されていた(別表第1)．また，傍受が許される**要件**として，まず，①(a)対象犯罪が犯されたこと，(b)対象犯罪が犯され，(ア)引き続きこれと同様の態様で犯される同一又は同種の対象犯罪，又は(イ)当該対象犯罪の実行を含む一連の犯行計画に基づき対象犯罪が犯されること，(c)死刑又は無期若しくは長期2年以上の懲役・禁錮に当たる罪が対象犯罪と一体のものとしてその実行に必要な準備のために犯され，引き続き当該対象犯罪が犯されることのいずれかを疑うに足りる十分な理由(通常逮捕要件の「相当な理由」よりも高度な嫌疑)が必要である．しかも，②それら犯罪が数人の共謀によるものであると疑うに足りる状況があること，③それら犯罪について，その実行，準備又は証拠隠滅等の事後措置に関する謀議，指示等に関連する通信が行われると疑うに足りる状況があり，④他の方法によっては，犯人を特定し又は犯行の状況・内容を明らかにすることが著しく困難であることが必要とされる(同法3I)．その後，平成28年法改正により対象犯罪が拡大され，①殺傷犯関係(現住建造物等放火，殺人，傷害，傷害致死，爆発物の使用等)，②逮捕・監禁，略取・誘拐関係，③窃盗・強盗，詐欺・恐喝関係，④児童ポルノ関係の罪が対

象犯罪に追加された(別表第2)上，それらの犯罪については，上記の実施要件に加えて，「当該罪に当たる行為が，あらかじめ定められた役割の分担に従って行動する人の結合体により行われるもの」であると疑うに足りる状況があることが必要とされている(同法3Ⅰ①)．

傍受令状 傍受令状には，被疑者の氏名，被疑事実の要旨，罪名，罰条，傍受すべき通信，傍受の実施の対象とすべき通信手段，傍受の実施の方法及び場所，傍受ができる期間，傍受の実施に関する条件(例えば傍受実施の時間的制約等)，有効期間等を記載しなければならない(同法6)．**令状請求権者**は，検事総長指定の検事と公安委員会指定の警視以上の警察官等に限定されており，発付裁判官も地方裁判所の裁判官に限られている(同法4Ⅰ)．

傍受期間 10日以内の期間を定めて傍受令状を発付する(同法5Ⅰ)．なお，必要と認めるときは10日以内の期間延長が可能である(合計30日を超え得ない．同法7Ⅰ)．同一の被疑事実に関し，同一の通信手段について重ねて傍受を行うことを必要とする特別の事情があると認めるときは，再度の令状発付が可能である(同法8)．

傍受手続の合理化・効率化 傍受の実施については，当初，立会人(通信事業者の職員等)が例外なく必要とされ，しかもリアルタイムでの内容の聴取等が前提とされていて，捜査官や立会人が常に待機しなければならなかったため，平成28年法改正により，傍受実施の適正を担保しつつ効率的な傍受を可能とする手続が導入された(令和元年6月1日施行)．具体的には，①一時的保存を命じて行う手続と，②特定電子計算機を用いる手続である．①は，裁判官の許可を受け，通信管理者等に命じて，傍受の実施中に行われた通信を暗号化させた上で一旦保存させておき，その後，通信管理者等に命じてこれを復号させ，その立会いの下に再生し，内容の聴取等をするというもので，通信内容の事後的な聴取等が可能となる(同法20〜22)．②は，裁判官の許可を受け，通信管理者等に命じて，傍受の実施中に行われた通信を暗号化させた上で捜査機関の施設等に設置された特定電子計算機に伝送させ，(a)これを受信すると同時に復号し，又は(b)これを受信すると同時に一旦保存し，その後，特定電子計算機を用いて復号・再生し，内容の聴取等をするというもので，立会い及び記録媒体の封印が不要となり，通信内容の事後的な聴取等も可能となる(同法23)．

VII 被疑者の防御活動

1 被疑者の権利

(1) 黙秘権

　　　　　　犯罪に関する真相を解明するための手続である刑事司法におい
真相の解明
　　　　　　て，被疑者の権利が強調され，それぞれの手続の段階で厳格な
制約が課されるのは，真犯人ではない者が被疑者とされて権利を侵害される
危険性が常に存在する上,「行き過ぎた捜査」により被疑者に人権侵害が生じ
得るからである．真相解明の要請は，常に，広すぎる捜査や厳しすぎる取調
べの危険を伴う．また，被疑者に十分な防御権を与えなければ，実行しな
かった事実についてまで自白をさせて処罰してしまう危険性も考えられない
ことではない[1]．

　被疑者の権利として重要なのは，① 黙秘権(憲38 I)と，② 弁護人の援助を
受ける権利(弁護人選任権，憲34 前段)である．

　　　　　憲法38 条 I 項は，「何人も，自己に不利益な供述を強要されない」
黙秘権
　　　　　として，いわゆる自己負罪拒否特権を保障し，刑訴法311 条 I 項は，
その趣旨に沿って，「被告人は，終始沈黙し，又は個々の質問に対し，供述を
拒むことができる」と規定している．この権利は，憲法の保障する権利より
広いものであり，**黙秘権(供述拒否権)** と呼ばれる．訴訟法には被疑者にその権

---

[1]「実際に罪を犯していない人間は犯したとは絶対に言わないはずだ」と思いがちであるが，そ
れは誤りである．被疑者には個人差があり，特別の拷問などが加えられなくても，架空の事実
を，特に捜査官の誘導などに従った形で供述してしまう危険があるのである．

利を認める明文はないが，被告人と同様の権利が認められているものと解される（法 198 II ⇨ 157 頁参照）．

　黙秘権は，歴史的経験に則り，被疑者・被告人の供述の自由（任意であること）を保障するために認められたものとされる[2]．たとえ実際に罪を犯した者であっても，自分が有罪になる供述をなすべき義務を法律で負わせることは人格を尊重する上から許されないとして，供述の自由を保障したのである（**自己負罪の拒否**）．また，現行の刑訴法が基本的に採用している当事者主義によれば，一方当事者である被告人に供述の義務を課すのは望ましくない．対等であるはずの検察側の取調べの客体になってしまうからである．そして，被告人になっていく被疑者にも黙秘権を保障しておくことは，当事者主義的構造に適うものと考えられる[3]．

黙秘権の及ぶ範囲　　黙秘権を実効性のあるものとするためには，捜査官らが被疑者を取り調べる前に，その権利のあることを告知させる必要がある（法 198 II．被告人に対しては，最初に出頭した公判前整理手続期日と公判の冒頭手続において告知される—法 316 の 9 III・291 IV，規 197 I）．

　黙秘権を付与する意味は，刑罰その他の制裁で供述を強要させない点にある．それ故，黙秘したということ自体を有罪の証拠にすることも許されない（不利益推認の禁止）．これを許せば，供述を強要するのと同じことになるからである．また，黙秘権を侵害して得られた証拠資料は，適法な証拠としては使用できない（⇨ 410 頁注 10）．

　黙秘権が及ぶのは供述に限られるが，被疑者（被告人）の住所，氏名等についてまで黙秘権が及ぶであろうか．例えば，被疑者が氏名等を黙秘して弁護人を選任しようとした場合，弁護人選任届は有効であろうか．学説は，少なくとも刑訴法上は黙秘権があるとする見解が有力である．確かに，氏名を供述することが犯人であることを認めるのと同視できるような場合には，黙秘権

---

[2] このような考え方は，英米の刑事裁判の長い歴史の中で生まれてきたものであり，憲法 38 条 I 項もアメリカ法の強い影響を受けて設けられたことは疑いがない．
[3] 日本では，正式起訴された事件の約 90％ が，被告人が犯罪事実を争わない**自白事件**である．その背景には，「無実ならそれを主張して疑いをはらすべきであり，罪を犯したのであれば潔く告白すべきである」という意識が，欧米よりは強く存在しているように思われる．憲法 38 条はアメリカ法の影響で設けられた規定であるが，日本においても十分合理性がある．

の保障が及ぶと解する余地があるように思われる．しかし，そのような場合に黙秘権が認められるとしても，弁護人選任届のように，被疑者と弁護人の連署が形式的要件とされている場合に，被疑者の署名がないとして選任届の効力を否定することになったからといって，直ちに黙秘権を侵害したことにはならないであろう．判例も，そのような事案について，被疑者の氏名は憲法38条Ⅰ項の保障する権利の対象ではないと解している．

　　最大判昭32・2・20（刑集11・2・802）は，「いわゆる黙秘権を規定した憲法38条Ⅰ項の法文では，単に『何人も自己に不利益な供述を強要されない』とあるに過ぎないけれど，その法意は，何人も自己が刑事上の責任を問われる虞ある事項について供述を強要されないことを保障したものと解すべきであることは，この制度発達の沿革に徴して明らかである．されば，氏名のごときは，原則としてここにいわゆる不利益な事項に該当するものではない」とした．

報告義務者と黙秘権　交通事故を起こした者は，事故の状況等について警察に通報しなければならない（報告義務—道交法72Ⅰ）．この点，報告義務者が被疑者本人であることから，被疑者には黙秘権がある（憲38Ⅰ）こととの関係が問題となる．かつては，黙秘権のある人間に申告を強要・強制するのは憲法違反ではないかという議論もあったが，現在は，刑事責任を問われるおそれのある事故の原因まで報告させるわけではなく，事故の客観的態様に関する事項を報告させるのであり，それが道路における危険防止，交通の安全を図るために不可欠であるために許されると説明されている（最大判昭37・5・2刑集16・5・495参照）．

死体検案書　医師法21条にいう死体の「検案」とは，医師が死因等を判定するために死体の外表を検査することをいい，当該死体が自己の診療していた患者のものであるか否かを問わず，死体を検案して異状を認めた医師は，届出義務を負う（医師法21条⇨92頁）．自己がその死因等につき診療行為における業務上過失致死等の罪責を問われるおそれがある場合であっても，届出義務を課すことは，憲法38条Ⅰ項に違反しない（最判平16・4・13刑集58・4・247）．

ポリグラフ　ポリグラフ（いわゆる「うそ発見器」）は，検査者の発問に対する供述時の呼吸，血圧，脈拍，さらに発汗（皮膚の電気反射）等の変化を記録して，供述内容の信用性を評価する情報を得る装置で，多現象同時記録装置とも呼ばれる．同一形式の複数の質問の中に犯人であれば知っている事項を混入させて，反応の差で認識の有無を調べようとするものである．一見，被疑者の意思に反して質問に答えさせる点で，黙秘権との関係が問題と

される[4].

　証拠となるのは質問に対する回答(供述)内容そのものではなく，その質問に対して生じた生理的な変化であるから，黙秘権に反しないとする見解が多数説である．それに対して，汗，呼吸，血圧等の変化といっても，質問との組み合わせで考える以上供述を得ていることになるとする有力説が存在する．同説では，黙秘権を放棄しなければ(同意がなければ)使用できないことになる．ただ，多数説によっても，身体検査令状などで意思に反して強制的にポリグラフにかけることを認めるわけではない．実務上，事前に被疑者の同意を得て行うこととされている．ポリグラフによって得られる証拠の信頼性がどの程度かということも争われてきた．最近は，一定の信頼性があると評価されているものの，慎重な配慮が必要であると考えられており(⇨440, 479頁)，この検査結果のみで有罪とされたような例はない．

(2) 弁護人の援助を受ける権利

弁護人選任権　憲法34条前段は，何人も，理由を直ちに告げられ，かつ，直ちに弁護人に依頼する権利を与えられなければ，抑留又は拘禁されないとする(弁護人に関し⇨37頁)．旧憲法下では，被告人には弁護人選任権があったが，被疑者には認められていなかった．

　刑訴法は，憲法の保障より広く[5]，身柄拘束の有無を問わず被疑者の弁護人選任権を認めており，被疑者に対しても，身柄拘束の際に弁護人選任権の告知が行われることになっている(法203・204参照)．かつては被疑者に国選弁護は認められていなかったが，平成16年の法改正により一定の重大犯罪により勾留されている被疑者については国選弁護人が選任できるものとされ，そ

---

4) 黙秘権を否定することになる捜査方法としては，麻酔分析(アミタール・インタビュー)がある．麻酔を注射し意思に反して供述させるのである．わが国では，被疑者の取調べにおいて麻酔分析を用いることは許されていない．例外的に，責任能力の鑑定の場で使われることがあるにとどまる．
5) 最大判平11・3・24(民集53・3・514)は，「憲法37条Ⅲ項は『刑事被告人』という言葉を用いていること，同条Ⅰ項及びⅡ項は公訴提起後の被告人の権利について定めていることが明らかであり，憲法37条は全体として公訴提起後の被告人の権利について規定していると解されることなどからみて，同条Ⅲ項も公訴提起後の被告人に関する規定であって，これが公訴提起前の被疑者についても適用されるものと解する余地はない」としている．

の後その対象範囲が広がり，平成30年6月以降は，勾留状が発せられているすべての被疑者について，国選弁護人の選任請求権が認められている．裁判段階になると約85%の被告人に国選弁護人が選任されている現状を考えると，実質的な意味での弁護人選任権が被告人に加えて被疑者にまで拡充されたといえる．

被疑者に対する国選弁護人　勾留状が発せられている[6]被疑者が貧困その他の事由により弁護人を選任できないときは，裁判官(通常は勾留担当裁判官)は，被疑者の請求により[7]，国選弁護人を付さなければならない(法37の2 I)[8]．

職権による選任　裁判官は，被疑者に勾留状が発せられ，しかも弁護人がない場合において，精神上の障害等の事由によって弁護人を必要とするかどうかを判断することが困難である疑いのある被疑者については，必要と認めるときに職権で弁護人を付することができる(法37の4)．

また，裁判官は，死刑又は無期刑に当たる事件について，被疑者に国選弁護人を付する場合又は付した場合において，特に必要があると認めるときは，職権で更に弁護人1人を追加して選任することができる(法37の5)．

選任の効力　被疑者に対する国選弁護人の選任は，被疑者が選任された事件について釈放されたときは，勾留の執行停止によるときを除き，その効力を失う(法38の2)．起訴されれば，選任された国選弁護人が引き続き弁護活動を行うから，被疑者・被告人には一貫した弁護が保障され，公判の準備段階からの充実と迅速化につながるものと期待される．

当番弁護士制度　事前に当番表によって担当日を割り当てられた弁護士(当番弁護士)が，身柄を拘束された被疑者やその配偶者・親族等からの弁護士会への面会依頼に応じて，速やかに警察署等に出向いて被疑者と面会し，1回に限り無料で助言・援助を与える制度であり，平成4年には全国の弁護士会で実施されるようになった．その後，被疑者についても国選弁護が認められるようになったが，それ

---

6) 勾留を請求された被疑者も，国選弁護人の請求をすることができる(法37の2 II)．なお，被疑者が少年(20歳未満の者．少2 I)の場合も，被疑者国選弁護制度の対象となる．
7) 選任請求をするには資力申告書を提出する必要があり，資力を有する者の場合にはあらかじめ弁護士会に弁護人選任の申出をしなければならないことなどは，被告人の場合(⇨39頁注19)と同様である(法37の3)．
8) 総合法律支援法によって設立された日本司法支援センター(法テラス)が，その業務として，選任・解任以外の国選弁護制度の運営に関する事務を担当し，迅速・確実に国選弁護人が選任できる態勢を整備することとなっている(⇨41頁)．

2 捜査段階における弁護活動

(1) 接見交通権

> **39条 I** 身体の拘束を受けている被告人又は被疑者は，弁護人又は弁護人を選任することができる者の依頼により弁護人となろうとする者(弁護士でない者にあっては，第31条第II項の許可があった後に限る．)と立会人なくして接見し，又は書類若しくは物の授受をすることができる．
> **II** 前項の接見又は授受については，法令(裁判所の規則を含む．)で，被告人又は被疑者の逃亡，罪証の隠滅又は戒護に支障のある物の授受を防ぐため必要な措置を規定することができる．
> **III** 検察官，検察事務官又は司法警察職員(司法警察員及び司法巡査をいう．)は，捜査のため必要があるときは，公訴の提起前に限り，第I項の接見又は授受に関し，その日時，場所及び時間を指定することができる．但し，その指定は，被疑者が防禦の準備をする権利を不当に制限するようなものであってはならない．

接見交通 　法39条I項は，被疑者の弁護人は拘束された被疑者と立会人なく接見(面会)し，又は書類その他の物の授受をすることができると規定する(**接見交通権**)．弁護人と被疑者との接見が十分できないと，弁護人選任権を保障した意味は減少する．もっとも，憲法38条I項の不利益供述の強要の禁止を実効的に保障するためどのような措置が採られるべきかは，基本的には捜査の実情等を踏まえた上での立法政策の問題に帰するものというべきであり，憲法38条I項の不利益供述の強要の禁止の定めから，身体の拘束を受けている被疑者と弁護人との接見交通権の保障が当然に導き出されるとはいえない(最大判平11・3・24民集53・3・514)．

　ただ，法39条III項は，捜査機関は，捜査のため必要があるときは，被疑者と弁護人等(弁護人又は弁護人となろうとする者)の接見の日時，場所等を指定

すること(**接見指定**)ができると定めている．そこで，この規定が憲法に抵触しないか，さらには接見指定の必要性，方法をめぐって争われてきた[9]．

　　最大判平 11・3・24（民集 53・3・514）は，次のように判示している（要旨）．「身体の拘束を受けている被疑者の弁護人依頼権を定める憲法 34 条前段の規定は，単に被疑者が弁護人を選任することを官憲が妨害してはならないというにとどまるものではなく，被疑者に対し，弁護人を選任した上で弁護人に相談しその助言を受けるなど弁護人から援助を受ける機会を持つことを実質的に保障しているものと解すべきである．

　　刑訴法は身体の拘束を受けている被疑者を取り調べることを認めているが，被疑者の身体の拘束を最大でも 23 日間（又は 28 日間）に制限していることなどにかんがみ，被疑者の取調べ等の捜査の必要と接見交通権の行使との間で合理的な調整を図る必要がある．

　　刑訴法 39 条 III 項本文の予定している接見等の制限は，弁護人等からされた接見等の申出を全面的に拒むことを許すものではなく，単に接見等の日時を申出とは別の日時とするか，接見等の時間を申出より短縮させることができるものにすぎず，同項が接見交通権を制約する程度は低いというべきである．また，捜査機関において接見等の指定ができるのは，弁護人等から接見等の申出を受けた時に現に捜査機関において被疑者を取調べ中である場合や間近い時に取調べ等をする確実な予定のある場合などのように，接見等を認めると取調べの中断等により捜査に顕著な支障が生じる場合に限られる．しかも，この要件を具備する場合，捜査機関は，弁護人等と協議してできる限り速やかな接見等のための日時等を指定し，被疑者が弁護人等と防御の準備をすることができるような措置を採らなければならない．

　　このような点からみれば，刑訴法 39 条 III 項本文の規定は，憲法 34 条前段の弁護人依頼権の保障の趣旨を実質的に損なうものではないというべきである．」

捜査機関は，弁護人から被疑者との接見の要求があった場合，原則としていつでも接見の機会を与えなければならないが，現に被疑者を取調べ中であるとか，実況見分，検証等に立ち会わせている場合や，間近い時に取調べ等をする確実な予定があって，弁護人の申出に沿った接見を認めたのでは，取調べ

---

9) かつて，捜査機関は，捜査の便宜を重視して，弁護人との接見の日時等は別に発する指定書のとおり指定する旨を刑事施設の長に指示しておき（一般的指定），具体的な接見日時を記した具体的指定書が交付されなければ接見ができないという運用が見られた．しかし，このような運用は，原則として自由であるべき弁護人の接見交通権を例外的に認めようとするものであるとして強く反対されたこともあって，その後，一般的指定は行われないこととなった．

等が予定どおり開始できなくなるおそれがある場合など，取調べ等の中断による捜査の支障が顕著な場合には，弁護人と協議してできる限り速やかな接見のための日時等を指定し，被疑者が防御のため弁護人と打ち合わせることのできるような措置を採るべきである（最判昭 53・7・10 民集 32・5・820，最判平 3・5・10 民集 45・5・919）．以上のように，判例は，捜査機関による指定権の行使にあたり，捜査の必要と接見交通権の行使との合理的な調整を図ろうとしている．

起訴後の接見指定　起訴後，余罪について捜査の必要がある場合であっても，余罪について逮捕・勾留されていないときは，被告事件の弁護人に対し法 39 条 III 項の指定権を行使することはできない（最決昭 41・7・26 刑集 20・6・728）が，同一人につき被告事件の勾留と余罪についての逮捕・勾留とが競合しているときは，被告事件について防御権の不当な制限にわたらない限り，余罪について上記指定権を行使することができる（最決昭 55・4・28 刑集 34・3・178）．

逮捕直後の接見指定　被疑者にとって逮捕直後の弁護人との接見は防御の準備のために特に重要であるから，捜査機関は，弁護人となろうとする者から被疑者の逮捕直後に初回の接見の申出を受けた場合には，たとえ比較的短時間のものであっても，速やかに接見を認めることが望ましい（最判平 12・6・13 民集 54・5・1635）．

接見室等の設備がない場合　検察庁の庁舎内に接見室がなく，接見に用いられる部屋もないような場合，検察官は，庁舎内に居る被疑者との接見に関する弁護人からの申出を拒否することができるが，弁護人がなお即時の接見を求め，立会人の居る部屋でのごく短時間の面会でも差し支えない意向であれば，それができるように配慮する必要がある（最判平 17・4・19 民集 59・3・563）．

(2)　捜査活動に対する防御

捜査段階における防御　弁護人は，被疑者の権利を守るため，被疑者と接見して法的な助言を与えたり（⇨205 頁），被疑者に有利な証拠を収集したりする（⇨209 頁）ほか，捜査段階における手続の違法・不当を主張するなどして，違法な手続からの救済を図ることができる．例えば，被疑者の身柄拘束に対しては，勾留の理由ないし必要性がないなどの理由で，勾留（又は勾留期間延長）の裁判に対する準抗告（⇨547 頁）[10]，勾留の取消請求（⇨272 頁），勾留理由の開示請求（⇨141 頁），勾留の執行停止の申出（⇨275 頁）等をすることができる．捜査官による証拠の収集に対しても，差押えの理由ないし

必要性がないなどの理由で，捜査機関による差押え処分に対する準抗告を申し立てたり（⇨ 547 頁），押収物の還付（法 222 I ⇨ 法 123）を求めたりすることができる．

防御権の限界 当事者主義や弾劾的捜査観を徹底すると，「勝負」である裁判においては「勝つこと」を第一義に考えるのが自然となり，例えば不利な証拠は隠してもよいということにもなる．確かに，証拠隠滅罪においては，自己の犯罪に関する証拠を隠滅しても不可罰とされ，その論拠として防御権の範囲内であるという説明が行われる．しかし，国民全体のために真相の解明を目指す刑事司法制度において，そのように当事者主義を徹底することはできない．被疑者・被告人の人権を守りつつ真相の解明に資する（⇨ 26 頁）ためには，当事者主義を原則としながらも，防御権の範囲を超えた場合や，真相の解明を過度に阻害することになる場合には，制限を受けることを是認せざるを得ない．

例えば，自己の犯罪の証拠を他者に依頼して隠滅させる行為は，防御権の範囲を超え，証拠隠滅教唆罪が成立する（最決昭 40・9・16 刑集 19・6・679）．弁護人が被疑者に証拠隠滅を慫慂する行為も違法である．ただ，弁護活動・防御活動と捜査の妨害との限界は，実際にはかなり微妙である．接見交通に関する争いも，結局は，捜査の妨害にならない範囲で，最大限に被疑者の人権を確保するためのものであった（⇨ 205 頁）．

真実義務 弁護人が「有罪である」という確実な心証を持っている場合に，それに従った弁護活動を行うべきか，被告人の意志に従って無罪を主張した弁護活動を行うべきかという問題についても，議論が分かれる．勝負の側面を強調すれば，自らの技術で有罪の事件を無罪に持ち込むことは弁護士冥利であるという議論もあり得る．また，弁護人にとって有罪の心証が確実なものとなることはあり得ず，疑いは残るのであるから，無罪を主張すべきであるという議論もあり得る．しかし，わが国では，そのような考え方に違和感を感じる国民も多いことは否定できない．弁護人も，法律専門家として，真実発見を使命とする刑事裁判制度の一翼を担う

---

10) 逮捕に関する裁判は，準抗告の対象となる「勾留に関する裁判」（法 429 I ②）には含まれない（最決昭 57・8・27 刑集 36・6・726）．勾留の裁判に対しては，犯罪の嫌疑がないことを理由として準抗告を申し立てることはできない（法 429 II ⇨ 法 420 III）．犯罪の嫌疑の有無に関する判断は，本来の判決手続に委ねるのが相当と考えられるためである．

立場にあるからである．結局，弁護人としては，被告人の正当な利益と権利を保護することが求められており，訴訟法上の権利を誠実に行使すべき義務があるものと考えられる(⇨351頁注54)．

弁護側の証拠の収集・保全　弁護側の防御活動として，被疑者・被告人に有利な証拠を集めることは当然必要である．しかし，強制処分権がないため，実際には被疑者・被告人やその親族・知人らから事情を聴いたり，犯行現場の写真を撮影したりという程度のことしか行われていない．裁判所に**証拠保全**(法179 ⇨68頁)として押収，捜索，検証，証人尋問又は鑑定処分を請求することは可能であるが，実際にはあまり行われていない．

弁護側の証拠収集・保全として実際上最も重要なのは，捜査機関が集めた**証拠の開示**(⇨292頁)を求めることである[11]．捜査機関が収集した証拠の中には，被告人に有利な証拠も含まれている可能性があり，それを被告人側が知り得るようにすることは合理的といえるため，公訴提起後においては，一定範囲の証拠の開示が認められる(⇨262頁)．従来の弾劾的捜査観を強調すると，対立する「敵」に手の内を見せることを要求するのは不当だということになりかねない．しかし，「当事者主義なのだから原則として自ら証拠を集めるべきである」というのは形式論である．強制処分を行い得る捜査官の側は圧倒的に優位であり，「勝負」の際の公正・公平を問題とするならば，証拠収集能力が全く異なることや，代替性のない証拠物を捜査官が押収した場合のように，弁護側では収集不可能なものがあることなども考慮されるべきだからである．

---

11) 捜査機関が収集し保管している証拠は，特段の事情が存しない限り，証拠保全手続の対象とはならない(最決平17・11・25刑集59・9・1831)．

VIII 捜査の終了

送 検　司法警察員は，犯罪の捜査をしたときは，原則として速やかに書類及び証拠物とともに事件を検察官に送致しなければならない(法246本文)[1]．検察官が指定した事件はその例外とされているが(同条但書)，これに該当するのはいわゆる微罪事件(特定の軽微な犯罪)であり，一括して報告されるにとどまる．微罪事件を送致しない手続を**微罪処分**という(⇨55頁)[2]．

少年事件　少年(少年法により20歳未満の者をいう．少2 I)に係る事件の場合も原則として司法警察員から検察官に事件が送致される(ただし，18歳未満の者については，罰金以下の刑に当たる事件について刑事処分に付される余地がないため，検察官を経由せずに直接家庭裁判所に送致される．少41・67 I)．検察官は，少年事件について捜査を遂げた結果，犯罪の嫌疑があるものと思料するときは，少年法45条5号本文に規定する場合(逆送事件の公訴提起 ⇨ 211頁)を除き，家庭裁判所に送致しなければならない(少42．なお，18歳未満の者については，犯罪の嫌疑がない場合でも，いわゆる虞犯(少3 I ③)に当たるときは，送致義務がある)．このように，少年事件については家庭裁判所への全件送致主義がとられている(なお，簡易送致につき ⇨ 56頁注1)．

家庭裁判所による検察官送致　少年事件は，家庭裁判所に送致されると，非行が軽微で要保護性が少ない事案等を除き，家庭裁判所調査官による調査等を経て，審判が開始される．家庭裁判所は，非行事実が認められると[3]，少年の要保護性等に応じて，不処分，保護処分(保護観察，児童自立支援施設等送致，少年院送致)，

---

1) 被疑者の身柄が拘束されている場合は，身柄の送致とともに事件も検察官に送致されることになる(逮捕の場合の制限時間につき ⇨ 135頁)．なお，司法警察員は，告訴又は告発を受けたときは，速やかにこれに関する書類及び証拠物を検察官に送付しなければならず(法242)，微罪処分のような例外は認められていない．
2) 反則金の納付のあった交通反則事件も検察官には送致されない．

検察官送致等の決定をする(ただし,18歳以上の「特定少年」については,児童自立支援施設等送致の決定を除く).検察官に送致(いわゆる逆送)されるのは,死刑,懲役又は禁錮に当たる罪の事件(「特定少年」については,罰金以下の刑に当たる罪の事件も)について,罪質及び情状に照らして刑事処分が相当と認められる場合であるが,そのうち,行為時18歳以上の者に係る死刑,無期又は短期1年以上の自由刑に当たる罪の事件と,行為時16歳以上の者に係る故意の犯罪行為により被害者を死亡させた罪の事件の場合は,刑事処分以外の措置が相当と認められるときを除き,検察官送致すべきものとされている(少20・62).

逆送事件の公訴提起 検察官は,家庭裁判所から送致された事件について,公訴を提起するに足りる犯罪の嫌疑があると思料するときは,公訴を提起しなければならない(少45⑤)[4].ただし,送致を受けた事件の一部について公訴を提起するに足りる犯罪の嫌疑がないときや,犯罪の情状等に影響を及ぼすべき新たな事情を発見したために訴追が相当でないときは,起訴しないことができる(同号但書)[5].

起訴・不起訴 検察官は,捜査の結果,公訴を提起するに足りるだけの犯罪の嫌疑があり,かつ訴訟条件(⇨244頁)も備わっていると判断したときは,公訴の提起をするか(法247),又は起訴猶予とする(法248).なお,事件が罪とならないとき,犯罪の嫌疑が不十分であるか全くないとき,訴訟条件が不備であるときのいずれかに当たる場合も,検察官は不起訴処分にする[6].起訴猶予も不起訴処分の一種である[7].不起訴処分には確定力がないから,検察官は必要に応じていつでも捜査を再開し,公訴を提起すること

---

3) 少年事件の審判においては,刑事裁判手続と異なり,伝聞法則の適用はない.限られた範囲で検察官の関与が認められており,死刑又は無期若しくは長期3年を超える自由刑に当たる罪の事件において,家庭裁判所は,非行事実を認定するための審判手続に検察官が関与する必要があると認めるときは,審判に検察官を出席させることができる(少22の2).その場合において,少年に弁護士である付添人がないときは,弁護士の付添人(国選付添人)が付される(少22の3).

4) 公訴提起が義務付けられるのは逆送された事件であるが,訴因の拘束はないので,事実の同一性(⇨303頁)があればよく,罰条に拘束されない.ただし,18歳未満の者については,罰金以下の刑に当たる罪について公訴提起することはできないから,禁錮以上の刑に当たる罪の事件として家庭裁判所から送致を受けた場合に,それと事実の同一性が認められるとしても,罰金以下の刑に当たる罪の事件として公訴を提起することは許されない(最判平26・1・20刑集68・1・79参照).

5) 少年が公訴提起された場合において,裁判所が,少年の被告人を保護処分に付するのが相当と認めるときは,事件を家庭裁判所に移送する(少55).また,罪を犯したときに18歳未満であった被告人に対しては死刑又は無期刑に処すべきときに刑を緩和し(少51),「特定少年」を除き,一定の場合に不定期刑を言い渡し(少52・67Ⅳ),換刑処分を禁止する(少54・67Ⅳ)などとされている.

ができる.なお,起訴後にも捜査は継続することがあり得る(⇨269頁).

---

6) 殺人,放火等の一定の重大犯罪を犯した被疑者について,心神喪失等を理由に不起訴処分がなされた場合,検察官は,心神喪失者等医療観察法に基づき,裁判所に対し,入院決定等を求めることができる.精神障害者に対し,適切な医療を行って再発を防止するとともに,その者の社会復帰を促進するための制度であり,平成17年7月から施行されている.
7) 不起訴処分に関しては職権濫用事犯につき付審判請求(⇨216頁)が認められているほか,検察審査会への申立て(⇨215頁),上級の検察官の監督権の発動を求めることが認められている.

第3章 公訴の提起

I 総説

1 国家訴追主義

247条 公訴は，検察官がこれを行う．

起訴独占主義　公訴の提起(訴追すること，平たく言えば裁判にかけること)は，捜査と公判を繋ぐ刑事手続上の結節点であり，その枠組みをいかに構成するかにより，刑事手続の性格を大きく左右することになる．この点について，わが国では，検察官のみの訴追を認める国家訴追主義，起訴独占主義を採用し，検察官に起訴・不起訴の広範な裁量を認める起訴便宜主義，さらには起訴変更主義を採用している．ここにわが国の刑事手続の最大の特色があるともいわれている(⇨33頁)．そして，基本的に当事者主義を採用することから，公訴の方式に関しては起訴状一本主義を(⇨224頁)，公訴の効力に関しては不告不理の原則(⇨227頁)をそれぞれ採用している．

歴史的には，私人による訴追が認められていた国もあったし，今日でも，イギリスなど私人訴追も認められている国がある．しかし，現在では，刑罰を実現する手続の開始を完全に被害者，公衆など私人に委ねてしまうのは適当でないと考える国が圧倒的であり，公正な国家機関のみに訴追の権限を与える**国家訴追主義**を採ること自体に異論は少ない[1]．わが国でも，法247条は，訴追を国家機関である検察官に限っている(**起訴独占主義**)．もっとも，公訴に関し，検察官以外の者の関与が全く認められていないわけではない．検察審査会の制度が存在するほか，付審判請求手続も認められている．

---

[1] 平成20年12月から実施されている被害者参加制度も，被害者等に当事者的地位を認めたものではなく，もちろん国家訴追主義を変えるものではない(⇨45頁)．

検察審査会制度　公訴権の行使に国民の意見を反映させようとする目的で設けられたものである．具体的には，不起訴処分に不服のある被害者・告訴人等に，その処分の当否について**検察審査会**[2]に審査の申立てをすることを認める．そして，検察審査会は，申立てにより又は職権で，不起訴処分の当否について審査を行う[3]（検察審査会法2）．審査のため，証人尋問，公務所等への照会などを行うことができ（同法36・37），審査に当たって法律に関する専門的な知見を補う必要があると認めるときは，弁護士の中から**審査補助員**を委嘱することができる（同法39の2）．検察審査会が不起訴処分を不当とする議決（起訴相当又は不起訴不当の議決）をしても，次に述べる起訴議決がされた場合を除き，検察官はこれに拘束されず，その議決を参考にして起訴すべきか否か検討し，起訴又は不起訴処分をすることになる（同法41）．間接的ではあるが，検察官の処分を制御する機能を有するといえよう[4]．

検察審査会の起訴議決　検察審査会が最初の審査で起訴相当議決（検察審査員11人のうち8人以上の多数決による）をした場合において，検察官が再び不起訴処分にしたとき，あるいは一定期間内に公訴を提起しないときは，検察審査会は，改めて審査し，再び起訴相当と認めれば，**起訴議決**をすることができる（同法41の6）．起訴議決をするには，検察審査員8人以上の多数決による必要があり，その場合には，あらかじめ検察官に審査会議で意見を述べる機会を与えねばならず，審査補助員の委嘱もしなければならない（同法41の4・41の6）[5]．この議決があると，裁判所の指定により検察官の職務を行う弁護士が，議決に基づき公訴を提起する（同法41の10）．検察審査会の起訴議決に法的拘束力を認めるものであり，次に述べる付審判請求手続とともに，検察官の起訴独占主義に対する例外であり，後述の起訴便宜

---

2) 検察審査会は，地方裁判所及び主要な地方裁判所支部の所在地に置かれ（検察審査会法1），衆議院議員の選挙権者の中からくじで選ばれた11人の検察審査員をもって組織される（同法4）．
3) 審査結果については，理由を付けた議決書を作成し，その謄本を地方検察庁の検事正と検察官適格審査会に送付するほか，議決の要旨を検察審査会事務局の掲示場に掲示し，審査の申立人にも通知しなければならない（同法40）．
4) 年間に約2000件の申立てがあり，そのうち数％が起訴相当又は不起訴不当とされている．検察審査会の起訴議決に法的拘束力を認める制度は，平成16年の法改正で導入された（平成21年5月施行）．令和2年までに起訴議決がされた例は，10件あるが，そのうち判決に至ったのは8件で，結果は有罪2件，無罪5件（うち1件は控訴審係属中），免訴1件である．これらの事件に関する裁判所の判断は，検察官の起訴基準（⇨241頁注6）に影響を与えるだけでなく，起訴議決制度自体の当否も問題となり得ることから，注目されているが，これまでのところ，嫌疑不十分で不起訴となっていた事件で有罪判決に至ったのは，柔道練習中の指導員の業務上過失致傷事件1件である（有罪となった他の1件は起訴猶予で不起訴となっていたもの）．
5) 起訴議決に対して不服申立てをすることはできないし，行政事件訴訟を提起して争うこともできない（最決平22・11・25民集64・8・1951）．議決の適否は，それに基づいて起訴される被告事件において判断されるべきだからである．

主義を制限するものである．

付審判請求手続　特に不当な不起訴処分が行われるおそれがある公務員の職権濫用等の罪（刑 193〜196 等）については，告訴人等の請求があるときに，裁判所が決定によって事件を審判に付し，公訴の提起があったと同様の効果を生じさせることが認められている．この手続のことを**付審判請求手続**あるいは**準起訴手続**という．起訴独占主義の例外であると同時に，後述の起訴便宜主義を制限するものである．

具体的には，職権濫用等の罪について告訴又は告発をした者が不起訴処分に不服があるときは，事件を裁判所の審判に付することを請求することができる（法 262 I）[6]．検察官は，再考して請求に理由があると認めるときは，公訴を提起しなければならず（法 264），理由がないと判断したときは，請求書を地方裁判所に送付する[7]．この請求についての審理[8]及び裁判は，地方裁判所の合議体で行われ（法 265），審理の結果，請求に理由があると認められれば[9]，決定で事件を管轄地方裁判所の審判に付する（法 266 ②）[10]．この決定があったときは，その事件について公訴の提起があったものとみなされるので（法 267），決定書は起訴状に相当するものとなる[11]．このような形で審判に付された事件については，検察官が公訴の維持に当たるのは適当でないことから，裁判所の指定する弁護士が公訴維持のため検察官の職務を行う（法 268 I・II）．その他の点に関しては，一般の手続に従って審判が行われることになる[12]．

---

6) 付審判の請求をするには，不起訴処分の通知を受けた日から 7 日以内に，その処分をした検察官に請求書を差し出さなければならない（法 262 II）．

7) 検察官は，起訴すべき理由がないと判断した場合は，付審判の請求書に意見書を添え，書類及び証拠物とともに裁判所に送付する（規 171）．

8) 裁判所は，必要があれば事実の取調べを行うことになる．この審理手続を公開できるか，請求人を事実の取調べに立ち会わせることができるかについては争いがあるが，判例は，この手続が捜査に類似する性格を有する公訴提起前の職権手続であり，対立当事者の存在を前提とする対審構造を有しないというこの手続の基本的性格・構造に反しない限り，裁判所の適切な裁量によって審理方式を決めることができるとしている（最決昭 49・3・13 刑集 28・2・1）．

9) 付審判の請求が不適法であるか，理由がないときは，決定で請求を棄却する（法 266 ①）．この決定に対しては通常抗告ができる（最大決昭 28・12・22 刑集 7・13・2595）．

10) 付審判の決定に対しては，通常抗告は許されない．審判に付された被告事件において判断されるべきだからである．

11) それ故，付審判の決定書には，起訴状に記載すべき事項を記載しなければならない（規 174 I）．

以上のように起訴すべき事件を起訴しなかった場合の救済が問題となるほか，本来起訴猶予処分にすべき事件を起訴した場合に，訴追裁量権の逸脱からの救済も問題となる．検察官の側では，公訴の取消し（法257）ができるが，訴追裁量権の逸脱は公訴提起を無効にするとして，形式裁判により裁判を打ち切ることを認める公訴権濫用論（⇨241頁）が主張されている．

2 起訴便宜主義

> **248条** 犯人の性格，年齢及び境遇，犯罪の軽重及び情状並びに犯罪後の情況により訴追を必要としないときは，公訴を提起しないことができる．

起訴裁量　起訴に充分なだけの客観的嫌疑があるときは，訴訟条件が具備する限り必ず起訴すべきものとする制度を，起訴法定主義という．これに対し，検察官に起訴・不起訴についての裁量の余地を認める制度を，**起訴便宜主義**（起訴裁量主義）という．刑訴法は，犯罪の嫌疑があり訴訟条件が備わっていても，犯人の性格，年齢，境遇，犯罪の軽重，情状，犯罪後の情況により訴追を必要としないときは，公訴を提起しないことができるとして，起訴便宜主義を採用している（法248）．検察官がこのような諸事情を考慮して被疑者を起訴しない処置を，**起訴猶予**処分という．起訴法定主義は，20歳未満の者に係る事件の一部について採られているにすぎない（少45⑤⇨211頁）．

 起訴法定主義は，訴追者の恣意的な裁量を排除し，特に政治的影響等によって刑事司法が左右されるのを阻止できる点で優れている．しかし，犯罪の情状や犯人の事情などを考慮せず，必ず起訴しなければならないものとすることは，過酷になりかねず，刑事政策的にも妥当性を欠く．そこでわが国では，明治末期以来，実際上の運用として便宜主義が行われ，旧刑訴法279条によって明文でこれを規定し，現行法がそれを受け継ぐことになった．最近では，全犯罪の起訴率（検察庁に送致される人員のうち公判又は略式命令の請求をされた者の割合）は30%程度である（図1）．起訴率の低下は，起訴猶予率の増

---

12) 付審判請求が認容されて付審判の決定があった事件数は，刑訴法施行後令和2年までで合計22件であり，結果は有罪9件，無罪12件，免訴1件である．

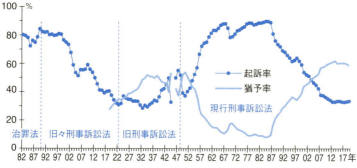

図1 明治15年(1882年)以来の特別刑法犯を含む全犯罪の起訴率の推移

図2 戦後の刑法犯(特別刑法犯を除く)の起訴率の変化

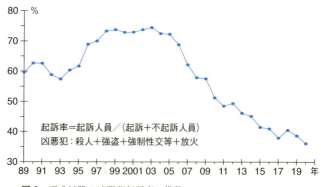

図3 平成以降の凶悪犯起訴率の推移

加と連動しているが，それ以上に，1990年ころから，交通関係の業務上過失致死傷事件(現在の過失運転致死傷事件)について起訴率を低下させた影響が大きい(図2)．さらに，最近は，凶悪犯の起訴率が40%を割り込んでいることに注意する必要がある(図3)．

　起訴便宜主義は，具体的正義の実現のほか，訴訟経済，刑事政策等の観点からも優れているが，それが適切に機能するためには，検察官の判断が客観的で公正なものであることが前提となっている．

裁量基準　　法248条は，起訴裁量の判断資料として，**① 犯人に関する事項**(犯人の性格・年齢・境遇)，**② 犯罪自体に関する事項**(犯罪の軽重・情状)，**③ 犯罪後の情況**を挙げている．①は主として犯人自身の人的要素であるが，境遇には家庭状況，生活環境等も含まれ，家庭その他の保護環境が重要な因子とされる．②の犯罪の軽重は，現行法で加えられたものであり，起訴裁量の刑事政策的色彩がより鮮明なものとなった．③の犯罪後の情況には，犯人の改悛の有無，被害者との示談の成否，被害者の処罰感情などのほか，社会情勢の変化なども含まれる．

通知義務　　起訴猶予制度の運用が公正を欠くおそれのあることを想定して，検察審査会制度が設けられているが(⇨215頁)，それ以外にも，起訴便宜主義を制御する趣旨を含む制度として，起訴不起訴等の処分内容を関係者に通知する義務が課されている．すなわち，検察官は，告訴等のあった事件について起訴，不起訴，公訴取消し等の処分をしたときは，速やかにその旨を告訴人等に通知しなければならない(法260)[13]．特に不起訴処分をした場合，告訴人等から請求があるときは，速やかに処分の理由を告げなければならない(法261)．この通知を受けた者が，検察官の処分に不服であれば，その検察官の監督者(例えば，検事正)に対し監督権の発動を促し，あるいは検察審査会への申立て又は付審判の請求により，その救済を求めることができる．

起訴変更主義　　刑訴法は，検察官に対し，第1審の判決があるまでは，**公訴の取消し**を許している(法257)．起訴便宜主義と公訴取消しの制度は結びついている．訴追について検察官の裁量を認める以上，公訴提起

---

13) 被害者やその遺族等が処分結果の通知を求めた場合についても，通知する運用が行われるようになっている．

後も，公訴を取り消して訴追しない状態に戻すことが認められる（起訴変更主義）とする．これに対し，起訴法定主義を採用すれば，いったん公訴を提起した以上その取消しは許されないことになる（不変更主義）．もっとも，現実には，公訴の取消しは必ずしも起訴便宜主義におけるような刑事政策的な考慮の下で運用されているわけではない[14]．

公訴取消し後の再起訴 起訴猶予処分については確定力がないので，起訴猶予を相当としない事情が生じた場合などは，改めて起訴することも法律上禁じられていない（もっとも，実際には，そのような例は稀である）．これに対し，公訴が取り消されたときは，公訴棄却の決定がされることになり（法339Ⅰ③），それが確定すると，新たに重要な証拠を発見した場合以外には，同一事件についての再起訴は許されないことになる（法340）[15]．

3 起訴状

256条 Ⅰ 公訴の提起は，起訴状を提出してこれをしなければならない．
　Ⅱ 起訴状には，左の事項を記載しなければならない．
　① 被告人の氏名その他被告人を特定するに足りる事項
　② 公訴事実
　③ 罪名
　Ⅲ 公訴事実は，訴因を明示してこれを記載しなければならない．訴因を明示するには，できる限り日時，場所及び方法を以て罪となるべき事実を特定してこれをしなければならない．
　Ⅳ 罪名は，適用すべき罰条を示してこれを記載しなければならない．但し，罰

---

[14] 公訴の取消しは，その多くが長期間に及ぶ被告人の所在不明（死亡の疑いが強い場合）などによるものである．もっとも，近時は，従前に比して柔軟に運用されるようになっており，例えば，オウム真理教の教祖に対する事件において，審理のさらなる長期化を避けるため，17件の起訴のうち被害者の死亡を含まない事件4件につき，公訴の取消しが行われた．その後も，公判前整理手続において行われた精神鑑定で心神喪失とされた場合に公訴の取り消される例（この場合は，心神喪失者等医療観察法によって処遇される ⇒212頁注6）が増えているほか，起訴前には未検討であった客観的証拠によって誤認逮捕であることが明確になったことを理由に公訴が取り消された例などもみられる．
[15] ただし，即決裁判手続の申立てがなされた事件について，被告人が否認に転じるなどしたために同手続によらないこととなった場合には，法340条の制約なしに再起訴できることになっている（法350の26 ⇒364頁）．

条の記載の誤は，被告人の防禦に実質的な不利益を生ずる虞がない限り，公訴提起の効力に影響を及ぼさない．
　VI 起訴状には，裁判官に事件につき予断を生ぜしめる虞のある書類その他の物を添附し，又はその内容を引用してはならない．

公訴提起の方式　公訴の提起には，**起訴状**を提出しなければならない（法256 I）[16]．書面による要式行為であり，口頭による起訴は許されない．起訴状の提出により，事件は裁判所に係属する[17]．

被告人を特定する事項　起訴状には，被告人を特定するに足りる事項を記載しなければならない（法256 II①）．特定する方法として，通常は，被告人の氏名のほか，年齢，職業，住居，本籍が記載される[18]．被告人が黙秘しているためにこれらが判明しないときは，「氏名不詳」と記載した上，人相，体格等の身体的特徴をなるべく具体的に記載し，写真を添付するのが通例である（法64 II参照）．これらの事項は，公訴の対象となっている者を明らかにするためのものであるから，その一部が欠けていたり誤っていたりしても，その余の記載によって被告人を特定することができれば，公訴の提起が無効となることはない．後に公判廷において，訂正又は補充することができる（**起訴状の訂正**）．

公訴事実　公訴事実は，公訴提起の対象となった1個の具体的事実である．裁判所にとっては審判請求の範囲を画定するとともに，被告人及び弁護人にとっては防御の範囲を特定するものである．公訴事実は，訴因を明示してこれを記載しなければならない（法256 II②・III）．訴因を明示するに

---

[16] 検察官は，公訴の提起と同時に，被告人の数に応じた起訴状謄本と弁護人選任書を裁判所に差し出さなければならない（規165 I・II）．弁護人選任書は，被疑者側から検察官又は司法警察員に差し出されていたものである（規17）．また，検察官は，公訴提起前に国選弁護人が付されていたときは，その旨を裁判所に通知しなければならない（規165 III）．
　なお，検察官は，逮捕又は勾留されている被告人について公訴を提起したときは，速やかにその裁判所の裁判官に逮捕状・勾留状を差し出さなければならない．逮捕又は勾留された後に釈放された被告人の場合も同様である（規167 I）．裁判官に提出することになっているのは，第1回公判期日前の勾留に関する処分を行うのが受訴裁判所と別の裁判官とされている（法280 I）ためである（⇨271頁）．

[17] 即決裁判手続（⇨362頁）を申し立てる場合は，起訴状にその旨記載する．

[18] 規164条 I項．また，被告人が法人であるときは，事務所並びに代表者又は管理人の氏名及び住居の記載が必要である．

令和2年東地庁外領第34号　　　　　　　　　令和2年検第32683号

起　訴　状

令和2年7月14日

東京地方裁判所　殿

　　　　　　　　　東京地方検察庁

　　　　　　　　　　　検察官　検事　田中誠一　㊞

下記被告事件につき公訴を提起する。

　　　　　　記

本籍　東京都千代田区霞が関1丁目1番1号

住居　同都新宿区若松町2丁目3番4号

職業　無　職

　　　　　　　　（勾留中）　鈴　木　一　彦
　　　　　　　　　　　　　　昭和62年4月23日生

　　　　　公　訴　事　実

　被告人は，令和2年6月22日午後11時過ぎころ，東京都渋谷区恵比寿4丁目5番6号木村二郎（当時27歳）方において，同人に対し，殺意をもって，果物ナイフ（刃体の長さ約10センチメートル）でその左前胸部を1回突き刺し，よって，同日午後11時58分ころ，同都目黒区駒場1丁目1番23号山田病院において，同人を左前胸部刺創に基づく出血により死亡させて殺害したものである。

　　　　　罪　名　及　び　罰　条

　殺　人　　　　　　　　　　　　　　刑法199条

は，できる限り日時，場所及び方法をもって罪となるべき事実を特定してこれをしなければならない(法256Ⅲ)．

訴因とは，それによって検察官が審判を求める検察官の主張であり，犯罪構成要件に当てはめて法律的に構成された具体的な事実である(公訴事実との関係 ⇨229頁)．

罪名 起訴状には，適用すべき罰条を示して罪名を記載しなければならないとされている(法256Ⅱ③・Ⅳ)．ただ，実際には，犯罪の名称(窃盗罪，傷害罪等の罪名)と罰条が併せて記載されている．訴因がいかなる犯罪の表示であるかは，訴因自体の記載によっておのずから明らかとなるが，これを一層明確にするため，罪名(**罰条**)をも記載するものとされているのである．

罰条の記載は，このように，訴因とあいまって公訴事実を特定するためのものであるが，訴因の記載に比して補助的な働きをするものであるから，訴因の記載ほどは厳格さを要求されない．すなわち，罰条の記載の誤りは，**被告人の防御に実質的な不利益**を生ずるおそれがない限り，公訴提起の効力に影響を及ぼさないとされている(法256Ⅳ但書)．罰条を記載しなかった場合も同様である(最決昭34・10・26刑集13・11・3046，最決昭53・2・16刑集32・1・47参照)．罰条の記載が誤っていたり，遺脱している場合，検察官は，起訴状の訂正によってこれを正すことができる[19]．なお，訴因の変更に伴って，罰条も変更されることがある(法312Ⅰ)．

　その他の事項　さらに，起訴状には，作成年月日(＝裁判所の受理日)，検察官の署名・押印[20]，所属検察庁名，公訴を提起する裁判所名，被告人の身柄拘束の有無・種別(規164Ⅰ②)等が記載・表示される．

---

19) 罰条を補充できるのは，それに相応する訴因が記載されているのに，罰条のみが遺脱している場合に限られる．
20) 規60条の2第Ⅱ項により，検察官の記名・押印で足りるが，その書面の重要性などから署名・押印されることが多い．署名も記名も欠けた起訴状は，有効な起訴状とはいえない(⇨公訴棄却判決517頁)．

4 予断排除の原則

起訴状一本主義 法 256 条 VI 項は，起訴状には，裁判官に事件について予断を生じさせるおそれのある書類その他の物を添付し，又はその内容を引用してはならないと明示する．このように，起訴の際には起訴状のみを提出しなければならないとする制度を，**起訴状一本主義**と称する．捜査官の心証をそのまま引き継ぐことなく，裁判所が公正な第三者の立場で判断できるように純化しようとするものであり，当事者主義を最も鮮明に示しているものといえよう[21]．

旧刑訴法においては，起訴と同時に，一切の捜査書類と証拠物とが裁判所に提出され，裁判官はあらかじめその内容を精査して，事件に対する十分な心証をもって公判に臨んでいた．捜査官の心証を引き継いでいたものといえる（⇨ 4, 69 頁）．このように裁判官が公判開始前から一定の心証（予断）をもっていることは，被告人にとって不利であり，不公正である．そこで，現行刑訴法は，両当事者の主張を判断すべき裁判所は，捜査段階の心証を引き継がずに，いわば白紙の状態で審理に臨むのが公平かつ公正であると考えたのである．

予断の排除 裁判官が公判開始前に証拠の内容に触れて予断を抱くようなことがないようにするには，起訴状一本主義だけでは不十分である．そこで，法は，公訴提起後第 1 回公判期日までの勾留に関する処分を事件の審判に関与すべき裁判官以外の裁判官に行わせ（法 280），また，第 1 回公判期日前に行われる打合せでは予断を生じさせるおそれのある事項に及ぶことはできない（規 178 の 15 I）とするなどの細かい規則を定めている．

もっとも，公判までの準備の在り方については，司法制度改革審議会が「第 1 回公判期日の前から，十分な争点整理を行い，明確な審理の計画を立てられるよう，裁判所の主宰する新たな準備手続を創設すべきである」と提言し，それを受けて平成 16 年に法改正が行われ，第 1 回公判期日前に行われるものとして**公判前**

---

[21] 裁判官は公判が開始されるまで証拠に実質的に接することはないから，訴訟の進行を基本的に両当事者に委ねざるを得ない（公判前整理手続が行われる場合も，当事者が訴訟を主体的に追行することに変わりはない）．証拠は両当事者が公判廷に提出することになるから，公判が重視されるようになる．さらに，現行法の証拠法則も，伝聞法則を始めとして，起訴状一本主義を前提に組み立てられているといってよい．

整理手続(⇨259頁)が設けられた．この手続において，両当事者の主張が交わされて争点が明確にされ，証拠調べの請求と採否の決定まで行われることになる(採用された証拠の取調べが公判期日で行われる)が，受訴裁判所がそれを主宰するものとされている．これは，従来，予断排除，とりわけ起訴状一本主義の理念が，旧刑訴法との違いを強調し，心証の引継ぎを防止するために極めて抑制的に理解されてきたのを修正し，両当事者の関与を前提とすれば，争点整理のために具体的主張や証拠に接したとしても，予断排除の原則に反するものではないと考えられることによる(⇨260頁)．

起訴状一本主義にとらわれない場合として，公判手続の更新(⇨359頁)，破棄差戻し後の第1審の訴訟手続(⇨538頁)などがある．これらの場合，新たに関与する裁判官は，正規の構成員として公判に立ち会う前に起訴状とともに証拠書類等を見ることになるが，それらはいずれも既に公判廷で適法に取り調べられたものである．なお，略式手続(⇨253頁)の場合，裁判官は捜査記録一切を見ることになるが(規289)，略式命令に対して正式裁判の請求がされると，別の裁判官が白紙の状態で公判に臨むことになる．

余事記載の禁止　事件について裁判官に予断を生じさせるおそれのない事項であれば，余事を記載したとしても，それによって公訴提起が違法となるようなことはないものの，訴因を明示する上で必要でない記載は避けるべきである．これを認めると，争点を混乱させたり攻撃防御の力点の置きどころを誤らせたりするおそれがあるためであり，記載されたときは削除させるのが望ましいといえよう．

文書の引用　起訴状一本主義といっても，それに実質的に違反するか否か微妙な場合がある．脅迫罪，名誉毀損罪等の起訴状に脅迫文書，名誉毀損文書等の内容を引用する場合に問題となり得るが，引用の程度が**訴因の明示に必要なもの**であれば，法256条Ⅵ項に違反することはない．

最決昭44・10・2(刑集23・10・1199)は，名誉毀損事件の起訴状に「外遊はもうかりまっせ，大阪府会滑稽譚」と題する文章の原文を引用したことにつき，「検察官が同文章のうち犯罪構成要件に該当すると思料する部分を抽出して記載し，もって罪となるべき事実のうち犯罪の方法に関する部分をできるかぎり具体的に特定しようとしたものであって，刑訴法256条Ⅲ項に従って本件訴因を明示するための方法として不当とは認められず，また，これをもって同条Ⅵ項にいう裁判官に事件につき予断を生ぜしめるおそれのある書類の内容を引用したものというにはあたらない」としている．また，最判昭33・5・20(刑集12・7・1398)は，恐喝罪に関し，脅迫文言を要約したのではその趣旨が判明し難いような場合には，起訴状に脅迫文書の

全文と殆ど同様の記載をしたとしても，被告人の防御に実質的な不利益を生ずるおそれはなく，法256条VI項に反しないとした．

前科等の記載　起訴状に前科，特に公訴事実と同種の前科を記載することは，予断を生じさせるおそれのある事項に属するし，通常は訴因の明示に必要なものではない．したがって，訴因の明示に必要のない前科を記載した起訴状は，法256条VI項違反となる．しかし，**前科の存在が構成要件になっている場合**（常習累犯窃盗など）や，**犯罪行為の内容となっている場合**（前科のあることを手段方法とした恐喝など）には，起訴状に前科を記載するのは訴因を明示する上で不可欠であるから，当然許される（最大判昭27・3・5刑集6・3・351）．

被告人の性格，経歴等の記載についても，① 予断を与える内容か否か，② 訴因の明示に必要か否かにより，その可否が決定される．例えば，最判昭26・12・18（刑集5・13・2527）は，被告人の経歴，素行，性格等に関する事実を相手方が知っているのに乗じて恐喝の罪を犯したという場合には，これらの経歴等に関する事実を相手方が知っていたことは恐喝の手段方法を明らかにするのに必要な事実であるので，起訴状に記載することが許されるとしている[22]．

法256条VI項違反の起訴の効果　法256条VI項は訓示規定ではなく効力規定であるから，これに違反して予断を生じさせるおそれのある記載がされたような場合には，公訴提起は無効として，公訴棄却の判決（法338④）がされる．違法の程度が重大な場合は，その記載等を後に削除しても，瑕疵は治癒されないが，その程度に至っていない場合は，無効とまではならず，削除・訂正等をすれば足りるものと解される（余事記載 ⇨ 225頁）．

---

[22] 例えば，傷害事件の起訴状冒頭の「被告人は暴力団の若頭補佐であるが」との記載は，共犯者との関係を明示して共謀の態様を明らかにするものであり，法256条VI項に違反しないとされた（大阪高判昭57・9・27判タ481・146）．実務上は，この程度の理由であれば記載しないのが通例である．

II 公訴の対象

1 不告不理の原則

審判の対象 　裁判所は，いかに事件の存在を確信していても，自ら（職権により）それを取り上げて裁判をすることはできない．裁判所は，公訴が提起された事件についてのみ審判することができる．これを**不告不理の原則**という（法378③参照）．

まず，公訴の対象は，検察官が起訴状で特定した被告人に限られる（法249）．たとえ共犯者であっても，検察官が指定しない者については公訴提起の効力が及ばず，その者について審理することはできない．

また，起訴状記載の犯罪事実と単一性又は同一性のない事実については，裁判所は審判することができない．検察官には広く訴追裁量権が認められているから（⇨217頁），検察官が訴追した事実を超えて犯罪が成立する可能性があるとしても，その点にまで立ち入って審理・判断すべきではない．

公訴の提起を受けた裁判所は，訴因として掲げられた事実を審判の対象とすべきであり，他の犯罪が成立する余地があるとしても，訴因外の事情に立ち入って審理判断すべきものではない．例えば，業務上過失傷害で起訴された場合には，業務上過失致死の事実が認められると判断したときであっても，訴因の範囲内で審判すべきである（名古屋高判昭62・9・7判タ653・228）．また，委託を受けて占有する不動産を所有者に無断で売却する行為（A）は，これに先行して無断で抵当権を設定していたとしても（B），横領罪に当たるから，Aの行為が横領として起訴された場合には，横領に当たるBの行為が認められると判断したときであっても，訴因外の事情であるBの行為の有無などに立ち入って審理判断すべきものではない（最大判平15・4・23刑集57・4・467）．訴因

をどのように設定するかは検察官の訴追裁量権に含まれるからである(⇨523頁).

訴因と不告不理 刑訴法は，訴因制度を採用し(⇨229頁)，訴因によって審判の対象を明確化しようとする．そこで，訴因外の事実を審理したり，訴因変更の手続を経ないで別個の犯罪事実を認定したりすると，不告不理の原則に違反するということになる(訴因と公訴事実の関係について⇨229，296頁参照).

余罪の審理 公訴を提起されていない犯罪事実を審判することは，不告不理の原則に反して許されないが，起訴されている犯罪事実の量刑に際して起訴されていない犯罪事実(**余罪**)を考慮することは，一定の限度で許される．すなわち，余罪を犯罪事実として認定したり，あるいは**実質的に余罪を処罰する趣旨**で量刑の資料とし，それによって被告人を重く処罰することは，起訴されていない犯罪事実を審判したのと同じ結果になるので，不告不理の原則に違反する(⇨余罪の立証385頁注19)．これと異なり，余罪を単に被告人の性格・経歴や，起訴された犯罪の動機・目的・方法等の情状を推知する一資料として用いることは，起訴された犯罪事実自体の適切な量刑を決するためのものであり，余罪そのものを審判することとは異なるので，許容される(最大判昭41・7・13刑集20・6・609，最大判昭42・7・5刑集21・6・748)．

最大判昭42・7・5(刑集21・6・748)は，「刑事裁判において，起訴された犯罪事実のほかに，起訴されていない犯罪事実をいわゆる余罪として認定し，実質上これを処罰する趣旨で量刑の資料に考慮し，これがため被告人を重く処罰することが，不告不理の原則に反し，憲法31条に違反するのみならず，自白に補強証拠を必要とする憲法38条Ⅲ項の制約を免れることとなるおそれがあって，許されない」．「もっとも，刑事裁判における量刑は，被告人の性格，経歴および犯罪の動機，目的，方法等すべての事情を考慮して，裁判所が法定刑の範囲内において，適当に決定すべきものであるから，その量刑のための一情状として，いわゆる余罪をも考慮することは，必ずしも禁ぜられるところでないと解すべき」としている[1]．

---

1) この事件は，公訴事実が昭和37年11月21日に現金合計7880円，郵便切手合計680円在中の普通郵便物29通を窃取したというものであったが，第1審判決は，その理由中で，大要「被告人が捜査官に供述したところによれば，被告人は本件と同じように昭和37年5月ころから130回位で約3000通の郵便物を窃取し，そのうち約1400通に封入されていた現金合計約66万円と約1000通に封入されていた郵便切手合計約23万円を盗んだというのであり，これ

余罪と量刑 余罪を実質的に処罰する趣旨で量刑に反映させることと，単に起訴された犯罪の量刑を決めるための一資料とすることとは，観念的には違いが明確であり，双方とも典型的なものを想定すればその違いは大きいが，実際にはその限界は微妙である．これまでに前者の疑いがあると控訴審が判断した1審判決をみると，いずれも，量刑判断において当該事案をまとめる際などに，起訴された犯罪と余罪とを区別することなく同等のものであるかのように指摘したような場合であり，この点についての理解不足のそしりを免れ難い内容のものが多い．公判審理の段階から，余罪に関する立証を認めるのが相当かどうかについて，慎重に検討すべきであろう．

2 公訴事実と訴因

(1) 審判の対象（訴訟物）

訴因制度の導入 　現行法は，訴因制度を導入することにより，検察官に訴因の設定と変更に関する権限を広く認め，検察官に被告人の処罰を求める具体的犯罪事実を訴因として主張させ，被告人には訴因について防御をすれば不意打ちを受けることがないことを保障しようとする．このように訴因を巡って両当事者に攻撃防御を尽くさせることにより，裁判所が第三者的立場で公平な判断をできるような制度を採用している．

ところが，現行法には，訴因と公訴事実という2つの概念が訴訟の客体に関係して登場する．起訴状には公訴事実を記載しなければならず（法256 II ②），公訴事実は訴因を明示してこれを記載する必要があり（法256 III），起訴状に記載された訴因は公訴事実の同一性を害しない限度において変更できるものとされている（法312 I ⇨ 296頁）．

旧刑訴法下では，公訴事実という概念しか存在せず，審判の対象は当然「公

が真実に略々近いと認められるから，被告人の犯行は，その期間，回数，被害数額等のいずれの点よりしても，この種の犯行としては他に余り例を見ない程度のものであったことは否定できず，量刑にあたってこの事実を考慮に入れない訳にはいかない」と判示していた．最高裁は，「この判示は，本件公訴事実のほかに，起訴されていない犯罪事実をいわゆる余罪として認定し，これをも実質上処罰する趣旨のもとに，被告人に重い刑を科したものと認めざるを得ない」としている．

訴事実」とされていた．ところが，現行法が英米法にならって訴因制度を採用するとともに，公訴事実という概念も残したので，訴因と公訴事実のそれぞれの意義・機能，両者の関係などの理解に混乱が生ずることになった．

そして，① 審判の対象は訴因なのか公訴事実なのか，② そもそも訴因をいかに理解するのか，③ 訴因の変更をどの範囲で許すのか(⇨ 298頁)，さらに，④ 審判の構造を当事者主義的に理解するのか(審判の対象は一方当事者である検察官の主張としての訴因なのか)，職権主義的に理解するのか(審判の対象は客観的犯罪事実そのものなのか)が激しく争われてきた(⇨ 296頁以下)．

(2) 公訴事実対象説と訴因対象説

公訴事実対象説　　審判の対象に関する考え方としては，大きく分けて，公訴事実対象説と訴因対象説の2つがある．まず，審判の対象を広い公訴事実とする公訴事実対象説が当初有力に主張された．現行法においても，起訴状に明示された部分の背後に存在する公訴事実全体が審判の対象だとするのである．

旧刑訴法下では，公訴提起の効力は，起訴状に記載された犯罪事実に限らず公訴事実全体に及ぶと解され，裁判所は，公訴事実の同一性を有する範囲内である限り，記載されていない別の犯罪事実を審判しても差し支えなかった．例えば住居侵入・窃盗という事案の場合，窃盗行為が起訴状に記載されていれば，公訴提起の効力は科刑上一罪の関係にある住居侵入の部分にも及び，裁判所はこの部分も判決し得たのである．また，起訴状には窃盗の事実が記載されていたが，審理の過程で窃盗の事実が否定されて盗品等の有償譲受けの事実が認められるという場合も，盗品等有償譲受け罪で有罪とすることが可能であった．公訴事実対象説は，このような理解を，訴因という概念を導入した現行法においても可能な限り維持しようとするものであった[2]．

---

2) このような旧法的考え方によれば，既に公訴提起した犯罪事実と公訴事実の同一性の範囲内にある他の犯罪事実を起訴すれば二重起訴となり，さらには，既判力(一事不再理の効力)も公訴事実の同一性の範囲に及ぶということになる．訴因を逸脱した認定であっても，公訴事実の枠内であれば，法379条の「訴訟手続の法令違反」となるにすぎず，法378条3号の「審判の請求を受けない事件について審判した違法」とはならないのである．

ただ，公訴事実対象説によっても，現行法の下では，訴因の変更手続がなされない限り，裁判

訴因の理解 この考え方は、訴因を公訴事実の法律的評価(構成)を示すものととらえているといえる。訴因は、被告人の防御権を保障するための手続的制度にすぎず、攻撃防御の焦点を明確にし、法律判断に関する裁判所の不意打ちを防止するという手続的な面にあると考える(**法律構成説**)。訴因を示す権限と義務は本来裁判所にあると考えることになる。これに対し、訴因対象説は、訴因とは構成要件に該当する具体的犯罪事実そのものであり(**具体的事実記載説**)、検察官が主張する審判の対象そのものであるとする。もっとも、訴因として顕在化されていない事実であっても、広義の公訴事実の範囲内であれば、訴因を変更することによりいつでも審判の対象として顕在化することができる(⇨297頁)と考える。

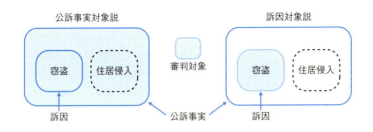

訴因対象説 審判の対象は訴因であるとするのが訴因対象説である。この説は、訴因の概念についての具体的事実記載説に結びつき、訴因が犯罪事実に関する検察官の主張であることを重視する。広義の公訴事実は、実在的なものではなく、個々の訴因を通して知ることのできる観念的なものにすぎないとし、訴因変更の限界等を決定する役割を持つにすぎないとする[3]。もちろん、このような訴因の理解も、訴因が被告人の防御のために重要

所は訴因と別の犯罪事実を認定することができない。その限度では、訴因は、裁判所を拘束する効力(訴因の判決拘束力)を有することになる。やはり、訴因制度は、現行刑訴法が当事者主義を強めたことの現れなのである。

3) 訴因対象説によっても、他の説と同じく、二重起訴とされる範囲、既判力(＝事不再理の効力)の及ぶ範囲、公訴提起による時効停止の効力の及ぶ範囲は、訴因の範囲ではなく、公訴事実の同一性の範囲と解されている(⇨299頁)。すなわち、二重起訴について定めた法10条、11条、338条3号にいう「事件」、免訴の判決がなされる法337条1号の「確定判決」の効力の及ぶ範囲、公訴の提起により時効停止の効力の及ぶ法254条I項の「事件」は、いずれも同一の公訴事実を指すものと解されている。しかし、そのことから直ちに公訴事実が審判の対象であるというように考える必要はない。現実の訴訟を考えても、通常の事態では両当事者も裁判所も訴因を念頭に置いて審理を進めていればよく、公訴事実の同一性について考える必要が生じるのは、訴因変更の可否が問題となる場合のほか、上記の3つの場合などであるが、これらはいずれも、当面の訴訟で審理されている訴因とは別の訴因が顕在化して両者の関係が問題となる場合である

なものであるということを否定するものではなく，むしろその点を重視するものといえよう．

現在の実務は，基本的に訴因対象説で運用されている．公訴事実が審判の対象だとなると，裁判所は，起訴状に記載されていない犯罪事実についてまで常に念頭に置いて審理しなければならないことになるが，それは，現行法が訴因制度を導入した趣旨と乖離するばかりでなく，法256条Ⅵ項に示された予断排除の原則などにも反するからである．

> 訴因対象説によれば，訴訟の客体(審判の対象)としての訴因については必ず審判しなければならないが(**絶対的控訴理由**—法378③前段)，訴因以外の犯罪事実については，公訴事実の同一性の範囲内にあっても，審判する権利も義務もないことになり，訴因と異なる犯罪事実について，訴因変更等の手続を経ないで審判すれば，この判決は常に破棄されることになる(**絶対的控訴理由**—法378③後段)．これに対し，公訴事実対象説は，法378条3号にいう「事件」を公訴事実と解するから，訴因と異なる犯罪事実を認定しても広義の公訴事実の範囲内であれば，同号の違反でなく，単に，手続上なすべき訴因変更等をしないで判決をしたという訴訟手続の法令違反に当たるだけで，その違反が判決に影響を及ぼすことの明らかな場合にのみ破棄理由になるとする(**相対的控訴理由**—法379)．判例は，必ずしも明確でなく，絶対的控訴理由に当たるとしたもの(最判昭29・8・20刑集8・8・1249)と，相対的控訴理由に当たるとしたと解されるもの(最決昭32・7・19刑集11・7・2006)がある．科刑上一罪の関係にあるが訴因として掲げられていない事実を認定した場合には法378条3号違反に，単純な一罪が成立する場合に訴因を逸脱して認定したときには法379条違反に当たるとしているものと理解することができる．このようなことから，判例は緩やかな訴因対象説を採っているとも指摘されている．確かに，訴因対象説を徹底することができるかについては異論の余地があるが，基本的には訴因対象説で理解し運用するのが相当であろう．

(3) 訴因の特定

訴因の記載　起訴状に記載すべき訴因を明示するには，できる限り日時，場所及び方法をもって罪となるべき事実を特定してこれをしなければならない(法256Ⅲ)．起訴状一本主義の精神から，犯罪事実の記載は必

(しかも既判力や時効停止の効力が問題となるのは主として別の訴訟においてである)から，公訴事実を審判の対象と考える必要は生じない．

要最小限度のものにとどめるべきことになるが，訴因は，審判対象の範囲を画定するとともに被告人の防御の範囲を明らかにする機能を有するから，それを十分に特定するだけの記載が必要である．訴因がいかなる犯罪を表示しているのか判然とせず，審判の対象がはっきりしないため被告人の防御の利益が著しく侵されるようなものであれば，起訴は無効となろう（最決昭56・7・14刑集35・5・497参照）．また，表示された犯罪に具体性が全く欠けているときも，同じであろう．訴因制度において，訴因の特定は不可欠だからである．

　　訴因は特定の犯罪構成要件に該当する具体的事実であるから（具体的事実記載説），訴因を特定することは，特定の犯罪構成要件に属するすべての要素を含む事実を記載するとともに，その事実の記載が具体性を備えていることを意味する[4]．例えば，強制性交等の罪の訴因であれば，同罪を構成する要素である，反抗を著しく困難にする暴行又は脅迫の存在と，性交等の行為などの事実を漏れなく，しかも具体的に記載しなければならない．それによって，訴因が強制性交等であり強制わいせつや強盗ではないことが明らかになる．この点は，罪名（罰条）と相まって更に明確にされることになる．

特定の程度　事件によっては，詳細な具体的事実の記載を要求するのは，必ずしも容易ではない．そこで，法256条Ⅲ項は，できる限り日時，場所及び方法をもって特定しなければならないとし，犯罪の種類，性質等により詳細な記載ができない場合には，幅のある表示をすることを許している．例えば，最大判昭37・11・28（刑集16・11・1633．白山丸事件判決）は，「被告人は，昭和27年4月頃より同33年6月下旬までの間に，有効な旅券に出国の証印を受けないで，本邦より本邦外の地域たる中国に出国したものである」という起訴状記載の事実でも，不法出国という出入国管理令違反の罪の訴因の特定に欠けることはないと判断している．日時は6年余の幅を持ち，場所は単に本邦よりとしたのみであり，出国の方法は具体的に表示されていないが，国交のない国への密出国という犯罪の種類・性質等により詳細にできない事情があるとしたものである．

---

[4] 過失犯については，注意義務違反の具体的事実が記載されなければならない．実務的には，注意義務を課す根拠となる具体的事実，注意義務の内容を記載した上で，注意義務違反の具体的行為が掲げられるのが通例である．

最大判昭37・11・28 は，訴因を明示するにはできる限り日時，場所及び方法をもって罪となるべき事実を特定してこれをしなければならないと規定する理由を，① 裁判所に対し審判の対象を限定するとともに，② 被告人に対し防禦の範囲を示すことにあるとした上で，「犯罪の日時，場所及び方法は，これら事項が，犯罪を構成する要素になっている場合を除き，本来は，罪となるべき事実そのものではなく，ただ訴因を特定する一手段として，できる限り具体的に表示すべきことを要請されているのであるから，犯罪の種類，性質等の如何により，これらを詳らかにすることができない特殊事情がある場合には，前記法の目的を害さないかぎりの幅のある表示をしても，その一事のみを以て，罪となるべき事実を特定しない違法があるということはできない．……検察官は，被告人が昭和27年4月頃までは本邦に在住していたが，その後所在不明となってから，日時は詳らかでないが中国に向けて不法に出国し，引き続いて本邦外にあり，同33年7月8日に白山丸に乗船して帰国したものであるとして，右不法出国の事実を起訴したものとみるべきである．そして本件密出国のように，本邦をひそかに出国してわが国と未だ国交を回復せず，外交関係を維持していない国に赴いた場合は，その出国の具体的顛末についてこれを確認することが極めて困難であって，まさに上述の特殊事情のある場合に当るもの」とし，出国の日時，場所及び方法を詳しく具体的に表示しなくても，審判を求めようとする対象は明らかで，被告人の防禦の範囲もおのずから限定されているとした．

実質的防御可能性　刑訴法は，訴因の特定を要求しているが，日時，場所，方法等は特定するための1つの手段にすぎず，犯罪の種類，性質等によっては，日時や場所を特定できなかったり，ある程度幅のある表示しかできなかったりすることもあり得る．そのような場合であっても，審判の対象を特定して被告人の防御に実質的な支障を来さないようにするという目的を達することが可能である[5]．訴因の特定を要求する趣旨はそこにあるから，特定されているか否かは必ずしも行為の時間や場所の具体性のみで判断されるわけではなく，① 被告人の防御への支障の有無・程度に加え，② 犯罪の種類・性質，③ 特定が困難な特段の事情の有無等が考慮されることになる．

---

[5] 訴因の特定のためには，通常は，日時・場所・方法等が具体的に記載されることになるが，必ずしも不可欠な要素というわけではない．例えば，同一被害者に対する複数回の暴行という場合には，日時・場所・方法等による特定が訴因とされている暴行を他の暴行と区別する上で不可欠であるが，殺人事件であれば，特定の人物を死亡させるのは1回しかあり得ないから，必ずしも日時・場所・方法等の記載が不可欠なわけではない．

最決昭56・4・25(刑集35・3・116)は，覚醒剤使用事犯の「被告人は，法定の除外事由がないのに，昭和54年9月26日ころから同年10月3日までの間，広島県高田郡吉田町内及びその周辺において，覚醒剤であるフェニルメチルアミノプロパン塩類を含有するもの若干量を自己の身体に注射又は服用して施用し，もって覚醒剤を使用したものである」との公訴事実の記載について，「日時，場所の表示にある程度の幅があり，かつ，使用量，使用方法の表示にも明確を欠くところがあるとしても，検察官において起訴当時の証拠に基づきできる限り特定したものである以上，覚醒剤使用罪の訴因の特定に欠けるところはない」とした．

　また，最決平14・7・18(刑集56・6・307)は，暴行の態様，傷害の内容，死因等の表示が概括的であっても，傷害致死罪の訴因の特定に欠けるところはないとした．なお，殺害行為の概括的認定に関する最決昭58・5・6(刑集37・4・375)，択一的認定に関する最決平13・4・11(刑集55・3・127)参照(⇨513頁)．

　包括一罪については，個々の行為を特定するまでの必要はなく，全体として特定する包括的記載で足りる．例えば，最決平26・3・17(刑集68・3・368)は，包括一罪を構成する一連の暴行による傷害について，個別の機会の暴行と傷害の発生，拡大等との対応関係が個々に特定されていなくても，訴因の特定に欠けるところはないとしている．常習犯，営業犯についても，包括的な記載が許される(常習賭博罪につき最決昭61・10・28刑集40・6・509，業として薬物の譲渡等を行う麻薬特例法5条違反の罪につき最決平17・10・12刑集59・8・1425)．

訴因が特定しない場合　訴因が特定しない場合には，公訴提起の手続が法令に違反して無効となるため，公訴棄却の判決がなされる(法338④)．しかし，起訴状を見ただけでいきなり公訴棄却すべきではなく，検察官に釈明を求め，それに応じて検察官が訴因を特定させれば(**訴因の補正**)，有効な公訴提起として扱ってよく[6]，検察官が明確にしないときに訴因不特定として公訴を棄却すべきである(最判昭33・1・23刑集12・1・34)．公訴を棄却されても再起訴は妨げられないから，検察官にまず釈明を求めるのが訴訟経済にも合致すると考えられる．

---

6) 判例は，労働基準法違反(時間外労働の規制違反)に係る訴因の特定が不十分であった事案について，検察官がこれを補正しようとして予備的訴因変更を請求した場合には，適正な訴因となるような措置をした上で許可すべきであるとしている(最判平21・7・16刑集63・6・641)．

(4) 訴因の予備的・択一的記載

> **256条 V** 数個の訴因及び罰条は，予備的に又は択一的にこれを記載することができる．

予備的記載 　訴因の予備的記載とは，例えばXが日本刀を振り回してYを死亡させた場合に，傷害致死罪の訴因が認められなければ予備的に重過失致死罪の訴因を主張するというような記載方法である．これに対し，択一的記載というのは，例えばXが試乗の名目で自動車の乗り逃げをした場合に，窃盗罪か詐欺罪のいずれかの訴因が認められると主張するような記載方法である．1つの犯罪事実であっても複数の法律的構成が択一的に存在する場合は少なくない．通常は捜査によって1つの訴因に絞って起訴されるが，事案によっては，択一的に存在可能な複数の訴因を予備的又は択一的に記載して起訴することを，刑訴法は認めている(法256 V)．

予備的記載がされている場合には，主たる訴因(**主位的訴因**)が認定できれば，予備的訴因については審判する必要がないが，主位的訴因を認めることができない場合には，予備的訴因について審判しなければならない．択一的記載の場合は，どちらかの訴因が認定できれば，他方について審判する必要はない．予備的・択一的記載のいずれの場合についても，裁判所が1つの訴因について有罪の言渡しをすれば，他の訴因は排斥されたことになるから，他の訴因について特に判断を示す必要はないとされている(予備的訴因につき最決昭29・3・23刑集8・3・305，択一的訴因につき最判昭25・10・3刑集4・10・1861)が，実務上は，予備的訴因を認定するときは，主位的訴因を排斥した理由が示されるのが通例である．

> **公訴事実及び被告人の単複と起訴状の通数** 　同一人について2個以上の罪を同時に起訴する場合は，複数の訴因を1通の起訴状に記載すれば足りる．また，2人以上の被告人を1通の起訴状で起訴することも可能である．したがって，公訴事実・被告人の数と起訴状の通数とは必ずしも対応しない(弁論の分離・併合も可能であるから，一まとまりとして審理される範囲とも対応しない)．なお，検察官の訴追裁量権は広いから，一罪の一部のみを起訴すること(**一部起訴**)ももとより可能である[7]．

7) 検察官には広く訴追裁量権が認められているから，併合罪の関係にある複数の犯罪の一部のみを起訴することはもちろん，科刑上一罪の関係にある罪の一部のみを起訴したり（住居侵入・窃盗の事案で窃盗のみを起訴するような例は少なくない），単純一罪の一部のみを起訴すること（業務上過失致死の事案で業務上過失傷害で起訴した例として，227頁参照）も，許される．

公訴の要件と効果

1 公訴提起と訴訟係属

(1) 公訴と裁判権

裁判権 公訴が提起されると，事件は裁判所に係属する（⇨244頁）．日本の裁判所の刑事裁判権は，原則としてわが国に所在するすべての者に及ぶ[1]．日本人であると外国人であるとを問わない．これに反し，外国にいる者にわが国の裁判権が及ぶかについては争いがあるが，判例は，外国にいる日本国民にも裁判権は及ぶが，事実上行使できないにすぎないものとしている[2]．

裁判権は，裁判所法の定めるところに従い，各裁判所に分配される．裁判権の分配のことを**裁判管轄**という．管轄は，事物管轄，土地管轄及び審級管轄に分類される．

事物管轄 第1審管轄のうち，事件の軽重による分配のことである．事件は，原則として，地方裁判所，簡易裁判所に分配され，特別な事件が例外的に高等裁判所に分配される．

---

1) 外国元首，外交官等については，刑法の適用はあるが裁判権は及ばない．天皇及び摂政についても，憲法の解釈上裁判権が及ばないとする説が有力である．わが国に駐留しているアメリカ合衆国の軍隊の構成員等の犯罪行為については，わが国の裁判権が及ぶが，そのうち一定の犯罪行為については，アメリカ合衆国が第一次的な裁判権を持ち，合衆国がこの裁判権を放棄したときにわが国が初めて裁判権を行使できることとされている（いわゆる日米地位協定17条1～3）．裁判権の及ばない者に対して公訴が提起されれば，公訴棄却の判決（法338①）が言い渡されることになる．
2) 最判昭33・5・24（刑集12・8・1535）は，犯人が外国にいる場合は，裁判権はあるがその行使が事実上できないと解しているものと理解できる．

簡易裁判所は，罰金以下の刑に当たる罪，選択刑として罰金が定められている罪，横領その他の一定の罪[3]の事件について，事物管轄を有する（裁33 I ②）．しかし，選択刑として罰金が定められている罪については，原則として罰金刑しか科すことができず，窃盗罪や横領その他の一定の罪についても，3年以下の懲役しか科すことができない（裁33 II）[4]．簡易裁判所が，この科刑権の制限を超える刑を科すのを相当と認めるときは，決定で事件を地方裁判所に移送しなければならない（裁33 III，法332）．

　地方裁判所は，高等裁判所の事物管轄に属する事件と罰金以下の刑に当たる罪の事件とを除いたすべての事件について事物管轄を有する（裁24 ②）．したがって，選択刑として罰金が定められている罪と横領その他の一定の罪の事件については，簡易裁判所と競合して事物管轄を有することになる．

　高等裁判所は，内乱罪（刑77～79）の事件などについて事物管轄を有する（裁16 ④・17）．

土地管轄　第1審管轄のうち，事件の土地的関係による分配のことである．裁判所は，その管轄区域（下級裁判所の設立及び管轄区域に関する法律により定められたもの）内に，犯罪地，被告人の住所，居所又は現在地がある事件について，土地管轄を有する（法2 I）．「犯罪地」とは，犯罪構成要件に該当する事実（行為と結果）の発生した土地をいう．「住所」・「居所」は民法の定めるところによる（民22・23）．「現在地」とは，起訴の当時被告人が任意又は適法な強制処分によって現在する地域をいう（最決昭32・4・30刑集11・4・1502）．国外にある日本船舶又は日本航空機内で犯した罪については，以上の地のほか，その船舶の船籍の所在地又はその船舶が犯罪後寄泊した地，あるいはその航空機が犯罪後着陸・着水した地による（法2 II・III）．

　審級管轄　上訴審の事件の管轄のことである．地方裁判所，簡易裁判所の判決に対する控訴事件は高等裁判所の管轄（裁16 ①），上告事件は最高裁判所の管轄（裁7 ①）である．

---

3) 具体的には，常習賭博罪，賭博場開張図利罪，横領罪，盗品等有償譲受け等の罪である．
4) 注3の罪のほか，窃盗罪，同未遂罪，住居侵入罪，同未遂罪，遺失物等横領罪，古物営業法31～33条の罪，質屋営業法30～32条の罪の事件，又は以上の罪と他の罪との間に科刑上一罪の関係があって以上の罪の刑をもって処断すべき事件については，3年以下の懲役に科することができる（裁33 II 但書）．

管轄の修正 被告人の利益や訴訟経済等の観点から，以上の管轄が修正される場合がある．まず，1人が数罪を犯したとき，数人がともに同一又は別個の罪を犯したとき，又は数人が通謀して各別に罪を犯したときは，**関連事件**として，1つの裁判所が併合して審理することができる(法9)．事物管轄が異なる場合は上級裁判所が関連事件を併せて管轄し(法3)，土地管轄が異なる場合は1つの裁判所が関連事件を併せて管轄する(法6)ことができる．そこで，関連事件が別個の裁判所に起訴された場合には，審判を併合することができ(法5・8)，逆に同一の裁判所に起訴されたが併合審判の必要がない場合には，分離して他の管轄裁判所に移送することができる(法4・7)．このほか，管轄裁判所が明らかでないか存在しない場合については，管轄指定の制度があり(法15・16)，本来の管轄裁判所はあるが特別の事情により審判できない場合については，他の裁判所への管轄移転の制度が設けられている(法17・18)．

(2) 公訴の権限

嫌疑の必要性 公訴を提起するには，訴訟条件の具備を必要とする．ただ，起訴のために必要な積極的要件を定めた明文は存在しない．法248条が，「犯人の性格，年齢及び境遇，犯罪の軽重及び情状並びに犯罪後の情況により訴追を必要としないときは，公訴を提起しないことができる」として，いわば裏側から訴追しなくてもよい場合を定めているのみである．

そこで，犯罪の嫌疑の存在が公訴提起の要件であるかが問題となる．この点，捜査段階でも，通常逮捕には罪を犯したことを疑うに足りる「相当」な理由が要求され(法199)，緊急逮捕には罪を犯したことを疑うに足りる「充分」な理由が必要とされていることや(法210)，判決の段階に至ると，有罪判決には合理的な疑いを容れない確信が要求されていることからしても(⇨388頁)，起訴の際には，相当高度の嫌疑の存在が必要であろう．実務的には，「的確な証拠によって有罪判決が得られる高度の見込み」などと表現されることもあるが，罪を犯したことを疑うに足りる確実な理由が必要だということができよう．起訴時に収集されていた証拠等から判断して明らかに嫌疑を欠く起訴は，違法であり，損害賠償の対象ともなり得る[5]．

---

5) 最判昭53・10・20(民集32・7・1367)は，無罪判決が確定しただけで直ちに公訴提起が違法となるものではなく，起訴時における各種の証拠資料を総合勘案して合理的な判断過程により有罪と認められる嫌疑があれば適法であるとした(同旨，最判平1・6・29民集43・6・664，最判平2・

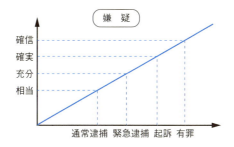

嫌疑は公訴提起の条件か　かつて，高度の嫌疑がなければ公訴を棄却すべきであるとする説と，嫌疑は訴訟条件ではないから終局裁判をすれば足りるとする説が対立した．裁判所が実体についての審理に先立って「嫌疑の有無」を検討する必要があるかについての争いといってよい．この点に関しては，裁判自体が全体として嫌疑の有無を検討していくプロセスである以上，その入り口で嫌疑の有無を判断するには無理がある．そこで，この議論の実質的意味は，検察官にどれだけ慎重な起訴を要請するのかということに帰着していく[6]．明らかに嫌疑を欠く起訴は，公訴権濫用論や民事上の損害賠償責任論によって，チェックされることになる．

公訴権濫用論　検察官の訴追に「濫用」があった場合に，裁判所は形式裁判で訴訟を打ち切るべきであるとする理論であるが，法文の直接的根拠はない[7]．訴訟条件は具備していてもなお訴追が違法・無効といえる場合があるとするものである．一般に，①嫌疑なき起訴，②訴追裁量権の逸

7・20 民集 44・5・938）．
6）　日本の起訴率が低く，有罪判決率が極めて高いことについては，それを批判する見解もある．確かに，現状が余りに抑制的であり，そこまで起訴に慎重とならなくてもよいように思われるものの，刑事司法全体の「経済」や，被疑者・被告人の受ける不利益の大きさを考えると，やはり，「できるだけ広範に起訴して裁判官に判断させるべき」ということが止しいとはいえない．
　なお，総体的にみると慎重な起訴の運用に変わりはないといえるとしても，局面的には社会情勢の変化が反映していることは否定できない．例えば，長期的にみると，性犯罪等の一部の犯罪類型では起訴率が上昇しており，被害者保護の諸制度の影響によっても，起訴率の上昇があるといえよう（なお，最近の起訴率の低下につき ⇨217頁）．また，検察審査会による起訴議決（⇨215頁）の例が集積されることによって，起訴基準自体が影響を受ける可能性もある．
　民事上の損害賠償責任の存在が慎重起訴の運用を変えられない1つの大きな原因であるとする見解もあるが，損害賠償責任が認められるのは明らかに嫌疑を欠く場合に限られているから，現状を変更させることの障害には必ずしもならないものと思われる．
7）　あえて言えば法338条4号の類推適用ということになろう．

脱，③違法捜査に基づく起訴が問題とされている．①は，前述のように明らかに嫌疑を欠くときは違法であり，損害賠償責任を負う場合もあるが，当該訴訟内においては，実体的判断が行われれば足りるので，①の判断が行われることはない．③は，②の1つの態様ともいえるが，捜査手続の違法が直ちに公訴提起手続を違法とするものではない．

違法捜査と公訴提起の効力　違法捜査がなされた場合に，弁護側が公訴棄却を主張することは多いが，捜査手続の違法が直ちに公訴提起手続の違法をもたらすものではない．判例も同様に解しており，最判昭41・7・21(刑集20・6・696)は，弁護人が逮捕の際犯人に対して警察官による暴行陵虐の行為があったと主張したのに対し，「逮捕手続にそのような違法があったとしても公訴提起の手続が憲法31条に違反し無効となるものではない」とし，最判昭44・12・5(刑集23・12・1583)も，「仮りに捜査手続に違法があるとしても，それが必ずしも公訴提起の効力を当然に失わせるものでないことは，検察官の極めて広範な裁量にかかる公訴提起の性質にかんがみ明らか」であるとしている(なお，141頁参照)．

訴追裁量権の逸脱　②につき，かつては，起訴裁量は自由裁量であり，さらには行政機関としての判断であるから，三権分立の理念により司法審査には馴染まないと考えられてきた．しかし，起訴猶予にすべき事件を起訴すれば訴訟条件を欠くという主張が現れ，訴追が被告人の権利を制約することも考えると，法治国である以上は検察官も適切な裁量をすべきであり，裁量権を逸脱していないか司法的コントロールに服すべきものとする見解が一定の支持を得るようになった．

最決昭55・12・17(刑集34・7・672)は，水俣病認定患者である被告人が，被害の補償を求めるため他の患者らと共に水俣病公害を惹起したとされる会社の社長らとの直接交渉を求めて同社に赴いた際，来社を阻止しようとした従業員らに暴行を加えて負傷させた事件につき，以下のように判示している．「検察官は，現行法制の下では，公訴の提起をするかしないかについて広範な裁量権を認められているのであって，公訴の提起が検察官の裁量権の逸脱によるものであったからといって直ちに無効となるものでないことは明らかである．たしかに，右裁量権の行使については種々の考慮事項が刑訴法に列挙されていること(法248条)，検察官は公益の代表者として公訴権を行使すべきものとされていること(検察庁法4条)，さらに，刑訴法上の権限は公共の福祉の維持と個人の基本的人権の保障とを全うしつつ誠実にこ

れを行使すべく濫用にわたってはならないものとされていること(法1条,規1条Ⅱ項)などを総合して考えると,検察官の裁量権の逸脱が公訴の提起を無効ならしめる場合のありうることを否定することはできないが,それはたとえば公訴の提起自体が職務犯罪を構成するような極限的な場合に限られるものというべきである」.

この事件では,1審判決が被告人を有罪としながらも執行猶予付きの罰金刑(求刑は懲役刑)としたのに対し,控訴審判決は,公訴権濫用である(犯行の可罰性が微弱であり,公訴提起が偏頗・不公平であるなど)として公訴棄却の判決を言い渡していた.最高裁は,犯行そのものの態様は必ずしも軽微なものとはいえず,当然に検察官の公訴提起を不当とすることはできないことや,審判の対象とされていない他の被疑事件についての公訴権の発動の当否を軽々に論定することは許されず,それとの対比などを理由にして公訴提起が著しく不当であったとすることはできないなどとして,公訴棄却の判断は失当であったとしながらも,一審判決を復活させなければ著しく正義に反するものともいえないとして,上告を棄却した.

このように,判例は,検察官の訴追裁量権の逸脱が公訴を無効にすることはあり得るとして,公訴権濫用論を理論的には承認したものの,それは起訴自体が職務犯罪を構成するような極限的な場合に限られるという形で,要件を厳しく絞ったのである.公訴権濫用論は,刑法における期待可能性論などと同様,「非常救済手段」として機能すべきものといえよう[8].

2 訴訟条件

337条 左の場合には,判決で免訴の言渡をしなければならない.
① 確定判決を経たとき.
② 犯罪後の法令により刑が廃止されたとき.
③ 大赦があったとき.
④ 時効が完成したとき
338条 左の場合には,判決で公訴を棄却しなければならない.
① 被告人に対して裁判権を有しないとき.

---

[8] 公訴権濫用論は,この判例が出るまで,いわゆる妨訴抗弁として実務上頻繁に主張されていたが,この判例や,最判昭56・6・26刑集35・4・426(被告人と対向的な共犯関係に立つ疑いのある者の一部が警察段階の捜査において不当に有利な取扱いを受けたとしても,被告人に対する公訴提起の効力は否定されないとした)が,公訴権濫用を認めた控訴審判決を否定したことにより,その後は例が少なくなった.

> ② 第340条〔公訴取消後の再起訴〕の規定に違反して公訴が提起されたとき．
> ③ 公訴の提起があった事件について，更に同一裁判所に公訴が提起されたとき．
> ④ 公訴提起の手続がその規定に違反したため無効であるとき．
> **339条 I** 左の場合には，決定で公訴を棄却しなければならない．
> ① 第271条第II項〔2箇月内に起訴状謄本が送達されないとき〕の規定により公訴の提起がその効力を失ったとき．
> ② 起訴状に記載された事実が真実であっても，何らの罪となるべき事実を包含していないとき．
> ③ 公訴が取り消されたとき．
> ④ 被告人が死亡し，又は被告人たる法人が存続しなくなったとき．
> ⑤ 第10条〔同一事件が事物管轄を異にする数個の裁判所に係属するとき〕又は第11条〔同一事件が事物管轄を同じくする数個の裁判所に係属するとき〕の規定により審判してはならないとき．

(1) 訴訟条件の種類

手続打切り　公訴が提起されると，事件は裁判所に係属する(**訴訟係属**[9])．裁判所は，公訴事実の存否について審理し，有罪・無罪の判決をしなければならない(実体的審判)．もっとも，訴訟が係属すれば常にその事件の実体について審理・裁判できるというものではなく，そのためにはいくつかの条件が必要とされる．これを**訴訟条件**という．公訴の有効要件ということもでき，公訴提起行為そのものが有効であるとともに，有効な公訴が存続するための要件でもある(法339 I ①・③等)[10]．訴訟条件が欠けていれば，実体的審理が打ち切られることになる．被告人にとっても，早期に手続の負担から解放される利益がある．

> 実体的審判の要件である訴訟条件については，必ずしもその存否を先に審理した後に実体的審理に入るという具合に，実体的審理と明確に分けられるわけでは

---

9) 訴訟係属とは，事件が裁判所によって審理されるべき状態にあること，又は現実に審理されている状態にあることをいう．
10) 訴訟条件は，公訴提起の時点だけでなく，判決の時点まで引き続き存在する必要がある．例外として，土地管轄(⇨239頁)については，公訴提起後に住所等が変わっても，公訴は依然として有効である．

ない．訴訟条件の種類によっては，実体的審理をある程度進めないと判明しない場合もあり，それが欠けていることが判明したときに審理が打ち切られて形式裁判がされることもあれば，実体的審理も終わってから形式裁判がされることもある．

訴訟条件の種類　訴訟条件は，これが欠けている場合に管轄違い又は公訴棄却の裁判（⇨517頁）で訴訟が打ち切られるもの（**形式的訴訟条件**）と，免訴の裁判（⇨518頁）で訴訟が打ち切られるもの（**実体的訴訟条件**）とに大別される．ただ，刑訴法は，訴訟条件を積極的な形では規定せず，これを欠く場合の裁判の形式とその事由を列挙している．

形式的訴訟条件　形式的訴訟条件を欠く場合としては，次の10種のものがある．まず，① 事件が裁判所の**管轄**に属しないとき（法329）である．この場合は**管轄違いの判決**が言い渡される[11]．

次に，② 起訴状の謄本が起訴後2か月以内に被告人に送達されなかったとき（法339 I ①），③ 起訴状に記載された事実が真実であっても罪とならないことが明らかであるとき（法339 I ②）[12]，④ 公訴が取り消されたとき（法339 I ③）[13]，⑤ 被告人が死亡し，又は被告人である法人が存続しなくなったとき（法339 I ④）[14]，⑥ 同一事件が数個の裁判所に係属したとき（法339 I ⑤）である．これらの場合には**公訴棄却の決定**がなされる．

---

11) 訴訟条件の存否の判断は，原則として裁判所の職権調査事項である．ただし，土地管轄については，被告人の申立てが必要であり，しかも，その申立ては証拠調べ開始前に行われなければならない（法331）．事物管轄，土地管轄を問わず，管轄違いが言い渡されても，それまでに行われた訴訟手続の効力は失われない（法13）．
12) 起訴状に記載された事実を見ただけでいかなる犯罪の構成要件にも該当しないと判断できる場合である．もし何らかの犯罪の構成要件に該当する疑いがあるのであれば，結局は犯罪にならないという解釈に到達するとしても，実体的審理をした上で，法336条の「被告事件が罪とならないとき」に当たるものとして無罪判決をすべきである．
13) 公訴取消しの理由は制限されていない（⇨219頁）
14) このうち「被告人たる法人が存続しなくなったとき」は，合併による場合とそれ以外の場合がある．前者の場合は，法人が清算に入らずに直ちに消滅するから，本号に当たることは明らかである（最決昭40・5・25刑集19・4・353）．これに対し，後者の場合は，清算法人として清算の目的の範囲内でなお存続するものとみなされるので，いつ当事者能力が消滅すると考えるかについて意見が分かれている．判例は，大審院以来一貫して，被告事件の係属する限り清算が結了せず，従って当事者能力も消滅しないものとしている（最決昭29・11・18刑集8・11・1850）．これに対し，この解釈によると合併による解散以外の場合は常に法人が存続することになり，立法論としてはともかく解釈論としては疑問があるとして，実質的な清算の結了により消滅するとする見解もある．

また，⑦ 被告人に対して裁判権を有しないとき（法338 ①），⑧ 公訴が取り消された後，新たに重要な証拠が発見されないのに再起訴されたとき（法338 ②）[15]，⑨ 公訴の提起があった事件について，更に同一裁判所に公訴が提起されたとき（法338 ③）も，手続が打ち切られる（**公訴棄却の判決**）．さらに，⑩ 以上に列挙した場合を除き，公訴提起の手続がその規定に違反して無効であるとき（法338 ④）も，公訴棄却の判決がなされる．

公訴提起手続の無効（法338 ④）　重要なものとして，（1）親告罪について告訴が欠けている場合（⇨ 92 頁），（2）訴因が特定されていない場合（⇨ 235 頁），（3）起訴状一本主義に違反した場合（⇨ 224 頁），（4）少年（20 歳未満の者．少2 I）に対し家庭裁判所を経由しないで公訴提起がされた場合[16]，（5）道路交通法の反則行為について，反則金の納付の通告をしないで公訴を提起した場合（道交法 130，最判昭 48・3・15 刑集 27・2・128），（6）公訴の提起がないのに誤って審判するなどして訴訟係属が生じてしまった場合（最判昭 25・10・24 刑集 4・10・2121）などがある[17]．

公訴棄却の裁判に対して，被告人・弁護人の側から，その違法・不当を主張して上訴することはできない（公訴棄却の決定につき最決昭 53・10・31 刑集 32・7・1793）．

実体的訴訟条件　実体的訴訟条件を欠く場合は，**免訴**の判決によって訴訟が打ち切られることになる．具体的には，次のものがある．

まず，① 有罪，無罪又は免訴の判決が確定しているときは（法337 ①），同

---

15) 即決裁判手続の申立てがなされた事件については，例外的に再起訴制限が緩和されている（法 350 の 26 ⇨ 364 頁）．

16) 家庭裁判所が刑事処分相当として検察官に送致した場合に，公訴提起は適法となる（少 20・42・45 ⑤・62）．また，家庭裁判所を経由しなかったことに合理的理由があれば，公訴提起の効力に影響はない．例えば，成人年齢が 20 歳のときの事案であるが，成人に達する直前の少年について必要な捜査を行うなどしていたため家庭裁判所の審判を受ける機会が失われたとしても，捜査手続は違法とならないし（最判昭 44・12・5 刑集 23・12・1583），犯行時 16 歳の少年の業務上過失傷害被疑事件が一旦は嫌疑不十分を理由に不起訴処分とされたが，同人が成人した後，検察審査会への審査申立てを機に，検察官が改めて補充捜査等を行い，嫌疑が認められると判断して事件を再起し起訴した場合も，公訴提起が無効であるとはいえない（最決平 25・6・18 刑集 67・5・653）．

17) 被告人が心神喪失となり，防御能力を欠くこととなった場合には，公判手続が停止され（法 314），回復の見込みがないと，実務上は公訴取消しされる例が多いが，裁判所も，検察官に検討を促しても公訴が取り消されず，公判手続の再開の可能性がないと判断できる場合には，法 338 条 4 号に準じて公訴棄却の判決をすることができる（最判平 28・12・19 刑集 70・8・865 ⇨ 358 頁注 60）．

一事件につき再度の審判は禁止される（一事不再理の原則 ⇨ 521 頁）．

次に，② 犯罪後の法令により刑が廃止されたとき（法337②）も，免訴が言い渡される．③ 大赦があったとき（法337③）も同様である．**大赦**とは，恩赦の一形式で，内閣が政令で罪の種類を定めて決定し，天皇が認証する（憲73⑦・7⑥）．大赦は，公訴権を消滅させる（恩赦法3②）．そして，④ 公訴時効（⇨250頁）が完成したとき（法337④）も，免訴となる．②③④は，犯罪時には実体法上の刑罰権が存在していたとしても，その後これが消滅した場合であるから，どれも事件の実体につき審判をするだけの利益が欠けることになる．

免訴の判決に対しても，被告人・弁護人の側から無罪を主張して上訴することはできない（大赦による免訴につき最大判昭 23・5・26 刑集 2・6・529）．

（2） 訴訟条件の諸問題

告訴不可分の原則　親告罪の告訴を欠く公訴提起は無効であり，公訴棄却の判決が言い渡されることになる（法338④）．そこで，親告罪については，特に告訴の効力の及ぶ範囲が問題となる．告訴は，犯罪事実を申告して犯人の処罰を求めるものであるから（⇨92頁），共犯者の1人又は数人に対して行われた告訴は，他の共犯者に対しても効力を生じる（法238 I ―**告訴の主観的不可分**）．また，単一の犯罪の一部分についてした告訴は，その全部に対して効力を生じると解される（**告訴の客観的不可分**）．

親告罪を設けて被害者の意思を尊重しようとする実質的根拠として，(イ)犯罪の性質から訴追するとかえって被害者の名誉を傷付けるおそれがある場合（名誉毀損罪等），(ロ)個人的法益に関する犯罪で被害が軽微なものも含まれ得る場合（器物損壊罪，信書隠匿罪等），(ハ)特定の犯罪において犯人と被害者との間に一定の身分関係がある場合（親族相盗の場合等）が指摘される．そのような場合に告訴不可分の原則を厳格に適用すると，かえって親告罪が設けられた趣旨に反する結果となる場合が生じることから，告訴不可分の原則にも例外が存在する．

まず，主観的不可分の例外として，(ハ)の場合（**相対的親告罪**）は，身分関係が重要な意味を有するから，身分関係のない共犯者に対してなされた告訴の効力は，身分関係のある他の共犯者には及ばないものと解される．

客観的不可分の例外は，科刑上一罪において問題となる．親告罪が設けられた趣旨は告訴権者の意思の尊重にあるから，科刑上一罪の一部分に限定された告訴

の効力は，他の部分の被害者が同一人であると別人であるとを問わず，また，両方が親告罪であると一方が非親告罪であるとを問わず，原則として，他の部分には及ばないものと解すべきである．それが告訴人の意思の合理的な解釈といえるであろうからである[18]．

再訴の可能性 管轄違い又は公訴棄却の裁判は再訴を妨げない(既判力を有しない)．すなわち，形式的訴訟条件を欠くとして公訴が打ち切られても，検察官が条件を完備させて再び公訴を提起すれば，裁判所はその事件につき実体的審判をすることができる(一事不再理の効力が及ばないことにつき521頁参照)．

これに対し，免訴の判決は既判力を有するから，実体的訴訟条件を欠いているとして訴訟が打ち切られると，検察官としては再び公訴を提起することができない(再起訴しても免訴の判決を受けることになる)．もっとも，形式的訴訟条件の存否についても，事件の実体に立ち入らないと判断できない場合がないわけではないから，形式的訴訟条件も実体的訴訟条件も実体的真実との関係の度合いにおいては程度の差にすぎないといえる[19]．そのため，免訴も，管轄違いや公訴棄却と同じ形式的裁判であり，一方を免訴としたのは立法政策にすぎないと考えられるようになってきている．このように，免訴を形式裁判に近づけて理解する説が有力である(⇨518頁)．

訴訟条件と訴因 訴訟条件が備わっているか否かは，訴因を基準として判断される．そこで，起訴されたA訴因を基準にすると訴訟条件が欠けているが，B訴因に変更すれば訴訟条件が備わるという場合に，B訴因への変更が許されるかが問題となる．A訴因では訴訟条件が欠けているのであるから，直ちに形式的裁判で打ち切るべきとも考えられるが[20]，その

---

18) 告訴権者が科刑上一罪の一部の事実のみ申告していても，告訴をそれに限定するまでの意思がないこともあり得るから，捜査機関としては，公訴提起前に告訴権者が他の部分まで告訴する意思であるか否かを確認する必要がある．仮にその意思を明確にできない場合には，告訴されている部分も親告罪であり，被害者が同一であるときに限り，告訴の効力が及ぶと解するのが告訴権者の意思に沿うことになろう．

19) かつては，免訴が被告事件の実体に関係した判断によって手続を打ち切る裁判であって，いわば実体関係的な形式裁判であるとする見解が有力であった．

20) 公訴提起の時点では欠けていた**訴訟条件**を後に**追完**することが許されるかについては，見解が分かれている．訴訟経済を理由に広く認める見解や，手続の初期の段階で行われた場合と被告人

ような場合であっても訴因変更は可能であるから，B訴因に変更すれば訴訟条件が備わるのであれば，訴因変更を許可して訴訟を進行させるべきである（最決昭29・9・8刑集8・9・1471）．形式的裁判で手続を打ち切ってもB訴因での再起訴が可能であり，訴因変更を許可して審理する方が訴訟経済に資すると考えられるからである．他方，起訴されたA訴因を基準にすると訴訟条件は備わっているが，審理の結果A訴因は認められず，認定が可能なB事実を基準にすると訴訟条件が欠けているという場合が考えられる．例えば，親告罪ではない窃盗罪で起訴されたが，その事実は認定できず，親告罪である器物損壊罪が認定できるにとどまるという場合である．訴訟条件の存否は訴因を基準に考えるべきであるから，訴因変更がなされず窃盗の訴因のままであれば，無罪を言い渡すべきであり，器物損壊の訴因に変更されれば，公訴棄却の判決（法338④）をすべきことになる．なお，縮小認定が可能な場合は，認定事実を基準として訴訟条件の存否を判断し，訴因変更を経ることなく公訴棄却又は免訴の判決をすることができる（⇨318頁）[21]．

(3) 公訴時効

> **253条 I** 時効は，犯罪行為が終った時から進行する．
> **II** 共犯の場合には，最終の行為が終った時から，すべての共犯に対して時効の期間を起算する．
> **254条 I** 時効は，当該事件についてした公訴の提起によってその進行を停止し，管轄違又は公訴棄却の裁判が確定した時からその進行を始める．
> **II** 共犯の1人に対してした公訴の提起による時効の停止は，他の共犯に対してその効力を有する．この場合において，停止した時効は，当該事件についてした裁判が確定した時からその進行を始める．

の同意のある場合にのみ認める見解もあるが，手続の確実性の要請からも一般的には許されないものと解すべきであろう．もっとも，審理の結果，当初の訴因とは別個の訴因に変更され，その時点では変更後の訴因の訴訟条件が備わっていたような場合などは，追完が認められる余地があろう．

21) 最判昭31・4・12（刑集10・4・540）は，犯行後1年1月余に名誉毀損罪（公訴時効3年）で起訴された事件について，侮辱罪（公訴時効1年）に該当すると認めるときは，時効が完成したものとして免訴（法337④）を言い渡すべきであるとし，また，最判昭48・3・15（刑集27・2・128）は，非反則行為として通告手続を経ずに起訴された事件について，反則行為に該当することが判明したときは，公訴棄却の判決（法338④）をすべきであるとしている．

> **255条 I** 犯人が国外にいる場合又は犯人が逃げ隠れているため有効に起訴状の謄本の送達若しくは略式命令の告知ができなかった場合には，時効は，その国外にいる期間又は逃げ隠れている期間その進行を停止する．

時効の意義　公訴時効[22]は実体的訴訟条件の代表例であり，一定期間起訴されない状況が続いたという事実状態を法的に尊重する趣旨で設けられたものといえる．① 時の経過により証拠が散逸し，**真実を発見することが困難**になっているという訴訟法上の理由と，② 時の経過により犯罪の社会的影響が弱くなり，応報，改善等の**刑罰の必要性が減少**ないし消滅しているという実体法上の理由から，もはや訴追を求めること自体の利益ないし必要がないと考えられて，訴訟条件の1つにされている．もっとも，捜査技法の進展等によって日時の経過による証拠収集の困難さが減少したことや，日時の経過による処罰感情等の希薄化の程度も低下したことなどが考慮されて，平成16年の法改正で重い犯罪の時効期間が延長され，さらに，平成22年の法改正により，人を死亡させた罪（犯罪行為による死亡の結果が構成要件となっている罪）[23]については，死刑に当たるものが時効の対象から除外されて，時効が完成することはないものとされ，その余も時効期間が延長された[24]．

時効期間　時効期間は，(1) 人を死亡させた罪については，① 死刑に当たる罪（殺人，強盗致死等）は時効の対象外，② 無期の自由刑に当たる罪（強制性交致死等）は30年，③ 長期20年の自由刑に当たる罪（傷害致死等）は20年，④ 禁錮以上の刑に当たる罪（業務上過失致死等）は10年，(2) 上記(1)以外の罪については，① 死刑に当たる罪は25年，② 無期の自由刑に当たる罪は15年，③ 長期15年以上の自由刑に当たる罪は10年，④ 長期15年未満の自由刑に当たる罪は7年，⑤ 長期10年未満の自由刑に当たる罪は5年，⑥

---

22) 刑事法の時効には，他に刑の時効（刑31以下）がある．裁判確定後の刑罰権を消滅させるものであり，裁判確定前の公訴権を消滅させる公訴時効と異なる．
23) 犯罪行為と因果関係のある死亡の結果が構成要件となっている罪は，故意・過失を問わず，人を死亡させた罪に該当する．これに対し，殺人未遂罪のように死亡に至らなかった罪や，現住建造物等放火罪のように死亡の結果が構成要件要素とされていない罪は，該当しない．
24) この法改正の経過措置として，改正法施行前に公訴時効が完成していないものは改正法が適用される（時効が廃止又は延長された）ことは，行為時点における違法性の評価や責任の重さを遡って変更するものではなく，憲法に違反しないとされた（最判平27・12・3刑集69・8・815）．

長期 5 年未満の自由刑又は罰金に当たる罪は 3 年，⑦ 拘留又は科料に当たる罪は 1 年と定められている(法 250)[25]．

人を死亡させた罪で禁錮以上の刑に当たる罪の公訴時効

死刑	無期	長期 20 年	禁錮以上
時効完成なし	30 年	20 年	10 年

それ以外の罪の公訴時効

死刑	無期	長期 15 年以上	長期 15 年未満	長期 10 年未満	長期 5 年未満・罰金	拘留・科料
25 年	15 年	10 年	7 年	5 年	3 年	1 年

　科刑上一罪を構成する各罪の時効期間が異なる場合については，各罪ごとにその刑を基準にして時効期間を算定すべきものとする見解も有力であるが，判例は，最も重い罪の刑を基準にして全体として時効期間を算定すべきものとしている(最判昭 41・4・21 刑集 20・4・275)．

　両罰規定における事業主と行為者の公訴時効については，それぞれの刑に応じて各別に算定する(最大判昭 35・12・21 刑集 14・14・2162)．

公訴時効の起算点　公訴時効は，犯罪行為が終わった時から進行する(法 253 I)．「犯罪行為」とは広義のもので，構成要件に該当する事実全体，すなわち実行行為とその結果を含めたものである[26]．時効制度が犯罪の社会的影響の減少を主要な根拠とする以上，行為から時を経て結果が生じた

---

25) 2 つ以上の主刑を併科すべき罪(例えば，懲役刑と罰金刑の併科を定める盗品等有償譲受け罪)又は 2 つ以上の主刑中その 1 つを科すべき罪(例えば，懲役刑又は罰金刑の選択を定める傷害罪)については，その重い方の刑を基準とし，また，刑法総則により刑を加重減軽すべき場合には，加重減軽しない刑(法定刑)を基準として，それぞれ法 250 条を適用すべきものとされている(法 251・252)．なお，犯罪後の法律により刑の変更があった場合，公訴時効の期間は，当該犯罪事実に適用すべき罰条(従って通常は犯行時のもの)の法定刑によって定められる(最決昭 42・5・19 刑集 21・4・494)．

26) 例えば，競売入札妨害罪では，現況調査に訪れた執行官に対して虚偽の事実を申し向けるなどした行為が実行行為に当たるが，その行為に基づく競売手続が進行する限り，「犯罪行為が終わった時」とはならない(最決平 18・12・13 刑集 60・10・857)．

場合には，そこを起算点とするのが合理的だからである．

科刑上一罪の関係にある各犯罪の結果の発生時期がかなり異なる場合であっても同様であり，最決昭 63・2・29 (刑集 42・2・314) は，水俣病公害事件に関して，「観念的競合の関係にある各罪の公訴時効完成の有無を判定するに当たっては，その全部を一体として観察すべきものと解するのが相当であるから，Kの死亡時から起算して業務上過失致死罪の公訴時効期間が経過していない以上，本件各業務上過失致死傷罪の全体について，その公訴時効はいまだ完成していないものというべきである」と判断している．包括一罪，営業犯，継続犯等の場合も，最終の犯罪行為が終わった時から時効期間を起算すべきである[27]．なお，**共犯**の場合には，最終の行為が終わった時から，すべての共犯に対して時効期間を起算する (法 253 II)[28]．

時効の期間の計算 被疑者・被告人の利益のために，期間の計算に関する一般原則の例外が認められ，時効期間の初日は，時間を論じないで 1 日としてこれを計算し，期間の末日が休日に当たるときも，これを期間に算入する (法 55 I 但書・III 但書)．

公訴時効の停止 公訴時効は，その事件についてなされた公訴提起によってその進行を停止する[29]．その際には，公訴提起の有効・無効を問わず時効は停止し，仮にその後管轄違い又は公訴棄却の裁判がされれば[30]，それが確定した時から残りの時効期間が進行を始める (法 254 I)．

付審判請求事件の公訴時効は，請求の時ではなく付審判の決定 (法 266 ②) があった時に，その進行を停止する (最決昭 33・5・27 刑集 12・8・1665)．20 歳未満の者に係

---

[27] 包括一罪につき最判昭 31・8・3 (刑集 10・8・1202)，営業犯につき最決昭 31・10・25 (刑集 10・10・1447)，継続犯につき最判昭 28・5・14 (刑集 7・5・1026) 参照．
[28] 公訴時効に関して用いられている「共犯」とは，刑法上の共犯規定が適用される任意的共犯に限らず，必要的共犯を含む．しかし，法 9 条 II 項の「共に犯した」とされている犯人蔵匿罪，証拠隠滅罪，偽証罪，虚偽鑑定罪及び盗品等に関する罪の犯人とその本犯は，含まれない．
[29] 検察官が誤って併合罪の関係にある事実を追加する内容の訴因変更請求をした場合も (本来は追起訴によるべきであった)，訴因変更請求書が提出された時点から公訴時効の進行は停止する (最決平 18・11・20 刑集 60・9・696)．
[30] 起訴状謄本が 2 か月以内に送達されず公訴提起の効力が失われる場合も (法 271 II)，時効の停止が認められる (最決昭 55・5・12 刑集 34・3・185)．この場合には公訴が棄却されるが (法 339 I ①)，その決定が確定した時から公訴時効は再びその進行を始めることになる．

る事件の時効の停止については，特別の定めがある[31]．

　共犯の1人に対してなされた公訴提起による時効の停止は，他の共犯に対してもその効力を有する．停止した時効は，その事件の裁判が確定した時から残りの時効期間が進行を始める(法254Ⅱ)．

　犯人が**国外**にいる場合，又は犯人が逃げ隠れているため有効に起訴状謄本の送達若しくは略式命令の告知ができなかった場合には，その国外にいる期間又は逃げ隠れている期間，公訴時効は進行を停止する(法255Ⅰ)[32]．国外にいる場合は，逃げ隠れしている場合と異なり，公訴が提起されることも起訴状謄本の送達等ができないことも要件とされておらず，また，捜査官が犯罪の発生や犯人を知っていると否とを問わない(最判昭37・9・18刑集16・9・1386)．一時的に国外に旅行する場合であっても，国外にいる間，時効はその進行を停止する(最決平21・10・20刑集63・8・1052)．

3　略式手続

略式手続の意義　公判を開かず書面審理によって一定範囲の財産刑を科す簡易な手続である．一定金額以下の罰金又は科料に処せられることには異議のない被告人にとって，公開の法廷への出頭などの負担がなく，刑事司法を担当する検察庁や裁判所の人的・物的負担の軽減にもなることから，実際には多くの事件が略式手続によって処理されている[33]．検察官は，簡易裁判所の管轄に属する事件について，100万円以下の罰金又は科料に処するのが相当と考えたときは，被疑者に異議のないことを確かめた上[34]，公訴提起と同時に略式命令を請求することができる(法461・461の2・462)．請

---

[31] 20歳未満の者を起訴するには，家庭裁判所への送致と検察官逆送決定を経る必要があるため，事件が家庭裁判所に係属している間は公訴時効の進行が停止される(少47)．
[32] これらの要件を証明する必要があるときは，検察官は，公訴提起後速やかに証明資料を裁判所に差し出さなければならない(法255Ⅱ，規166)．
[33] 交通事件も含めた場合，令和2年に起訴された253,444人のうち67.7%に当たる171,663人が略式命令を請求されている．
[34] 検察官は，あらかじめ，被疑者に対し，略式手続について説明し，通常の審判を受けることもできることを告げて，異議がないか確かめなければならず，異議がないときは書面(被疑者の署名押印のある申述書)を作成して，その書面を略式命令請求書に添付する(法461の2・462)．

求の際，検察官は，証拠書類と証拠物を裁判所に提出しなければならない(規289)[35]．これは起訴状一本主義の例外といえる．

裁判所の手続 請求を受けた裁判所は，請求が不適法であるか[36]，略式命令をすることができないか[37]，又は略式命令をするのが不相当と判断したとき[38]は，通常の手続によって審判する(法463)．この場合は，検察官に起訴状の謄本を提出させて被告人に送達するなど，通常の手続が進められ，先に提出されていた証拠書類と証拠物を検察官に返還する(法463，規293)．逆に，略式手続によることが適法かつ相当であると判断したときは，公判を開かず，証拠書類等を検討して，略式命令を発することになる[39]．略式命令には，罪となるべき事実，適用した法令，科すべき刑，付随処分が示され(法464)，それが確定すると，確定判決と同一の効力を生じる(法470)．

正式裁判 略式命令を受けた者又は検察官は，命令の告知を受けた日から14日以内に正式裁判の請求をすることができる(法465)[40]．その請求があれば，以後は通常の手続に従って審判される(法468 II)．この場合には，略式命令を発した裁判官は除斥される(法20 ⑦)．また，正式裁判は，略式命令に拘束されず(法468 III)，通常の審理を経て判決が出されれば略式命令は当然失効する(法469)．

---

35) 合意制度(⇨163頁)による合意がある場合には，検察官は，略式命令の請求と同時に，合意内容書面を裁判所に提出しなければならない(法462の2)．
36) 被疑者に対し略式手続によることに異議がないか確かめていない場合などである．
37) 法定刑に罰金刑が含まれていない場合や，無罪等を言い渡すべき場合などである．
38) 事案が複雑で慎重な審理が必要な場合，訴因変更等が必要である場合，量刑について検察官の意見(科刑意見)と著しく異なる場合などである．
39) 略式命令で科すことができるのは100万円以下の罰金又は科料であるが，未決勾留日数を算入すること，刑の執行を猶予すること，没収・追徴を命ずることなども可能である．
40) 正式裁判の請求又はその取下げについては，上訴に関する規定が準用される(法467)．なお，検察官は，科刑意見どおりに略式命令が発付された場合であっても，その後に多数の前科が判明するに至ったようなときは，正式裁判を請求することができる(最決平16·2·16刑集58·2·124)．

第4章 公判手続

I 公判の準備

1 公判のための準備活動

公判手続　公訴の提起は起訴状の提出によってなされる(法256 I)．公訴の提起によって事件が裁判所に係属してから，その事件について審理が行われて裁判が確定するまでの手続を広義の**公判手続**という(狭義の公判手続 ⇨ 277頁)．

起訴状謄本の送達　公訴が提起されると，裁判所は，被告人に公訴事実を知らせて(適正手続でいわれる「告知と聴聞」のうちの告知に当たる)防御の準備をさせるため，起訴状の謄本を直ちに被告人に送達しなければならない(法271 I，規176 I)[1]．

公訴の提起と起訴状謄本の送達との間が長期になると被告人の防御に実質的な不利益を及ぼすおそれがあるから，公訴提起後2か月以内に起訴状謄本が送達されないときは，公訴の提起はさかのぼってその効力を失うものとされている(法271 II)[2]．その場合には，決定で公訴棄却される(法339 I ①)．

外国人被告人への起訴状謄本の送達　日本語を理解しない外国人被告人に起訴状謄本を送達する場合について，翻訳文の添付の要否が問題となる．添付がなければ防御の機会を奪うことになり違法であるとする見解もあるが，刑訴法はそれを要

---

1) 起訴状謄本の送達の場合は，書留郵便に付する送達は許されず(規63 I但書)，通常は特別送達によってなされる．送達ができなかったときは，裁判所は直ちにその旨を検察官に通知しなければならない(規176 II)．検察官が所在調査をすれば，再送達できる可能性があるからである．なお，被害者等の個人特定事項を秘匿した起訴状抄本を送達することで足りるとする法改正の動きにつき，50頁注10．
2) 失効した場合であっても，公訴提起時から公訴棄却決定の確定時まで時効は停止する(⇨252頁注30)．

求していないし，捜査段階での被疑事実の告知，取調べ，弁護人との接見交通，公判廷での起訴状の朗読等の前後の手続が通訳人を介して行われること（⇨ 347 頁）などによって，防御権の実質的保障に欠けるところはないので，翻訳文の添付がなくても違法とはいえないものと解される．とはいえ，翻訳文が添付された方が被告人の権利保護に資することは否定できないため，実務では，主要な外国語について，公訴事実の概要の翻訳文を送付する運用が行われている．

弁護人の選任　公訴の提起があったときは被告人が弁護人選任権を十分に行使できるよう，裁判所は，弁護人が選任されていない被告人に対し，遅滞なく，弁護人選任権があること，貧困等の事情で弁護人を選任できないときは**国選弁護人の選任を請求できること**（法 36）[3]，さらに必要的弁護事件については，弁護人がないと開廷できないことを知らせなければならない（法 272，規 177）．必要的弁護事件であれば，私選弁護人を選任するかどうかを，また，任意的弁護事件であれば，国選弁護人の選任を請求するかどうかを確かめなければならない（規 178 I）[4]．通常は，その照会書が起訴状謄本と同時に被告人に送達される．

もっとも，被告人が起訴前から勾留されていた場合は，既に弁護人が選任されているのが通常であり，起訴後も選任の効力が維持されるから（被疑者国選弁護 ⇨ 204 頁），その場合はこの段階での弁護人選任権の通知・照会は不要である．

両当事者の事前準備　訴訟の迅速・充実の要請が強い現在，第 1 回公判期日から争点を中心とした効率的で充実した審理を行うためには，当事者の**事前準備**が重要である．連日的に開廷して計画的な集中審理を行うには，事前に争点が整理され，双方の立証計画が確立していることが必要

---

[3]　法 36 条は，被告人が貧困その他の事由により弁護人を選任できないときは，裁判所は被告人の請求により弁護人を選任しなければならないとする．国選弁護人は，裁判長の選任命令により選任され（規 29 I），裁判所が解任しない限りその身分を失わない（解任事由 ⇨ 40 頁）．国選弁護人は，被告人ごとに選任される例が多いが，被告人の利害が相反しないときは，1 人の弁護人に数人の弁護をさせることができる．逆に，1 人の被告人に複数の国選弁護人を選任することも可能であり，裁判員制度対象事件では，公訴提起されると複数選任されるのが通例である．
[4]　弁護人選任照会においては，被告人に対し，一定の期間を定めて回答を求めることができる（規 178 II）．必要的弁護事件について，その期間内に回答がなく，又は弁護人の選任がないときは，裁判長は，直ちに被告人のため国選弁護人を選任しなければならない（規 178 III）．なお，任意的弁護事件において私選弁護人選任申出の前置が必要なことについては，39 頁注 19 参照．

となる．特に，裁判員裁判においては，そのような計画的・集中審理を実現することが不可欠であるため，裁判員制度を導入することとした平成16年の法改正により，公判前整理手続が設けられた．

　まず，公判前整理手続が行われるか否かを問わず[5]，訴訟関係人は，第1回公判期日前に，できる限り証拠の収集・整理をし，審理が迅速に行われるように準備しなければならない（規178の2）．検察官は，取調べを請求する予定の証拠書類や証拠物について，なるべく速やかに被告人・弁護人に閲覧の機会を与えなければならないし，弁護人は，被告人その他の関係者に面接するなど適当な方法によって事実関係を確かめておくほか，検察官が閲覧の機会を与えた証拠書類や証拠物について，なるべく速やかに，同意，不同意又は異議の有無の見込みを検察官に通知しなければならない（規178の6Ⅰ・Ⅱ）．

　そして，検察官と弁護人は，訴因・罰条を明確にし，事件の争点を明らかにするため，互いにできる限り打ち合わせ，審理に要する見込み時間など開廷回数の見通しを立てるのに必要な事項を裁判所に通知しなければならない（規178の6Ⅲ）．

　裁判所は，通常は書記官を介して当事者と連絡を取り，準備を促す処置をとらせることになるが（規178の14），適当と認めるときは，第1回公判期日前に検察官と弁護人を出頭させて，訴訟の進行に関する必要な打合せを行うことができる（規178の15）．もっとも，その打合せの際には，予断を生じさせるおそれのある事項にわたらないように配慮しなければならない（規178の15Ⅰ但書）[6]．

---

5) 第1回公判期日前の訴訟関係人の準備を「事前準備」という．この間に，事前の争点整理が必要な事件等において「公判前整理手続」が行われることになるが，この手続が行われる場合には，本文に記述したような当事者の準備が公判前整理手続の中で行われることになる．第1回公判期日後は，争点及び証拠の整理等のために「期日間整理手続」（⇨323頁）を行うことができる．

6) 最決昭42・11・28（刑集21・9・1299）は，選挙運動者に現金を供与したという公職選挙法違反の訴因で起訴された事件において，第1審における第1回公判期日前の公判進行についての打合せの際，検察官が，打合せの便宜に供するため，訴因事実のほかに，受供与者が受領した金員をさらに他の者に交付したり，饗応に当てたりした趣旨の事実が系統的に図示されている一覧表を裁判官に提示したことについて，「刑訴法第256条第Ⅵ項の趣旨に照らし妥当ではないが，右の程度では，いまだ同項にいう裁判官に事件につき予断を生ぜしめるおそれのある書類を示したものとは認めがたい」としている．なお，予断排除と公判前整理手続につき，224頁参照．

次に述べる公判前整理手続が行われる場合も，手続に付されるまで当事者はそれぞれ上記準備をすべきであるが，公判前整理手続が行われることになれば，それらの準備の多くは同手続の中で進められることになる．

<u>公判期日の指定</u>　裁判長は，訴訟関係人の準備状況等を勘案して第 1 回公判期日を指定し，その期日に被告人を召喚し，かつ，その期日を検察官・弁護人に通知しなければならない(法 273 参照)．

2　公判前整理手続

<u>制度の趣旨</u>　公判前整理手続は，刑事裁判の充実・迅速化を図る方策として平成 16 年の法改正で設けられた手続である．争点を中心とする充実した審理を集中的・連日的に行うためには，あらかじめ，事件の争点を明らかにし，公判で取り調べるべき証拠を決定した上で，明確な審理計画を立てることが重要となる．特に，裁判員の参加する裁判においては，裁判員にとって分かりやすく，迅速で，審理に関与すべき期間もあらかじめ明確になっていることが不可欠である[7]．

そこで，第 1 回公判期日前に，受訴裁判所の主宰の下で，当事者双方が，公判においてする予定の主張を明らかにし，その証明に用いる証拠の取調べを請求することなどを通じて，事件の争点を明らかにし，公判で取り調べるべき証拠を決定した上，その取調べの順序・方法等を定め，公判期日を指定するなどして明確な審理計画を策定する公判前整理手続が設けられた．また，事前に争点を整理するためには弁護側も十分に防御の準備をできることが必要であるため，証拠開示も拡充され，検察官請求証拠以外の証拠を含め，この手続の中で行われる証拠開示の手続・要件や，争いが生じた場合における裁判所の裁定等のルールが整備された．公判前整理手続の流れは，おおむね以下のとおりである．

<u>手続の開始</u>　裁判所は，充実した公判審理を継続的，計画的かつ迅速に行うため必要があると認めるときは，当事者の請求により[8]又は職権

---

7)　そのため，裁判員制度対象事件については公判前整理手続を経ることが必要的とされている．
8)　公判前整理手続に付するか否かは，制度導入当初，裁判所が職権で決することとされていた

で，事件を公判前整理手続に付することができる(法316の2)．裁判員制度の対象事件については公訴事実の争いの有無を問わず公判前整理手続を行う必要があるが，裁判員制度の対象とならない事件であっても，争点の多い事件や証拠関係の複雑な事件など，審理の長期化が予想される事件においては，公判前整理手続を行うことが相当とされる．

予断排除の原則との整合性　立法段階では，予断排除の原則を根拠として，受訴裁判所を構成しない他の裁判官が公判前整理手続を行うべきであるとする意見もあった．しかし，実効性のある争点整理をし，それに基づく計画的・集中的審理を実現させるためには，最終的な判断をすべき受訴裁判所がこの手続を主宰することが望ましい．しかも，両当事者が関与することを前提とすると，争点整理のために当事者が立証予定の具体的事実やその証拠について提示することになったとしても，相手方が争っていて証拠調べが必要となる部分まで一方当事者の主張のみに基づいて裁判官が心証を形成してしまうような事態が生じるとは考えにくいから，公判前整理手続を受訴裁判所が行うことが予断排除の原則(⇨224頁)に反するとはいえない．とはいえ，公判前整理手続において実体に関する証拠調べを行うことはできないのであるから，それと同一視されるような態様で手続を行うことは許されない．

手続の関与者　公判前整理手続は弁護人がいなければ行うことができず(法316の4 ⇨280頁)，その手続期日[9]には検察官と弁護人の出頭が必要的である(法316の7)．被告人の出頭は必要的ではないが，出頭する権利が認められており，裁判所が被告人の出頭を求めることもできる(法316の9)[10]．

が，付されるか否かが当事者の公判準備に大きな影響を与え得ることから，平成28年法改正により，検察官と被告人・弁護人に請求権を付与することとされた．裁判所は，当事者から請求があったときは，事件を公判前整理手続に付する旨の決定又は請求を却下する旨の決定をしなければならない．なお，この決定は「訴訟手続に関し判決前にした決定」(法420 I)に当たるので，当事者が不服申立てすることはできない．

9)　公判前整理手続は，裁判所が訴訟関係人に書面を提出させる方法か，手続期日を開いて訴訟関係人を出頭させて陳述させる方法によって行われ(法316の2 III・316の6)，これらの方法を適宜織り交ぜて行うこともできる．

10)　裁判所は，被告人の意思を確かめる必要があると認めるときは，公判前整理手続期日において被告人に質問し，あるいは弁護人に被告人と連署した書面の提出を求めることができる(法316の10)．被告人を出頭させた場合は，最初の期日に供述拒否権を告知する(法316の9 III)．被告人と弁護人の意思疎通に不安がある場合などに被告人の出頭が求められることになるであろうが，争点の明確化等の公判前整理手続の目的を達するために行われるものであり，事実関係について被告人の供述を求める目的で出頭させることはできない．

訴訟関係人は，この手続の目的が達成できるように協力しなければならない（法316の3Ⅱ，規217の2）．

手続の内容　公判前整理手続においては，① 争点の整理，② 証拠の整理，③ 証拠の開示，④ 審理計画の策定等が行われる（法316の5）．具体的には，① として訴因・罰条の明確化，訴因・罰条の追加・撤回・変更の許可，予定主張の明示による争点整理，② として証拠調べの請求，立証趣旨・尋問事項等の明確化，証拠意見の確認，採否の決定，証拠調べの順序・方法の確定，異議申立てに対する決定，③ として証拠開示に関する裁定，④ として公判期日の指定・変更等である．

証拠決定と事実の取調べ　裁判所は，証拠の採否を決定するために，事実の取調べ（法43Ⅲ）をすることができる．証拠能力に関する事実の取調べもできるが，公判で行うべき実体に関する証拠調べと区別した事実の取調べが可能で，それが円滑な訴訟運営にも資する場合に限られることになろう[11]．例えば，法321条Ⅰ項各号に掲げられた供述不能の要件（⇨444頁）に関するものなどは，実体とは直接の関連がないから，公判前整理手続で事実の取調べを行い，証拠の採否を決することに問題はないが，同条Ⅰ項2号後段の特信性の要件（⇨450頁）に関するものなどは，公判での証言との相反が前提となるので，公判前整理手続で事実の取調べを行うことはできない．

公判前整理手続における当事者追行主義　刑事裁判においては，合理的な期間内に充実した審理を行って事案の真相を解明することが求められるが，公判前整理手続は

---

[11]　裁判員制度対象事件においては，裁判員の負担が過重にならないようにとの配慮が必要になるため，構成裁判官のみで判断することが可能なことであればできるだけ公判前整理手続ですませておくとの要請が強まる．そのため，例えば，検証調書や鑑定書に関する法321条Ⅲ項・Ⅳ項の真正な作成の要件（⇨437, 439頁）については，公判前整理手続において作成名義の真正について作成者を尋問し，証拠に採用できれば公判廷で記載内容の真実性について作成者に証言させるという形で分断しても不自然・非効率でなければ，そのような運用が望まれることになる．

　違法収集証拠であるとの主張（⇨479頁）がされた場合も同様であるが，違法収集証拠か否かを判断するために必要な証人尋問等が公訴事実の認定のための証拠ともなる場合には，公判廷で行われる証人尋問と切り離して公判前整理手続で尋問する必要性は弱まるであろう．

　自白の任意性（⇨403頁）の場合は，任意性の判断とそれが肯定された場合の信用性の判断が密接に関連しているため，公判前整理手続で任意性に関して取調官を尋問したとしても，公判廷で同人の証人尋問を行わざるを得ない場合が多いであろうし，その点が公訴事実の立証の帰趨を大きく左右する性質のものであるから，公判前整理手続でそのような尋問を行うのは相当性を欠くことが多いであろう．

それを実現させるための手続である．同手続において，裁判所は，両当事者が主張・立証しようとする内容を踏まえて，争点を的確に整理し，その解決に必要となる立証が的確に行われるように審理計画を策定することが求められる．証拠の採否は裁判所の合理的な裁量に委ねられているが(⇨331頁)，当事者追行主義(⇨24頁)を前提とする以上，裁判所は，当事者が主張・立証しようとする内容を踏まえて，事案の真相の解明に必要な立証が的確に行われるようにする必要がある(最判平21・10・16刑集63・8・937)[12]．

検察官による主張の明示と証拠の請求・開示　公判前整理手続では，まず，検察官が主張・立証の全体像を明らかにする．すなわち，検察官は，公判期日において証拠により証明する予定の具体的事実を書面(**証明予定事実記載書面**)で明らかにするとともに[13]，その証明に用いる証拠の取調べを請求し(法316の13)，その証拠について被告人又は弁護人に開示しなければならない(法316の14)．証拠開示は，争点整理に組み込まれた形で段階的に行われることとなっている．

第1段階の証拠開示　第1段階の証拠開示の範囲は，基本的に従前と変わりなく，取調べ請求した証拠である．開示の方法は，証拠書類・証拠物については，閲覧・謄写の機会を与えることによって行い，証人・

---

12) 刑事裁判においては，公訴事実(それが認められる場合は量刑上重要な事実も)について，その存否を判断するのに必要な証拠調べが行われることになるが，まずは，証拠を検討するなどして準備している両当事者が，それに必要と考える主張・立証を行うことが求められる．裁判所は，当事者の主張・立証計画を尊重しつつ，補充的に職権を行使し，刑事裁判において求められている事案の真相の解明に必要であるかなどを考慮して，争点を整理し，証拠の採否を判断することになる．これが当事者追行主義を前提とした訴訟運営であり，裁判員の参加する裁判においては特に強く要請される．これによれば，第1次的に第1審裁判所の合理的裁量に委ねられた証拠の採否について，当事者からの主張もないのに，控訴審が審理不尽と断定するようなことは基本的に許されないことになる．最判平21・10・16は，強制わいせつ致死・殺人等の事案において，第1審が検察官請求に係る被告人の検察官調書の取調べ請求を却下したのに対し，控訴審が同調書は犯行場所の確定に必要であるとして，その任意性に関する主張・立証を十分にさせなかった点に審理不尽があるとしたことについて，同調書の立証趣旨が犯行場所に関連するものではなく弁解状況等であり，検察官は控訴審において犯行場所がいずれであっても刑責に軽重はない旨釈明していたなどの本件訴訟経過の下では，法令の解釈適用を誤った違法があるとし，控訴審判決を破棄した．
13) 公判における冒頭陳述の前倒しということができる．証明予定事実を明らかにするには，事実とそれを証明するために用いる主要な証拠との関係を具体的に明示するなどの方法によって，事件の争点及び証拠の整理に必要な事項を具体的かつ簡潔に明示しなければならない(規217の20・217の21)．冒頭陳述と同様に，証拠とできない資料等に基づいて裁判所に偏見・予断を生

鑑定人等については，その氏名・住居を知る機会を与えるとともに，その者が公判期日に供述すると思われる内容が明らかになるもの(供述録取書[14]又は供述すると思われる内容の要旨を記載した書面)を閲覧・謄写する機会を与えることによって行う(法316の14Ⅰ)．検察官が最初から証人によって証明しようとしても，その者の供述録取書か予想される供述内容の要旨を記載した書面を開示すべきものとした点で，氏名・住居を知る機会を与えるのにとどめていた法299条Ⅰ項の規定を超えて，証拠開示を実質的に拡充したものといえる[15]．

証拠の一覧表の交付　検察官請求証拠が開示された後，被告人又は弁護人から請求があったときは，検察官は，速やかに，検察官が保管する証拠の一覧表を交付しなければならない(法316の14Ⅱ)[16]．また，一覧表を交付した後に証拠を新たに保管するに至ったときは，速やかに，当該証拠の一覧表を追加的に交付しなければならない(同Ⅴ)．一覧表に記載する事項は，証拠の区分に応じて定められており，証拠物については品名・数量を，供述録取書については標目・作成年月日・供述者氏名を，それ以外の供述調書については標目・作成年月日・作成者氏名を証拠ごとに記載しなければならない(同Ⅲ)[17]．

類型証拠の開示　被告人又は弁護人は，第1段階で開示された特定の検察官請求証拠の証明力を判断するために重要な一定類型に該当する検察官手持ち証拠(**類型証拠**)の開示を請求することができる．請求を受けた検察官は，その重要性の程度など被告人の防御の準備のために当該開示を

じさせるおそれのある事項を記載することはできない(法316の13Ⅰ)．
[14] 供述録取書等が複数存在する場合，公判で供述すると思われる内容がすべて含まれているものであれば，その1通で足りる．
[15] 公判前整理手続においては，合理的な争点と証拠の整理が迅速に進められることが望ましいところ，近時の裁判員裁判の実情を見ると，特段の問題がない事案では，起訴後2週間程度を目安として，検察官が概略的な証明予定事実記載書面と証拠等関係カードを提出する運用が一般化している．
[16] 証拠の一覧表の交付手続は，被告人側に対して類型証拠又は主張関連証拠の開示請求の手掛かりを与えることにより公判前整理手続が円滑・迅速に進行できるものとするために，平成28年法改正で導入された．
[17] もっとも，一覧表に記載することにより，(1)人の身体・財産に害を加え若しくは人を畏怖・困惑させる行為がなされるおそれ，(2)人の名誉・社会生活の平穏が著しく害されるおそれ，又は(3)犯罪の証明若しくは犯罪の捜査に支障を生ずるおそれがあると認める証拠については，一覧表に記載しないことができる(法316の14Ⅳ)．

することの必要性と，当該開示による弊害の内容・程度を考慮し，相当と認めるときは，これを開示しなければならない(法316の15)．**第2段階**の証拠開示であり，被告人側が検察官請求証拠の証明力を適切に判断することができるようにしようとするものである[18]．

> **類型証拠** 重要な一定類型の証拠とは，証拠物，裁判所・裁判官の検証調書，捜査機関による検証調書・実況見分調書又はこれに準ずる書面，鑑定書又はこれに準ずる書面，証人等の供述録取書等，検察官が特定の検察官請求証拠により直接証明しようとする事実の有無に関する供述を内容とする被告人以外の者の供述録取書等，被告人の供述録取書等，身柄拘束中の被告人又は共犯者の取調べ状況記録書面，検察官請求証拠又は類型証拠として開示すべき証拠物の押収手続記録書面のうちのいずれかに該当するものをいう．被告人側の防御にとって有用なもので，証拠隠滅のおそれが少ない類型のものである．

開示の方法は，閲覧・謄写の機会を与えることによるが，検察官は，弊害の発生を防止するために必要と認めるときは，開示の時期・方法を指定し，又は条件を付することができる．なお，開示の要否・方法等を巡って争いが生じた場合，被告人又は弁護人は，裁判所の裁定を求めることができる(法316の26)．

弁護人による主張の明示と証拠の請求・開示 事前に争点と証拠を十分に整理するには，被告人側にも公判でする予定の主張等を明らかにさせる必要がある．先に説明したような証拠開示等の手続を経た後であれば，被告人側にそれを求めても，防御の利益を損なうものとはいえないと考えられたものである．具体的には，被告人又は弁護人は，検察官請求証拠に対する証拠意見を明らかにしなければならず(法316の16)，また，予定している事実上及び法律上の主張があるときは，これを明示するとともに，これを証明するために用いる証拠の取調べを請求し(法316の17)，かつ，当該証拠について検察官に開示しなければならない(法316の18)[19]．

---

18) 弁護人からの類型証拠の開示請求が遅れると，公判前整理手続の進展がそれだけ遅れることになるが，被疑者国選弁護制度の導入によって，弁護人も起訴の段階で弁護方針の大枠を想定できることが多くなっているため，少なくとも典型的な類型証拠の開示請求は，早期に行うことが期待できるようになっている．検察官による任意開示(類型証拠に当たるものを，第1段階の証拠請求・開示と併せて開示する運用)も，広く行われている．

「事実上の主張」には，積極的反対事実の主張のほか，検察官の証明予定事実を否認する主張も含まれる．開示の方法は，検察官請求証拠の場合と同様である．検察官は，被告人側の請求証拠の開示を受けたときは，これに対する証拠意見を明らかにしなければならない（法316の19）．

主張明示義務と自己負罪拒否特権　主張明示義務があるのは，公判ですることを予定している主張に限られているから，公判でも黙秘し，何の主張・立証もする予定がない場合には，主張明示義務は生じない．この義務は，公判で予定するものを前倒しして公判前整理手続で行わせるにすぎないものと考えられる．この手続を経ることにより立証制限を受けることになるが，やむを得ない事由で請求できなかった場合には制限を受けないとされているほか，制限を受けても裁判所が職権で証拠調べをすることができるとされていること，主張そのものの制限は課されていないこと（⇨268頁）などを考えると，自己負罪拒否特権（⇨201頁）を不当に侵害するものとはいえないであろう．最決平25・3・18刑集67・3・325も，「法316条の17は，自己に不利益な供述を強要するものとはいえない」としている[20]．

主張関連証拠の開示　被告人又は弁護人は，先の手続で明らかにした主張に関連する検察官手持ち証拠（**主張関連証拠**）の開示を請求することができ，検察官は，開示の必要性及び弊害を考慮し，相当と認めるとき

---

19) 弁護人の中には，すべての類型証拠の開示を受けるまでは予定主張も証拠意見も一切明らかにできないという対応をする者も見受けられ，それが公判前整理手続の長期化の一因となっている旨の指摘もある．しかし，合理的な争点整理を進めるためには，当事者の主張が概括的なものから具体的なものに変わっていくことは想定されており，その段階である程度の修正・変更が加わるのは当然である（法316条の21・316条の22は予定主張の追加・変更を前提としている）から，裁判所と両当事者の間で修正・変更には柔軟な対応がされることを確認するなどして，暫定的な主張であっても明らかにできるような運用とすることが望ましいといえよう．

20) 最決平25・3・18は，「公判前整理手続は，充実した公判審理を継続的，計画的かつ迅速に行うために，事件の争点及び証拠を整理する公判準備であるところ，公判前整理手続において十分に争点及び証拠を整理するためには，検察官の主張に対する反論として，被告人側の主張やその取調べ請求証拠が明らかにされなければならないことから，刑訴法316条の17は，被告人又は弁護人に対し，検察官の証明予定事実を記載した書面の送付を受け，かつ，同法316条の14，316条の15第1項の各規定による証拠開示を受けた場合に，公判期日においてすることを予定している主張があるときには，これを明らかにするとともに，その証明に用いる証拠の取調べを請求することを義務付けている．このように，同法316条の17は，被告人又は弁護人において，公判期日においてする予定の主張がある場合に限り，公判期日に先立って，その主張を公判前整理手続で明らかにするとともに，証拠の取調べを請求するよう義務付けるものであって，被告人に対し自己が刑事上の責任を問われるおそれのある事項について認めるように義務付けるものではなく，また，公判期日において主張をするかどうかも被告人の判断に委ねられているのであって，主張をすること自体を強要するものでもない」と判示している．

は，これを開示しなければならない(法316の20)．**第3段階**の証拠開示であり，これによって，争点整理を更に進めることができ，被告人側も防御の準備を進めることができる．

　開示の方法，検察官による開示の時期・方法の指定や，開示の要否・方法等を巡って争いが生じた場合の手続については，類型証拠の開示の場合と同様である．

証拠開示に関する裁定　公判前整理手続において行われる証拠開示の要否について当事者間で争いが生じた場合には，裁判所が裁定をする．裁定には2種類あり，①当事者が取調べを請求した証拠について，必要と認めるときに，当該当事者の請求により，その開示の時期・方法を指定し，又は条件を付する場合(法316の25)と，②当事者が開示すべき証拠を開示していないと認めるときに，相手方の請求により，その開示を認める場合(法316の26)がある．

　裁判所は，裁定のために必要なときは，当該証拠の提示を命じることができ，また，検察官に対して，一定範囲内の手持ち証拠の標目を記載した一覧表の提示を求めることができる(法316の27)[21]．

放火事件で弁護側が証明予定事実としてアリバイを主張した場合の一例

	開示証拠	具体例
第1段階 (証明予定事実の明示と同時)	証明予定事実を証明するための証拠	焼失現場の状況に関する証拠(実況見分調書等) 目撃状況に関する証拠(目撃者の供述調書等) 自白(被告人の警察官調書等)
第2段階	類型証拠	出火原因の特定に関する鑑定書等 他に犯人を目撃していた者の供述調書等 取調べ状況記録書面，被告人の他の供述調書
第3段階 (弁護側のアリバイ主張の後)	主張関連証拠	弁護側が具体的に主張するアリバイの成否に関する証拠物，供述調書等

---

21) 提示された証拠や一覧表は，裁定のための資料にとどまるため，何人にも閲覧又は謄写をさせることができないとされている．裁定のための裁判所の決定に対しては，即時抗告ができる．

取調べメモ等の証拠開示　法316条の26第Ⅰ項の証拠開示命令の対象となる証拠は，必ずしも検察官が現に保管している証拠に限定されず，当該事件の捜査の過程で作成され，又は入手した書面等であって，公務員が職務上現に保管し，かつ，検察官において入手が容易なものも含まれる．例えば，取調警官が，犯罪捜査規範13条(備忘録)に基づき作成した備忘録であって，取調べの経過その他参考となるべき事項が記録され，捜査機関において保管されている書面は，当該事件の公判審理において，当該取調べ状況に関する証拠調べが行われる場合には，証拠開示命令の対象となり得る(最決平19·12·25刑集61·9·895)[22]．そして，警察官が捜査の過程で作成し保管するメモ等が証拠開示命令の対象となる「備忘録」に該当するか否かの判断は，裁判所が行うべきものであるから，その判断をするために必要があると認めるときは，検察官に対し，メモ等の提示を命ずることができる(最決平20·6·25刑集62·6·1886)[23]．

<small>主張予定の追加・変更等</small>　その後，検察官又は被告人・弁護人において，証明予定事実ないし主張の追加・変更があれば，これを行い，必要に応じて，先に説明した手続を繰り返す(法316の21·316の22)．

<small>整理の結果の確認</small>　裁判所は，公判前整理手続を終了するに当たっては，検察官と被告人・弁護人との間で，事件の争点及び証拠の整理の結果を確認しなければならない(法316の24)．

<small>同手続終了後の証拠請求の制限</small>　公判前整理手続に付された事件については，検察官及び被告人又は弁護人は，やむを得ない事由によって請求することができなかったものを除き，公判前整理手続が終わった後になって証拠調べを請求することはできない(法316の32Ⅰ)．この手続を経た後にも無制限に新たな証拠調べ請求を許したのでは，公判前整理手続による争

---

22) 最決平19·12·25は，弁護人が被告人の自白調書の任意性を争い，期日間整理手続において威嚇的取調べ，利益誘導等を主張し，その主張に関連する証拠として警察官の取調べメモ等の開示を請求した事案につき，開示を命じた原決定を是認したものである．
23) 最決平20·6·25は，第1審裁判所が開示を命じた「本件保護状況ないし採尿状況に関する記載のある警察官A作成のメモ」が，同警察官が私費で購入してだれからも指示されることなく心覚えのために使用しているノートに記載されたものであるとしても，当該メモが証拠開示命令の対象となる備忘録に該当する可能性があることは否定することができないのであるから，検察官に本件メモの提示を命じたことは相当であるとした．なお，最決平20·9·30刑集62·8·2753も，警察官が私費で購入したノートに記載し，一時自宅に持ち帰っていた取調べメモについて，開示を命じた判断を是認している．

点整理の実効性を損なうことになるためであるが，この制限は，裁判所が職権で証拠調べをすることを妨げるものではない(同II)．

やむを得ない事由　「やむを得ない事由」によって公判前整理手続において取調べ請求できなかった場合としては，①証拠は存在していたが，これを知らなかったことがやむを得なかった場合，②証拠の存在は知っていたが，物理的に取調べ請求ができなかった場合(例えば証人が所在不明であった場合)，③証拠の存在を知っており，取調べ請求も可能であったが，相手方の主張や証拠関係から請求の必要がないと考えたことに十分な理由がある場合などがある．

新たな主張　公判前整理手続の終了によって制限されるのは新たな証拠の請求であり，主張まで制限されるものではない．公判前整理手続制度の導入時には，事件の争点及び証拠を整理するという公判前整理手続の趣旨・目的や，その実効性を担保するために，新たな証拠のみでなく新たな主張も制限されるべきとの意見もあったが，被告人が公判廷で新たな供述を始めた場合にその発言を禁止して言い分を封じることになるのは適当でないなどの意見が強く，主張まで制限されるとの規定は設けられなかった．したがって，新たな主張に関する被告人質問等が法295条I項によって当然に制限されるものではないが，かといって無制限に許容されるものでもなく，主張明示義務(⇨264頁)に違反し，公判前整理手続を行った意味を失わせるようなものであれば，制限されるものと解される(新たな主張に係る事項の重要性等によっては，制限できないこともあろう)．最決平27・5・25（刑集69・4・636）も，公判前整理手続終了後の新たな主張を制限する規定はなく，**新たな主張に沿った被告人の供述を当然に制限できるとは解し得ないものの，主張明示義務に違反し，供述を許すことが公判前整理手続を行った意味を失わせる場合には，法295条I項により制限されること**(⇨282頁)があり得る旨指摘している[24]．

---

[24] 最決平27・5・25では，公判前整理手続で明示された主張の内容を具体化する被告人質問を制限できるかが問題となった．被告人は，和歌山市内で起きた自動車との接触事故を装った詐欺事件等で起訴され，公判前整理手続に付された．弁護人は，詐欺事件について犯人性を否認し，その日時には犯行場所におらず大阪市西成区内の自宅か付近にいた旨主張したものの，それ以上の具体的主張はせず，第1審裁判所も釈明を求めず，争点は被告人と犯人の同一性であると確認された．その後，公判期日の被告人質問において，被告人が「その日時には自宅におり，知人夫婦と会う約束があったことから，その後西成の知人方に行った」と供述し，弁護人が詳しく質問しようとしたところ，裁判所は，検察官の異議申立てを受けて質問を制限した．第1審裁判所が同事件を含めて有罪としたため，被告人が控訴し，前記制限の違法を主張したが，控訴審裁判所は，前記制限が法295条I項に反するとはいえず，仮に違法でも判決に影響を及ぼさないとして，控訴を棄却した．被告人からの上告を受けて，最高裁は，公判期日においてすることを予定している主張があるにもかかわらず明示しないということは許されないとした上，「公判前整

公判前整理手続に付された事件の公判手続の特例　公判前整理手続に付された事件については，その後の公判手続においても，弁護人が必要的である（法316の29）．また，弁護側は，証拠により証明すべき事実や事実上・法律上の主張があるときは，検察官に引き続いて冒頭陳述を行う必要がある（法316の30）．その後，裁判所が，公判前整理手続の結果を明らかにする（法316の31 ⇨ 326頁）．

3　公訴提起後の捜査

起訴後の捜査　起訴後も捜査が続けられることはあるが，検察官が当該公訴事実について**被告人の取調べ**を行うことは許されるであろうか．学説をみると，①取調べを認めることに反対する見解も少なくない．例えば，法198条が「被疑者」に限定しているのは当事者主義の構造上被告人の取調べを許さない趣旨であるとする（鈴木95頁）．しかし，多数説は，②取調べが任意捜査として行われるのであれば許されるとする．もっとも，このうちには，弁護人を排斥した密室での取調べであれば強制処分に当たるので，同条により被疑者について許されるにすぎないとする説もある（田宮137頁）．確か

理手続における被告人又は弁護人の予定主張の明示状況（裁判所の求釈明に対する釈明の状況を含む），新たな主張がされるに至った経緯，新たな主張の内容等の諸般の事情を総合的に考慮し，前記主張明示義務に違反したものと認められ，かつ，公判前整理手続で明示されなかった主張に関して被告人の供述を求める行為（質問）やこれに応じた被告人の供述を許すことが，公判前整理手続を行った意味を失わせるものと認められる場合（例えば，公判前整理手続において，裁判所の求釈明にもかかわらず，『アリバイの主張をする予定である．具体的内容は被告人質問において明らかにする．』という限度でしか主張を明示しなかったような場合）には，新たな主張に係る事項の重要性等も踏まえた上で，公判期日でその具体的内容に関する質問や被告人の供述が，刑訴法295条Ⅰ項により制限されることがあり得る」と判断した．その上で，当該事件に関しては，本件質問等は，被告人が公判前整理手続において明示していたアリバイの主張に関し具体的な供述を求めたものにすぎず，法295条Ⅰ項所定の「事件に関係のない事項にわたる」ものではないし，主張明示義務に違反したものとも，本件質問等を許すことが公判前整理手続を行った意味を失わせるものとも認められないから，本件質問等を同条項により制限することはできず，原判決には法令の解釈適用を誤った違法があるとしたものの，判決に影響を及ぼす違法とはいえないとして，上告を棄却した．この事件においては，同決定補足意見にもあるように，公判前整理手続の段階で釈明を求めるなどして被告人のアリバイ主張を明らかにさせておくべきであり，具体的主張ができないのであればその理由も含めて記録として残していれば，公判段階で具体的主張がされても，その信用性判断はさほど困難ではなかったものと考えられる．

に，起訴後においては，被告人の当事者という地位にかんがみると，公判中心主義に沿わないことになるから，捜査官が当該公訴事実について被告人を取り調べることはできるだけ避けるべきである．しかし，法197条は任意捜査については何ら制限をしていないのであるから，任意捜査として取り調べられる以上は許されるであろう．必要性があり，被告人の地位を傷つけない態様の取調べであれば，弁護人の立ち会いがなくても許されよう．判例も同様に解しており，実務上も，共犯者が新たに逮捕されるなどして取り調べる必要が生じたときや，被告人が自ら供述を改めるために取調べを求めたときなどに行われている[25]．

> 最決昭36・11・21（刑集15・10・1764）は，「刑訴法197条は，捜査については，その目的を達するため必要な取調をすることができる旨を規定しており，同条は捜査官の任意捜査について何ら制限をしていないから，同法198条の『被疑者』という文字にかかわりなく，起訴後においても，捜査官はその公訴を維持するために必要な取調を行うことができるものといわなければならない．なるほど起訴後においては被告人の当事者たる地位にかんがみ，捜査官が当該公訴事実について被告人を取り調べることはなるべく避けなければならないところであるが，これによって直ちにその取調を違法とし，その取調の上作成された供述調書の証拠能力を否定すべきいわれはなく，また，勾留中の取調であるのゆえをもって，直ちにその供述が強制されたものであるということもできない」としている．

4　公訴提起後の勾留・保釈

(1)　被告人の勾留

勾留　勾留とは，被疑者又は被告人を拘禁する裁判及びその執行であって，一種の複合的な訴訟行為である（被疑者の勾留 ⇨ 137頁）．未決勾留ともいう．被告人の勾留は，被告人の公判への出頭を確保し，証拠隠滅を防ぐという審判上の目的のほか，有罪判決の場合に備えてその執行を確保するとい

---

[25] この取調べは，平成28年法改正による録音・録画義務の対象外であるが，被告人としての地位等にかんがみ，録音・録画の要請は強い．

う目的をも有している（最決昭25・3・30刑集4・3・457参照）．勾留に関する処分の権限は，原則として被告事件を審判すべき裁判所（受訴裁判所）にあるが，第1回公判期日までは，予断排除の要請もあり，受訴裁判所を構成しない裁判官にある（法280 I，規187）．

　被告人を勾留できるのは，被疑者の場合と同様，被告人が罪を犯したことを疑うに足りる相当な理由がある場合で，かつ，被告人が，① **住居不定**のとき，② **罪証隠滅のおそれがあるとき**，③ **逃亡のおそれがあるとき**のいずれかに当たる場合である（法60 I）．勾留の必要性（相当性）も備えていることを要するが，自由刑に当たる罪で起訴されている場合には，必要性がないという事態は考え難い[26]．

被告人勾留の手続　被疑者の段階で検察官の請求により勾留された者が，同一の犯罪事実につき勾留期間中に起訴された場合は，起訴と同時に，その勾留は自動的に被告人の勾留に切り替わる．

　起訴後新たに（又は改めて）被告人を勾留する場合は，すべて裁判所（官）の職権によって行われ，検察官の請求権は認められていない．被告人の勾留は，必ずしも逮捕を前置しない点でも被疑者の勾留と異なる[27]．

　被告人を新たに勾留するには，被告人が逃亡している場合を除き，被疑者の場合と同様に，まず被告事件を告げて陳述を聴くなどの勾留質問を行わなければならない（法61）．被告人に弁護人が付いていないときは，その際に弁護人選任権と国選弁護人選任請求権があることも告げられる（法77 I）．被告人が逃亡していた場合には，勾留した後に直ちに上記弁護人選任権等と公訴事実の要旨とを告げなければならない（法77 III）．

勾留中の被告人との接見交通　勾留されている被告人は，弁護人[28]と立会人なくして接見し，又は書類その他の物の授受をすることができる．この接見交通については，法令で，逃亡，罪証隠滅，戒護に支障のある物の授受を防ぐため必要な措置を規定することができる（法39）．勾留

---

26) 一定の軽罪については，被告人が住居不定の場合しか勾留できない（法60 III）．急速を要する場合には，裁判所だけでなく，裁判長又は受命裁判官も勾留することができる（法69）．
27) 逮捕中に起訴され，検察官が勾留の職権発動を求めた場合（いわゆる逮捕中求令状）には，裁判官が勾留状を発しないときは，直ちに被告人の釈放を命じなければならない（法280 II）．
28) 弁護人の場合のみでなく，弁護人選任権者の依頼により弁護人となろうとする弁護士と裁判所の許可を得て選任された特別弁護人の場合も，同様である（法39 I）．

されている被告人は，弁護人以外の者とも，法令の範囲内で，接見・物の授受ができる(法80)．ただし，裁判所は，被告人に逃亡又は罪証隠滅のおそれがあるとき(勾留の要件に比してより具体的なものであることを要する)は，検察官の請求により又は職権で，弁護人以外の者との接見を禁じ，又は書類その他の物の授受を禁じることができる(接見等禁止決定)．しかし，糧食の授受を禁じたり，差し押さえたりすることは許されない(法81)．これらの点は，被疑者の場合と共通である(⇨205頁)．

勾留期間 　勾留状による拘禁の期間は，公訴提起があった日から2か月である(法60Ⅱ)．公訴提起後初めて勾留された場合には，その日から起算される．その計算に当たっては，被告人の利益のために初日を算入し，末日が休日に当たるときも，これを期間に算入する．

勾留期間が満了しても，特に継続の必要がある場合には，1か月ごとに更新することができる．これを**勾留更新**という．更新は，以下の場合を除くと，1回に限られる(法60Ⅱ但書)．

(ア)　死刑，無期，短期1年以上の自由刑に当たる罪を犯したとき
(イ)　常習として長期3年以上の自由刑に当たる罪を犯したとき
(ウ)　罪証隠滅のおそれがあるとき
(エ)　氏名又は住居が分からないとき

勾留の消滅 　勾留状による拘禁の効力が消滅するのは，①勾留が取り消された場合と，②勾留状が失効した場合である．**勾留の取消し**をすべき場合は，勾留の理由又は必要がなくなったとき(法87Ⅰ)と，勾留による拘禁が不当に長くなったとき(法91Ⅰ)であり，被疑者の場合と同様である[29]．勾留状が**失効**するのは，勾留期間が満了したときと，無罪・刑の全部の執行猶予・公訴棄却[30]・罰金等の身柄拘束を必要としない裁判の告知があったとき(法345)，及びそれ以外の終局裁判が確定したときである[31]．

---

29)　これらの場合には，裁判所は，関係人の請求により，又は職権で，決定をもって勾留を取り消さなければならない(法87Ⅰ，91Ⅰ)．取消決定をするときは，検察官の請求による場合又は急速を要する場合を除き，検察官の意見を聴かなければならない(法92Ⅱ)．
30)　公訴提起手続に違法があり無効とされた場合(法338④)は除かれる．
31)　被告人の勾留は当該事件の審判と執行のためのものであるから，終局裁判の確定とともに勾留状は失効し，刑の執行に移ることになる．

(2) 保釈・勾留執行停止

勾留の執行を停止して被告人の拘禁を解く制度として，保釈と勾留の執行停止がある．勾留の執行停止は被疑者についても認められるが，保釈は被告人についてのみ認められる．

> **89条** 保釈の請求があったときは，次の場合を除いては，これを許さなければならない．
> ① 被告人が死刑又は無期若しくは短期1年以上の懲役若しくは禁錮に当たる罪を犯したものであるとき．
> ② 被告人が前に死刑又は無期若しくは長期10年を超える懲役若しくは禁錮に当たる罪につき有罪の宣告を受けたことがあるとき．
> ③ 被告人が常習として長期3年以上の懲役又は禁錮に当たる罪を犯したものであるとき．
> ④ 被告人が罪証を隠滅すると疑うに足りる相当な理由があるとき．
> ⑤ 被告人が，被害者その他事件の審判に必要な知識を有すると認められる者若しくはその親族の身体若しくは財産に害を加え又はこれらの者を畏怖させる行為をすると疑うに足りる相当な理由があるとき．
> ⑥ 被告人の氏名又は住居が分からないとき．
> **90条** 裁判所は，保釈された場合に被告人が逃亡し又は罪証を隠滅するおそれの程度のほか，身体の拘束の継続により被告人が受ける健康上，経済上，社会生活上又は防御の準備上の不利益の程度その他の事情を考慮し，適当と認めるときは，職権で保釈を許すことができる．

権利保釈 保釈は，一定額の保証金の納付を条件として勾留の執行を停止し，拘禁状態から解く制度である．勾留されている被告人，又はその弁護人・法定代理人・保佐人・配偶者・直系親族・兄弟姉妹は，保釈の請求をすることができる（**請求による保釈**―法88 I）．保釈請求があったときは，原則としてこれを許さなければならない（**権利保釈・必要的保釈**―法89本文）．ただし，法89条各号に掲げる事由に該当する場合は必要的保釈の例外であり，その場合も後記のように裁判所の裁量による保釈の可否が検討されることになる．これを**裁量保釈**（**任意的保釈**）という．権利保釈の制限事由の有無の判断は，勾留の基礎となっている犯罪事実を基準として行われる（事件単位 ⇒ 148

頁)[32][33].

裁量保釈 また，裁判所は，適当と認めるときは，職権で保釈を許すことができる(**職権保釈**)．法90条は，裁量保釈に当たって考慮すべき事情を明確化している．保釈された場合に逃亡し又は罪証を隠滅するおそれが強いほど，保釈不許可の方向に作用する力が強くなり，逆に，身体の拘束の継続により被告人が受ける健康上，経済上，社会生活上又は防御の準備上の不利益の程度が強いほど，保釈許可の方向に作用する力が強くなる[34]．

義務的保釈 さらに，裁判所は，勾留による拘禁が不当に長くなったときは，請求又は職権により，勾留を取り消すか保釈を許さなければならない(法91Ⅰ)[35]．不当に長いか否かは，単なる時間ではなく，事案の性質や審判の難易等から総合的に判断される．

余罪と保釈 裁量保釈の可否は，前述のように，勾留状が発付されている犯罪事実を基準(事件単位)に判断しなければならないが，その事案の内容・性質，被告人の経歴・行状・性格等の事情を考慮する際の資料として，勾留状の発付されていない他の犯罪事実を考慮することは差し支えない(最決昭44・7・14刑集23・8・1057)．

保釈保証金 保釈を許す場合には，保証金額を定めなければならない(法93Ⅰ)．保証金額は，犯罪の性質・情状，証拠の証明力，被告人の性格・資産等を考慮して，被告人の逃亡及び罪証隠滅を防止するに足りる相当な金額でなければならない(法93Ⅱ)．もともと保釈というものは，正当な

---

32) 保釈については，公判前整理手続により早期に争点と証拠が確定されるようになって，第1回公判期日前に保釈される案件が増える傾向にあったが，裁判員制度の導入を契機に，連日開廷の審理における被告人の防御権の行使を十全なものにするためにも，裁量保釈の可否をより具体的，実質的に判断していく必要があると指摘され(保釈判断の実質化)，その後の実務の運用は，この指摘に沿った方向にある(最決平26・11・18刑集68・9・1020，最決平27・4・15判時2260・129等参照)．
33) 権利保釈の制限事由である法89条5号については，裁判員裁判の場合，裁判員等に接触するおそれがあるときも，これに該当するものとされる．
34) 法90条は，平成28年法改正によって裁量保釈の判断に当たって考慮すべき事情が加えられたが，その内容は，実務上確立していた解釈が明記されたものである．同条の「その他の事情」としては，被告人が事件関係者に害を加えるおそれや，被告人が介護・養育しなければならない親族がいることなどが考えられる．
35) 権利保釈，裁量保釈，義務的保釈のいずれであっても，裁判所が保釈許否の決定をするには，あらかじめ検察官の意見を聴かなければならない(法92Ⅰ)．

理由がなく出頭しない場合などの一定の事由が生じたときに保釈を取り消し保証金を没取する(法96)という制裁の下に被告人の出頭を心理的に確保しようとする制度なのである．また，保釈を許す場合には，被告人の住居を制限したり，他の適当と認める条件を付けることができる(法93 III)[36][37]．

> 保証金の納付後でなければ保釈許可決定は執行することができない(法94 I)．裁判所は，保釈請求者でない者に保証金を納めることや，有価証券又は裁判所の適当と認める被告人以外の者の差し出した保証書をもって保証金に代えることを許すことができる(法94 II・III)．保証書には，保証金額及びいつでもその保証金を納める旨が記載されなければならない(規87)．保証金の納付がなされると，裁判所はその旨を検察官に通知し，検察官の執行指揮により被告人の身柄が釈放される(法472 I 本文，473参照)．

勾留の執行停止 裁判所は，適当と認めるときは，勾留されている被告人を親族，保護団体その他の者に委託し，又は被告人の住居を制限して，勾留の執行を停止することができる(法95)．実際の例としては，被告人が病気である場合や，近親者の葬儀に出席する場合などが多い．保釈の場合と異なり，勾留の執行停止には期間を定めることができる(法98 I 参照)．勾留の執行停止は，裁判所の職権によってのみなされる．現実には，検察官又は被告人・弁護人からの申出によって行われるのが通例であるが，法的には裁判所の職権発動を促す意味しか持たない[38]．勾留の執行を停止するには，

---

36) 通常付される条件は，旅行の制限，被害者や関係者との接触禁止等である．これに反し，保釈の趣旨を全うすることと関係のない，例えば善行保持や再犯禁止という条件を付けることは，許されない．
37) 保釈中に逃亡する例が相次いだことなどから，逃亡防止のための新たな制度の導入が検討されている．主な制度の概要は以下のとおりである(令和3年10月21日法制審議会資料参照)．
①保釈中の被告人に対し，指定された日時に出頭し，生活状況等について報告する義務を負わせ，違反した場合は保釈を取り消すことができる．
②被告人の関係者の中から監督者を選任し，保釈を許す際に監督保証金を納付させ，保釈取消しの際にその全部又は一部を没取することができる．
③被告人が召喚を受けた公判期日に正当な理由なく出頭しなかった場合や制限住居を無断で離脱した場合などは，2年以下の懲役刑で処断する．
④逃走罪，加重逃走罪の適用対象を拡大する．
⑤海外逃亡のおそれのある被告人を保釈する場合に，GPS端末の装着を命じることができ，違反した場合には保釈の取消しのほか6月以下の懲役刑で処断する．
⑥禁錮以上の刑の罪で起訴され保釈中の被告人に対しては，控訴審の判決公判期日への出頭を義務付ける．

急を要する場合を除き，検察官の意見を聴かなければならない(規88)．

保釈等の取消し　　裁判所は，次の場合には，検察官の請求又は職権により，保釈又は勾留の執行停止を取り消すことができる(法96 I)．

① 召喚を受けながら正当な理由がないのに出頭しないとき
② 逃亡し，又は逃亡すると疑うに足りる相当な理由があるとき
③ 罪証を隠滅し，又は罪証を隠滅すると疑うに足りる相当な理由があるとき
④ 被害者その他事件の関係者若しくはその親族の身体・財産に害を加え若しくは加えようとし，又はこれらの者を畏怖させる行為をしたとき[39]
⑤ 住居の制限その他裁判所の定めた条件に違反したとき

保釈を取り消す場合には，保証金の全部又は一部を没取することができる(法96 II)．保証金の没取は保釈取消決定と同時にされることが多いが，別の機会でもかまわない(東京高決昭52・8・31高刑集30・3・399)．保釈された者が，刑の言渡しを受けその判決が確定した後，執行のための呼出しを受けながら正当な理由なく出頭しないとき，又は逃亡したときは，検察官の請求により，保証金の全部又は一部を没取しなければならない(法96 III)[40]．保証書が提出されている場合は，検察官が保証書を差し出した者に納付命令を出して執行することになる(法490)．

保釈等の失効　　禁錮以上の実刑判決の宣告があったとき[41]は，保釈又は勾留の執行停止はその効力を失う(法343)が，判決の確定までは再度の保釈も可能である[42]．その場合には，権利保釈の余地はなく，裁量保釈が認められるだけである．

---

38) 最判昭24・2・17(刑集3・2・184)．
39) 裁判員裁判の場合は，裁判員等に接触したときも，これに該当する．
40) 法96条III項は，実刑判決が確定した後に逃亡したりすると保釈保証金の没取という制裁が科されることを予告して，刑の確実な執行を担保しようとする規定であるから，仮に保釈された者が実刑判決を受け，判決確定までの間に逃亡したとしても，判決確定までにそれが解消され，確定後は逃亡したりしていない場合には，同規定により保釈保証金を没取することはできない(最決平22・12・20刑集64・8・1356)．他方，保釈されていた者が実刑判決確定後に逃亡した場合(確定前から引き続き逃亡していた場合も含まれる)は，その者が刑事施設に収容され刑の執行が開始された後であっても，保釈保証金を没取することができる(最決平21・12・9刑集63・11・2907)．
41) 刑の一部の執行猶予が言い渡された場合も，これに含まれる．
42) したがって，上訴審での保釈も認められる．

II 公判の構成

1 公判手続の意義

<small>公判期日</small>　公訴提起によって事件が裁判所に係属してから,その事件の裁判が確定するまでの手続全体が,広義の**公判手続**である.それは,審級制度によって,第1審,控訴審,上告審の3段階に分けられる(三審制).この間の裁判所の活動の中心は,公訴提起された事案について正しい結論(判断)を追求することにある.訴追された事実が認められるか(事実認定),認められる場合にはどのような刑を科すべきか(量刑)を判断することになる.その過程において,裁判所は,手続を公正に運用する「進行係」的役割も果たさなければならない(訴訟指揮 ⇨ 281頁).

以上のような広義のものに対し,狭義の公判手続は,公判期日に**公判廷**で行われる手続を意味する.**公判期日**とは,裁判所,当事者,その他の訴訟関係人が公判廷に集まって訴訟行為をするために定められた時のことである[1].公判期日は裁判長が定める(法273 I)[2].

<small>公判廷</small>　公判は通常,裁判所庁舎内の法廷で行われる[3].裁判官・裁判所書記官と検察官の出席は不可欠である(法282 II)[4].被告人も,公判廷に

---

[1] 公判期日は,月日及び時刻をもって指定され,その指定された時刻に始まる.終期は指定されないが,訴訟関係人の間ではおおよその審理見込み時間の打合せがされているのが通例である.
[2] 公判期日の指定に当たり,当事者の意見を聴く必要はない.しかし,やむを得ない事情のある当事者は,裁判所に対し,その事情を疎明して公判期日の変更を請求することができるから(法276 I,規179の4),実務上は,当事者の準備状況等を考慮し,当事者にも出頭できる日時を指定することが多い.裁判所は,職権で公判期日を変更することもできるが,変更する場合は,あらかじめ当事者の意見を聴くのが原則である(法276 II,規180).みだりに公判期日を変更すると,訴訟を遅延させることになるので,いったん定められた公判期日をできるだけ維持するためにいろいろな規定が設けられている(法277・278,規179の3〜6・182〜186等).

出頭する権利と義務があり，第1審の場合は原則として被告人の出頭がなければ開廷できない(法283～286)[5]．弁護人は，当然，出頭する権利があり，一定の重大な事件等では弁護人なしで審理することはできない(⇨280頁)．

被告人の召喚・勾引　被告人の出頭を確保するために，召喚・勾引という強制処分が認められている．**召喚**とは，特定の者に対し一定の日時に一定の場所に出頭するように命じる裁判である[6][7]．裁判所は，公判期日には，被告人を公判廷に召喚しなければならない(法273 II)．召喚は，被告人だけでなく，採用された証人，鑑定人，通訳人，翻訳人，身体検査を受ける者に対してもなされる．

勾引とは，特定の者を一定の場所に引致する裁判及びその執行であり[8]，一時的に身柄を拘束することになる．被告人だけでなく，証人や身体検査を受ける者も，正当な理由がなく召喚に応じない場合には，勾引することができる[9]．

被告人を勾引したときは，直ちに被告人に対し公訴事実の要旨を告げ，弁護人がないときは，弁護人選任権と国選弁護人選任請求権があることを告げなければならない(法76 I)．これらの手続は，通常，勾引に続く勾留質問において行われる．

---

3) 最高裁判所は，必要と認めるときは，裁判所以外の場所で法廷を開き，又はその指定する他の場所で下級裁判所に法廷を開かせることができる(裁69 II)．天災等で裁判所の庁舎を使用できないときなどの例外的な措置である．
4) 裁判員裁判の場合は，裁判員の出席も不可欠である(裁判員法54)．なお，被害者参加人も公判に出席することができる(法316の34)．
5) ここでいう開廷とは，事件の実体に関して審理し，又は判決を宣告するための開廷を意味しており，事件の実体に関係のない訴訟行為，例えば公判期日の延期をするために開廷することは，被告人の出頭がなくても差し支えない(最判昭28・9・29刑集7・9・1848参照)．
6) 召喚は，召喚状を発してこれを行う(法62)．ただし，① 被告人が期日に出頭する旨を約した書面を差し出したとき(法65 II)，② 出頭した被告人に対し，口頭で次回の出頭を命じたとき(法65 II)，③ 裁判所に近接する刑事施設にいる被告人に対し，刑事施設職員を介して通知したとき(法65 III)，④ 裁判所の構内にいる被告人に対し，公判期日を通知したとき(法274)には，召喚状の送達があった場合と同一の効力が認められている．②の方法があるので，第1審の手続では，第1回公判期日の場合にのみ召喚状を送達すれば足りることが多い．
7) 召喚に似たものに出頭命令，同行命令があり，裁判所は，必要があるときは，指定の場所に被告人の出頭又は同行を命じることができる．検証に立ち会わせる場合等に用いられる．この場合も，被告人が正当な理由なく応じないときは，その場所に勾引することができる(法68)．
8) 勾引は，勾引状を発してこれを行う(法62)．勾引状は，検察官の指揮により，検察事務官又は司法警察職員がこれを執行する(法70 I・71)．
9) 裁判所が被告人を勾引できるのは，被告人が，① 住居不定のとき，② 正当な理由がなく召喚に応じないとき，又は応じないおそれがあるとき，③ 正当な理由がなく出頭命令，同行命令に応じないときのいずれかに当たる場合である(法58・68)．証人については337頁参照．

公判廷で の被告人 被告人は公判における重要な当事者である．被告人が有罪であることを立証する責任は検察官にあり，被告人側で無実であることを積極的に証明する義務はないが，防御活動を行うことができるのは当然であり，そのために証人審問権等の権利も保障されている．被告人は，有罪が確定するまでは無罪として扱われるが，手続上は被告人の地位に伴う種々の制約を受けることになる．もっとも，実体に関する防御活動に制約を受けることはない．

公判廷では被告人の身体を拘束してはならない（法287Ⅰ本文）．被告人の法廷での自由な防御活動を保障するためである．したがって，勾留中の被告人も，公判の開廷中は手錠をはずされる．もっとも，被告人が暴力を振るったり，逃亡を企てたりした場合には，拘束することも可能であり（同項但書），拘束しない場合であっても看守者を付けることができる（法287Ⅱ）．被告人は，裁判長の許可がなければ退廷することができず，裁判長は，被告人を在廷させるため相当な処分をすることができる（法288）．

被告人が出頭しなければ開廷することができない場合でも[10]，勾留されている被告人が召喚を受けながら，正当な理由がないのに出頭を拒否したり，刑事施設職員による引致を著しく困難にしたりしたときは，裁判所は，被告人が出頭しないでも，その期日の公判手続を行うことができる（法286の2）．また，被告人が出頭した場合でも，裁判長の許可を受けないで退廷したり，秩序維持のため裁判長から退廷を命じられたりしたときは，被告人が在廷しな

---

10) 被告人の出頭の義務は，審理されている事件の法定刑の重さによって，以下のように区分される．① 50万円以下の罰金又は科料に当たる事件については，被告人は公判期日に出頭することを要しない．代理人を出頭させてもよく（法284），代理人の資格には制限がない．② 拘留に当たる事件の被告人は，判決宣告の公判期日には出頭しなければならないが，その他の手続が行われる期日には，その出頭が権利保護のため重要でないと認めるときは，裁判所が被告人の不出頭を許すことができる（法285Ⅰ）．③ 長期3年以下の懲役・禁錮又は50万円を超える罰金に当たる事件の被告人は，冒頭手続（法291）及び判決宣告の公判期日には出頭しなければならないが，その他の場合には，② の場合と同様，裁判所が被告人の不出頭を許すことができる（法285Ⅱ）．④ 必要的弁護事件については280頁参照．

なお，被告人が心神喪失の状態にある場合，公判手続を停止しなければならないが，無罪，免訴，刑の免除又は公訴棄却の裁判をすべきことが明らかなときには，被告人の出頭を待たないで，直ちにその裁判をすることができる（法314Ⅰ）．

被告人が法人である場合には，代表者が出頭すべきであるが（法27参照），代理人を出頭させることもできる（法283）．この場合も代理人の資格には制限がない．

いでも，予定されていた審理・裁判をして差し支えない(法341)．

証人尋問の際に，証人が被告人の面前では圧迫を受け，十分な供述をすることができないときは，被告人を一時退廷させて証人尋問を続行することができる(法304の2)[11]．

公判廷における弁護人 弁護人は，公判廷において，検察官に対抗して法律家として訴訟活動を行う権限が与えられている．被告人を代理して訴訟行為をするほか，証拠調べ請求や証人尋問等の一定の行為は被告人から独立してその権限を行使することができる(⇨37頁)．弁護人も，裁判の公正の実現に努めなければならず，真実を歪めてはならないが，他方，被告人の正当な利益と権利を擁護するための活動が求められている(⇨208頁)．

必要的弁護事件 弁護人の立会いがないと開廷することができない事件のことで，具体的には，死刑又は無期若しくは長期3年を超える懲役・禁錮に当たる事件(法289Ⅰ)のほか，公判前整理手続又は期日間整理手続を経た事件(法316の29)，即決裁判手続による場合(法350の23)をいう．必要的弁護事件を審理する場合[12]，弁護人が出頭しないとき若しくは在廷しなくなったとき，又は弁護人がないときは，裁判長は職権で弁護人を付さなければならない(法289Ⅱ・38)．弁護人が出頭しないおそれがあるときも，裁判所は職権で弁護人を付することができる(法289Ⅲ)．弁護人不出頭による公判期日の空転等を避けられるようにするものであり，公判前整理手続についても同じような規定が設けられている(法316の8)．

また，裁判所は，検察官・弁護人の出頭を確保するため，必要と認めるときは，出頭及び在廷を命じることができる．検察官・弁護人が正当な理由なくこれに従わない場合には，過料の制裁を加え，さらに検察官の指揮監督者又は弁護人の所属弁護士会等に対し適当な処置をとるよう求めることができる(法278の2)．

被告人が，弁護人が出頭できないような状況を作出したような場合には，例外的に，弁護人の立会いなしに開廷することができるものと考えられる．例えば，被告人が，弁護人を公判期日へ出頭させないなどの種々の手段を用いて，公判審理の進行を阻止しようとし，弁護人も，被告人の意図や目的を十分知りながら，公判期日の指定に応じずに，被告人の意向に沿った対応に終始し，裁判所が公判期日を一括

---

11) 証人が被告人の面前では圧迫を受け精神の平穏が著しく害されるおそれがあるようなときは，被告人と証人との間に衝立を置く**遮へい措置**などを採ることができる(⇨343頁)．
12) 弁護人の在廷が必要なのは事件の実体に関する審理の場合だけであるから，必要的弁護事件であっても，人定質問(最決昭30・3・17刑集9・3・500)や，判決宣告(最決昭30・1・11刑集9・1・8)のみを行う場合などは，弁護人がいなくてもよい．

して指定すると，公判期日への不出頭あるいは在廷命令を無視した退廷を繰り返し，裁判所からの再三にわたる出頭要請にも応じず，裁判所が弁護人出頭確保のため弁護士会の推薦に基づき順次選任した同会会長を含む国選弁護人も，被告人の意向に従って，あるいは，被告人の弁護人本人やその家族に対する暴行ないし脅迫によって，いずれも公判期日に出頭しなくなったというような場合には，法289条Ⅰ項の適用はない(最決平7・3・27刑集49・3・525)[13]．

2 訴訟指揮

弁論 当事者双方の主張及び立証を弁論という．民事訴訟は，当事者の弁論の枠内で裁判がなされる(弁論主義 ⇨ 23頁)．刑事訴訟も，基本的には当事者の弁論に基づいて判決されるといってよいが[14]，実体的真実発見の観点から，一定の制限が加わらざるを得ない(⇨ 23-24頁)．すなわち，刑事事件の判決も，原則として当事者の主張及び立証に基づいてなされるものの，例外的に，裁判所が当事者に主張の変更を命じ(訴因変更命令．法312 Ⅱ)，又は職権による証拠調べをすることもできる(法298 Ⅱ)．

口頭主義 判決は，特別の定めのある場合を除き，**口頭弁論**に基づいてこれを行わなければならない(法43 Ⅰ)．公判期日における審理(主張・立証)が原則として口頭により行われるという趣旨である．すなわち，当事者は訴訟資料を口頭で裁判所に提供し，裁判所がこれに基づいて審判をする(**口頭主義**)[15]．口頭による訴訟資料の提供を受ける裁判官は，終始同一人でなければならないから，開廷後裁判官が代わったときは，公判手続の更新(⇨ 359頁)が必要となる(法315本文)．

裁判所は，自ら直接取り調べた証拠に基づいてのみ判決することができる

---

13) 最決平7・3・27は，本文のように解する理由として，「このような場合，被告人は，もはや必要的弁護制度による保護を受け得ないものというべきであるばかりでなく，実効ある弁護活動も期待できず，このような事態は，被告人の防御の利益の擁護のみならず，適正かつ迅速に公判審理を実現することをも目的とする刑訴法の本来想定しないところだからである」と指摘する．
14) 弁論主義に対し，当事者の弁論に拘束されないで，裁判所自ら進んで確定した事実に基づいて判決する主義を職権探知主義という(⇨ 23頁)．
15) 口頭主義に対し，訴訟資料を書面の形式で裁判所に提供し，裁判所がその書面に基づいて審判をする形式を**書面主義**という．

(**直接主義**)．例えば，証人の公判廷における供述に代えてその者の公判廷外における供述を録取した書面を証拠にすることはできないし，他人の供述を内容とする公判廷での供述を証拠とすることもできない(⇨伝聞法則418頁)．このような録取書面や他人の供述は，公判廷における供述に比べて，裁判所の吟味を十分受けない上，当事者の反対尋問を受けていない点で正確性の担保が十分でないからである(憲37Ⅱ参照)．

> 裁判所の用語は，日本語による．日本語を十分に理解し得ない者には通訳を付ける．聴覚障害者等には筆問筆答が許される．近時，日本語を理解しない外国人被告人が増加し，通訳はますます重要になっている．**通訳**について，刑訴法は証拠調べの一方法(外国語の供述等を日本語に直す一種の鑑定)と位置付けているようにみえるが，実際には，その役割のほかに，日本語で行われている審理を被告人に理解させると同時に，被告人の主張・供述を裁判所等に理解させるという，裁判所等と被告人との間のコミュニケーションの媒介者としての役割も果たしている(⇨347頁)．

訴訟指揮　訴訟の中心は争点に関する当事者の攻撃防御であるが，それが合理的かつ円滑に行われ，真相究明につながるには，裁判所が訴訟の進行のために当事者に対し公正な立場で適正な制御を行う必要がある(訴訟指揮)．公判期日における訴訟の指揮は，裁判長がこれを行う(法294)．訴訟指揮は，広い意味では秩序維持のための権限(法廷警察権)を含んでいる．

特に重要なもの，例えば，証拠調べの範囲・順序・方法の決定・変更(法297)，弁論の分離・併合・再開(法313)，公判手続の停止(法314・312Ⅳ)，訴因の変更の許可又は命令(法312Ⅰ・Ⅱ)などについては，裁判所に権限が存在することが明示されている．

> **陳述の制限**　法規に明文のある訴訟指揮の中でも，よく行われるものに訴訟関係人の尋問・陳述の制限，釈明がある．裁判長は，訴訟関係人の行う尋問や陳述が既にした尋問や陳述と重複するとき，又は事件に関係のない事項にわたるとき，その他相当でないとき(例えば，誤導尋問や威嚇的・侮辱的尋問)は，訴訟関係人の本質的な権利を害しない限り，これを**制限**することができる(法295Ⅰ)．例えば，被告人の証人に対する正当な質問を不当に抑制することは憲法の証人審問権の保障に反するが，その事案の審理に必要ないか又は適切でないと認められる質問等を制止しても尋問権を不当に制限したものとはいえない(最大決昭25・4・7刑集4・4・512,

最大判昭 30・4・6 刑集 9・4・663)．訴訟関係人が被告人に対して供述を求める場合(被告人質問)についても同様である．

　尋問・陳述を制限する命令を受けた当事者がそれに従わなかった場合には，裁判所は，検察官の指揮監督者又は弁護人の所属弁護士会等に対し適当な処置をとるよう求めることができる(法 295 V)．

　また，裁判長は，必要と認めるときは，訴訟関係人に対し，**釈明**を求め，又は立証を促すことができる(規 208)．釈明を求めるとは，当事者の訴訟活動の矛盾を正したり，不備を補わせたり，より一層明確にさせたりすることをいう．実務上は，起訴状朗読の後に，弁護人が検察官に対して公訴事実の記載等を巡って種々の釈明を求めることがあるが，釈明を求める主体はあくまで裁判長であり(なお，規 208 II 参照)，裁判長が訴因の特定や争点の明確化に必要と判断した場合に限って，釈明が求められることになる(⇨ 321 頁)[16]．

　訴訟指揮は，その性質上，迅速で機動的に行使される必要があるため，包括的に裁判長に委ねられている．訴訟指揮は訴訟の進行を円滑に行うためのものであるから，裁判長は，法規の明文ないし訴訟の基本構造に反しない限り，訴訟の具体的状況に応じた適切な処置をすることができると解される．

　当事者は，訴訟指揮権に基づく裁判長の処分(証拠調べに関する処分を除く)に不服があるときは，法令の違反があることを理由とする場合に限り[17]，裁判所に異議を申し立てることができる(法 309 II，規 205 II)．

3　裁判の公開と公判の秩序維持

公開主義　公判廷は公開されなければならない．すなわち，不特定・多数の国民が自由に傍聴し得る状態の下で行われる必要がある．憲法 37 条 I 項は被告人に対し公開の審判を受ける権利を保障し，憲法 82 条 I 項は公判期日の審理及び判決は公開の法廷で行うべき旨定めている．審判の公開に関する規定に違反してなされた判決は，破棄を免れない(法 377 ③・397 I)．

---

16) 争点整理のために訴因の明確化が必要となるような事件であれば，公判前整理手続に付されることも多いであろう．
17) 訴訟指揮権は合目的的な考慮による裁量を必要とするから，不相当を理由とする異議まで認めると，手続が不当に混乱・遅延するおそれがあることによる．これに対し，証拠調べに関する処分については，不相当を理由とする異議も認められる(⇨ 348 頁)．

裁判の公開が必要である理由として，歴史的には，国民の前で裁判を行うことによって，権力者が気に入らない政敵等を裁判の名の下に恣意的に排除・抹殺することができないようにするためであったと説明することができる．現代の日本では，裁判を一般に公開することにより，手続の公正及び被告人の権利保護を制度として保障し，裁判に対する国民の信頼を確保する点にあると考えられる（最大判平1・3・8民集43・2・89）．ある被告人がどのような証拠によってどのように認定されて処罰されるかを知ることは，そのような行為を行えば同様に処罰され，行わなければ処罰されないことを知ることに資するから，国民が安心して社会生活を営むことができるようになる．また，裁判の公開は，刑罰の一般予防効果を高めるものであることも指摘できる．

公開の要請は，被告人個人の判断で放棄することはできない．裁判所が裁判官の全員一致で**公の秩序又は善良な風俗を害するおそれ**があると認めた場合にのみ，審理を公開しないことができる（憲82Ⅱ本文）[18]．ただし，政治犯罪，出版に関する犯罪又は憲法の保障する国民の権利が問題となっている事件の審理は，常にこれを公開しなければならない（憲82Ⅱ但書）．以上のような歴史的背景があるためである．

公開の程度　公開を具体的にどのような形態で行うかは，裁判所の裁量による．もとより，公判廷をテレビ等に公開しなくても憲法82条には反しない．また，傍聴希望者が法廷の収容能力以上に多数のとき，傍聴券を発行するなどして入廷者の数をある程度制限しても，公開の要請に反するものではない（東京高判昭32・7・20東高時報8・7・215）．現在，法廷では傍聴人がメモを取ることが許されているが，このことまで憲法82条Ⅰ項が権利として保障しているものではない（前掲最大判平1・3・8）．

> 最大判平1・3・8は，公判期日に傍聴人がメモを取ることを許さなかった裁判長の処分につき，「傍聴人のメモを取る行為についていえば，法廷は，事件を審理，裁

---

[18] 公開を停止する場合には，公衆を退廷させる前に，その旨を理由と共に言い渡さなければならない（裁70前段）．公開停止決定の効力は，その後の公判期日にも及ぶ（最判昭24・12・20刑集3・12・2036）．しかし，判決の言渡しを非公開で行うことは許されないから，審理について公開を停止した場合でも，判決を言い渡すときは，再び公衆を入廷させなければならない（裁70後段）．

判する場，すなわち，事実を審究し，法律を適用して，適正かつ迅速な裁判を実現すべく，裁判官及び訴訟関係人が全神経を集中すべき場であって，そこにおいて最も尊重されなければならないのは，適正かつ迅速な裁判を実現することである．傍聴人は，裁判官及び訴訟関係人と異なり，その活動を見聞する者であって，裁判に関与して何らかの積極的な活動をすることを予定されている者ではない．したがって，公正かつ円滑な訴訟の運営は，傍聴人がメモを取ることに比べれば，はるかに優越する法益であることは多言を要しない」としつつ，「傍聴人のメモを取る行為が公正かつ円滑な訴訟の運営を妨げるに至ることは，通常はあり得ないのであって，特段の事情のない限り，これを傍聴人の自由に任せるべきであり，それが憲法21条Ⅰ項の規定の精神に合致するものということができる」と判示した．

法廷の秩序維持　法288条Ⅱ項は，「裁判長は，被告人を在廷させるため，又は法廷の秩序を維持するため相当な処分をすることができる」とし，裁判所法71条Ⅰ項は，「法廷における秩序の維持は，裁判長又は開廷をした1人の裁判官がこれを行う」とする．そして同条Ⅱ項は，裁判長等は，法廷における裁判所の職務の執行を妨げ，又は不当な行状をする者に対し，退廷を命じ，その他法廷における秩序を維持するのに必要な事項を命じ，又は処置を執ることができると規定する（**法廷警察権**）．裁判が，適正な手続の下で事件の真相の究明を行う厳粛な手続である以上，法廷は整然とした秩序のあるものとして維持されなければならない．裁判所の有する法廷秩序維持権限は，対象者が訴訟関係人に限らず，傍聴人を含む在廷者全員に及ぶ．

　　裁判長等の法廷警察権の行使を補助する機関としては，廷吏（裁63Ⅱ），法廷警備員及び警察官がある．裁判長等は，法廷の秩序維持のため必要があると認めるときに警察官の派出を要請することができ，警察官は，裁判長等の指揮を受け，その命ずる事項又は執った処置の執行に当たる（裁71の2）．

秩序維持権限　法廷秩序維持権限は，開廷時から閉廷時まで及ぶ．さらに，秩序維持の実効性を保つために，これに接着する前後の時間をも含め，関係者を入廷させた時から関係者の退廷が終わる時まで権限が及ぶものと解すべきであり，判決の言渡し後であっても権限を行使し得る（最判昭31・7・17刑集10・7・1127）．

休廷中は法廷警察権は及ばないが，法廷を開放した状態のまま裁判官が合

議あるいは一時的な休憩のため退廷する場合[19]は，開廷中といえるから，法廷警察権が及ぶ．

　法廷秩序維持権限が法廷内に及ぶのは当然であるが，秩序維持の実効性を保つためには，法廷の内外を問わず裁判官が妨害行為を直接目撃又は聞知し得る場所まで及ぶものと解すべきである(前掲最判昭 31・7・17)．

傍聴制限等　裁判長等は，法廷秩序維持のため，傍聴人に対し傍聴券を発行しその所持者に限って傍聴を許し(裁判所傍聴規則 1 ①)，所持品を検査し(同規則 1 ②)，これに従わない者や，法廷において裁判所の職務の執行を妨げ又は不当な行状をすると疑うに足りる顕著な事情が認められる者などの入廷を禁じる(同規則 1 ③)などの規制を行うことができる．

法廷の撮影　裁判の公開とも関連するが，公判廷における写真撮影，録音，放送は，法廷の秩序維持と密接に関連するため，裁判所の許可を必要とすることとされている(規 215)．新聞等による報道の自由は，憲法 21 条の認める表現の自由に属し，報道のための取材の自由も尊重されるべきものであるが，それも公共の福祉の観点からの制約を受けることになる．公判廷の状況を広く報道するための取材活動であっても，それが公判廷における審判の秩序を乱したり，被告人その他の訴訟関係人の正当な利益を不当に害するような場合には，許容されない．公判廷における写真の撮影等の許可を裁判所の裁量に委ね，その許可に従わない限りこれらの行為をすることができないとされているのは，そのような理由によるのであるから，刑訴規則 215 条は憲法に違反するものではない(最大決昭 33・2・17 刑集 12・2・253．なお最判平 17・11・10 民集 59・9・2428 参照)[20]．

妨害の排除　審理の妨害が生じたときには，法廷秩序維持権限に基づきこれを排除することができる[21]．すなわち，裁判長等は，法廷における裁判所の職務の執行を妨げ，又は不当な行状をする者に対し，退廷を命

---

19) 昼食時のように審理を一時打ち切り，関係者を退席させて法廷を閉ざす場合は，開廷中とはいえないであろう．
20) 現在，全国の裁判所では，報道機関に対し，被告人が在廷しない状態で開廷前の数分間に限って法廷内の写真・ビデオの撮影を許可するという取扱いが行われている．審理中の公判廷の撮影については，審理に支障を生じ，訴訟関係人の権利行使に不当な影響を与えるおそれがあるなどの理由で認められていない．
21) なお，裁判所又は裁判官は，法廷外の場所で職務を行う場合(裁判所外の証人尋問，検証等)も，その職務の執行を妨げる者に対し，退去を命じ，その他必要な事項を命じ，又は処置を執ることができる(裁 72)．

じ，その他法廷における秩序を維持するのに必要な事項を命じ，又は処置を執ることができる(裁71Ⅱ，法288Ⅱ後段)[22]．退廷命令を受けた者が，自発的に退廷しない場合，裁判長等は，法廷警備員等の補助機関に退廷の執行を命ずることができる[23]．

　法廷秩序維持に関する命令に違反して裁判所又は裁判官の職務の執行を妨げた者は，審判妨害罪として刑罰に処せられるが(裁73)，さらに裁判の威信を保持するため，英米法の法廷侮辱罪にならって，**法廷等の秩序維持に関する法律**により，不当な行状を現認した裁判所が即決で制裁を科し得ることを認めている．すなわち，秩序維持のために裁判所が命じた事項を行わなかったり，執った措置に従わなかった場合や，暴言・暴行・けん騒その他不穏当な言動で裁判所の職務の執行を妨害したり，裁判の威信を著しく害する行為があった場合には，裁判所は，その場で直ちに行為者の拘束を命ずることができ(同法3Ⅱ)，20日以下の監置若しくは3万円以下の過料に処し，又はこれを併科することができる(同法2)．

4　当事者主義と公平性

(1)　公平な裁判所

公平な裁判所　憲法37条Ⅰ項は，被告人に対し，公平な裁判所の迅速な公開裁判を受ける権利を保障している．公平な裁判所とは，組織・構成等において不公平のおそれのない裁判所の意味である(最大判昭23・5・5刑集2・5・447，最大判昭23・6・30刑集2・7・773)．

公平性の保障　公平な裁判は，まず第1に，裁判所の制度(組織，構成)の面で保障されなければならず，第2には，訴訟手続の面で保障されなければならない．第1の制度の面では，まず，① 裁判官の独立(憲76Ⅲ)が，公平な裁判の根幹をなしている．裁判所が行政権に左右されるようなこ

---

22)　具体的には，退廷命令のほか，入廷命令，入廷禁止命令，発言禁止命令，在廷命令等がある．
23)　退廷命令に基づき法廷外のどこまで退去させられるかは，具体的状況によって異なるが，建物外まで退去させることも許される(最判昭31・7・17刑集10・7・1127)．

とがあれば，客観的な公平はもとより，「裁判の公平」に関する国民の信頼が失われる．それと関連して，②現行の刑訴法では，裁判官と検察官が別個の組織に属することとされているが，この点も公平な裁判という観点から重要な意義を有する．③具体的事件を取り扱う裁判所(訴訟法上の裁判所⇨41頁)の構成が公平なものとなるため，裁判官の除斥・忌避・回避の制度が設けられている(この点は後述する．裁判員についても同種の定めがある)．さらに，④地方の民心，訴訟の状況その他の事情により，裁判の公平を維持することができないおそれがあるときは，検察官は審判を他の土地で行うことを求めて管轄移転の請求をしなければならず，被告人も請求をすることができるとされている(法17Ⅰ②・Ⅱ)．第2の訴訟手続の面では，⑤両当事者(検察官，被告人)が十分な主張・立証ができる平等の機会を与える当事者対等主義が保障されなければならない．また，⑥起訴状一本主義を中心とする予断排除の原則も，公平な裁判を手続的に保障する1つの方法である．

(2) 除斥・忌避・回避

除斥 具体的な事件に利害関係を有しているなど，第三者から見て不公平な裁判をするおそれがあると思われる裁判官には，その事件を担当させるべきでない．このような考えを制度化したのが，除斥・忌避・回避である．**除斥**とは，不公平な裁判をするおそれのある事情を以下のように類型化して，それに該当する裁判官を当然に職務の執行から排除する制度である(法20)．(イ)裁判官がその事件と人的につながりのある場合と，(ロ)その事件につき一定の職務を行ったことがある場合からなる．当事者の申立てを待たないで職務の執行から除かれることになる．

① 被害者であるとき
② 被告人若しくは被害者の親族であるとき，又はあったとき
③ 被告人又は被害者の法定代理人，後見監督人，保佐人等であるとき
④ 事件について証人又は鑑定人となったとき
⑤ 事件について被告人の代理人，弁護人又は補佐人となったとき
⑥ 事件について検察官又は司法警察員の職務を行ったとき
⑦ 事件について付審判の決定，略式命令，前審の裁判，控訴審か上告審から差戻

し若しくは移送された場合における原判決又はこれらの裁判の基礎となった取調べに関与したとき（ただし，受託裁判官として関与した場合は除く）

除斥原因は，もしそれに該当すれば当然職務の執行から除外されるとするものであるから，その範囲は限定的に解すべきである．例えば，⑥の場合，裁判官がその任官前に当該事件について検察官等として具体的な職務行為をした場合に限られ，同種同質の事件に検察官として関与しても除斥事由には該当しない（最大決昭 47・7・1 刑集 26・6・355）．

⑦についても，**前審の裁判，裁判の基礎となった取調べ**に当たるかどうかは実質的に解釈されなければならない．前審の裁判とは，控訴審においては第 1 審の，上告審においては控訴審及び第 1 審の各終局的裁判をいうが，前審の判決の宣告手続のみに関与した場合（大判大 15・3・27 刑集 5・3・125），勾留，保釈等身柄の処置に関与した場合（最大判昭 25・4・12 刑集 4・4・535），法 226 条又は 227 条の証人尋問をした場合（最判昭 30・3・25 刑集 9・3・519），共犯者の裁判に関与した場合（最判昭 28・10・6 刑集 7・10・1888），少年法 20 条の検察官送致決定をした場合（最決昭 29・2・26 刑集 8・2・198），再起訴前の公訴棄却の判決（法 338 ④による）とその審理に関与した場合（最決平 17・8・30 刑集 59・6・726）などは，いずれも除斥原因に当たらないと解すべきである．

終局的裁判には加わらないで途中の審理にのみ関与した場合，それが「裁判の基礎となった取調べ」に当たるのは，取り調べられた証拠が有罪判決の事実認定に用いられたとき（最大判昭 41・7・20 刑集 20・6・677）のように，裁判の内容の形成に役立った証拠の取調べに当たる場合をいう．

忌避 　検察官又は被告人[24]の申立てにより，裁判官に**除斥原因がある場合**，又は**不公平な裁判をするおそれがある場合**に裁判官を職務の執行から排除する制度である（法 21）．後者の理由による場合は，申立ての許される時期に制限があり，事件についての請求又は陳述をするまでに申し立てなければならない（法 22）[25]．忌避権の濫用を防ぐための規定である．前者の理由によ

---

24) 弁護人も被告人のために忌避の申立てをすることができるが，被告人の明示の意思に反することはできない（法 21 II）．
25) それ以上に手続が進み，事件の内容に入ってしまえば，その裁判官による裁判を受ける意思があると看做される．ただし，忌避事由を知らなかったり，その事由が後から生じた場合は別である．

る場合は，当該裁判官が審理を継続している限り申し立てることができるが，判決宣告を終えた場合には申し立てることができなくなる[26]．

　不公平な裁判をするおそれがある場合とは，忌避制度の立法趣旨にかんがみ，当事者の主観によるものでなく，実質において除斥原因に準ずる客観的事情のある場合をいうものと解される．裁判官が一方当事者と特別の関係にあったり，当該訴訟を離れて既に一定の判断を固めていたりする事情が存在する場合である．したがって，忌避理由の範囲についても，除斥の場合に準じて制限的に解される．例えば，共犯者の審理・裁判に関与したり（最決昭36・6・14刑集15・6・974），同一事件に関する民事裁判に関与したり（最決昭31・9・25刑集10・9・1382），憲法適合性が争われる制度の実施に係る司法行政事務に関与したり（最大決平23・5・31刑集65・4・373），法律問題等について一定の見解を発表したりした（最大決昭47・7・1刑集26・6・355，最決昭48・9・20刑集27・8・1395）だけで直ちに不公平な裁判をするおそれがあるとはいえない．また，単なる訴訟指揮に対する不満も忌避理由とはならない（最決昭48・10・8刑集27・9・1415）．

　忌避の申立てがあったときは，原則として，訴訟手続を停止しなければならない（規11）が，訴訟遅延の目的だけでなされたことの明らかな忌避申立ては，忌避された裁判官自身が決定で却下しなければならない（法24Ⅰ．**簡易却下**）．現実には，単なる訴訟指揮に対する不満から忌避の申立てをする例も多く，訴訟の引き延ばし手段としてなされることもあるが，これらの申立ては簡易却下されることになる．

> 　最決昭48・10・8（刑集27・9・1415）は，弁護人が，公判期日前の打合せから第1回公判期日終了までの裁判長の訴訟指揮権，法廷警察権の行使の不当をとらえて，同裁判長は予断と偏見に満ち不公平な裁判をするおそれがあるとして忌避を申し立てた件につき，「元来，裁判官の忌避の制度は，裁判官がその担当する事件の当事者と特別な関係にあるとか，訴訟手続外においてすでに事件につき一定の判断を形成しているとかの，当該事件の手続外の要因により，当該裁判官によっては，その事件について公平で客観性のある審判を期待することができない場合に，当該裁判官をその事件の審判から排除し，裁判の公正および信頼を確保することを目的とする

---

[26] この点は，忌避申立て却下の裁判に対する不服申立ての場合も同様であり，判決宣告を終えた後においては，忌避申立て却下の裁判を取り消す実益が失われるものと解するのが相当である（最決昭59・3・29刑集38・5・2095参照）．

ものであって，その手続内における審理の方法，態度などは，それだけでは直ちに忌避の理由となしえないものであり，これらに対しては異議，上訴などの不服申立方法によって救済を求めるべきであるといわなければならない．したがって，訴訟手続内における審理の方法，態度に対する不服を理由とする忌避申立は，しょせん受け容れられる可能性は全くないものであって，それによってもたらされる結果は，訴訟の遅延と裁判の権威の失墜以外にはありえず，これらのことは法曹一般に周知のことがらである」として，本件忌避申立ては，訴訟遅延のみを目的とするものとして法 24 条により却下すべきであるとした．

被疑者に忌避申立権があるかどうかについては争いがあるが，付審判請求手続の被疑者については忌避申立権を認めた判例がある(最決昭 44・9・11 刑集 23・9・1100)．

回 避 自分に忌避の原因があると思う裁判官が，自ら進んで所属裁判所に申し立て，その決定により職務の執行から除かれる制度である(規 13)．

除斥原因があるか，若しくは忌避申立てが認められた裁判官が判決にまで関与した場合は，いわゆる絶対的控訴理由があるので(法 377 ②)，その判決は当然破棄され，また，これらの裁判官が審理にのみ関与した場合は，訴訟手続の法令違反(法 379)に当たり，判決に影響を及ぼすことが明らかであれば破棄されることになる．

(3) 検察官の客観義務と証拠開示

検察官の役割 当事者主義(当事者追行主義)を徹底すれば，両当事者は対等に「勝敗」を争う者ということになるから，検察側の手持ち証拠を弁護側に開示する必要などないということになる．しかし，検察官と弁護人には，著しい力の差が存在し，対等な当事者というのはフィクションである(⇨ 25 頁)．また，もともと大陸法系では，検察官は民事訴訟の原告と異なり，客観義務，すなわち当事者としてでなく法の番人として客観的に行動すべき義務があるとする考え方も強い[27]．公的機関として公平に行動すべきものと考えるのである．裁判官と同じ行動を要請することはできないものの，当事者主義を原則として採用しつつ，一定の範囲で客観的に行動することを

---

[27] 検察官は準司法官であり，被告人に有利な活動もせよという主張も見られる．しかしこれでは，当事者主義の根本である「両者が争うことの中から真実を発見する」という原則がほぼ完全に否定されることになってしまう危険がある．

検察官に要請することは，理論的にも十分可能である．それは，形式としての「対等」を実質的なものにすることであるといってもよい．公判で争うには手元に相応の武器(証拠など)がなければならないが，組織力を有し，強制的な証拠収集の権限を有している捜査機関が証拠のほとんどすべてを手にしてしまっていることが多いから，弁護側が検察官の手元にある証拠を事前に検討する機会を与える必要があるのではないかという議論が生じる．

証拠開示 具体的には，被告人側の公判準備との関係で，検察官にはその手持ち証拠を被告人側に開示する義務があるのか，あるいは，裁判所は検察官に対し手持ち証拠を被告人側に開示するよう命じることができるのかが問題となる．

この点，旧刑訴法下においては，起訴と同時に検察官手持ちの記録全部が裁判所に引き継がれ，弁護人は裁判所においてこれを閲覧・謄写して公判に備えることができたので，証拠開示の問題は起こらなかった．現行刑訴法においても，弁護人は公訴提起後，裁判所で証拠を閲覧・謄写できることとされているが(法40)，これは裁判所の保管する証拠に限られているところ，起訴状一本主義を採用した現行法の下では第1回公判期日前には裁判所に証拠は何もないから，弁護人の公判準備に役立つものではない．

後述の平成16年の法改正までは，検察官が証人等の尋問を請求するときは，証人の氏名・住居を知る機会を[28]，証拠書類や証拠物を請求するときは，

---

[28] 証人保護の観点から，検察官又は弁護人は，証人等を請求する際，証人等やその親族に加害行為等がされるおそれがあると認められる場合には，相手方にその旨を告げ，証人等の住居等が被告人を含む関係者に知られないようにするなど，安全が脅かされることがないように配慮を求めることができるとされている(法299の2)．その後，平成28年法改正により，より実効性のある方策として，検察官は，証人等やその親族に加害行為等がされるおそれがあると認められる場合には，被告人の防御に実質的な不利益を生ずるおそれがあるときを除き，証人等の氏名・住居を被告人に知らせない旨の条件を付し，又は被告人に知らせる時期・方法を指定することができるとされた．また，条件付与等の措置によっては加害行為等を防止できないおそれがあると認められる場合には，証人等の代替的呼称等を開示すれば足りるとしている(法299の4)．これらの措置は，被告人の証人審問権を侵害するものではなく，憲法37条Ⅱ項前段に違反しない(最決平30・7・3刑集72・3・299)．

これに加え，被害者保護の観点から，法299条の3は，検察官は，証拠開示に当たり，被害者特定事項が明らかにされることによって被害者等の名誉が著しく害されたり，被害者やその親族に加害行為等がされるなどのおそれがあると認める場合には，弁護人にその旨を告げ，被害者特定事項が，被告人の防御に関し必要がある場合を除き，被告人その他の者に知られないようにすることを求めることができるとしている(⇨322頁)．

それらを閲覧する機会を，いずれもあらかじめ被告人側に与えなければならない(法299 I，規178の6 I ①)と定めるにとどまっていた．しかし，検察官が取調べを請求する予定のない証拠の中にこそ，被告人側の反証にとって貴重なものが含まれている可能性があるから，被告人側が検察官手持ち証拠の閲覧を求めることにも理由がある．

<small>判例の動向</small>　以上のような状況において，判例は，検察官手持ち証拠について裁判所が事前の全面開示を命ずることはできないが(最決昭34・12・26刑集13・13・3372)，裁判所が具体的事案によっては訴訟指揮権に基づいて証拠開示を命ずることができるとした(最決昭44・4・25刑集23・4・248).

証拠開示を認めると，実質的にも，迅速で十分な反証活動が展開され，真実発見に資する面があるが，逆に，真実に合わない反証の作出や，証人威迫，偽証工作のおそれなどの弊害が生ずるおそれもある．そこで判例は，裁判所が，冒頭手続の後に，① 事案の性質，② 審理の状況，③ 証拠の種類・内容，④ 閲覧の時期・程度・方法，⑤ その他諸般の事情を考慮し，その閲覧が被告人の防御のため特に重要であり，かつこれにより罪証隠滅，証人威迫等の弊害を招くおそれがなく，相当と認めるときは，訴訟指揮権に基づき，検察官に対し，証拠開示を命じられるとしたのである．これにより，第1回公判期日後は，具体的事案における必要性と弊害を総合的に考慮して個別の証拠開示が認められることになった．しかし，訴訟指揮権の行使によって対処するには限界があり，しかも判例によって開示に関する細かなルールを定立するのも困難であることなどから，立法的措置が望ましいとされてきた．

<small>法改正の実現</small>　司法制度改革審議会は，公判の充実・迅速化の観点から，十分な争点整理を行い，明確な審理計画を立てられるような新たな準備手続の創設を提言した上，充実した争点整理が行われるには証拠開示の拡充が必要であり，そのためには証拠開示の時期・範囲等に関するルールを法令により明確化するとともに，裁判所が必要に応じて開示の要否を裁定することが可能となるような仕組みを整備すべきものとした．裁判員制度を円滑に実施するためには，この準備手続(公判前整理手続⇒259頁)が不可欠であることから，その手続の中に証拠開示を拡充する具体的規定を盛り込んだ法改正が，裁判員制度の導入と合わせて行われ，裁判員法の施行に先立っ

て平成 17 年 11 月から施行されている．

公判前整理手続における証拠開示　事件が公判前整理手続に付されると，争点整理に組み込まれた形で，段階的に証拠開示が行われる(⇨ 262 頁)．事前に争点を整理するためには弁護側も十分に防御の準備をできることが必要となることから，開示の必要性と弊害の防止に配慮しつつ，従来に比して開示の範囲を大幅に拡張したものである[29]．第 1 段階として，検察官は，証明予定事実を明らかにするとともに，その証明に用いる証拠の取調べを請求し，その証拠を弁護側に開示しなければならない(法 316 の 14 Ⅰ)．その後，弁護側の請求があると，検察官は，保管する証拠の一覧表を交付しなければならない(同Ⅱ以下)．次に，第 2 段階として，弁護側は，特定の検察官請求証拠の証明力を判断するために重要な一定類型に該当する検察官手持ち証拠(**類型証拠**)の開示を請求することができ，検察官は，開示の必要性及び弊害を勘案し，相当と認めるときは，これを開示しなければならない(法 316 の 15)．さらに，第 3 段階として，弁護側が公判でする予定の主張を明らかにした場合，その主張に関連する検察官手持ち証拠(**主張関連証拠**)の開示を請求することができ，検察官は，開示の必要性及び弊害を勘案し，相当と認めるときは，これを開示しなければならない(法 316 の 20)．この間に証拠開示の要否等について当事者間で争いが生じた場合には，公判前整理手続を主宰する受訴裁判所が裁定する．

　なお，その後に証明予定事実ないし主張の追加・変更があれば，それに伴って必要となる証拠開示も行われることになる(法 316 の 21・316 の 22)．また，期日間整理手続(⇨ 323 頁)において争点整理が行われる場合も，その中で同様に証拠開示が行われることになる．

訴訟指揮権による証拠開示　上記のような法改正が行われたことにより，その後は，証拠開示を巡って深刻な争いが生じるような事案では，公判前整理手続又は期日間整理手続を行い，その中で改正法の趣旨に従った処理をするのが望ましい状況

---

29)　平成 16 年法改正の際には，全面的開示論や全証拠のリスト開示論等もあったが，それによる弊害等の指摘もあり，争点整理に組み込まれた形での段階的開示が採用された．その後，弁護側による開示請求が円滑・迅速に行われて公判前整理手続の進捗に資するようにする趣旨で，平成 28 年法改正において，証拠の一覧表の交付制度が導入された．各段階の開示が確実に行われれば，弁護側が見たいと思う主要な証拠は，ほぼ全面的に開示の対象となるであろう．

になっている．しかし，それらの手続が行われない事件又は場面において証拠開示を巡る争いが生じた場合には，かつての判例によって認められていた訴訟指揮権に基づく証拠開示を行う余地が残っているものと考えられる．もっとも，その場合でも，改正法の趣旨等を取り込んだ形のものに変容することになろう．

開示証拠の複製等の目的外使用の禁止　弁護人は，開示された証拠の複製等を適正に管理しなければならない（法281の3）．また，被告人，弁護人又はこれらであった者は，開示された証拠の複製等を，本来の使用目的[30]以外の目的で，人に交付し，提示し，又は電気通信回路を通じて提供してはならない（法281の4）[31]．目的外使用による開示の弊害が生じるおそれを少なくすることによって開示の範囲を拡張しようとしたものである．

---

30) 当該被告事件の審理とそれに付随する手続又はその準備に使用する目的をいう（法281の4 I）．
31) 違反行為に対しては，1年以下の懲役又は50万円以下の罰金が科される（法281の5）．

訴因の変更

1 訴因と訴因変更

> **312条 I** 裁判所は，検察官の請求があるときは，公訴事実の同一性を害しない限度において，起訴状に記載された訴因又は罰条の追加，撤回又は変更を許さなければならない．
> **II** 裁判所は，審理の経過に鑑み適当と認めるときは，訴因又は罰条を追加又は変更すべきことを命ずることができる．

(1) 訴因の理解と訴因変更

訴訟物の変更　裁判は「動的」な存在であるから，公訴提起時に想定された事実のみの審理で足りるとは限らず，審理が進むに連れて当初の訴因とは異なる事実が明らかになり，対象とすべき事実が変わってくるということもあり得る[1]．このような場合に，審判対象の変更が可能であるか，またそれはどのような場合に必要となり，どの範囲で許されるのかが問題となる．審判の対象については，公訴事実対象説も有力に主張されたが，現在は，訴因対象説が大勢を占めるに至っている（⇨232頁）．この問題を考える際にも，公訴事実対象説と訴因対象説の対立が影響する．

公訴事実対象説は，審判の対象は公訴事実であり，訴因は被告人の防御権を保障するために公訴事実の法律構成を示すものと考える（**法律構成説** ⇨307頁）．同説によれば，公訴事実が審判の対象なのであるから，その範囲内での訴因

---

1) 例えば，窃盗の訴因で起訴され証拠調べをしたところ，窃盗ではなく盗品等の有償譲受けの事実が明らかになってきた場合，窃盗として有罪とすることはできず，かといって窃盗の訴因のまま盗品等の有償譲受けとして有罪とすることもできない．そこで，訴因を変えることが必要となる．

の変更は当然許されるものであり，当初の訴因を巡って攻撃防御をしてきた当事者に不意打ちを与えないようにするために，訴因変更の手続が設けられたものと解することになる．これに対し，**訴因対象説**によれば，訴因こそが審判の対象であるから，対象が変われば当然変更すべきことになる(⇨ 307 頁)．しかし，常に審理をやり直すのは合理的ではないので，同一の訴訟内で解決するのが望ましい場合には審理をやり直さずに対象の変更を認めるのが合理的であり，そのために設けられたのが訴因変更の手続であると解することになる．

(2) 訴因変更の実質的意味

刑訴法 312 条　審理の経過によっては，検察官として，当初の主張を変更し，訴因とは別の犯罪事実について審判を求める必要の生じることがあり得る．証拠調べの結果，別の犯罪事実が立証されたような場合である[2]．そこで，刑訴法は，訴因と異なる犯罪事実が訴因と一定の関係に立つ限り，同一の訴訟内で，検察官がその犯罪事実へ訴因を変更し得る旨を定めた．すなわち，検察官は起訴状に記載された訴因・罰条の追加・撤回・変更を請求することができ，裁判所は**公訴事実の同一性**を害しない限度においてこれを許さなければならないとしている(法 312 I)．

　訴因の**追加**とは，元の訴因をそのまま残しておいてこれに新しい訴因を付け加えることをいう．例えば，窃盗の訴因にその手段である住居侵入の訴因を加えたり[3]，窃盗の訴因に盗品等の有償譲受けの訴因を予備的に追加する場合をいう．起訴時にも予備的・択一的記載が許される以上(法 256 V)，予備的・択一的に訴因を追加することも認められる(最判昭 26・6・28 刑集 5・7・1303)．
　追加とは逆に，科刑上一罪の関係にある複数の訴因や，主たる訴因と予備的又は択一的訴因の関係にある訴因のうち，その一部を取り除くことを**撤回**という．
　訴因の**変更**(狭義)とは，個々の訴因の態様を変えることであり，起訴状の窃盗の

---

[2]　公判前整理手続を経た事件では，争点整理の過程で訴因と異なる事実が明らかになる可能性が表面化することもあるため，その段階で訴因変更の手続を(場合によっては予備的に)行うことができるし，そのような早期の対応が望ましいといえるが，主要な証拠調べをして初めて訴因変更手続の必要なことが明らかになる場合も存在する．

[3]　両訴因は牽連犯(科刑上一罪)の関係にあり，公訴事実の単一性(⇨ 300 頁)が認められるので，訴因の追加が許される．

訴因を盗品等の有償譲受けの訴因に変えるような場合である．また，通常は，訴因の追加・撤回・変更に合わせた形で**罰条**も追加・撤回・変更される．
訴因変更の手続　訴因・罰条の追加・撤回・変更は，起訴状の実質的な記載内容の変更であるから，原則としては，起訴状に準じ書面によって行われなければならない(規209 I)[4]．訴因・罰条の追加・撤回・変更は，遅滞なく被告人に通知されなければならない(法312 III)[5][6]．

以上にいう訴因・罰条の追加・撤回・変更を総称して，単に訴因の変更(広義)という(以下，この用法に従って記述する)．

訴因変更の
3つの論点　訴因変更の問題を検討する際には，① どの範囲内で訴因を変更することができるかという**訴因変更の可否**の問題と，② どのような場合に訴因変更の手続を要するかという**訴因変更の要否**の問題，そして，③ 裁判所には**訴因変更を命ずる義務**が存在するのかという問題を明確に分けて論じる必要がある．

① については，訴因の変更も自由に行い得るわけではない．法312条は公訴事実の同一性の範囲内でのみ許される旨規定している．訴因変更の限界は「公訴事実の同一性」によって画されるのである(⇨299頁)．

② については，訴因事実と認定事実との間にわずかな違いがあっても訴因変更の手続を経ない限り判決できないとすることは，訴訟経済上合理性を欠くし，被告人の防御権を保障する見地からも行き過ぎであろう．そこで，訴因事実と認定事実の食い違いがどの程度になったときに訴因変更を必要とするのかという実質的判断が要請される．齟齬があっても訴因としては同一と評価し得る場合(訴因の同一性が認められる場合)は，訴因変更は必要でなく，訴因の同一性を失う程度に食い違う場合に，訴因変更が必要となる(⇨306頁)．

---

[4]　例外として，被告人が在廷する公判廷においては，裁判所は口頭による訴因・罰条の追加・撤回・変更を許すことができる(規209 VII)．

[5]　裁判所が訴因の変更により被告人の防御に実質的な不利益を生ずるおそれがあると認めたときは，被告人又は弁護人の請求により，決定で，被告人に十分な防御の準備をさせるため，必要な期間公判手続を停止しなければならない(法312 IV)．

[6]　起訴状の記載に誤字・脱字や明白な誤りがある場合にそれを正すには，**起訴状の訂正**が可能である．その場合は，訴因変更のような厳格な手続を必要とせず，被告人・弁護人の意見を聴くことや許否を決する必要もないが，事項によっては訴因変更を要するか微妙な場合もあるため，慎重を期して訴因変更手続を採っておく方がよいこともあろう．**訴因の補正**のためにも，訴因変更手続を行うことが実務上はある(⇨235頁注6)．

③ 訴因は検察官の主張であるところ，法312条Ⅱ項は，裁判所が訴因変更すべきことを命ずることができる旨定めている．この訴因変更命令をどのように理解するかも，訴訟構造の基本的理解にかかわってくる(⇨313頁)．

2 訴因変更の可否——公訴事実の同一性(広義)

(1) 実質的対立点

審判の危険と防御訴因変更が公訴事実の同一性[7]を害しない限度において許されるということは，公訴事実の同一性が認められる範囲内では，審理の過程で訴因変更が必要となった場合に，訴因を変更すれば審理の対象となり得ることを意味する．言い換えれば，その範囲内では，被告人は審判を受ける危険にさらされていることになる．また，別の角度からいえば，その範囲内では被告人が防御活動を要する可能性があるともいえる．もっとも，その反面として，判決が確定すればその範囲内で一事不再理の効果(二重危険の禁止の効果 ⇨521頁)が認められることになる[8]．

被告人の側から見れば，㋑審判の危険にさらされ防御活動を要求されるという意味では，公訴事実の同一性の範囲は狭いほど好ましく，㋺一事不再理

---

[7] 令状の効力の及ぶ範囲，弁護人選任の効力の及ぶ範囲などに関しても，「犯罪事実の同一性」，「事件の同一性」という概念を用いる場合がある．事件の同一性とは，被告人(被疑者)の同一性と犯罪事実の同一性を意味する．

[8] 公訴事実の同一性の範囲は，1つの訴訟内で解決し得る(訴因の追加・変更ができる)範囲であるとともに，一事不再理(既判力)の効果，二重起訴禁止の効果などの生じる範囲でもある．要するに，それらの効果が生じることを考慮しつつ1回の刑事訴訟で解決すべき事件の範囲を定めるためのものであるので，基本的には，争われる刑罰権が1個であれば訴訟は1回でよいし，刑罰権が2個以上であれば訴訟が2回以上になるのである(もっとも，複数の訴訟を併合して審理することは可能である ⇨356頁)．そして，刑罰権の個数は犯罪の個数によって決まるのであるから，2つの訴因が一罪の関係にあるのであれば1個の刑罰権しか発生せず，1回の訴訟で解決すべきものということになるのである．

　このように二重起訴禁止の効力も生じるから，公訴事実の同一性があるために訴因変更(追加)の手続によって審理の対象とすべき事実について追起訴の方法によった場合には，二重起訴として公訴棄却されることになる(法338③)．もっとも，検察官が当初の訴因と併合罪の関係にあるとして追起訴したところ，審理の結果，一罪(包括一罪，科刑上一罪)と認定されたような場合には，追起訴を訴因変更の趣旨と解して，二重起訴にはならないとされている(最大判昭31・12・26刑集10・12・1746)．

の効果が及ぶという意味では，その範囲が広いほど好ましいということになる．逆に，検察官の側から見れば，①の意味では広いほどよく，⓪の意味では狭いほどよいということになる．公訴事実の同一性の範囲は，公訴事実対象説か訴因対象説か，さらに職権主義か当事者主義かの対立を直接投影するものではなく，それらと論理的に無関係とはいえないものの，①と⓪のバランスのほかに，1回の手続で処理されるのが合理的であるかという観点を加えて，その範囲を決定すべきものであろう．

	危険の及ぶ範囲	一事不再理効
被告人の利益	狭いほどよい	広いほどよい
検察官の利益	広いほどよい	狭いほどよい

(2) 公訴事実の単一性

同一性と単一性　訴因変更の許される範囲を画する公訴事実の同一性という概念には，狭義の公訴事実の同一性に加えて，公訴事実の単一性という概念も含まれていることに注意しなければならない．

公訴事実の単一性とは，公訴事実が1個であること，すなわち犯罪事実が1個であることを意味する．それは，実体法上の罪数判断に帰着することになる．これに対し，狭義の**公訴事実の同一性**は，審理の過程で訴因とは異なる事実が出現した場合に，特定の訴因をもって出発した1つの裁判の中で，どこまで「遠い」訴因に変更が許されるかという問題である．

単一性が認められるか，狭義の同一性が認められれば，広義の公訴事実の同一性は肯定される．

> 公訴事実の単一性は，時間軸を考慮せず，手続のある時点における「横断的な事実の広がり」の問題である．公訴事実の横の広がり，幅を意味する．一方，狭義の公訴事実の同一性は，時間的に前後する数個の事実を同一のものとして扱ってよいかという問題である．事実の変化，ずれの許容範囲を問題とする．

公訴事実の単一性　公訴事実の単一性とは，公訴事実が1個であることをいうが，1回の訴訟で処理し得る範囲は，1個の刑罰を科す範囲ということになる．そこで，その範囲は刑法の**罪数論**によって決せられることに

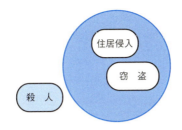

なる.すなわち,犯罪事実が1個であれば,公訴事実は単一である.

単純一罪,包括一罪などは,犯罪が1個であることは明らかであるが,観念的競合や牽連犯(科刑上一罪)も,一罪として処断されるのであるから,公訴事実は単一である.これに対し,併合罪の関係にある場合には,公訴事実の単一性は認められない.

例えば,窃盗の起訴の際に,予備的に殺人罪の訴因を記載することは許されない.また,審理の途中で殺人罪の訴因を追加することも許されない.窃盗罪と殺人罪とは,併合罪の関係にあり,公訴事実の単一性が認められないからである.それに対し,窃盗と科刑上一罪の関係にある住居侵入罪は,公訴事実の単一性が認められるから,訴因として追加することが許される.

最判昭33・2・21(刑集12・2・288)は,窃盗幇助と盗品等有償譲受けとが併合罪の関係にあることを理由として,公訴事実の同一性を否定している.

単一の公訴事実についての判断は,1個の判決で足りる.したがって,単一の公訴事実の一部に無罪や公訴棄却の理由があっても,その残りの部分について有罪の言渡しをする場合には,理由の中でそのことを明らかにすれば足り,主文において無罪又は公訴棄却の言渡しをすべきでない.

(3) 公訴事実の同一性(狭義)と訴因の理解

公訴事実の同一性の範囲を決定する具体的基準について,刑訴法と同規則には何らの規定も置かれていないため,学説は,訴訟物の考え方,訴因の考え方と絡んで複雑に対立してきた(⇨230頁).

構成要件共通説 公訴事実対象説は，訴因に関し法律構成説を採用し，公訴事実の同一性は構成要件の同一性を中心に判断すべきだとする(**構成要件共通説**)．基本的事実が同一でなければならないことを前提としつつ，比較される複数の訴因が構成要件的に全く重なり合うことのないものであるときは，たとえ前法律的な生活事実として1つのものであったとしても，事実の同一性を認めるべきではないとする(団藤151頁)．より具体的には，当初の訴因が前提とした甲事実がX構成要件に当たり，後に判明した乙事実がY構成要件に該当する場合，訴因変更が許されるか否かは乙事実がX構成要件にも相当程度当てはまるか否かによるとするのである[9]．

訴因共通説 一方，訴因対象説は，訴因の理解に関し事実記載説を採用し，公訴事実の同一性については，訴因相互がその重要部分においてどれだけ重なっているかによって判断する**訴因共通説**を採用する(平野139頁)．犯罪を構成する主要な要素は行為と結果であるから，原則として，そのいずれかが共通であれば公訴事実は同一であるとするのである[10]．

基本的事実同一説 判例は，一貫して，公訴事実が同一であるか否かは社会的事実の重なり合いによって判断されるとする**基本的事実同一説**を採用している．既判力の及ぶ範囲と防御の範囲を中心とした利益の調整の上に立って，1回の裁判で裁き得る範囲を実質的に判断する以上，事実の共通性(日時，場所，行為，結果等の共通性・近似性等)によって具体的に判断せざるを得ないからである．もっとも，構成要件共通説も，実際の判断においては基本的事実の重なり合いを問題とするし，訴因共通説は，より一層事実の重なり合いを重視するので，具体的事案における判断内容には基本的事実同一説との共通性が認められる．問題は，両訴因事実が重なっているか否かの具体的判断なのである．

---

9) 構成要件共通説は，収賄罪と恐喝罪との間では同一性を認めてよい場合があり得る反面，窃盗罪と盗品等に関する罪との間で同一性を認めるのは困難であるとする．
10) 訴因共通説によれば，例えば，暴行罪と器物毀棄罪とは行為の点で同一性があり，窃盗罪と詐欺罪とは結果の点で同一性がある場合が多いとされる．

(4) 公訴事実の同一性(狭義)の具体的判断基準

事実の基本的部分　基本的事実同一説によれば，A訴因事実とB訴因事実の**基本的な部分が同一**である場合に，A訴因とB訴因は公訴事実の同一性の範囲内にあるとされる．そこで，ここにいう基本的部分とは何かが問題となる．

例えば，「Xは，公務員Yと共謀の上，Yの職務に関し，Zから賄賂を収受した」という収賄の共同正犯の訴因から，「Xは，Zと共謀の上，Yの職務に関し，Yに対して賄賂を供与した」という贈賄の共同正犯の訴因への変更は許されるであろうか．両訴因は，一方が収賄，他方は贈賄であり，重なり合わないように見える．しかし，この事案の基本的事実関係は，公務員YとZの間に不正な金員の授受があり，その授受にXが関与したという点なのである．両訴因の違いは，金銭の動きが，前者ではXがYと共にZから収受したというものであるのに対し，後者ではXはZと共にYに金員を供与したというにすぎない．このように，金員の提供者（Z）と収受者（Y）は同一なのであるから，授受の日時，場所，金額も同一若しくは近似していれば，Xが提供側であるか収受側であるかが異なっているものの，賄賂の授受に関与したという基本的事実は同一であるということになる．判例は，賄賂の授受の日時・場所・金額が同一であった場合(収賄と贈賄につき最判昭36・6・13刑集15・6・961)のみでなく，日時・場所・態様が異なる場合であっても，収受したとされる賄賂と供与したとされる賄賂との間に事実上の共通性がある場合には，公訴事実の同一性を失わないとしている(加重収賄と贈賄につき最決昭53・3・6刑集32・2・218)[11]．

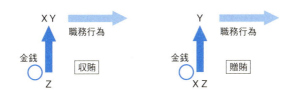

同様の判断を示した例として，最判昭 28・5・29 (刑集 7・5・1158) は，詐欺（予備的に横領）と占有離脱物横領の間の公訴事実の同一性に関し，「詐欺の基本事実は被告人が O 信用組合において A に支払うべき預金払戻金 3 万 5000 円を不法に領得したとの事実であり，これと原審が認定した占有離脱物横領の事実とは，犯罪の日時，場所において近接し，しかも同一財物，同一被害者に対するいずれも領得罪であって，その基本事実関係において異なるところがない．それ故，第 1 審が訴因の変更手続を経て横領と認定し，原審がこれを占有離脱物横領と認定しても公訴事実の同一性に欠くところはない」としている．

両訴因の非両立性　このように，基本的事実の重なり合いは，事案の具体的な検討によって判断されることになるが，その判断を容易にする道具として，実務では，**両訴因の非両立性**という概念が利用されている．すなわち，一方の訴因が成立すれば他方は成立し得ないという関係があれば，同一性が認められるとするのである．なぜなら，2 つの訴因が重なっていればいるほど 2 つの犯罪の同時併存は不可能となるからである．

例えば，最判昭 29・5・14 (刑集 8・5・676) は，10 月 14 日ころの静岡県内における窃盗と，同月 19 日ころの東京都内における盗品（静岡県内の窃盗の客体）の有償処分あっせんに関し，「右 2 訴因はともに O の窃取された同人所有の背広 1 着に関するものであって，ただこれに関する被告人の所為が窃盗であるか，それとも事後における贓物牙保であるかという点に差異があるにすぎない．そして，両者は罪質上密接な関係があるばかりでなく，本件においては事柄の性質上両者間に犯罪の日時場所等について相異の生ずべきことは免れないけれども，その日時の先後及び場所の地理的関係とその双方の近接性に鑑みれば，**一方の犯罪が認められるときは他方の犯罪の成立を認め得ない関係**にあると認めざるを得ないから，かような場合には両訴因は基本的事実関係を同じくするものと解するを相当とすべく，従って公訴事実の同一性の範囲内に属するものといわなければならない」とした．

また，最判昭 34・12・11 (刑集 13・13・3195) も，馬の売却代金の一部の業務上横領の訴因と，馬の窃盗という訴因に関し，「いずれも同一被害者に対する一定の物とその換価代金を中心とする不法領得行為であって，**一方が有罪となれば他方がその**

---

11) 最決昭 53・3・6 は，公訴事実の同一性が肯定できる理由として，収受したとされる賄賂と供与したとされる賄賂との間に事実上の共通性がある場合には，両立しない関係があり，かつ，一連の同一事象に対する法的評価を異にするにすぎず，基本的事実関係においては同一であるといえるとしている．

不可罰行為として不処罰となる関係にあり，その間基本的事実関係の同一を肯認することができるから，両者は公訴事実の同一性を有する」とした．

　これらの判例のように，一方の訴因が犯罪として成立すれば，他方の訴因は犯罪として成立しない，という択一関係の存否により公訴事実の同一性を判断する方式は，多くの場合に妥当な結論を導くことができるため，実務において広く用いられている．

択一関係の具体的判断　ここで注意しなければならないのは，非両立性が認められるのは，①Xという訴因事実が存在すればYという訴因事実は論理的に考えられないという場合だけでなく，②両訴因が論理的には両立することもあり得るがその事案の具体的事実を前提とすると考え難いという場合もあることである．

　例えば，同一の日時・場所において同一被害者の同一財物に対する窃盗罪と強盗罪が2つとも成立することはあり得ない．また，特定のバッグの窃盗罪と当該バッグの盗品等有償譲受け罪も，盗んだ相手方である本人からその物を譲り受けるということはないので，両立し得ない．①は，このような場合であるから，公訴事実の同一性判断は比較的容易である．

　問題は，②の類型である．例えば，同種の犯罪で日時・場所が異なる両訴因の間で公訴事実の同一性が問題になることがある．「10月1日にA駅改札口付近でB所有のバッグを窃取した」という訴因を「同年4月1日に同駅改札口付近で同バッグを窃取した」という訴因に変更できるかというような例である．この例では，半年間のズレがあり，その間に当該バッグが被害者の手元に戻ることもあり得ないではないから，論理的に両訴因が両立し得ないとはいえないであろう．しかし，同一のバッグである以上，2つの事実が共に存在する確率は極めて低く，その具体的事案においてバッグが被害者の手元に戻ったような事情が存在しない場合には，非両立性が肯定されるのである．とはいえ，日時・場所が極めて相違するときには，両立しないとはいいにくくなるであろう．日時・場所の近接性，目的物件の同一性などの要素は，このような意味で非両立性を判断する資料として用いられる．

例えば，最決昭 63・10・25 (刑集 42・8・1100) は，覚醒剤使用罪の当初の訴因と変更後の訴因との間で，使用時刻，場所，方法が多少異なった事案について，「両訴因は，その間に覚醒剤の使用時間，場所，方法において多少の差異があるものの，いずれも被告人の尿中から検出された同一覚醒剤の使用行為に関するものであって，事実上の共通性があり，両立しない関係にあると認められるから，基本的事実関係において同一であるということができる」とし，被告人の尿中から検出された同一覚醒剤の使用行為に関するという当該事案の具体的事情を考慮して，非両立性を肯定している．

単一性との関係 X 訴因事実と Y 訴因事実が両立し得る場合でも，犯罪としては両者が一罪になるとき(包括一罪，科刑上一罪等)は，公訴事実の単一性が認められるので，同時に審判することは可能であり，訴因の追加が許される．すなわち，広義の公訴事実の同一性が肯定される．したがって，公訴事実の同一性が否定されるのは，両者が併合罪の関係に立ち(すなわち単一性がなく)，しかも両立し得る(すなわち狭義の同一性もない)場合なのである．

3 訴因変更の要否

(1) 訴因の理解と訴因変更の必要性

訴因の同一性 審理の中心は訴因であり，その存否を巡って当事者の攻防が行われるのであるから，訴因外の認定は原則として許容されない．しかし，訴因事実と認定事実との間で微弱な離齬が生じた程度であれば，当事者にとっても予測不可能なことではないし，訴訟経済を考えても，常に訴因変更が必要であるとするのは合理的でない．訴因事実と認定事実との食い違いがどの程度になれば訴因変更が必要になるか，その判断基準は何かが問題となる．この基準として，**訴因の同一性**という概念が用いられることがある．ただ，訴因の理解についてどのような考え方を採用するとしても(⇨231頁)，訴因が審判対象の範囲を画定する機能と被告人の防御の保障のための機能を併せ有する(いわば表裏の関係にある)ことには争いがないから，訴因事実と認定事実との間で訴因の同一性が欠けても，必ずしも審判対象の範囲を動かす必要はなく，実質的に被告人の防御に差し支えがない場合には，訴因

変更の必要はないとして，この原則は**修正**される(⇨ 308 頁以下).

　　　　　　　法律構成説は，訴因の同一性を構成要件の同一性ととらえる(**構
構成要件説　成要件説**)[12]．訴因は犯罪事実の法的評価を表示するものであり，
訴因に拘束力が認められるのは，専ら判決が当事者の予測しない法律を適用することのないようにするためであるから，そのような事態が生じた場合には訴因を変更して被告人に防御の機会を与えなければならないと考える．重要なのはどのような構成要件に該当するかにあるから，訴因事実と認定事実との間に食い違いがあっても，それが構成要件の枠を超えない範囲であれば，訴因は同一性を保っており，訴因変更の手続は必要でないと説明する．

　　　　　　　訴因とは構成要件に該当する具体的犯罪事実そのものであると
事実記載説　する具体的事実記載説によれば，訴因の拘束力は具体的事実の点に求められるから，法律構成に変化がなくても，具体的事実が変われば，訴因変更が必要であり，逆に，法律構成が異なっても，具体的事実が変わらなければ，訴因変更の必要はない．このように，訴因の同一性を具体的事実の記載の同一性と解する説を**事実記載説**という．

　事実記載説が通説・判例であるが，問題はどの程度の事実の変化があれば訴因変更が必要となるかである．具体的事実が僅かに変わっただけで直ちに同一性が失われるわけではなく，審判対象の範囲の画定と被告人の防御という観点を考慮しつつ(⇨ 299 頁)，社会的・法律的意味合いを異にするだけの事実の変化があったかどうかを実質的に考察しなければならない．まず，① 同一の構成要件内の事実の変更でも，審判対象の範囲の異同，被告人の防御権の保障の観点から訴因変更の必要が生じることはあり得るが，② 同一行為についての法的評価が変わるにすぎないような場合，例えば共同正犯としていた見張り行為を幇助と見る場合は，訴因変更は不要である．そして，③ 構成要件が異なるような事実の変化があれば，多くの場合は訴因変更が必要となり，実質的観点から訴因変更の要否が判断されることになるが，当初の訴因に包摂されているような場合には，「大は小を兼ねる」の原則(縮小認定の理論)により，訴因変更は不要である(⇨ 310 頁)．

---

12)　構成要件は罰条で表示されるため，罰条同一説とも呼ばれる．

	訴因の理解	公訴事実同一性	訴因の同一性
公訴事実対象説	法律構成説	構成要件共通説	構成要件説
訴因対象説	具体的事実記載説	訴因共通説	事実記載説
判例	具体的事実記載説	基本的事実同一説	事実記載説

(2) 訴因の同一性の具体的判断

具体的事実の変化 訴因を明示するために犯罪の日時・場所・方法等が記載されるが（法256 III 参照），これらの事項のうち，審判対象の範囲を画定するのに不可欠なものは，被告人の防御にとっても重要な事項であるから，その変更には訴因変更手続を必要とする．もっとも，そのずれが小さく，被告人の防御に不利益を及ぼすおそれのないようなものであれば，訴因変更の必要はない[13]．例えば，犯行の日時・場所の小さな齟齬は，原則として被告人の防御にも影響がなく，訴因の同一性を害さないものと考えられる．なお，結果については，訴因より小さいものを認定するのであれば，訴因変更の必要はない（「大は小を兼ねる」の原則 ⇒ 310頁）．

他方，犯行の動機や計画の経緯などのように，審判対象の範囲の画定にとって本質的とはいえない事項については，訴因変更手続を必要とせず，不意打ち防止のための何らかの措置（釈明等）を採れば足りるものと考えられる（⇒ 318頁）．

---

13) 例えば，最判昭30・7・5（刑集9・9・1805）は贈賄罪の相手方の職務内容の変更につき，最判昭32・1・24（刑集11・1・252）は収賄罪の被告人の職務内容・供与の趣旨の変更につき，最決昭35・2・11（刑集14・2・126）は詐欺罪の欺罔行為の日時・態様・金額の変更につき，最決昭35・8・12（刑集14・10・1360）は特別背任罪の背任の目的の変更につき，いずれも訴因変更の必要がないとし，逆に，最決昭40・12・24（刑集19・9・827）は，法人税法違反罪の逋脱所得の内容の変更につき，訴因変更の必要があるとしている．また，最決平24・2・29（刑集66・4・589）は，室内に充満させた都市ガスに引火爆発させて放火した事案につき，ガスコンロの点火スイッチを作動させる方法による点火との訴因に対し，訴因変更手続を経ず，何らかの方法による点火と無限定な認定をしたことが違法であるとしている．もっとも，当該事案は，点火スイッチの作動以外の着火原因の存在をうかがわせる証拠はないから，何らかの方法によると認定することなく訴因の範囲内で認定することが可能であったとされている．

共謀と訴因 共同正犯の訴因において，共謀共同正犯か実行共同正犯か，前者であればその共謀の日時・場所・内容はどうかについては，それが訴因の明示に必要な事項であるか争いがある．訴因の記載は他の犯罪事実からの識別・特定で足りるとの立場からそれを不要とする識別説と，被告人の防御権を重視する立場からそれを必要とする防御権説が対立している．訴因の機能を考えると識別説が相当であり，実務上も，同説に従って運用されているが，それらの点が被告人の防御にとって重要な場合も少なくないため，弁護側が釈明を求めた場合(⇨321頁)には，争点の明確化等の見地から検察官において釈明するのが望ましいことが多い．最決平13・4・11(刑集55・3・127)も，殺人罪の共同正犯の事案について，実行行為者の明示は訴因の記載として不可欠のものではないとしながらも，実行行為者が誰であるかは一般的に被告人の防御にとって重要な事項であるから，争点の明確化などのため検察官において実行行為者を明示するのが望ましいとしている．そこで，検察官が訴因において実行行為者を明示した場合に，それと異なる実行行為者を認定するには訴因変更が必要になるかが問題となる．前掲最決平13・4・11は，殺人罪の共同正犯の訴因において実行行為者が被告人と明示されていたが，訴因変更手続を経ることなく実行行為者が共犯者A又は被告人あるいはその両名であると択一的に認定した事案について，実行行為者が誰であるかは一般的に被告人の防御にとって重要な事項であるから，**訴因において実行行為者が明示された場合にそれと実質的に異なる認定をするには，原則として訴因変更手続を要するものの**，そもそも実行行為者の明示は訴因の記載として不可欠な事項ではないから，**少なくとも，被告人に不意打ちを与えるものではなく，かつ，認定が訴因と比べて被告人にとってより不利益であるとはいえない場合には，例外的に訴因変更手続を経なくても違法ではない**とした．審判対象の範囲の画定に不可欠ではない事項であっても，被告人の防御にとって重要なものであれば，訴因に明示された以上は原則として訴因変更を経る必要が生じることになるが，事項によっては不意打ち防止のための措置(⇨318頁)で足りることもあろう．

過失犯と訴因 過失犯の場合，訴因事実と認定事実との間の差異が過失の態様に基本的な変動をもたらす性質のものであれば，訴因変更を要するが，事故の具体的状況に多少の変動はあっても過失の態様に基本的な差異をもたらさないような性質のもので，被告人の防御に実質的な不利益を与えないものであれば，訴因変更を要しない．例えば，「濡れた靴をよく拭かずに履いていたため，一時停止の状態から発進するにあたり足を滑らせてクラッチペダルから踏みはずした」という過失の訴因で，「一時停止中の他車の後に進行接近する際ブレーキをかけるのが遅れた」という過失を認定するには，訴因変更が必要であるとされた(最判昭46・6・22刑集25・4・

588).これに対し,速度調節義務を怠った過失が問題となった事案において,速度調節義務を課す根拠となる路面の滑りやすい原因と程度に関する具体的事実として,訴因に掲げられていた「降雨による路面の湿潤」という事実に加えて,訴因としては撤回されていた「石灰の粉塵の路面への堆積凝固」という事実を併せ認定した場合については,注意義務を課す根拠となる具体的事実には訴因としての拘束力がなく,被告人の防御権も侵害されていないとして,適法とされている(最決昭63・10・24刑集42・8・1079)。

縮小認定 　事実記載説からすれば,訴因の同一性を失う程度に事実が変われば訴因変更が必要なはずであるが,その場合でも,訴因変更を要しないことがある。訴因の機能としては審判対象の範囲の画定と被告人の防御権の保障(不意打ち防止)があるところ,それらの機能を害さないような場合には,事実が変わっても訴因変更は不要と考えられるからである[14]。すなわち,訴因事実中に既に含まれている事実を認定する場合であれば,同一性を欠いても,訴因によって画定された審判対象の範囲をはみ出ることはなく,しかも被告人に新たな防御の機会を与える必要がない(防御に実質的な不利益を生じない)から,訴因変更の必要はないことになる。これを「大は小を兼ねる」の原則(**縮小認定の理論**)という。

　この考え方により,既遂から未遂,殺人から傷害致死又は同意殺人,殺人未遂から傷害,傷害から暴行,強盗から恐喝等の場合には,訴因変更の必要がない[15]。

　　最判昭26・6・15(刑集5・7・1277)は,訴因変更制度の意義は,「裁判所が勝手に,訴因又は罰条を異にした事実を認定することによって,被告人に不当な不意打を加え,その防禦権の行使を徒労に終らしめることを防止するに在るから,かかる虞れのない場合,例えば,強盗の起訴に対し恐喝を認定する場合の如く,裁判所がその

---

[14] この点,構成要件説によれば,構成要件が変われば訴因の同一性が失われるので,訴因変更が必要となるはずであるが,1つの構成要件の中に他の構成要件が包含されている場合に,包含されている構成要件を認定するときは,防御の重点は変わらないから,訴因変更は必要ではないとされる。このように構成要件説でも縮小認定の理論は説明することができる。
[15] 縮小認定とはならず,訴因からはみ出た認定をする場合は,それが法定刑の軽い犯罪であっても,当然,訴因変更が必要となる。例えば,強制わいせつから公然わいせつ(最判昭29・8・20刑集8・8・1249),収賄から贈賄(最判昭36・6・13刑集15・6・961),殺人から重過失致死(最決昭43・11・26刑集22・12・1352)等の場合である。

大は小を兼ねるとされた例		
殺人未遂 → 傷害	最判昭29・8・24刑集8・8・1392
殺人既遂 → 同意殺人	最決昭28・9・30刑集7・9・1868
殺人既遂 → 傷害致死	仙台高判昭26・6・12判特22・57
窃盗既遂 → 窃盗未遂	福岡高判昭25・7・18判特12・112
強盗致死 → 傷害致死	最判昭29・12・17刑集8・13・2147
酒酔い運転 → 酒気帯び運転	最決昭55・3・4刑集34・3・89

態様及び限度において訴因たる事実よりもいわば縮少された事実を認定するについては，敢えて訴因罰条の変更手続を経る必要がないものと解する」と判断している．

単独犯か共同正犯か　単独犯の訴因で共同正犯を認定する場合や，逆に共同正犯の訴因で単独犯を認定する場合も，認定すべき犯罪構成要件に訴因を超えるものがなく，被告人の犯行への関与の程度を軽くする方向のものであれば，縮小認定の考え方が妥当するため，訴因変更の必要はない．

まず，訴因が単独犯の場合について考えると，被告人が実行行為の全部を1人で行っていて，被告人の行為だけで犯罪構成要件のすべてを満たしている場合には，他に共謀共同正犯者が存在するとしても犯罪の成否が左右されるものではないから，共謀共同正犯者の存否を認定する必要はなく，訴因どおり単独犯として認定することが許される（最決平21・7・21刑集63・6・762）．訴追裁量権を有する検察官が単独犯として起訴しており，そのとおり認定できるのであるから，他の関与者の存否やその関与の程度は，量刑事情として審理・判断されるにとどまることになる．

これと異なり，他の関与者が実行行為の一部を行っているような場合には，共同正犯を認定することになるが，それが被告人の犯行への関与の程度を軽くする態様のものであれば，訴因変更が必要とされない場合がある．例えば，最判昭34・7・24（刑集13・8・1150）は，単独犯による覚醒剤不法所持の訴因に対し，訴因変更の手続を経ることなく共犯者Kとの共同所持による覚醒剤不法所持を認定することも，被告人に不当な不意打ちを加え，防御権の行使に不利益を与えるおそれはないので，違法ではないとしている．しかし，被告人が実行行為には関与しておらず共謀共同正犯として責任を問われるような態様を認定する場合には，被告人が関与していないのが実行行為の全部ではなく一部であるとしても，その部分については共同正犯者の行為を介して被告人の責任を認めることになり，単独犯の訴因には含まれていなかった共同正犯者との共謀という事実の認定が不可欠であって，単なる縮小認定とはいえないから，訴因変更が必要である．

他方，共同正犯の訴因で単独犯を認定する場合も，以上と同様に考えることができ，実行行為や結果の範囲に変動がなく，訴因の一部を認定するものであれば，訴因変更の必要はないが(傷害の共同正犯の訴因で暴行の単独犯を認定した事案に関する最決昭30・10・19刑集9・11・2268参照)，その範囲に変動があったり，被告人の犯行への関与の程度が重くなったりする場合は，訴因変更が必要になる．

罪数の変化と訴因　一罪として起訴された犯罪を数罪と認定する場合や，逆に数罪として起訴された犯罪を一罪と認定する場合でも，その事実関係に変わりがなく，罪数の評価が異なるだけであれば，訴因変更を必要としない(包括一罪を併合罪とした例として最判昭29・3・2刑集8・3・217，併合罪を一罪とした例として最判昭35・11・15刑集14・13・1677)．したがって，事後強盗致傷で起訴されたが窃盗の機会とは認められないために窃盗と傷害と認定する場合のように，起訴された事実の一部が認定できないために一罪を数罪と認定する例も少なくないが，縮小認定に伴う罪数の評価の変化にすぎないから，訴因変更の必要はない．しかし，強盗と傷害の併合罪の起訴で強盗傷人の一罪と認定するような場合は，強盗の機会という事実を加えることになり，刑も重くなるから，当然，訴因変更を必要とする．

防御の利益の具体的判断　訴因変更の要否を判断する際には，審判対象の範囲の異同の点に加えて，被告人の防御に不利益を及ぼすおそれの有無が考慮されることになるが(⇨308頁)，その判断は，基本的には，具体的な訴訟の経過を離れて，訴因事実と認定事実とを比較し，訴因変更を経ないことが抽象的・一般的に被告人の防御に不利益を来たすか否かの観点から行われる(**抽象的防御説**)．もっとも，個々の事件における被告人の防御等の具体的な審理の経過を考慮すること(**具体的防御説**)も，補充的に必要となる．そのような考慮を経て，被告人の防御に実質的な不利益を及ぼすおそれがないと認められるときは，訴因変更手続を経ないで訴因と異なる事実を認定しても，差し支えない．例えば，窃盗の共同正犯の訴因で窃盗の幇助を認定する場合，具体的な幇助行為が当初の訴因の範囲外となるために訴因変更手続を要することも少なくないが，被告人が訴因事実を否認して積極的に幇助事実を主張し，窃盗幇助にすぎないと弁解しているようなときには，訴因変更しなくても窃盗幇助の防御に実質的な不利益を及ぼすおそれがないとされる(最判昭29・1・21刑集8・1・71)[16]．

被告人の弁解どおり認定すれば常に訴因変更の必要がなくなるというわけではない．収賄の共同正犯の訴因につき，被告人がそれを否定し，弁護人がむしろ贈賄の共犯であると主張していた事案において，判例は，「収賄と贈賄は犯罪構成要件を異にするばかりでなく，一方は賄賂の収受であり，他方は賄賂の供与であって，行為の態様が全く相反する犯罪であるから，収賄の犯行に加功したという訴因に対し，訴因罰条の変更手続を履まずに贈賄の犯行に加功したという事実を認定することは，被告人に不当な不意打を加え，その防禦に実質的な不利益を与える虞がある」とした（最判昭36・6・13刑集15・6・961）．構成要件を異にする場合には，審判対象の範囲の異同を生じさせることも少なくないから，具体的防御の観点のみでは訴因変更の必要性を否定できない．

4 訴因変更命令

<small>刑訴法 312 条 II 項</small>　訴因は，一方当事者である検察官の設定した審判の対象であるから（訴因対象説 ⇨ 231 頁），これを変更する権限も検察官に存する（⇨ 297 頁）．裁判所は，申し立てられた対象について審判をすればよいのであり，審判対象の設定・維持に介入すべきではない．ところが，法 312 条 II 項は，「裁判所は，審理の経過に鑑み適当と認めるときは，訴因又は罰条を追加又は変更すべきことを命ずることができる」と定める．この命令を**訴因変更命令**という．

当事者主義を徹底すると，裁判所は訴因に拘束されるから，検察官が訴因を変更しないときには，証拠によって認められる「真実」と矛盾した裁判をせざるを得ないことになりかねない．審理の経過によっては，証拠と訴因とが食い違い，検察官が訴因を変更しないことが明らかに不合理という場合も生じ得る．そこで，法 1 条に示された実体的真実の発見の要請を考慮し，このような場合には，裁判所が後見的に介入して，例外的に訴因の変更を命ずることができるとしたのである[17]．

---

16) 幇助行為が当初の共同正犯の訴因に含まれているような場合は，具体的な防御の経過を考慮するまでもなく，縮小認定の理論により，訴因変更の必要なく幇助を認定できる（強盗殺人の共同正犯の訴因で殺人の幇助を認定した最判昭33・6・24刑集12・10・2269）．なお，逆に，幇助の訴因で共同正犯を認定する場合は，訴因変更が必要である（公職選挙法違反につき最大判昭40・4・28刑集19・3・270）．

義務性 それでは，明らかに訴因を変更すべき事態であるにもかかわらず，検察官が変更しない場合，裁判所には訴因変更を命ずる義務が存在するであろうか．ここでも，審判の対象を訴因と考えるか公訴事実と考えるかによって，結論が異なってくる．

公訴事実対象説によれば，裁判所は公訴事実全体について審判をする義務があるから，訴因と異なる事実が証拠上判明したときは，これを審判するため，訴因変更を命ずる義務があるということになりやすい[18]．他方，訴因対象説を採れば，訴因の設定・維持については当事者である検察官が全面的に責任を負うべきであるから，裁判所が介入するにしてもせいぜいそれが可能であるという程度に理解すべきであり，ごく例外的な場合を除いては，訴因変更命令を義務と解するのは行き過ぎであるということになる．

現在の判例・通説は，原則として訴因変更を促したり命じたりする義務はないとしながらも，例外的に，訴因変更をしないことにより著しい不正義が存在する場合，すなわち**証拠上明白**で**事案が重大な場合**には，義務が存すると解している．当事者主義と実体的真実発見の要請のバランスからしても，義務が生じるのは極めて例外的な場合に限られるであろう．

> **著しい不正義** 最判昭33・5・20(刑集12・7・1416)は，裁判所が自らすすんで検察官に訴因変更手続を促し又は命ずべき責務はないとして，変更命令は義務ではないという原則を示した．第1審が業務上横領の訴因について無罪を言い渡したところ，控訴審は，訴因を変更すれば横領罪又は背任罪が成立することが明らかであったから，「訴因変更の手続を促し又はこれを命じて審理判断をなすべきであった」とした．これに対し，最高裁は，本件のような場合でも，裁判所が自らすすんで検察官に対し訴因変更を促し又は命ずべき積極的責務があると解するのは相当でないとした．
>
> それに対し，最決昭43・11・26(刑集22・12・1352)は，「裁判所は，原則として，

---

[17] 審判の対象である訴因の設定・維持は，あくまでも検察官の任務・権限であるから，訴因変更命令は慎重に発せられるべきものである．順序としても，まず訴因変更を促す(規208参照)などの措置をとり，それにもかかわらず検察官が元の訴因に固執するような場合にのみ，命令を発することになろう．

[18] 公訴事実対象説は，訴因は有罪判決をするのに必要な条件であり，裁判所も訴因の設定・変更について2次的に責任を負うべきであるから，検察官に対し訴因変更を命ずべき訴訟法上の義務があるとする．

自らすすんで検察官に対し，訴因変更手続を促しまたはこれを命ずる義務はないが，本件のように，証拠上，起訴状に記載された殺人の訴因については無罪とするほかなくても，これを重過失致死という相当重大な罪の訴因に変更すれば有罪であることが明らかな場合には，例外的に，訴因変更を促しまたはこれを命ずる義務があり，これをしないで殺人の訴因につきただちに無罪の判決をするのは，審理不尽の違法がある」とした．証拠の明白性と事案の重大性を前提として，例外的に義務があることを認めたものである．

　もっとも，その後，最判昭58・9・6（刑集37・7・930）は，「第1審において被告人らが無罪とされた公訴事実が警察官1名に対する傷害致死を含む重大な罪にかかるものであり，また，同事実に関する現場共謀の訴因を事前共謀の訴因に変更することにより同事実につき被告人らに対し共謀共同正犯としての罪責を問いうる余地がある場合であっても，検察官が，約8年半に及ぶ第1審の審理の全過程を通じ一貫して右公訴事実はいわゆる現場共謀に基づく犯行であって右現場共謀に先立つ事前共謀に基づく犯行とは別個のものであるとの主張をしていたのみならず，審理の最終段階における裁判長の求釈明に対しても従前の主張を変更する意思はない旨明確かつ断定的な釈明をしていたこと，第1審における被告人らの防禦活動は検察官の右主張を前提としてなされたことなど判示の事情があるときは，第1審裁判所としては，検察官に対し右のような求釈明によって事実上訴因変更を促したことによりその訴訟法上の義務を尽くしたものというべきであり，更に進んで，検察官に対し，訴因変更を命じ又はこれを積極的に促すべき義務を有するものではない」とした．前掲最決昭43・11・26の基準に従うと訴因変更命令の義務があると考えられる場合であっても，検察官の訴因変更に関する態度や他の共犯者との処分の均衡等を考慮すると義務はないとしたものであって，義務の生じる場合がより限定されることになる．

　最判平30・3・19（刑集72・1・1）も，検察官が，保護責任者遺棄致死被告事件の公判前整理手続において，公判審理の進行によっては過失致死罪又は重過失致死罪の訴因を追加する可能性がある旨釈明し，その後，証拠調べ終了後の公判期日において，裁判長から訴因変更の予定の有無につき釈明を求められたのに対し，その予定はないと答えた事案について，最判昭58・9・6同様に，第1審裁判所としては，検察官に対して上記のような求釈明によって事実上訴因変更を促したことによりその訴訟法上の義務を尽くしており，更に進んで検察官に対し訴因変更を命じ又はこれを積極的に促すべき義務はないとしている．

	法律構成説	具体的事実記載説
訴因の意義	防御のための便宜的制度	審判の対象そのもの
変更の理由	防御のために必要	対象が大きく変更した
訴因を示す者	検察官・裁判所	検察官
訴因変更命令	形成力を有する	形成力なし

訴因変更命令の形成力 　裁判所が検察官に訴因の変更を命じた場合，検察官も通常は命令どおり訴因の変更を行うであろうが，検察官がそれに従わなかった場合にはどのように扱われるのであろうか．ここでも，訴因に関する見解の相違によって，考え方が異なってくる．公訴事実対象説は，裁判所が訴因変更命令を出せば，検察官がこれに応じるか否かにかかわらず，命令に**形成力**があり，訴因変更命令により新しい訴因に変更されるものと解する．これに対し，訴因対象説は，訴因の設定・変更に関する検察官の主体性を重視し，形成力を否定することになる．判例も，「検察官が裁判所の訴因変更命令に従わないのに，裁判所の訴因変更命令により訴因が変更されたものとすることは，裁判所に直接訴因を動かす権限を認めることになり，かくては，訴因の変更を検察官の権限としている刑訴法の基本的構造に反するから，訴因変更命令に右のような効力を認めることは到底できないものといわなければならない」としている（最大判昭40・4・28刑集19・3・270）．

5　訴因変更に関するその他の論点

(1)　訴因変更と有罪の可能性

　訴因の変更は検察官の権限であるから，訴因変更の請求があった場合，裁判所が変更前後の各訴因について有罪判決が得られるか否かなどを考慮する必要はない．最判昭42・8・31（刑集21・7・879）は，売春防止法12条違反（管理売春）から同法6条I項違反（売春の周旋）への訴因変更請求について，控訴審が，変更前の訴因の証明は十分であるので，訴因変更請求が公訴事実の同一性を害さない場合であっても，実体的真実の発見を旨とする裁判所の職責上これ

を許可すべきでないとしたのに対し，法312条Ⅰ項の規定を指摘した上，「わが刑訴法が起訴便宜主義を採用し(刑訴法248条)，検察官に公訴の取消を認めている(同257条)ことにかんがみれば，仮に起訴状記載の訴因について有罪の判決が得られる場合であっても，第1審において検察官から，訴因，罰条の追加，撤回または変更の請求があれば，公訴事実の同一性を害しない限り，これを許可しなければならない」と判示している．

判例も指摘しているように，元の訴因の証明が十分だからといって訴因変更が許されなくなるわけではない．もっとも，変更される訴因については無罪となる蓋然性が高いような場合には，元の訴因に戻すよう検察官に促す必要が生じる可能性があり，例外的には，訴因変更命令の義務が生じる可能性もある(⇨314頁)．

(2) 訴因変更の時機による制約

訴因変更においても，検察官の恣意的な運用が許されるわけではなく，例えば，訴因を変更することが著しく訴訟を遅延させ，被告人の防御を困難にするような場合や，既に攻防の対象から外れた争点を蒸し返すような場合などは，例外的に，訴因変更請求を許すべきではないであろう(福岡高那覇支判昭51・4・5判タ345・321参照)．

また，公判前整理手続に付された事件においては，そこでの当事者の訴訟活動も考慮されることになる．例えば，公判前整理手続の段階で訴因変更の必要性が明確になった場合，通常は同手続内で訴因変更請求がされる(法316の5②⇨261頁)であろうが，それにもかかわらず訴因変更請求がされなかったような場合には，その後の公判段階での訴因変更請求が時機に遅れたものとして制限されることもあろう[19]．

---

19) 東京高判平20・11・18高刑集61・4・6は，「公判前整理手続を経た後の公判においては，充実した争点整理や審理計画の策定がされた趣旨を没却するような訴因変更請求は許されない」としている．もっとも，当該事案は，公判前整理手続では争点となっていなかった事項について，公判審理で明らかになった事実関係に基づく訴因変更の必要性が生じた事案であったほか，訴因変更が許可されても追加的に必要となる証拠調べはかなり限定されていて，審理計画を大幅に変更しなければならないものではなかったため，訴因変更請求を許可した原審の措置に違法はないとされた．

(3) 訴因変更と訴訟条件

　訴訟条件が具備されているか否かは，訴因を基準として判断される．問題となるのは，起訴状記載の訴因を基準にすると訴訟条件が備わっているが，審理の結果認められる事実を基準にすると訴訟条件が欠けている場合の措置である．例えば，営利目的で未成年者を誘拐したとして親告罪ではない営利目的誘拐罪で起訴されたが，営利目的が認められず，親告罪である未成年者誘拐について告訴がないという場合や，業務上横領罪で起訴されたが業務性が認められず，横領罪の時効は完成していたという場合である．これらの例のように認定事実が訴因の枠内にある場合には，認定事実を基準として訴訟条件の存否を判断することができ，訴因変更を経ることなく公訴棄却又は免訴の判決をすることができる（⇨249頁）．もっとも，変更前の訴因を基準にすると訴訟条件が欠けているが，変更後の訴因を基準にすると備わっているという場合には，公訴棄却の裁判をすべきではないので（最決昭29・9・8刑集8・9・1471），訴因変更を許して実体審理をすることになる．

(4) 不意打ち防止の措置

　訴因と被告人の防御権を保障すべき範囲とは，必ずしも一致しない．同一訴因内の事実を認定する場合でも，被告人に不意打ちを与えるような認定をすれば違法となる．例えば，最判昭58・12・13（刑集37・10・1581）は，控訴審が，ハイジャック事件の共謀共同正犯として起訴された被告人に対し，第1審判決が認定せず控訴審において被告人側が何らの防御活動を行っていない日時における事前謀議の存否を争点として顕在化させる措置を採ることなく，その日時における事前共謀を認定したことにつき，被告人に不意打ちを与えた違法があるとしている．したがって，訴因の逸脱認定とならず，訴因変更を経なくても足りる場合であっても，裁判所の釈明等によって争点を顕在化させ，被告人に不意打ちを与えないようにしなければならない．

> 　3月12日から14日までの謀議への関与を理由にハイジャックの共謀共同正犯として起訴された被告人につき，第1審判決が13日夜の謀議への関与を認めるなど

して刑責を肯定したところ，控訴審は，13日夜の被告人のアリバイの成立を認めながら，第1審判決が認定せず控訴審において被告人側が何らの防御活動を行っていなかった12日夜の謀議の存否を争点として顕在化させる措置を採ることなく，率然として謀議の日を12日夜と認めてこれに対する被告人の関与を肯定した．これに対し，最判昭58・12・13は，このような訴訟手続は被告人に不意打ちを与え違法であるとした．

もっとも，公判前整理手続を経た場合には，争点が顕在化するであろうから（⇨259頁），不意打ちになるとされる例は少なくなるであろう．例えば，最判平26・4・22(刑集68・4・730)は，殺害目的で被害者方住居に侵入し，被害者を刃物で突き刺して殺害し，その際にその刃物とけん銃1丁を(適合する実包とともに)所持していたという住居侵入・殺人・銃砲刀剣類所持等取締法違反の事案につき，第1審判決が，被告人が刃物で突き刺す前に被害者に対し実包の装てんされたけん銃の引き金を2回引いたことを認定したところ，控訴審判決が，その点は公訴事実に記載されておらず，訴因変更手続を経ることも争点として提示する措置をとることもなく訴因類似の重要事実を認定したものであるとして，違法と判断したのに対し，第1審判決は殺害行為に至る経過として認定したものであるから，訴因変更手続を経ずに認定した点に違法はなく，また，この点が公判前整理手続で争点とされなかったと解すべき理由はないし，公判においても主張立証のいずれの面からも実質的な攻撃防御を経ているから，争点として提示する措置をとらなかった違法があるとはいえないとして，控訴審判決を破棄している[20]．

---

20) 最判平26・4・22は，「第1審の公判前整理手続において，本件未発射事実(けん銃の引き金を引いたが事前の操作を誤っていたため弾が発射されなかったこと)については，その客観的事実について争いはなく，けん銃の引き金を引いた時点の確定的殺意の有無に関する主張が対立点として議論されたのであるから，その手続を終了するに当たり確認した争点の項目に，上記経過に関するものに止まるこの主張上の対立点が明示的に掲げられなかったからといって，公判前整理手続において争点とされなかったと解すべき理由はない．加えて，第1審の公判手続の経過は，検察官が本件未発射事実の存在を主張したのに対し，特段これに対する異議が出されず，証拠調べでは，被告人質問において上記確定的殺意を否認する供述がなされ，被告人の供述調書抄本の取調べ請求に対し『不同意』等の意見が述べられ，第1審判決中に検察官の主張に沿って本件判示部分が認定されたというものであるから，この主張上の対立点について，主張立証のいずれの面からも実質的な攻撃防御を経ており，公判において争点とされなかったと解すべき理由もない．そうすると，第1審判決が本件判示部分を認定するに当たり，この主張上の対立点を争点として提示する措置をとらなかったことに違法があったとは認められない」とした．

IV 公判期日の手続

1 冒頭手続

> **291条 I** 検察官は,まず,起訴状を朗読しなければならない.
> **IV** 裁判長は,起訴状の朗読が終った後,被告人に対し,終始沈黙し,又は個々の質問に対し陳述を拒むことができる旨その他裁判所の規則で定める被告人の権利を保護するため必要な事項を告げた上,被告人及び弁護人に対し,被告事件について陳述する機会を与えなければならない.

人定質問 公判手続は,審理手続と判決の宣告手続(⇨352頁)に分かれる.審理手続は,**冒頭手続**(法291)から始まり,証拠調べを行い,訴訟関係人の意見陳述(論告・弁論)を経て終了する.冒頭手続の最初に,裁判長は,出頭した被告人が人違いでないかどうかを確かめなければならない(**人定質問**―規196).具体的には,被告人の氏名,年齢,職業,住居,本籍を質問し,起訴状に記載された被告人であるか確認することになる.

　　被告人の特定 検察官が公訴提起の対象とした者と,起訴状に被告人として表示された者と,公判廷に出頭して被告人として行動する者とは一致するのが常態であるが,齟齬が生じることもある.その場合,① 起訴状の表示によるべきであるとする表示説,② 検察官の意思によるべきであるとする意思説,③ 被告人として行動し,又は取り扱われたかどうかによるべきであるとする行動説の3説が対立する.形式的に3説のうちの1説を選択すれば足りるものではなく,起訴状の記載を基準にしながら,検察官の意思や被告人の行動等の諸事情を考慮し,齟齬の生じた状況・段階に応じて,誰が本来の被告人であるかを実質的・合理的に判定すべきである.
　　まず,起訴状には,被告人の氏名その他被告人を特定するに足りる事項を記載しなければならないので(⇨221頁),特別の事情のない限り,起訴状に表示されて

いれば，その者が被告人である．その意味で表示説が原則となる．しかし，被疑者として身柄を拘束されて取り調べられたAが別人であるBを詐称した場合，起訴状にはBの氏名が表示されることになるが，検察官としては実際に捜査の対象として取り扱ったAに対して公訴提起をしているのであり，被告人として行動した者もAということになるから，Aが被告人と解するのが合理的である(最決昭60・11・29刑集39・7・532参照)．したがって，Aが法廷に出頭し，Bを詐称していることが明らかにならないまま裁判を受けた場合，その効力はBではなくAに対して生じることになる．

次に，起訴状に記載されたBが法廷に出頭することがあり得る．人定質問の段階で人違いと分かれば，容易に解決し得る．被告人の氏名をAと改め，Aを改めて出頭させて手続を進め，Bに対してはまだ訴訟係属も生じていないので，事実上手続から解放すれば足りる．これと異なり，ある程度審理が進んだ段階で人違いであることが分かった場合は，詐称されたBに対して有効な訴訟係属が生じたような外観が形成されているから，Bに対して公訴棄却の判決(法338④準用)をし，Aについて改めて公訴提起を行う必要があろう[1]．

起訴状朗読　次に，検察官が起訴状を朗読する(法291 I)[2]．審理の対象を訴訟の場に上程し，被告人に対しては防御の対象を明らかにするためである．起訴状の内容に不明な点があれば，裁判長(陪席裁判官の場合は裁判長に告げて)は検察官に**釈明**を求めることができ，被告人・弁護人も，裁判長に対し釈明のための発問を求めることができる(規208)[3]．釈明を求めるのが必要な範囲は，原則として訴因の明示(他の犯罪事実との識別)に必要な事項であるが(⇨283頁)，それを超えて被告人の防御にとって重要と思われる事項(例えば共謀共同正犯か実行共同正犯か⇨309頁)について釈明が求められる例も少なくない．

---

1) 略式手続の場合は，裁判所が被告人と対面するような手続もなく，書面審理で被告人に裁判が下されるので，起訴状の表示に従って被告人を定めるべきである(最決昭50・5・30刑集29・5・360は，警察官の取調べ，検察官の略式命令請求，裁判官の略式命令が即日行われるいわゆる三者即日処理方式につき，他人の氏名を冒用した者には略式命令の効力が及ばないとした)．もっとも，身柄を拘束されていた被疑者AがBと詐称し，いわゆる在庁略式方式によって略式命令を受けた場合，その効力はBでなくAに及ぶ(大阪高決昭52・3・17刑月9・3＝4・212)．
2) 起訴状記載の事項のうち，公訴事実，罪名，罰条の部分を朗読するのが慣例である．
3) 公判前整理手続が行われる場合には，釈明は，争点の明確化のため，同手続において行われることになる．

被害者特定事項・証人等特定事項の秘匿　裁判所は，いわゆる性犯罪に係る事件や，被害者の氏名・住所など被害者を特定する事項（**被害者特定事項**）が公開の法廷で明らかにされることにより被害者等（被害者のほか，被害者死亡等の場合の配偶者・直系親族・兄弟姉妹）の名誉・社会生活の平穏が著しく害されたり加害行為がされたりするおそれがあると認められる事件につき，被害者等から申出があった場合，被告人又は弁護人の意見を聴き，相当と認めるときは，公開の法廷で被害者特定事項を明らかにしない旨の決定をすることができる（法290の2 I・III）。また，裁判所は，同様に，証人等（証人のほか，鑑定人，通訳人，翻訳人又は供述録取書等の供述者）の氏名・住所など証人等を特定する事項（**証人等特定事項**）が公開の法廷で明らかにされることにより証人等の名誉・社会生活の平穏が著しく害されたり加害行為がされたりするおそれがあると認められる場合において，証人等から申出があった場合，当事者の意見を聴き，相当と認めるときは，公開の法廷で証人等特定事項を明らかにしない旨の決定をすることができる（法290の3 I）。

上記決定がされると，起訴状の朗読[4]や証拠書類の朗読は，被害者又は証人等特定事項を明らかにしない方法，例えば，被害者や証人等が1名であれば氏名を読まずに単に被害者又は証人と言い換え，複数であれば被害者A，証人Bと言い換えるなどして行われる（法291 II・III・305 III・IV）。また，裁判長は，訴訟関係人のする尋問又は陳述（証人尋問，被告人質問，冒頭陳述，弁論等）が被害者又は証人等特定事項にわたるときは，当該尋問又は陳述を制限することができる。ただし，制限することによって，犯罪の証明に重大な支障を生ずるおそれがある場合，又は被告人の防御に実質的な不利益を生ずるおそれがある場合は，除かれる（法295 III・IV）。

権利の告知　起訴状の朗読が終わると，裁判長は，被告人に対し，①終始沈黙することも，個々の質問に対して陳述を拒むこともできること，②陳述をすることもできるが，陳述は被告人にとって利益な証拠とも不利益な証拠ともなること[5]について説明しなければならない（法291 IV，規197 I ⇨ 黙秘権36, 200頁）。

---

4) 被害者又は証人等特定事項を明らかにしないで起訴状を朗読する場合，検察官は，被告人に起訴状を示さなければならない（法291 II・III）。なお，被害者等の個人特定事項を秘匿した抄本の朗読で足りるとする法改正の動きにつき，50頁注10参照。

5) 裁判長は，ほかに，必要と認めるときは，被告人が十分に理解していないと思われる被告人保護のための権利（国選弁護人選任請求権等）を説明する必要がある（規197 II）。

次いで，裁判長は，被告人及び弁護人に対し，被告事件についての陳述を求める（法291 IV）．被告人・弁護人は，公訴事実についての認否や抗弁を述べることになる[6]．これによって争点が明確になるが，裁判員裁判を含め，公判前整理手続が行われている場合は，そこで明確にされた争点がこの手続で確認されることになる（なお，公判前整理手続の結果の顕出⇨326頁）．認否が明らかでない場合や，陳述に不明な点がある場合には，裁判長が被告人に供述を求めることができる（最大判昭25・12・20刑集4・13・2870）が，この段階では，争点整理のためのものにとどめるべきであり，被告人の前科・経歴，犯行の動機・態様等について詳細な供述を求めるのは避けるべきである．また，被告人・弁護人は，この機会に，訴訟条件の欠けていることやその他の手続上の違法[7]を主張することができる[8]．

簡易公判手続　この段階で，被告人が起訴状記載の訴因について有罪である旨を陳述したときは，裁判所は，その訴因について，簡易公判手続によって審理をすることができる（⇨360頁）．ただし，死刑又は無期若しくは短期1年以上の自由刑に当たる事件には適用されない（法291の2）．簡易公判手続に移行した事件については，証拠調べ手続が簡略化され，証拠能力の制限も緩和される．

即決裁判手続　即決裁判手続の申立てのあった事件（⇨362頁）について，被告人が同様の陳述をしたときは，裁判所は，この手続によることが不相当と認める場合などを除き，この手続によって審判する旨を決定する．この手続における証拠調べ手続なども，簡易公判手続の場合と同様である．

2　公判の準備手続

期日間整理手続　争点を中心とした充実した審理を集中的・計画的に行うためには，第1回公判期日前に公判前整理手続（⇨259頁）を行う

---

[6] なお，後の段階であっても，訴因変更が行われたときは，新たな訴因につき陳述の機会を与えるべきである．

[7] 土地管轄に関する管轄違いの申立て（法331 II）や移送の請求（法19）は，この段階までにしなければならない．

[8] 公訴権濫用の主張（⇨241頁）もこの段階でなされることが多いが，公判前整理手続が行われている場合には，予定主張としてその手続内で明らかにされることになる（法316の17）．この主張が認められるか否かは，実体審理を行わないと判断できないことが多いため，その判断は終局裁判の中で示されるのが通例である．

ことができるが，審理の経過いかんによっては，第1回公判期日後[9]に，事件の争点及び証拠を整理する必要が生じることもあるため，事件の争点及び証拠を整理するための公判準備として，期日間整理手続が設けられている（法316の28）．期日間整理手続については，公判前整理手続に関する規定の大半が準用される．

公判期日外の証拠調べ 裁判所は，第1回公判期日後は，公判期日外でも証人尋問，検証，押収及び捜索を行うことができ，また，鑑定，通訳・翻訳を命ずることができる（法303参照）．ただし，公判期日外の証人尋問は，裁判所が法158条に掲げる事項（証人の重要性，年齢，職業，健康状態その他の事情と事案の軽重）を考慮した上，両当事者の意見を聴き，必要と認めた場合に限られる（法281）．

検察官，被告人又は弁護人は，第1回公判期日後は[10]，公判期日外でも証拠調べの請求をすることができ（法298Ⅰ，規188），裁判所も，公判期日外で証拠調べの許否を決定することができる．

> **公務所照会** 裁判所は，請求又は職権により，公務所又は公私の団体に照会して，必要な事項の報告を求めることができる（法279）．例えば，被告人の本籍地の市町村に対する身上照会，病院への被告人の病状照会等である（⇨169頁注20）．この照会は，証拠調べの準備行為の性格を有するもので，公判前整理手続又は期日間整理手続においても行うことができる．回答が得られても，直ちに証拠となるわけではなく，それを証拠としたい当事者が証拠調べ請求をする必要がある．
>
> **検証** 裁判所は，事実発見のため必要があるときは，検証をすることができる（法128）．検証の意義については捜査の場合と変わりがないが（⇨188頁），裁判所の行う検証は，裁判所が自ら行うので令状を必要としない．
>
> 検証には，公判廷におけるものと公判廷外におけるものとがあるが，実務上，後者が圧倒的に多い．公判廷外における検証の結果は検証調書に記載され，同調書が公判廷に顕出される（法303）．公判廷における検証の結果は公判調書に記載される．なお，被告人の容貌・体格等を犯人との同一性を確認する資料とするよう

---

9) 第1回公判期日後という概念がしばしば用いられるが，現実に行われた最初の公判期日の後という趣旨ではなく，冒頭手続を終えた後という趣旨である．もっとも，最初の公判期日に冒頭手続を終えて証拠調べ手続まで進むのが通例であるため，両者でずれが生じるのは稀である．
10) 公判前整理手続が行われる場合には，第1回公判期日前でも，その手続において証拠調べの請求をすることができる（⇨261頁）．

な場合，その行為は性質上検証に属するが，公判廷において裁判官も当事者も特段の方法を用いずに当然に認知でき，被告人に証拠の証明力を争う機会が与えられているような場合は，検証としての証拠調べ手続を行う必要はない(最決昭 28・7・8 刑集 7・7・1462)．もっとも，被告人の容貌・体格等についても，記録に残す必要があるから，被告人質問等における質問又は答えの形で残したり，それを補充するために写真撮影して公判調書に添付するなどしておくことが望ましい．

3 証拠調べ手続

> **296 条** 証拠調のはじめに，検察官は，証拠により証明すべき事実を明らかにしなければならない．但し，証拠とすることができず，又は証拠としてその取調を請求する意思のない資料に基いて，裁判所に事件について偏見又は予断を生ぜしめる虞のある事項を述べることはできない．
> **298 条 I** 検察官，被告人又は弁護人は，証拠調を請求することができる．
> **II** 裁判所は，必要と認めるときは，職権で証拠調をすることができる．

(1) 冒頭陳述

冒頭陳述 冒頭手続が終了すると，証拠調べ手続に入る(法 292)．証拠調べの初めに，検察官は，冒頭陳述を行い，証拠により証明すべき事実を明らかにする(法 296 本文)．

検察官の冒頭陳述の後に，**弁護人側も冒頭陳述**を行うことが可能である(規 198)．かつては行われる例が少なかったが，この段階で行われる方が争点の明確化に資するため，公判前整理手続が行われた事件については，弁護人もこの段階で冒頭陳述をしなければならないとされた(法 316 の 30)．

いずれの側の冒頭陳述も，証拠とすることができず，又は証拠としてその取調べを請求する意思のない資料に基づいて，裁判所に事件について偏見又は予断を生じさせるおそれのある事項を述べることはできない(法 296 但書)．

> 公判前整理手続を経ない多くの事件においては，検察官の冒頭陳述は，事件に関し起訴状に示された公訴事実以外の予備知識を持たない裁判官に対し，事件の概要を理解させて，証拠調べの大要を構想させ，弁護側には具体的な防御の対象を示すことによって，無駄のない充実した審理を行わせようとするものである．

他方，公判前整理手続を経た事件の場合は，争点整理の結果を踏まえて，争点を意識して，証明予定事実を明らかにすることになる．特に，裁判員裁判においては，証明予定事実と証拠との関連を具体的に明示する必要がある(裁判員法55)．

<small>公判前整理手続の結果の顕出</small> 公判前整理手続を経た事件については，弁護人側の冒頭陳述が終わった後，裁判所は，公判前整理手続の結果を明らかにしなければならない(法316の31)．**結果の顕出**は，公判前整理手続調書の朗読又は要旨の告知によって行われる(規217の31)．

(2) 証拠調べの請求

<small>証拠調べの請求</small> 当事者主義を基本とする現行法の下では，裁判所の職権による証拠調べは，補充的なものにとどまる(法298 II ⇨ 332頁)．証拠を提出する責任は，原則として当事者にある．すなわち，証拠調べの請求をするのは，検察官，被告人又は弁護人である(法298 I)．

証拠調べの請求は，公判期日においてだけでなく，公判期日外でもすることができる．ただし，予断排除のため，公判前整理手続において請求する場合を除き，第1回公判期日前はすることができない(規188)．

刑事訴訟の原告は検察官であり，公訴事実を立証する責任があるから，まず**検察官**が必要と考えるすべての証拠の取調べを請求しなければならない[11][12][13]．被告人・弁護人は，通常，検察官の証拠調べ請求が終わった後に，自己の主張を立証するのに必要と考える証拠の取調べを請求することになる[14]．

---

11) 情状に関する証拠も重要であるが，弁護側より先に検察官が請求する義務があるのは，犯罪事実に関するものである．また，弁護側の証拠調べの始まった後であっても，新たに必要となった証拠があれば，その取調べを請求することがもとより可能である(なお，公判前整理手続終了後の証拠調べ請求の制限 ⇨ 330頁)．

12) 法300条は，321条I項2号後段の規定により証拠とすることができる書面については，検察官は必ず取調べを請求しなければならないと定めている(⇨ 451頁)．

13) 公訴事実に関する証拠の取調べ請求は，原則として最初にされなければならないが，例外として，被告人の自白については，犯罪事実に関する他の証拠が取り調べられた後でなければ，その取調べを請求することができない(法301)．もっとも，自白の取調べ請求が他の証拠と同時に行われても，その取調べが他の証拠の取調べの後であれば，違法はない(最決昭26・6・1刑集5・7・1232．なお402頁注1参照)．公判前整理手続が行われる場合も，自白調書の請求は，当然，他の証拠と同時にされることが多くなる．

証拠の開示　証拠調べを請求するにあたっては，相手方にその証拠の内容を知らせて防御の準備をする機会を与えなければならない．証拠書類又は証拠物の取調べを請求する場合には，あらかじめこれを閲覧する機会を与えなければならず，証人等の尋問を請求する場合には，あらかじめその氏名・住居を知る機会を与えなければならない（証人保護・被害者保護のための配慮の措置につき292頁注28参照）．ただし，相手方に異議のないときはその必要がない（法299 I）．なお，公判前整理手続に付された場合は，その手続内で証拠の開示が行われる（⇨262頁以下）．

相手方手持ち証拠についても，その証拠が特定できるのであれば，証拠調べの請求をすることができる．もっとも，その証拠が請求者側に有利な内容であるかどうか不明なまま請求するとは考え難いので，既に相手方から閲覧の機会を与えられた証拠であることが多い．とはいえ，閲覧の機会が与えられていない証拠であっても，請求することは可能であり，裁判所が採用決定した場合には所持する側がそれを提出すべきものと考えられる（提出しないときは，訴訟指揮権に基づく提出命令が発出されることもあり得る）．

立証趣旨　証拠調べ請求の際には，立証趣旨を明らかにしなければならない（規189 I）．すなわち，その証拠によって証明すべき事実を具体的に示さなければならない．証拠の採否を決めるためにも，攻撃防御の焦点を明らかにするためにも，重要な意味を持つからである[15]．

　　証拠の証明力は，必ずしも立証趣旨の範囲内に限られるわけではない．それを超えて明らかになった事実も，提出された証拠から導かれたものであれば，心証形成に用いることができる．その意味では，いわゆる**立証趣旨の拘束力**はない．もっとも，弾劾証拠（法328 ⇨ 461頁）を犯罪事実の認定そのものに用いること，訴訟条件や情状を立証するために提出された伝聞証拠を犯罪事実の認定のために用いること，あるいは一部の共同被告人のために提出した証拠を他の共同被告人のために用いることはできない．これらの場合は，要証事実が変わることで証拠能力の有無が異なるのに，その制約を無視することになったり，被告人や公訴事

---

14)　証拠調べ請求は，証明すべき事実の立証に**必要な証拠を厳選**して，これをしなければならない（規189の2）．適正迅速な裁判を実現するためには，ベストエビデンスによる立証が重要だからである．また，公判審理を争点中心の充実したものにするためには，争いのない事実に関する証拠調べをできるだけ効率化，合理化する必要があるため，訴訟関係人は，争いのない事実については，誘導尋問や同意書面等の活用を検討するなどとして，事案に応じた適切な証拠調べが行われるよう努めなければならない（規198の2）．以上の点は，裁判員裁判ではその要請が強まるため，平成17年の改正で明記された．
15)　証人の場合であれば，立証趣旨によって主尋問，反対尋問等の範囲が明らかになる．

328

請求者等　検察官							令和 2 年合（わ）第 234 号	
証　拠　等　関　係　カ　ー　ド　（甲） (No. 1)								
（このカードは、公判期日、公判前整理手続期日又は期日間整理手続期日においてされた事項については、各期日の調書と一体となるものである。）								
番号	標　目 〔供述者・作成年月日、住居・尋問時間等〕 立証趣旨 （公訴事実の別）	請求 期日	意見		結果			備　考
^	^	^	期日	内容	期日	内容	取調順序	編てつ箇所
1	報 〔(巡)上村正樹外3名　2.6.23〕 本件犯行発覚の経緯 (　　)	2. 7. 28	2. 8. 10	2頁5行目から 3頁3行目まで 不同意 その余 同意	前 1 1	同意部分 決　定 不同意部分 撤　回 済	1	抄本提出
2	実 〔(員)黒木　浩　2.6.23〕 犯行現場の状況 (　　)	2. 7. 28	2. 8. 10	同意	前 1 1	決　定 済	2	
3	捜押 〔(員)太田勝雅　2.6.23〕 被告人方で果物ナイフを押収したこと	2. 7. 28	2. 8. 10	同意	前 1 1	決　定 済	3	
4	果物ナイフ1丁 〔令和2年東地領第432号符号1〕 凶器の存在及び形状 (　　)	2. 7. 28	2. 8. 10	異議がない	前 1 1	決　定 済・領置	4	令2押第123号の1
5	検 〔山田三郎　2.7.11〕 犯行目撃状況 (　　)	2. 7. 28	2. 8. 10	不同意	1	決定（証人山田三郎尋問後）・済	6	第1回公判 検察官「法321Ⅰ②後段により取り調べられたい」 相反部分等※1 弁護人「特信性がなく、異議がある」

（被告人一名用）

（被告人　鈴木一彦）

番号	標目 [供述者・作成年月日, 住居・尋問時間等] 立証趣旨 (公訴事実の別)	請求期日	意見 期日	意見 内容	結果 期日	結果 内容	取調順序	備考 編てつ箇所
1	員 〔被〕 2.6.23 身上経歴等 ( )	2.7.28	2.8.10	同意	前1	決定		
					2	済	1	
2	員 〔被〕 2.7.3 犯行状況 ( )	2.7.28	2.8.10	不同意 任意性は争わない	2	決定（被告人質問後）・済	3	第2回公判 検察官「法321により取り調べられたい」 弁護人「然るべく」
3	検 〔被〕 2.7.13 犯行状況 ( )	2.7.28	2.8.10	同意 但し信用性を争う	前1	決定		
					2	撤回		
4	戸 〔新宿区長〕 2.7.2 身上関係 ( )	2.7.28	2.8.10	同意	前1	決定		
					2	済	4	
5	前科 〔事〕渡辺 浩 2.7.3 前科関係 ( )	2.7.28	2.8.10	同意	前1	決定		
					2	済	5	

請求者等　検察官

証　拠　等　関　係　カ　ー　ド（乙）

令和　2　年合（わ）第　234　号

（No.　1　）

（このカードは，公判期日，公判前整理手続期日又は期日間整理手続期日においてされた事項については，各期日の調書と一体となるものである。）

（被告人一名用）

（被告人　鈴木一彦）

実が変われば証拠としての許容性等も異なってくるのに，それを無視することになるためであり，その相当性は個別に検討すべきである．したがって，立証趣旨の拘束力としてひとまとめに議論する必要はない．

証拠調べ請求の制限 公判前整理手続又は期日間整理手続を経た事件については，検察官及び被告人又は弁護人は，やむを得ない事由によって請求することができなかったものを除き，証拠調べを請求することができない（法316の32⇨267頁）．両手続における争点整理等の実効性を確保しようとするものであるが，この制限は，裁判所が職権で証拠調べすることを妨げるものではない．

請求の撤回 証拠調べの請求は，証拠調べが実施されるまではいつでも撤回することができる．しかし，採用決定があった後は，撤回しても証拠決定が取り消されるとは限らないし（⇨331頁），証拠調べが実施された後は，仮に請求者の意図に沿わない証拠調べの結果が生起した場合であっても，撤回は許されない．

(3) 証拠決定

積極・消極の決定 証拠調べの請求に対しては，それを採用して証拠調べをする旨の決定か，請求を却下する旨の決定かのいずれかをしなければならない．また，職権によって証拠調べをする旨の決定をすることもある．これらの決定を併せて，**証拠決定**という．

請求に基づく証拠決定をする場合には相手側の意見を，職権による場合には両当事者の意見を聴かなければならない（規190Ⅱ）[16]．また，証拠書類又は証拠物について証拠決定をするために必要があると認めるときは，その証拠を所持している訴訟関係人にその提示を命ずることができる（**提示命令**―規192）．

> **提示命令**は，請求された証拠の証拠能力の有無等の判断にはその証拠の内容を確認する必要が生じることもあるために認められている手続である．裁判所が実際に証拠を見ることになるが，証拠調べそのものではないから，事件についての心証に影響するようなものではない．

---

[16] ただし，被告人が出頭しないでも証拠調べを行うことができる公判期日に，被告人及び弁護人が出頭していないときは，これらの者の意見を聴かないで決定をしてもよい（規190Ⅲ）．

採用基準　証拠決定の基準を定めたような規定はない．当事者主義の原則を強調すると，当事者から証拠調べの請求のあった証拠は，原則として取り調べるべきことになろう．しかし，① 証拠とできないものについては採用できない．請求手続に違法のある場合と，証拠能力のない場合(⇨ 381 頁)である．また，② 事件との関連性が乏しいもの，③ 公知の事実，④ 既に取り調べた証拠と内容的に重複しているもの，⑤ 証拠としての価値が低いのに取調べに多くの労力を要するものなどは，証拠調べの必要性がないとして，請求を却下して差し支えない．さらに，⑥ 証拠調べの請求が立証に必要な証拠に厳選されなければならないこと(規 189 の 2)の趣旨に応じて，証拠調べの必要性を厳格に吟味すべきである．このように，その具体的事件において請求された証拠の持つであろう証拠価値の程度が最も大きな考慮要素となるが，ほかにも迅速裁判や訴訟経済の要請も考慮せざるを得ない[17]．その意味で，証拠の採否は，裁判所の合理的な裁量に委ねられているといえる．

　最大判昭 23・7・29 (刑集 2・9・1045) は，裁判所は当該事件の裁判をするために必要・適切な証人を喚問すれば足り，いかなる証人が当該事件の裁判に必要・適切であるか否か，したがって証人申請の採否は，具体的事件の性格，環境，属性，その他諸般の事情を深く斟酌して，当該裁判所が決定すべき事柄であるとした．しかし，自由裁量といっても，主観的な専制ないし独断に陥ることは許されず，実験則に反すれば違法になるとし，証人の採否は「事案に必要適切であるか否かの自由裁量によって当該裁判所が決定すべき事柄である」としている．

　証拠決定の取消し　証拠調べの決定をした後に，取調べの必要がなくなったときは，原則として訴訟関係人の意見を聴いて，決定でこれを取り消すことができる．請求によって証拠決定をした後であれば，当事者が請求を撤回しても，証拠決定が失効するものではないから，必ずしも証拠決定を取り消さなければならないわけではない．

証拠調べの順序　裁判所は，検察官と被告人・弁護人の意見を聴き，証拠調べの範囲・順序・方法を定めることができる(法 297 I)．ま

---

[17]　憲法 37 条 II 項後段は，被告人には自己のために強制的手続により証人を求める権利が存在するとしているが，この規定も，裁判所が被告人側の申請するすべての証人を取り調べなければならないという趣旨ではない(最大判昭 23・7・14 刑集 2・8・856)．

た，適当と認めるときはいつでも，両当事者の意見を聴き，既に定めた証拠調べの範囲・順序・方法を変更することができる(同Ⅲ)．

(4) 職権証拠調べの義務

例外としての職権証拠調べ　真実発見の観点から，裁判所が職権によって証拠調べをする義務を負う場合があるか．この問題は，現行法における当事者主義をどの程度徹底すべきかという一連の問題の中で考察すべきである．現行法の下では，裁判所が広く職権証拠調べを行うことは想定されていない．当事者の争いに任せてしまえばよいというものでないのは当然としても，あくまでも，当事者の提出した証拠によって真実を発見するのが原則である．確かに，法298条Ⅱ項は職権証拠調べを認めているが，例外的なものとして認めているにすぎない．実際にも，裁判所が独自に証拠を探すことは考えられず，当事者の提出した証拠からうかがわれるものに限られるわけであるから，職権で証拠調べをすべき場合は，実際にはかなり限定されよう．

促す義務　最判昭33・2・13（刑集12・2・218）は，「わが刑事訴訟法上裁判所は，原則として，職権で証拠調をしなければならない義務又は検察官に対して立証を促がさなければならない義務があるものということはできない」として，職権証拠調べの義務と検察官に対して立証を促す一般的な義務を明確に否定している．もっとも，同判決は，例外的に，当事者が提出し忘れている証拠等の提出を促す義務を認めている．すなわち，被告人と共同被告人との事件が併合・分離を繰り返して同一裁判所の審理を受け，一方につき有罪判決が言い渡されたが，その有罪判決の証拠となった供述調書が他方では検察官の不注意によって証拠として提出されていないことが明白であるような場合には，裁判所は少なくとも検察官にその提出を促す義務があるとした．裁判所が，実体的真実主義や被告人に対する後見的役割などから例外的に証拠提出を促す義務を負うのは，このように，当事者提出の証拠によっては証明が足りないが，いま一歩立証を補充すれば証明が得られ，しかもその立証が容易であることが裁判所に判明している場合や，被告人に弁護人がおらず証拠調べをしなければ著しく正義に反することになる場合などに限ら

れるであろう．もっとも，その場合も，直ちに立証を命ずるのではなく，まず訴訟指揮として当事者に立証を促すべきであろう（⇨ 281 頁）．

なお，裁判所が職権で証拠調べをしなければならないと定められている場合として，① 公判準備として実施された証人等の尋問，検証，押収等の結果を記載した書面と押収された物（法 303），② 公判手続を更新する際，更新前の公判期日における被告人若しくは被告人以外の者の供述を録取した書面又は更新前の公判期日における裁判所の検証の結果を記載した書面並びに更新前の公判期日において取り調べられた書面又は物（規 213 の 2 ③ ⇨ 359 頁）がある．なお，③ 破棄差戻し・移送後の公判においても，② と同様の更新手続が行われる（⇨ 538 頁）．

4　証拠調べの実施

以下，証拠調べの具体的手続について説明する．現実の裁判においては，**書証と物証**が重要な証拠となることも少なくないが，それらの取調べについては，証拠法の中で説明することとし（⇨ 376 頁注 3〜5．なお検証については 324, 433 頁），ここでは，人証を中心に説明する．

(1)　証人と証言

証　人　証人とは，自ら体験した事実を報告する者をいい，その報告内容を証言という．証人が証拠方法であり，証言が証拠資料である（⇨ 375 頁）．証人は，自分の体験した事実のみでなく，それによって推測した事項を証言することができ（法 156 I），特別な知識経験に基づく推測であっても証言することができる（同 II）[18]．自分の体験した事実に基づくものであれば，推測であっても意見であっても，証言と認められる．しかし，事実に基づかない想像や価値判断は，証言とは認められない．

証人適格　法 143 条は，「裁判所は，この法律に特別の定のある場合を除いては，何人でも証人としてこれを尋問することができる」と定め，

---

[18] 証言とは，自分の体験した事実を内容とする供述であるから，それが特別の知識によって知ることのできた事実に関するものであってもよい（法 174）．この場合を鑑定証言といい，その供述者を鑑定証人という．例えば，医師が，自分の診察した患者の病状について診断した内容を供述するような場合がこれに当たる．鑑定も人証であるから，証言との区別が問題となる．

原則として誰にでも証人適格(証人となり得る資格)があるとしている．特別の定めとは，以下の場合である．まず，① 公務員又は公務員であった者が知り得た事実について，本人又はその公務所が職務上の秘密に関するものである旨を申し立てたときは，監督官庁の承諾がなければ，証人として尋問することができない(法144本文)．また，② 衆議院議員，参議院議員，内閣総理大臣その他の国務大臣，又はこれらの職にあった者が ① の申立てをしたときは，議員の場合はその院，大臣の場合は内閣の承諾がなければ，証人として尋問することができない(法145 I)．これらは，公務上の秘密を保護するために，証人適格を制限したものである[19]．

訴訟関与者の証人適格　当該訴訟手続に関係する者には，証人適格に関し制限がある．すなわち，③ その事件を担当する**裁判官**・裁判所書記官は，そのままでは証人適格がない．担当を離れれば証人となり得るが，それ以後はその事件に関し職務を担当することができなくなる(除斥—法20④・26)[20]．一方，**検察官**は，その公判の立会い検察官のままでは証人となることができないが，他に公判立会い検察官がいれば，自ら証人になることが可能であり，その後再び立会い検察官の職務に戻ることができる[21]．当該事件の捜査段階で関与したにとどまる検察官や，検察事務官，司法警察職員は，公判の当事者ではないから，証人適格を有することはいうまでもない．**弁護人**は，その地位にあるまま証人となることができ，その後も弁護人としての職務を行うことができる．もっとも，証人の地位にある間は弁護人としての役割を果たすことができないので，事件によっては他に弁護人が必要となる．

被告人の証人適格　被告人は，法311条により，終始沈黙する権利が与えられているので，証人適格を否定すべきである．英米法等では，被告人にも証人適格が認められているが，わが国の刑訴法の解釈としては，証言の義務がある証人の地位に立たせることは，被告人に不利益な取扱いとなるといわざるを得ない．これに対し，共同被告人は，手続を分離しない限りは被告人であるから証人適格がないが，手続が分離されれば証人適格を有することになる(⇨468頁)．

---

19) ただ，①②の場合とも，監督官庁は，国の重大な利益を害する場合を除き，承諾を拒むことができない(法144但書・145 II)．
20) 裁判員の場合も同様である．
21) 除斥(⇨288頁)の規定はないから，再び当該事件の公判立会い検察官となり得る．

証言能力　年少者でも精神障害者でも，証人適格はある．ただし，これらの者が，体験した事実を記憶に基づいて供述する能力に欠けていれば，証言能力がないから，証言させることはできないし，証言しても証拠能力はない．証言能力の有無は，証人適格のように一般的なものではなく，精神的能力の発達の程度，証言する事項等を考慮して，裁判所が個別的・具体的に決する[22]．例えば，年少者の場合につき，東京高判昭46・10・20（判時657・93）は，証言時において満5歳9か月の幼児であっても，供述事項によっては一概に証言能力を否定すべき理由はなく，簡単な事柄についてはかなりの程度の理解並びに表現の能力があり，記憶力もあるとしている[23]．

証言拒絶権　証人には，一定の範囲で証言拒絶権が認められている．裁判所は，尋問前に，証人に対して証言拒絶権のあることを告げなければならず（規121），証言を拒絶する者は，拒絶の理由を示さなければならない（規122 I）[24]．証言拒絶権を放棄して証言することは差し支えない．

証言を拒絶できるのは，まず，①自分が刑事訴追を受け，又は有罪判決を受けるおそれのある場合である（法146，更に憲法38 I．なお刑事免責につき336頁参照）．**刑事訴追を受けるおそれ**があるというのは，証言の内容自体に刑事訴追を受けるおそれのある事実を含む場合である（最決昭28・10・23刑集7・10・1968）．また，②自分の配偶者，親兄弟その他一定の**近親者**が刑事訴追を受け，又は有罪判決を受けるおそれのある場合も拒絶できる（法147）．このような関係にある者に関しては，相互の人的関係を破壊してまで証言することを強制すべきではないという立法政策的判断に基づく．ただし，共犯又は共同被告人の1人又は数人に対してこのような身分関係がある者であっても，他の共犯又は共同被告人だけに関する事項については，証言を拒絶することができない（法148）．

---

22) 最判昭23・12・24（刑集2・14・1883）は，「精神病者であっても病状によりその精神状態は時に普通人と異ならない場合もあるのであるから，その際における証言を採用することは何ら採証法則に反するものではなく，要は事実審の自由な判断によってその採否を決すべき」としている．
23) 同様に証言能力を認めたものとして，11歳の児童に関する最判昭23・4・17（刑集2・4・364），15・16歳の児童に関する最判昭25・12・12（刑集4・12・2543），13歳の児童に関する最判昭26・4・24（刑集5・5・934）等がある．
24) 証言を拒絶した者が拒絶の理由を示さないときは，過料その他の制裁があることを告げて，証言を命じなければならない（規122 II）．

さらに、③医師、歯科医師、助産師、看護師、弁護士、弁理士、公証人、宗教の職にある者又はこれらの職にあった者が、業務上委託を受けたため知り得た事実で他人の秘密に関する場合も、証言を拒絶できる(法149)[25]。**業務上の秘密**を保護するために設けられているものである。これらの業務の種類は、制限的に列挙されたものであり、これら以外の業務の場合には、その性質上保護を加える実質的必要性が認められるとしても、法149条の適用はない。例えば、新聞記者に取材源につき証言拒絶権を認めるか否かは立法政策上考慮の余地のある問題ではあるが、新聞記者には証言拒絶権はない(最大判昭27・8・6刑集6・8・974)[26]。国民の証言義務は国民の重大な義務であり、証言拒絶権を認められる場合は極めて例外に属するためである。

旅費・日当・宿泊料の請求権 証人は、旅費・日当・宿泊料を請求することができる(法164 I 本文)。ただし、正当な理由がないのに宣誓又は証言を拒絶した者は、請求できない(同但書)。これらの費用は、訴訟費用となる。

刑事免責と証言拒絶 証人が自己負罪拒否特権に基づく証言拒絶権を行使することで必要な証言が得られなくなるという事態に対処するため、裁判所の決定で免責(**刑事免責**)を与えることにより、証人の自己負罪拒否特権を失わせて証言を義務付ける制度が設けられている[27]。すなわち、検察官は、証人が刑事訴追を受け又は有罪判決を受けるおそれのある事項に関する証言を求める場合に、その証言の重要性や犯罪の軽重・情状その他の

---

[25] ただし、本人が承諾した場合や、証言拒絶が被告人のためのみにする権利濫用と認められる場合は、拒絶できない(法149但書)。

[26] なお、民事訴訟においては、「職業の秘密に関する事項」について証言拒絶できるとされている(民訴法197 I ③)ことから、他の利益との比較衡量により取材源の秘匿が認められることもあるが(最決平18・10・3刑集60・8・2647)、刑訴法にはそのような規定がなく、しかも刑罰権の適正な行使のためには、真実発見又は被告人の防御権保障の要請が強いのであるから、刑事訴訟では認め難いであろう。

[27] 刑事免責制度は、取調べと供述調書への過度の依存からの脱却を図るための方策の一つとして、平成28年法改正により導入された(平成30年6月1日施行 ⇨ 163, 474頁注12)。組織的な犯罪等の捜査・公判において用いられることが想定されている。それ以前にはそのような制度がなかったため、いわゆるロッキード事件判決において、最高裁は、アメリカ在住の証人に対し検事総長等が訴追免除の意思表示をして証言させたことにつき、わが国では刑事免責制度が採用されていないので(その導入が憲法で否定されているとは解されないが)、その証人の嘱託尋問調書は証拠とすることができないとしていた(最大判平7・2・22刑集49・2・1 ⇨ 492頁)。

事情を考慮して必要と認めるときは，裁判所に対し，(1)尋問に応じてした供述及びこれに基づいて得られた証拠は，証人の刑事事件において，これらを証人に不利益な証拠とすることができない，(2)証人は，法146条の規定にかかわらず，自己が刑事訴追を受け又は有罪判決を受けるおそれのある証言を拒むことができないとの条件により証人尋問を行うよう請求することができる．この請求を受けた裁判所は，尋問する事項に自己負罪事項が含まれていないことが明らかな場合を除き，免責決定を行うものとされている(法157の2)．

この制度は，証人に対し，その証言及びこれに基づいて得られた証拠(いわゆる**派生証拠**)を証人の刑事事件において証人に不利益な証拠とすることができないという内容の免責(**派生使用免責**)が与えられれば，その証言は自己負罪拒否特権の対象とならないため，証言の義務付けが可能になるとの考えに基づくものである．

免責決定は，検察官の請求がある場合にのみ行われる(法157の2 II・157の3 II)．派生使用免責は，訴追自体に関する免責ではないが，免責が与えられると証人の訴追・処罰は事実上困難になると考えられるため，訴追裁量権を有する検察官の請求に基づいてのみ行うものとされている．免責決定の請求及び免責決定は，証人尋問の開始前においても，開始後においてもすることができる(法157の2・157の3)．免責の対象となるのは，証人が尋問に応じてした供述(法157の2 I ①)であり，証人が尋問と無関係にした供述は対象とならない．また，当該証人尋問において証人がした行為が宣誓・証言拒絶の罪や偽証罪に当たる場合に，それらの罪に係る事件において用いるときは，免責は付与されない(法157の2 I ①)．

証人の義務 証人は，**出頭**，**宣誓**，**証言の義務**を負い，それに違反すれば制裁も科される．その意味では，証人尋問は「強制処分」といえよう．裁判所は，規則で定める猶予期間(急速を要する場合を除き24時間以上)を置いて証人を召喚することができ(法143の2)，証人が正当な理由なく召喚に応じないとき又は応じないおそれがあるときは，その証人を勾引することができる[28]

---

28) 以前は，証人が召喚に応じないことが明らかであっても，一旦召喚して不出頭を確認しなければ勾引することができなかったが，公判期日の空転を招く不都合も生じたため，平成28年法改

(法152)．証人が裁判所の構内にいるときは，召喚しないでも尋問することができる．これを**在廷証人**という(規113 II)．

　証人には，宣誓の趣旨を理解することができない者の場合を除き，宣誓をさせなければならない(法154・155)．宣誓させるべき証人に宣誓させずに証言させた場合は，証拠能力がない(⇨381頁)．これに対し，宣誓の趣旨を理解することができない者の場合には，宣誓させずに証言させることになるが(法155)，その証言には証拠能力が認められる．宣誓した上で虚偽の証言を行えば偽証罪が成立する(刑169)[29]．

　　宣誓は，人定尋問(規115)の後，証人尋問の前に行われる(規117)．良心に従って真実を述べ，何事も隠さず，また何事も付け加えないことを誓う旨を記載した宣誓書を証人に朗読させ，これに署名押印させることによって行われる(規118)[30]．

　証人は，証言拒絶権がある場合を除いては，証言をする義務がある．正当な理由がないのに出頭しなかったり，宣誓又は証言を拒絶したときは，過料，費用の賠償，刑罰の制裁を科すことができる(法150・151・160・161)[31]．

当事者の準備　証人を尋問する旨の決定があった場合，その取調べを請求した当事者は，証人を期日に出頭させるように努めるとともに(規191の2)，証人に事実を確かめるなどの方法によって，適切な尋問をすることができるように準備しなければならない(規191の3)．後者の準備は**証人テスト**と呼ばれるが，適切な証人尋問のための準備であるから，証言の強制にわたるような不当な働きかけをしてはならない．相手方当事者が証人と事前に面接することも許されないわけではないが，不当な働きかけの疑いを招か

　　正により，勾引要件が改められた．なお，証人の召喚・勾引については，被告人の召喚・勾引に関する規定が準用される(法153，規112)．
29) 宣誓をさせた証人には，尋問前に，虚偽の証言をすれば偽証罪として処罰されることを告げなければならない(規120)．現在の実務をみると，判決によって虚偽の証言と認められた例は少なくないが，実際に偽証罪で処罰されるという例は極めて少ない．偽証罪による処罰もその1つの方策ではあるが，公判中心の証拠調べを実現するためには，証人が容易に虚偽の証言をできないようにする方策を工夫する必要がある．
30) 証人が朗読できないときは，裁判所書記官に朗読させる．宣誓は，起立して厳粛に行わなければならない(規118)．また，個別に宣誓させなければならない(規119)．
31) 証人の不出頭又は宣誓・証言の拒絶に対する刑罰は，平成28年法改正により法定刑が引き上げられ，1年以下の懲役又は30万円以下の罰金を科し得るものとされた．

ないよう慎重に対処すべきであろう．

(2) 証人の取調べ方式

<u>交互尋問方式</u>　証人に対しては尋問が行われるが，証人が耳が聞こえないときは書面で問い，口がきけないときは書面で答えさせることができる(規125)．原則として証人ごとに尋問しなければならず，後に尋問すべき証人が在廷するときは，退廷を命じなければならない(規123)．他の証人の供述内容等による不当な影響を防止するためである．しかし，必要があるときは，証人と他の証人又は被告人とを同席させ，一方の供述内容について他方の供述を求める**対質**も可能である(規124)．

> 法304条によれば，まず裁判長又は陪席の裁判官が尋問し，その後に当事者が尋問することになっているが，実際には，当事者が尋問し，次に裁判官が補充的に尋問する運用になっている．当事者主義の原則にも沿った運用といえるが，効率的で有効な尋問をするためには，当事者の十分な準備が必要である．

当事者がまず尋問する場合は，**交互尋問方式**による(規199の2)．すなわち，証人尋問を請求した者がまず尋問し(主尋問)，次いで相手方が尋問する(反対尋問)．さらに必要があれば請求者が再び尋問し(再主尋問)，さらに相手方が尋問する(再反対尋問)．権利として行使できるのは再主尋問までであり，再反対尋問以降の尋問をするには裁判長の許可を必要とする．

> 証人を尋問する場合は，できる限り個別的かつ具体的で簡潔な尋問をすべきであり，威嚇的又は侮辱的な尋問をしてはならない．また，正当な理由なしに，既にした尋問と重複する尋問，意見を求め又は議論にわたる尋問，証人が直接経験しなかった事実についての尋問をしてはならない(規199の13)．いわゆる誤導尋問(誤った事実を前提とする尋問)も，相当でない．
> 　以上の趣旨から，一般的には一問一答式の尋問が望ましく，その方が証言の信用性を評価しやすいといえるが，証人の答えやすさや，それを聞く審判者の理解しやすさという観点からは，包括的な質問をする方が適切な場合も少なくないから，尋問者の柔軟な対応が必要となる．

主尋問・反対尋問　尋問者が立証しようとする事項とこれに関連する事項について行うのが**主尋問**であるが，この段階で**証人の供述の証明力を争うために必要な事項**についても尋問することができる(規199の3)．証明力を争うための尋問は，証人の観察，記憶又は表現の正確性等の証言の信用性に関する事項と，証人の利害関係，偏見，予断等の証人の信用性に関する事項について行われる．ただし，みだりに証人の名誉を害する事項に及んではならない(規199の6)．

主尋問に現れた事項とこれに関連する事項について行うのが**反対尋問**である．主尋問者と対立する立場から証言の信用性を吟味するために行われることが多いため，証人の供述の証明力を争うために必要な事項に関する尋問が重要となる(規199の4 I)．裁判長の許可を受けたときは，この機会に自己の主張を支持する新たな事項についても尋問することができる(規199の5)[32]．反対尋問は，特段の事情のない限り，主尋問終了後直ちに行わなければならない(規199の4 II)[33]．

なお，訴訟関係人は，尋問の関連性(証言の信用性との関連性，主尋問に現れた事項との関連性等)が問題となる場面では，尋問自体によって，あるいは証人を退席させて説明するなどの方法によって，裁判所に対し関連性を明らかにしなければならない(規199の14)．

　　再主尋問　反対尋問に現れた事項とこれに関連する事項についての尋問で，基本的には主尋問の例による．裁判長の許可を受けたときは，この機会に自己の主張を支持する新たな事項についても尋問することができる(規199の7)．
　　書面・物の利用による尋問　①訴訟関係人は，書面又は物に関してその成立，同一性その他これに準ずる事項について証人を尋問する場合において必要があるときは，その書面又は物を示すことができる(規199の10)．②訴訟関係人は，証人の記憶が明らかでない事項についてその記憶を喚起するため必要があるときは，裁

---

32) 反対尋問の機会における新たな事項についての尋問は，主尋問とみなされる．その証人に再度出頭を求めて尋問するよりはその機会に尋問した方が関係者の便益に資することもあるために認められている．したがって，その尋問に要する時間と証人の都合のほか，新たな事項が当該訴訟で有する証拠価値や当事者の準備の必要性等にも配慮して，その許否を決めるべきである．
33) 従来は，複雑困難な事件等において，主尋問の結果を公判調書で確認した上で反対尋問を行いたいと当事者が要望する例も少なくなかったが，連日的開廷による集中的審理(特に裁判員裁判)においては認め難いことから，平成17年の改正で規199条の4第II項が設けられた．

判長の許可を受けて，書面(供述を録取した書面を除く)又は物を示して尋問することができる．ただし，書面の内容が証人の供述に不当な影響を及ぼすことのないように注意しなければならない(規199の11)．供述録取書が除かれているのも，不当な影響を及ぼさないためである．③証人の供述を明確にするため必要があるときは，裁判長の許可を受けて，図面，写真，模型，装置等を利用して尋問することができる(規199の12)[34]．

示された図面等の調書添付 尋問の際に証人に示された図面，写真等は，それらが独立した証拠として採用されていない場合であっても，証人尋問調書に添付して調書の一部とすることができる(規49)が，添付されることによって当然証拠となるわけではない．例えば，最決平23・9・14(刑集65・6・949)は，強制わいせつ事件の被害者の証人尋問において，被害状況に関する証言を明確化するために捜査段階で作成された被害再現写真が証人に示され，調書に添付された事案について，①被害状況等に関する具体的な供述が十分された後に，その供述を視覚的に明確化するため，証人が過去に被害状況等を再現した写真を示して尋問することを許可した第1審裁判所の措置に違法はなく(規199の12)，②その写真を，証言の経過，内容を明らかにするために証人尋問調書に添付した第1審裁判所の措置は適切であり，添付するに当たって当事者の同意を要するものではなく，③証人に示された被害再現写真が独立した証拠として採用されていなかったとしても，証人がその写真の内容を実質的に引用しながら証言した場合，引用された限度において写真の内容は証言の一部となり，そのような証言全体を事実認定の用に供することができるとしている[35]．

また，最決平25・2・26(刑集67・2・143)も，公判期日における被告人質問の際に被告人に示された電子メールにつき，それが公判調書中の被告人供述調書に添付されたのみで証拠として取り調べられていない場合は，直ちに独立の証拠となり，あるいは被告人の供述の一部になるものではないとしている．

誘導尋問 尋問者が希望・期待している答えを暗示するような尋問のことである．主尋問では原則として許されず，誘導尋問が許される場合

---

[34] これらの書面・物・図面等は，相手方に異議のない場合を除き，あらかじめ相手方に閲覧する機会を与えなければならない．

[35] 最決平23・9・14は，被害再現写真を含む実況見分調書について，弁護人が不同意としていた事案に関するものである．当該実況見分調書自体が証拠能力を有するためには，法321条III項の要件に加えて法321条I項3号の要件を充たす必要があるから(⇨439頁)，被害者が被害状況を証言できるような場合には，後者の要件を充たすことができない．ほかに証人尋問調書に添付されるものとして，証人が質問に対する答えとして書いた図面等もあるが，これらは，証言そのものとして当然証拠となる．

であっても，書面の朗読その他証人の供述に不当な影響を及ぼすおそれのある方法を避けるように注意しなければならない．これに対し，反対尋問においては，必要があれば誘導尋問をすることができる．いずれの場合であっても，裁判長は，誘導尋問が相当でないと認めるときは，これを制限することができる(規 199 の 3V・199 の 4 IV)．

主尋問で例外的に誘導尋問が許される場合　主尋問においても例外的に誘導尋問が許される場合がある(規 199 の 3 III)．①証人の身分，経歴，交友関係等で，実質的な尋問に入るに先立って明らかにする必要のある準備的な事項に関するとき，②訴訟関係人の間で争いのないことが明らかな事項に関するとき，③証人の記憶が明らかでない事項について，その記憶を喚起するために必要があるとき(最決昭 30・2・17 刑集 9・2・321 参照)，④証人が主尋問者に対して敵意又は反感を示すとき，⑤証人が証言を避けようとする事項に関するとき，⑥証人が前の供述と相反するか又は実質的に異なる供述をした場合において，その供述した事項に関するとき，⑦その他誘導尋問を必要とする特別の事情があるときである．

尋問と訴訟指揮　当事者主義の下における証人尋問では，裁判官の尋問は補充的なものにとどまるべきであるが，訴訟の進行上当事者の行うがままの尋問を認めていては，尋問が脇道にそれたり，供述が混乱したりして，審理が無用に遅延したり，実体的真実の発見を妨げるおそれが生じることもある．争点整理が不十分なまま証人尋問を実施した場合や，当事者の準備が不足している場合などは，このような事態が生じやすいといえる．そこで，裁判長は，必要と認めるときはいつでも，当事者の尋問を中止させ，自らその事項について尋問することができる(**裁判長の介入権**—規 201 I．訴訟指揮に基づく尋問制限につき 282 頁)．それは，争点を中心とした充実した審理を主宰すべき裁判長の責務であって，当事者が証人に十分尋問する権利のあることや，一方の当事者の不適当な尋問を他方の当事者の異議申立て(⇨ 348 頁)でチェックさせることなどと抵触するものではない．

証人の保護　裁判所は，証人が被告人の面前では圧迫を受けて十分な供述をすることができないと認めるときは，弁護人が出頭している場合に限り，その供述をする間，**被告人を退廷**させることができる．この場合には，供述終了後に被告人を入廷させ，証言の要旨を告知して，その証人を尋

問する機会を与えなければならない（法304の2・281の2）．同様に，裁判所は，証人が特定の傍聴人の面前で十分な供述をすることができないと認めるときは，その供述をする間，その**傍聴人を退廷**させることができる（規202）．

　また，証人の保護として，証人尋問の際に付添人を付けたり，遮へい措置を採ったり，ビデオリンク方式によることが可能であり，それらの方法を併用することもできる．証言することによって受ける精神的負担の軽減を図るものである（⇨434頁注21）．

　　付添人　証人が著しく不安又は緊張を覚えるおそれがあると認められる場合，裁判所は，その不安・緊張の緩和に適当で，証言に不当な影響を与えるおそれがない者を，尋問の間，証人に付き添わせることができる（法157の4）．年少者である証人の親や心理カウンセラー等が**付添人**の典型である．

　　遮へい措置　証人が被告人の面前では圧迫を受け精神の平穏を著しく害されるおそれがあると認められる場合で，裁判所が相当と認めるときは，被告人と証人との間で，一方から又は相互に相手の状態を認識することができなくするための**遮へい措置**（衝立等）を採ることができる（法157の5）．ただし，被告人から証人の状態を認識できなくする措置は，弁護人が出頭している場合にのみ可能である．傍聴人と証人との間の遮へい措置も可能である．

　　ビデオリンク方式　性犯罪の被害者等[36]については，裁判所が相当と認めるときに，同一の裁判所構内の別室に証人として在席させ，法廷内にいる訴訟関係人等がテレビモニターを用いてその姿を見ながらマイクを通じて尋問を行う**ビデオリンク方式**を用いることができる（法157の6 I）．また，証人が被告人と同一の裁判所構内に出頭すること自体によって証人に著しい負担が及ぶこととなる場合[37]については，裁判所が相当と認めるときに，同一構内以外の場所に証人を出頭させ，同所と裁判官

---

[36] 対象となる証人は，性犯罪の被害者のほか，犯罪の性質，証人の年齢，心身の状態，被告人との関係その他の事情により，訴訟関係人等が在席する場所で供述するときは圧迫を受け，精神の平穏を著しく害されるおそれがあると認められる者である（法157の6 I）．

[37] 同一構内以外の場所とのビデオリンク方式による証人尋問が許されるのは，(1)証人が被告人と同一構内に出頭するときは精神の平穏を著しく害されるおそれがあると認められるとき，(2)同一構内への出頭に伴う移動に際し，証人に対する加害行為等がなされるおそれがあると認められるとき，(3)同一構内への出頭後の移動に際し尾行等の方法で証人の住居，勤務先その他その通常所在する場所が特定されることにより，証人又はその親族に対する加害行為等がなされるおそれがあると認められるとき，(4)証人が遠隔地に居住し，同一構内に出頭することが著しく困難であると認められるときである（法157の6 II）．この方式による証人尋問は，平成28年法改正によって新たに認められた（平成30年6月1日施行）．

等の在席する場所との間をビデオリンクでつなぐ方式により証人尋問を行うこともできる(同Ⅱ)[38]．

防御機会の保障　一方，裁判所は，両当事者が証拠の証明力を争うために必要とする適当な機会を与えなければならない(法308)．両当事者が当事者主義に基づいて証拠の証明力について争う機会を与えることにより，裁判所の証拠評価が適切に行われることを期したものである．その具体的方策として，裁判長は，適当と認めた場合には，当事者に対し，反証の取調べの請求その他の方法によって証拠の証明力を争うことができる旨を告げるべきものとされている(規204)．

(3) 鑑定・通訳・翻訳

鑑定　特別の知識経験を持つ者[39]だけが認識し得る法則又は事実の供述(報告)を**広義の鑑定**という(捜査段階における鑑定嘱託につき167頁)．事実の供述には，事実に法則を当てはめて得た結論の供述も含まれる．このうち，裁判所が，裁判上必要な知識経験の不足を補充する目的で，第三者に命じて新たに資料を調査させ，その結果を報告させるものを**狭義の鑑定**という(最判昭28・2・19刑集7・2・305)．鑑定を命じられた者が**鑑定人**である[40]．

> 特別の知識経験がなくても判断できる事項については，裁判所が自ら判断する．また，一般に，法令に関することには法律学という特別な知識が必要であるが，裁判所にはそのような知識が備わっているから，鑑定を命じることはできない．この点，精神鑑定は，被告人が心神耗弱か心神喪失かという法律上の判断を求めているように見えるが，その前提としての医学的知見を求めているのであり，法的評価は

---

38) 遮へい措置もビデオリンク方式も，映像と音声の受送信を通じてではあるが，被告人は証人の供述を聞くことができ，自ら尋問することもでき，弁護人が証人の供述態度等を観察することも妨げられないのであるから，憲法の保障する公開裁判の要請や証人審問権を侵害するものではない(最判平17・4・14刑集59・3・259)．なお，ビデオリンク方式による証人尋問が記録媒体に記録された場合につき，434頁参照．
39) 特別な知識経験を必要とする場合，その知識経験は必ずしも鑑定人自身が直接経験して体得したものに限定されるわけではなく，他人の著書等によるかその他の方法によるかを問わず，必要な知識を会得した上，これを利用して鑑定することができる(最判昭28・2・19刑集7・2・305)．
40) 鑑定人は，旅費・日当・宿泊料のほか，鑑定料(報酬)と鑑定に必要な費用の支払を受けることができる(法173)．これらの費用は訴訟費用となる．

裁判所が行う(最決昭58・9・13判時1100・156).

　鑑定は，裁判所の知識経験の不足を補充するためのものであるが，あくまで証拠資料の1つにすぎないから(鑑定人又は鑑定書が証拠方法である)，その証明力は裁判官の自由心証に委ねられるのであり(法318)，裁判所の判断は鑑定の結果に拘束されない(最決昭33・2・11刑集12・2・168)[41]．しかし，合理的な根拠がないのに鑑定の結果と相反する認定をすれば，経験則や論理法則に反する場合が生じよう．判例も，精神障害の有無及び程度等が問題となった事案において，それに関する精神医学者の鑑定意見を採用し得ない合理的な事情が認められるのでない限り，その意見を十分尊重して認定すべきである旨判示している(最判平20・4・25刑集62・5・1559).

　鑑定人は，証人と異なり，裁判所に必要な供述を提供し得る者であれば誰でもよい(鑑定人の代替性)．したがって，鑑定人が召喚に応じない場合でも，勾引は許されない(法171．証人については337頁).

　ただ，鑑定人も，資料の調査によって何らかの事実を体験しそれに基づいて供述するのであるから，広い意味では証人であり(憲法37条Ⅱ項の「証人」にも含まれる)，証人尋問に関する規定が，勾引に関するものを除いて，鑑定にも準用されている(法171).

鑑定の手続　鑑定人は，鑑定事項について必要な特別の知識経験を持ち(法165)，公正な判断をなし得る立場にある者(**鑑定人適格**)から，裁判所が選定する．鑑定人は，鑑定の前に宣誓しなければならない(法166)．鑑定は，公判廷において行われることもあるが，裁判所外で行われることが多い[42]．

　鑑定人は，裁判所の補助者としての性格を有するから，鑑定に必要がある場合には，裁判所の許可状(法168Ⅱ・Ⅳ⇒167頁)により，人の住居若しくは人の看守する邸宅・建造物・船舶内に入り，身体を検査し，死体を解剖し，墳

---

[41] 最決平21・12・8(刑集63・11・2829)も，「裁判所は，特定の精神鑑定の意見の一部を採用した場合においても，責任能力の有無・程度について，当該意見の他の部分に拘束されることなく，被告人の犯行当時の病状，犯行前の生活状態，犯行の動機・態様等を総合して判定することができる」としている．

[42] 裁判所外で行われる場合には，鑑定に関する物を鑑定人に交付することができる(規130)．検察官と弁護人は，鑑定に立ち会うことができる(法170)．
　裁判員裁判では，公判前整理手続において，鑑定の事実上の作業(鑑定の経過と結果の報告を除いたもの)を行わせることができる(鑑定手続実施決定⇒368頁).

墓を発掘し，又は物を破壊することができる(法168 I)[43]．

　鑑定人の行う**身体検査**については，検証の一種としての身体検査に関する諸規定が準用される(法168 VI)．その他，裁判所は，身体検査に関し，適当と認める条件を付けることができる(同III)．身体検査を受ける者がそれを拒んだときは，鑑定人は裁判官にその者の身体検査を請求することができる(法172)．

　また，鑑定人は，必要がある場合には，裁判長の許可を受けて，書類及び証拠物を閲覧・謄写し，又は被告人質問若しくは証人尋問に立ち会うことができる．さらに，鑑定人は，被告人質問・証人尋問を求め，直接に発問することもできる(規134)．このように，鑑定人は，必要と考える**資料を入手するために各種の手段を**とることができる．

鑑定留置　被告人の精神又は身体に関する鑑定をさせるために必要があるときは，裁判所は，期間を定めて病院その他の相当な場所に被告人を留置することができる(法167 I)[44]．その場合には，被告人を収容すべき病院等の管理者の申出により，又は職権で，司法警察職員に被告人の看守を命ずることができる(同III)．

鑑定結果の報告　鑑定人が鑑定の結果を得ると，鑑定の経過を含めてこれを裁判所に報告させなければならない．報告は，口頭による場合と書面(鑑定書)による場合とがある(規129 I)[45][46]．

通訳・翻訳　裁判所では日本語を用いるので(裁74)，外国人の証人・被告人の供述については通訳が，外国語で記載された書面については翻訳が必要となる(法175・177)．耳の聞こえない者又は口のきけない者に陳述

---

43) 鑑定人が公判廷で身体の検査又は物の破壊をするときは，裁判所の許可があればよく，許可状の発付を要しない(法168V)．
44) 鑑定留置は鑑定留置状を発してこれを行う(法167 II，規130の2)．鑑定留置には，保釈に関する規定を除いて，勾留に関する規定が準用され(法167V)，未決勾留日数の算入については，勾留とみなされる(同VI)．
45) 口頭の報告は，鑑定人尋問として行われることになるが，その際に鑑定人の判断の相当性を吟味するために尋問することができるので，そのまま証拠となる．これに対し，鑑定書が提出された場合，それがどのような手続で証拠とされるかについては争いがあるが，実務上は，当事者の一方(通常は鑑定を請求した側)が改めて鑑定書の取調べを請求し，他方が同意すれば(法326)そのまま証拠となり，同意しなければ鑑定人を証人尋問することにより鑑定書も証拠となる(法321 IV)とする取扱いが多い．
46) 精神鑑定の場合，鑑定書の提出までに数か月を要する例も少なくなかったが，口頭での報告なども考えることによって，より短期間で報告が得られるように工夫する必要がある．

させる場合にも通訳をさせることができる(法176).通訳及び翻訳には,鑑定についての規定が準用される(法178,規136).

外国人被告人の事件における通訳 外国人被告人の事件は近時増加しているが,被告人が日本語を理解できない場合には,被告人の人定質問の前に通訳人の選任手続(通訳の依頼,宣誓等)が行われ,通訳人が終始公判廷に在席して,被告人と裁判所あるいは訴訟関係人との間のコミュニケーションを媒介することになる(⇨282頁).このように,通訳は,単なる証拠方法にとどまらず,裁判所の補助者としての役割を果たしている.そのような被告人に判決を言い渡すときは,もちろん通訳をさせなければならない(最判昭30・2・15刑集9・2・282).

(4) 被告人質問

被告人質問　被告人は,終始沈黙していてもよいし,個々の質問について断続的に供述を拒むこともできるが,任意に供述する場合には,裁判長は,いつでも必要とする事項について被告人の供述を求めることができる(**被告人質問**).陪席の裁判官[47],検察官,弁護人,共同被告人又はその弁護人は,裁判長に告げて被告人の供述を求めることができる(法311)[48].被告人の任意の供述は,利益・不利益を問わず証拠となるから(法322 II 参照),被告人質問も広い意味では証拠調べの性質を有するといえよう.被告人質問の方式について特段の規定は存在しないが,証人尋問の方式にならって行われる.ただし,証拠調べの請求及び決定はなされないし,宣誓させることはできない.

(5) 証拠調べに関する異議申立て

異議申立て　検察官,被告人又は弁護人は,証拠調べに関し異議を申し立てることができる(法309 I).冒頭陳述,証拠調べの請求,証拠決

---

[47] 裁判員裁判の場合は,裁判員も,証人に対する尋問と同様,被告人に対して質問することができる.

[48] 被害者参加人等も,意見陳述をするために必要がある場合に,裁判所の許可を得て,被告人質問をすることができる(法316の37 I ⇨ 49頁).被害者参加人等が将来行う意見陳述(被害に関する心情等の意見陳述 ⇨ 350頁注52と,弁論としての意見陳述 ⇨ 351頁注53)を実質的あるいは効果的なものにする趣旨で認められる.証人尋問の場合と異なり,情状に関する事項に限られるわけではないが,検察官が質問した上でなお被害者参加人等が行うことが適当と考えられる場合に限って行われることは,証人尋問の場合と異ならない.

定，証拠調べの範囲・順序・方法を定める決定，証拠調べの方式，証明力を争う機会の付与など証拠調べに関係のあるすべての訴訟行為に対し，異議の申立てができる．裁判所，裁判官の行為はもとより，訴訟関係人の行為(例えば証人への発問)に関してでもよく，作為・不作為を問わない．

異議の申立ては，法令の違反があること，又は相当でないことを理由とする[49]．ただし，証拠調べに関する裁判所の決定に対しては，不相当を理由としてこの申立てをすることはできない(規205 I)．

異議の申立てがあれば，裁判所は遅滞なく決定しなければならない(規205の3)．異議の申立てが不適法な場合には却下され，理由がない場合には棄却される[50]．他方，理由があると認められるときは，裁判所は，異議を申し立てられた行為の中止，撤回，取消し又は変更を命ずるなどその申立てに対応する決定をしなければならない(規205の6 I)．取り調べた証拠が証拠とすることのできないものであることを理由とする異議の申立てにつき，理由があると認めるときは，その証拠の全部又は一部を排除する決定をしなければならない(同II．**排除決定**)[51]．

異議の申立てについて決定があったときは，その決定で判断された事項について，重ねて異議を申し立てることはできない(規206)．その申立ては不適法として却下される．

証人尋問における異議申立て　証人尋問の際に，訴訟当事者が，相手方の証人への発問が違法又は不相当である(例えば誘導尋問，誤導尋問，重複尋問，関連性のない尋問等に該当する)と主張して，異議を申し立てる例が多い．これらのうちには，その採否が審理の流れに大きく影響するものも少なくないから，原則的には法309条に基づく異議として扱い，申し立てた

---

[49] これに対し，証拠調べに関する処分を除く裁判長の処分に対する異議の申立ては，法令の違反があることを理由とする場合に限って許される(⇨283頁)．

[50] 時機に遅れてされた申立て，訴訟を遅延させる目的のみでされたことの明らかな申立て，その他不適法な申立ては，決定で却下される．ただし，時機に遅れた申立てであっても，その事項が重要なもので判断を示すのが相当であるときは，時機に遅れたことを理由として却下してはならない(規205の4)．異議の申立てが理由がないと認められるときは，決定で棄却される(規205の5)．

[51] 異議の申立てがない場合でも，取り調べた証拠が証拠とすることのできないものであることが判明したときは，裁判所は，職権で排除決定をすることができる(規207)．

者に簡潔に理由を述べさせ，相手方の意見を聴いた上，裁判所の決定としてその採否を示すべきものと考えられる．ただ，発問の当否等については，裁判長が自己の判断で介入し(⇨342頁)，発問を制限したりすることもできるのであるから，そのような場合には必ずしも法309条に基づく異議申立てとして扱う必要はなく，裁判長の介入権の発動を促す趣旨にとどまるものと解して，直ちに発問を制限することもできる．現実の訴訟においては，後者に該当する例も少なくない．

(6) 裁判員制度実施に伴う証拠調べの変容

分かりやすい審理 裁判員制度の施行後，裁判員の関与する重大事件については，証拠調べの様相が変わってきている．それまでの裁判官のみによる公判審理においては，手続の適正を保障しつつ効率的に運用できる審理として，供述証書が多用されてきた．検察官は，捜査段階で収集した証拠(その多くは書面化されたもの)に関連性があれば厳選することなく請求し，弁護人の同意があれば，公判ではそれら書証の要旨を告知することによって取り調べ(⇨376頁注4)，弁護人も同様に関連性のある書証を請求して取調べが行われ，裁判官が法廷外でそれらを読み込み，分析検討して真相を解明するという作業をするのが一般的であったといえる．しかし，裁判員に同様の作業を求めることはできず，裁判員が，公判廷での証拠調べに立ち会うだけで事件の内容を理解し，心証を形成し，審理に引き続いて行われる評議において意見を述べられるようになることが必要である上，裁判員の負担をできるだけ軽減する必要がある．そこで，**必要な証拠に厳選**し，**人証を活用**するなど，争点を中心とした分かりやすい公判審理を行うことが求められる．公判中心の直接主義，口頭主義を徹底した形での証拠調べの試みといえよう．

　以上のような種々の試みが現実の法廷で行われているため，以前に比べて書証に依存する度合いが弱くなってきたといえる．まず，書証は，かつては重複したり，争点に関連の薄い部分を含む書証であっても取り調べられていたが，それが厳選され，必要な部分のみを分かりやすくまとめた統合捜査報告書や関係者等の供述調書の抄本等が活用されるようになっている．また，かつては被害者や関係者等の供述調書が同意されると，その者の証人尋問が

行われることはまずなかったが，自白事件であっても罪体の重要部分など審理のポイントとなる重要な事実については，関係者等の証人尋問が行われることも多くなってきている．被告人の供述に関しても，被告人の捜査段階における供述調書が同意された場合であっても，被告人質問がまず行われ，それによって供述調書の取調べが不要になれば請求が却下されるという例も少なくない．さらに，精神鑑定など公判前整理手続の段階で採用される鑑定に関しては，鑑定書自体は取り調べず，証人尋問の冒頭で鑑定人がレジュメを活用してプレゼンテーションを行い，その後に当事者が鑑定人に尋問するという運用が広く行われている．

公判中心主義　このような公判審理の変容は，まだ裁判員裁判に見られるだけであるが，裁判員制度の対象となっていない事件の審理にも影響を及ぼす可能性が大きい．裁判員裁判の場合は，裁判員の分かりやすさと負担の軽減という要請とのバランスで試みられていることであり，真相の解明と適正手続の保障という基本的な要請を踏まえて刑事司法システム全体として検討すべき問題であるが，裁判の正統性をより確実なものとすることなどを考えると，**公判中心主義の充実**がより広く求められているといえよう．

5　論告・弁論，弁論の終結・再開

> **293条 I**　証拠調が終った後，検察官は，事実及び法律の適用について意見を陳述しなければならない．
> **II**　被告人及び弁護人は，意見を陳述することができる．

論告・求刑　証拠調べが終了すると[52]，検察官は，公訴事実及び量刑の基礎となる事実等について，どのような事実が証拠によって認められるのかの意見と，それらの事実に対する実体法及び手続法の具体的適用につ

---

52)　被害者又はその遺族等は，公判期日において，被害に関する心情その他の被告事件に関する意見を書面又は口頭で陳述することができる(法292の2)．通常，証拠調べ終了後に行われることが多い．ただし，この陳述は，量刑の資料とはなるが，犯罪事実を認定するための証拠となるものではないから(同IX)，そのような証拠として利用する場合には証人尋問の方法による必要がある(⇨50頁)．

いての意見を陳述する(法293 I). これを**論告**というが, 通常は, これらの意見と併せて, 科すべき具体的な刑の量定についての意見(**求刑**)も述べられる[53].

弁論 被告人と弁護人も, 意見を陳述することができる(同II). これがいわゆる**弁論**(最終弁論ともいう)である. 被告人と弁護人には, 検察官より後に陳述する機会を与えなければならない(規211). 通常は, 論告の次に弁護人に弁論をさせ, 最後に被告人の陳述(**最終陳述**)を聴くことになる.

なお, 論告又は弁論において, 争いのある事実について陳述する場合は, その意見と証拠との関係を具体的に明示して行わなければならない(規211の3). また, 充実した適正・迅速な裁判を実現させるため, 論告・弁論の時期についても, 証拠調べ終了後できる限り速やかに行わなければならないと定められている(規211の2).

弁護人の誠実義務と弁論 弁護人は, 被告人の利益を保護すべき立場にあるが, 法律専門家として, 真相を明らかにすることを使命とする刑事裁判の一翼を担う立場にもあることなどから, 訴訟法上の権利を誠実に行使すべき義務があるといわれる(⇨208頁). 被告人が公判の途中で主張を変えた場合など, 弁護人として厳しい立場に立たされることもあるが, 最終弁論でどのような主張をするのが弁護人として相当であるかの判断は, 第一次的には弁護人自身に委ねられているといえる. 最決平17・11・29(刑集59・9・1847)[54]は, 殺人等被告事件の被告人が第1審公判の終盤において従前の供述を翻し全面的に否認する供述をするようになったのに,

---

53) 許可された被害者参加人等は, 検察官の論告・求刑の後に, 訴因として特定された事実の範囲内で, 事実又は法律の適用について意見を陳述することができる(法316の38 I ⇨49頁). この弁論としての意見陳述は, 証拠とはならないものであり, 被害に関する心情等を述べる前注52の意見陳述と異なり, 量刑の資料ともならない.

54) 最決平17・11・29の事案では, 弁護人は, 最終弁論において, 被告人が捜査段階から被害者の頭部に巻かれたロープの一端を引っ張った旨を具体的, 詳細に述べ, 第1審公判の終盤に至るまでその供述を維持していたことなどの証拠関係, 審理経過を踏まえた上で, その中で被告人に最大限有利な認定がなされることを企図した主張をした. また, 弁護人は, 被告人が供述を翻した後の供述も信用性の高い部分を含むものであり十分検討してもらいたい旨を述べたり, 事実認定上の問題点を指摘したりし, 被告人本人も, この最終弁論に対する不服を述べていなかった. なお, この決定は, 被告人が無罪を主張しているのに最終弁論で有罪の主張をしたり, 被告人の主張に比してその刑事責任を重くする方向の主張をした場合には, 弁護人の誠実義務違反が認められるが, そのような主張を放置して結審した裁判所の措置が違法とされるのは, 弁護人の主張が専ら被告人を糾弾する目的でされたとみられるなど, 当事者主義の訴訟構造の下において検察官と対峙し被告人を防御すべき弁護人の基本的立場と相いれないような場合に限られるとする補足意見が付されている.

弁護人が被告人の従前の供述を前提に有罪を基調とする最終弁論をし，裁判所がそのまま審理を終結した事案について，第1審の訴訟手続に法令違反はない旨判示した．

弁論の終結・再開 以上で証拠調べ手続は終了し，判決の宣告手続だけが残ることになる．これを**弁論の終結（結審）**という．弁論の終結後，主張・立証の不備が明らかになったり，新たな事情が生じた場合，裁判所が適当と認めたときは，**弁論を再開**して再び審理することができる（法313 I）．

6 判決の宣告

判決宣告 判決の宣告は，裁判長が公判廷で主文と理由を朗読し，又は主文の朗読と理由の要旨を告げる方法によって行われる（法342，規35）．有罪判決を宣告する場合には，被告人に対し，上訴期間及び上訴申立書を差し出すべき裁判所を告知しなければならない（規220）．保護観察に付する旨の判決の宣告をする場合には，保護観察の趣旨その他必要と認める事項を説示しなければならない（規220の2）．また，裁判長は，判決を宣告した後，被告人に対し，その将来について適当な訓戒（**説諭**）をすることができる（規221）．

宣告の効果 判決は，宣告された内容に従って効力を生じる．宣告するには，必ずしも判決書の原本が作成されていることを要さず，原稿に基づいて宣告することも可能であるが[55]，宣告された内容と判決書の内容が異なるときは，宣告された内容が判決としての効力を有することになる（最判昭51・11・4刑集30・10・1887参照）．

7 迅速な裁判

> **憲法37条 I** すべて刑事事件においては，被告人は，公平な裁判所の迅速な公開裁判を受ける権利を有する．

---

55) 最判昭25・11・17（刑集4・11・2328）．身柄を拘束されている被告人に対して釈放を必要とする内容の判決を宣告するような場合を考えると，判決書の作成を待たずに宣告できるようにしておく方が被告人にも有利であるといえる．

裁判期間が 20 年を超す事件[56]などが例に挙げられて，訴訟遅延
迅速な裁判の要請 が批判されてきた．確かに，訴訟が長引けば長引くほど，訴訟関係人の負担は大きくなるし，真実発見も困難になる．時には，訴訟を行う意味すら失いかねない．特に，刑事裁判においては，被告人には無罪の推定が働くにもかかわらず，被告人という地位にあることで物質的にも精神的にも重い負担が課されているのであるから，早く解放する必要がある．また，他方，刑罰の効果・目的を一般予防，特別予防のいずれの観点から捉えるにせよ，裁判を早く確定させ，有罪の場合には早く刑を執行する必要がある．どのような観点から考えても，長過ぎる裁判には問題がある．

憲法 37 条 I 項は，被告人に迅速な裁判を受ける権利を保障しているが，どの程度裁判に時間がかかれば憲法の保障する迅速な裁判の要請に反することになるのかは，一概には決められない．期間の長短だけで機械的に決められるわけではなく，遅延の程度とその原因・理由などの諸事情を考慮して，各事件ごとに相対的に決めるべきものである．他方，裁判は迅速でありさえすればよいともいえず，真相の解明に必要な審理は尽くされなければならない．「早すぎる裁判」が拙速な裁判(ラフジャスティス)となれば，被告人と国家の双方の利益を害することになる．

　刑訴法には，迅速な裁判を実現させるための規定が置かれている．公訴提起後 2 か月以内に起訴状謄本が送達されないときには公訴は失効する(法 271 II)．その他，事前準備(規 178 の 2 以下)，公判前整理手続(法 316 の 2 以下)，期日間整理手続(法 316 の 28)，公判期日の厳守に関する諸規定(法 277，規 182・179 の 4 以下など)，連日的開廷(法 281 の 6)，検察官及び弁護人の訴訟遅延行為に対する処置(規 303)などの迅速な裁判に関する規定がある．

　長期裁判が問題とされるが，刑事裁判の現状は，通常第 1 審(地裁)の平均審理期間は 3.6 か月(合議事件 9.2 か月，単独事件 3.3 か月)であり，起訴後 6 か月で全事件の 88.9%，1 年では 97.3% が終了していることを認識しておく必要がある(令和 2 年)．このように総体的にみた場合には，遅延しているというわけではない．また，平成 16 年の法改正により，公判前整理手続が設けられ，さらに同手続を経ることを必要的とする裁判員制度が導入されたことなどにより，図 1 に見

---

[56] 起訴から確定までに 20 年以上かかったのは，メーデー事件等の戦後間もないころに起こった公安労働事件が多かった．もっとも，その後も，ロッキード事件，リクルート事件等の大型疑獄事件等において 20 年近くかかっている．

図 1 係属 2 年以上の未済事件数(通常第 1 審〔地裁〕)

られるように，係属後 2 年以上となっている事件は未済事件のうち 1% 以下(平成 22 年末の地裁係属事件の 0.85%，194 件)まで減少した．ただ，公判前整理手続に要する期間が平均して長くなっていることなどもあって，その減少傾向が止まり，令和 2 年末には 1.75%(410 件)まで増加しており，長期係属事件における迅速化の取組をあらためて推し進める必要がある．

裁判迅速化法 司法制度改革の一環として，民事・刑事を併せた裁判の迅速化を図るため，裁判の迅速化に関する法律(平成 15 年法律 107 号)が制定された．同法は，第 1 審の訴訟手続は 2 年以内のできるだけ短い期間内に終局させることを目標とし，裁判所はその目標を実現するように努め，当事者もその目標が可能な限り実現できるよう，手続上の権利を誠実に行使すべきことなどを定めている．

憲法 37 条は強行規定か 判例は，かつて，裁判が迅速を欠き，憲法 37 条 I 項に違反したとしても，判決に影響を及ぼさず，判決破棄の理由とはならないとしていたが，学説の中には，憲法の迅速な裁判の要請に違反した以上，公訴棄却又は免訴の形式裁判(⇨ 518 頁)をして被告人の救済を図るべきであるとする主張が見られた．

高田事件判決 その後，最高裁は，憲法 37 条 I 項は，単に迅速な裁判を一般的に保障するために必要な立法上及び司法行政上の措置を採るべきことを要請するにとどまらず，さらに個々の刑事事件について，現実にその保障に明らかに反し，審理の著しい遅延の結果，迅速な裁判を受ける

被告人の権利が害されたと認められる異常な事態が生じた場合には，その審理を打ち切るという非常救済手段が採られるべきことをも認めている趣旨の規定であるとし，起訴後15年余審理が行われないままにされていたいわゆる高田事件について，免訴を言い渡した第1審判決を支持した(最大判昭47・12・20刑集26・10・631)．

ただ，同判決は，具体的事件における審理の遅延が迅速な裁判の保障条項に反する事態に至っているか否かは，遅延の期間のみによって一律に判断されるべきではなく，遅延の原因と理由などを考慮して，遅延がやむを得ないものではないかどうか，これによって保障条項が守ろうとしている諸利益がどの程度実際に害されているかなど諸般の情況を総合的に判断して決められなければならないとし，事件が複雑なために結果として審理に長年月を要した場合はもちろん，被告人の逃亡，出廷拒否又は審理の引き延ばしなど遅延の主たる原因が被告人側にある場合には，たとえ審理に長年月を要したとしても，迅速な裁判を受ける被告人の権利が侵害されたということはできないとした．このように，免訴による審理の打ち切りは，例外的にしか発動され得ない手段であり，その後，免訴相当とされた例はない．

> **百日裁判** 公職選挙法253条の2は，当選者自身のほか，総括主宰者，出納責任者，候補者の親族・秘書等に係る一定の事件について，受理後百日以内に判決するように努めなければならないと規定し，更に具体的に，第1回公判期日前に審理に必要と見込まれる公判期日を一括して指定すべきこと，第1回公判期日は受理後30日以内に，第2回以降の公判期日はその後の7日間ごとに1回以上指定すべきことを定めている．この規定に反したからといって直ちに訴訟手続が無効となるものではないが，これらの事件で有罪判決が確定すれば当選が無効になるなどの効果が生じることから，当選人としての法律関係を速やかに確定させるため，特に迅速な審理を義務付けたものである．

8　弁論の分離・併合，公判手続の停止・更新

> **313条 I** 裁判所は，適当と認めるときは，検察官，被告人若しくは弁護人の請求により又は職権で，決定を以て，弁論を分離し若しくは併合し，又は終結した弁論を再開することができる．

II 裁判所は，被告人の権利を保護するため必要があるときは，裁判所の規則の定めるところにより，決定を以て弁論を分離しなければならない．

314条 I 被告人が心神喪失の状態に在るときは，検察官及び弁護人の意見を聴き，決定で，その状態の続いている間公判手続を停止しなければならない．但し，無罪，免訴，刑の免除又は公訴棄却の裁判をすべきことが明らかな場合には，被告人の出頭を待たないで，直ちにその裁判をすることができる．

II 被告人が病気のため出頭することができないときは，検察官及び弁護人の意見を聴き，決定で，出頭することができるまで公判手続を停止しなければならない．但し，第284条及び第285条の規定により代理人を出頭させた場合は，この限りでない．

III 犯罪事実の存否の証明に欠くことのできない証人が病気のため公判期日に出頭することができないときは，公判期日外においてその取調をするのを適当と認める場合の外，決定で，出頭することができるまで公判手続を停止しなければならない．

IV 前3項の規定により公判手続を停止するには，医師の意見を聴かなければならない．

315条 開廷後裁判官がかわったときは，公判手続を更新しなければならない．但し，判決の宣告をする場合は，この限りでない．

弁論の分離・併合 　裁判所は，適当と認めるときは，当事者の請求又は職権により，弁論を分離し，若しくは併合し，又は終結した弁論を再開する(⇨352頁)ことができる(法313 I)．被告人らの防御が互いに相反するなどの事情があって被告人の権利を保護するために必要があると認めるときは，弁論を分離しなければならない(同II，規210)．

　ここでいう**弁論**とは，公判期日に当事者を関与させて行う審理(口頭弁論)であり，1個の事件(1被告人1訴因)ごとに成立するが，数個の事件をまとめて(併行して)審理した方がよい場合には併合することができる．1人の被告人に数個の起訴がなされることも多いし(併合罪)，共犯の場合には数人が共通の訴因で起訴されることになるので，弁論が併合される例は非常に多い．逆に，併合審理することが相当でない場合もしばしば生じるため，分離して各別に審理することもできる．1人の被告人の複数の訴因を併合・分離することを**客観的併合・分離**と呼び，複数の被告人の事件を併合・分離することを**主観的併合・分離**と称する．

客観的併合には，㋑1通の起訴状に複数の訴因が示される場合，㋺同一の裁判所に複数回起訴される場合，㋩別々の裁判所に起訴される場合が考えられる．㋑の場合は分離決定がなければ当然併合審理され[57]，㋺の場合は当事者の請求又は職権により併合される．この場合，通常**追起訴**という形がとられ，検察官が先に起訴した事件との併合を求めることが多い．㋩の場合は，まず，当事者が請求し，2つの裁判所が一致して1つの裁判所で審判する旨決定することが必要となる（**審判の併合**―法8．なお，上級裁判所と下級裁判所の間で審判を併合するには，前者の決定で足りる―法5）．

　併合のメリット　　客観的併合のメリットとしては，① 立証の便宜，迅速な審理等を図ることができるという訴訟経済，② 被告人にとって量刑上有利となり得ること（併合罪として処断されるため）などが考えられる．しかし，複数の事件の進行の度合いが異なることなどから，併合するとかえって訴訟の円滑な進行が妨げられるという事態も例外的には考えられるので，併合は裁判所が適当と判断するときに認められる．

　主観的併合の場合も，① 重複立証（同一証人の複数回出廷等）が避けられるなど訴訟経済に資すること，② 各被告人に共通する事実の合一的確定ができること，③ 被告人間の量刑のバランスが図れることなどのメリットがある．しかし，被告人の数が多くなりすぎると，訴訟の遅延を生じさせる危険や，裁判官の訴訟指揮権の適切な行使に支障を生じるおそれもある．また，被告人らの間で防御方針が相反し，被告人の権利の保護が不十分になる場合も生じる．そのため，以上の諸事情を総合的に考慮して，併合の当否を判断しなければならない[58]．

　共同訴訟における訴訟法律関係　　主観的併合の場合であっても，各被告人に対する訴訟手続は被告人ごとに**別個に存在する**．したがって，一方の被告人との関係で取り調べられた証拠が当然に他方の被告人との関係でも証拠となるわけではない．

---

57) 1通の起訴状に数個の事件が記載されている場合も，理論上は，これらの事件を同時に審理するには弁論併合の決定が必要である．しかし，客観的併合については両当事者に異議のないことが多いため，黙示の併合決定があったものとして，併合審理される例が多い（最判昭27・11・14刑集6・10・1199）．

58) 裁判員裁判においても，客観的併合・主観的併合が可能である（非対象事件との併合もできるが），裁判員に過度の負担がかからないようにするとの強い要請があるため，併合が認められることは従来より少なくなっている（なお，裁判員裁判における部分判決制度につき ⇒ 369頁）．

例えば，各被告人について併合前に取り調べられた証拠は，併合の効果として他の被告人の関係で証拠となるものではなく，その被告人との関係で改めて取調べ請求される必要がある．また，一方の被告人が請求した証人が採用されて尋問されても，当然には他の被告人との関係で証拠となるわけではないから，その被告人の弁護人が証人に尋問することはできない．そこで，共通の証拠調べとする必要がある場合には，他の被告人との関係でも証拠となるよう，その被告人からの請求又は検察官からの請求を促すか，職権によって取り調べる必要が生じる．以上のような手当をすることなどによって手続がかえって煩瑣になるような場合には，分離を考慮すべきことになる(⇨466頁)．

公判手続の停止　審理を進める上で妨げとなる以下のような事情がある場合には，裁判所は，公判手続を停止しなければならない．

まず，① **被告人が心神喪失**の状態にあるときは，その状態の続いている間公判手続を停止しなければならない(法314Ⅰ本文)[59]．心神喪失の状態とは，刑法上の責任能力の概念とは異なるものであり，被告人としての重要な利害を弁別し，それに従って相当な防御をすることのできる能力，すなわち訴訟能力を欠く状態をいう(最判平7・2・28刑集49・2・481，最判平10・3・12刑集52・2・17)[60][61]．② **被告人が病気**のため相当長期間出頭することができないときも，出頭できるまで公判手続を停止しなければならない(法314Ⅱ本文)[62]．また，③

---

[59]　ただし，法28条，29条による法定代理人又は特別代理人がある場合には，停止の必要はない．無罪，免訴，刑の免除又は公訴棄却の裁判をすべきことが明らかな場合には，被告人の出頭を待たないで，直ちにその裁判をすることができる(法314Ⅰ但書)．

[60]　公判手続を停止しても回復の見込みのない場合，実務上は，検察官が公訴取消し(法257)によって対処する例が多いが(⇨246頁注17)，裁判所も，検察官に検討を促しても公訴が取り消されず，公判手続の再開の可能性がないと判断できる場合には，法338条4号に準じて公訴棄却の判決をすることができる(最判平28・12・19刑集70・8・865)．この場合，仮に訴訟能力が回復したときは，再び公訴提起することも許されるものと解される(同判決の補足意見参照)．

[61]　最決平18・9・15判時1956・3は，被告人(申立人)の訴訟能力の有無が問題になった事案につき，鑑定人等は申立人を直接触診等した際に意図的とみられる反応等を示したことを確認した上，医学的見地から申立人の訴訟能力を肯定しているところ，申立人の本案事件第1審公判当時の発言内容，判決宣告当日の拘置所に戻ってからの言動，その後の拘置所内での動静，原々審の裁判官が直接申立人に面会した際の申立人の様子，申立人に対する頭部CT検査，MRI検査及び脳波検査において異常が見られないことなどの諸事実に徴すれば，訴訟能力を肯定した鑑定書等の信用性はこれを肯認するに十分であり，これとその余の諸事実を総合して申立人の訴訟能力を肯定した判断は正当であるとした．

[62]　ただし，法284条，285条により代理人を出頭させた場合は，この限りでない(法314Ⅱ但書)．

犯罪事実の存否の証明に欠くことのできない**証人が病気**のため公判期日に出頭することができないときは，公判期日外における尋問が適当と認められる場合のほか，出頭できるまで公判手続を停止しなければならない(同Ⅲ)．以上の場合に公判手続停止の決定をするには，検察官及び弁護人の意見を聴くほか，医師の意見を聴かなければならない(同Ⅳ)．

さらに，④ **訴因・罰条の追加・変更**により被告人の防御に実質的な不利益を生ずるおそれがあるときは，被告人又は弁護人の請求により，被告人に十分な防御の準備をさせるため必要な期間公判手続を停止しなければならない(法312 Ⅳ ⇨ 298 頁注5)．

公判手続の更新 公判手続の更新とは，裁判官が代わるなどの事情で，口頭主義，直接主義が害されるような事態が生じた場合に，裁判所の心証を再構築するためのものである．公判手続を更新すべき場合は，① 開廷後に裁判官が代わったとき(法315)[63]，② 被告人の心神喪失により公判手続を停止した後再度公判手続を進めるとき(規213 Ⅰ)，③ 開廷後長期間にわたって開廷しなかった場合で必要なとき(同Ⅱ)，④ 簡易公判手続又は即決裁判手続によって審判する旨の決定が取り消されたとき(法315の2・350の25 Ⅱ)である．公判手続の更新は，それまでの手続を全部やり直すものではなく，従前の手続の効力は維持した上，それまでに取り調べられた証拠のうち，証拠とすることができないと認めたものなどを除いて，職権で取り調べる手続である．

> **更新の具体的な手続** 裁判長は，まず検察官に起訴状に基づいて公訴事実の要旨を陳述させ，次いで被告人及び弁護人に対し，被告事件について陳述する機会を与えなければならない．そして，更新前の公判期日において取り調べられた証拠を原則としてすべて職権で取り調べることになるが，訴訟関係人が同意したときは，相当と認める方法で取り調べることができる(規213の2)．更新前の証人や被告人の供述について再度供述を求める必要はなく，それらの供述を録取した公判調書等を証拠書類として取り調べることになる[64]．

---

63) 判決宣告の手続のみであれば，更新の必要はない(法315 但書)．なお，裁判員裁判において裁判員が代わった場合(当初から審理に立ち会っていた補充裁判員が裁判員に選任された場合を除く)も，公判手続の更新が必要である(その際の手続につき注64参照)．
64) 更新手続は，当事者に異議がなければ適宜の方法によることができるので，実際には，双方の

9　簡易公判手続

> **291条の2**　被告人が，前条第IV項の手続〔冒頭手続〕に際し，起訴状に記載された訴因について有罪である旨を陳述したときは，裁判所は，検察官，被告人及び弁護人の意見を聴き，有罪である旨の陳述のあった訴因に限り，簡易公判手続によって審判をする旨の決定をすることができる．ただし，死刑又は無期若しくは短期1年以上の懲役若しくは禁錮に当たる事件については，この限りでない．

制度の趣旨　犯罪の成否に争いがなく主として量刑が問題となる比較的軽微な事件について合理化・迅速化を図るため，証拠調べ等を簡略化する手続であり，昭和28年に設けられた．具体的には，被告人が，冒頭手続で被告事件について陳述する機会に，起訴状記載の訴因について有罪である旨を陳述した場合は，裁判所は，有罪である旨の陳述のあった訴因に限り，簡易公判手続によって審判をする旨の決定をすることができる．この手続は，被告人の証人審問権を保障する憲法37条II項等に反するものではない(最判昭37·2·22刑集16·2·203)．対象は，死刑又は無期若しくは短期1年以上の自由刑に当たらない事件に限られる(法291の2)．

アレインメント　英米の法制においては，被告人が有罪の答弁をした場合，事実審理を開くことなく有罪とされ，量刑手続に入ることとされており，事前の答弁取引とも密接に結びついていることが指摘されている．これは，当事者の処分権主義を認めることになるため，わが国への導入に反対する見解が強く，自白に補強証拠を求める憲法38条III項に違反するとする見解もある．しかし，刑事司法の効率的な運用が求められている現在，一定の軽微な犯罪について，憲法に違反しないような厳格な要件を設定して採用することは不可能ではないものと思われる．現行の簡易公判手続は，伝聞法則を緩和し証拠調べ手続等を簡略化したにすぎず，自白の補強証拠を不要としたものではないから，アレインメントとは異なる制度である(即決裁判手続も同様であることにつき，362頁参照)．

当事者が従前のとおりである旨を述べるだけで済まされていることが多い．職業裁判官であれば，それまでに作成された公判調書や取り調べられた証拠書類等を公判廷外で精査することにより適切な心証を形成することが期待できるためであるが，裁判員制度の下では，新たに加わった裁判員が適切な心証を形成できるような実質的な更新手続が必要であるため，裁判員法は，「新たに加わった裁判員が，争点及び取り調べた証拠を理解することができ，かつ，その負担が過重にならないようなものとしなければならない」旨明記している(同法61 II)．

有罪の陳述　訴因に記載された事実の存在を認めることである．理論的には違法性阻却事由及び責任阻却事由の不存在も認めることが必要であるが，阻却事由の不存在を明示的に陳述する必要はない．具体的には，「事実はそのとおりです．有罪とされても異議はありません」という程度の陳述で足りる（最判昭 34・10・9 刑集 13・11・3034）．

　もっとも，公訴事実をすべて認める旨の陳述をしていても，簡易公判手続を望むとは限らない．そこで，裁判長は，被告人に対し簡易公判手続の趣旨を説明し，被告人の陳述がその自由な意思に基づくかどうかを確かめ，法 291 条の 2 に定める有罪の陳述に当たるかどうかを確認する必要がある（規 197 の 2）．

簡易公判手続の内容　簡易公判手続の第 1 の特徴は，証拠について，検察官，被告人又は弁護人が証拠とすることに異議を述べたものを除いて，法 320 条 I 項に定められた**伝聞禁止の法則が適用されない点**[65]にある（法 320 II ⇨ 420 頁注 3）．

　第 2 に，通常の**証拠調べ手続に関する規定が適用されない**（法 307 の 2）．すなわち，冒頭陳述はなく，証拠調べの範囲・順序・方法の決定又は変更，証拠調べの順序に関する制約もない．また，証拠調べは，公判期日において適当と認める方法でこれを行えばよい．

簡易公判手続の取消し　裁判所は，簡易公判手続による旨の決定をした場合であっても，その事件が簡易公判手続によることができないものであるか，又はこれによることが相当でないものであると認めるときは，その決定を取り消さなければならない（法 291 の 3）．

　簡易公判手続による旨の決定が取り消されたときは，公判手続を更新しなければならない（⇨ 359 頁）．ただし，検察官及び被告人又は弁護人に異議がないときは，この限りでない（法 315 の 2）．

　　簡易公判手続があまり利用されない理由　簡易公判手続は，実際にはあまり利用されていない．その理由はいろいろと考えられるが，簡易公判手続によることになるか否かは第 1 回公判を迎えなければ確定しないため，当事者の準備作業が簡略化

---

65)　法 319 条は除外されていないので，自白には補強証拠のあることが必要である．

できるわけではないこと，1回の公判で終結するような自白事件では，要旨の告知が行われた方が裁判官として事件を理解しやすく，公判廷外で証拠の内容を確認する作業にも変わりがないこと，簡易公判手続の決定が取り消されると，書証等について同意するか否かの意見を改めて聴取しなければならず，不同意となると通常訴訟と同じ手続を再度踏まなければならないことなどが考えられる．

10　即決裁判手続

> **350条の16　I**　検察官は，公訴を提起しようとする事件について，事案が明白であり，かつ，軽微であること，証拠調べが速やかに終わると見込まれることその他の事情を考慮し，相当と認めるときは，公訴の提起と同時に，書面により即決裁判手続の申立てをすることができる．ただし，死刑又は無期若しくは短期1年以上の懲役若しくは禁錮に当たる事件については，この限りでない．
>
> **II**　前項の申立ては，即決裁判手続によることについての被疑者の同意がなければ，これをすることができない．

制度の趣旨　手続の合理化・効率化と迅速化を図るため，争いのない軽微な事件について，簡易な手続で迅速に裁判をできる制度として，平成16年の法改正で導入された．

申立て　検察官は，事案が明白・軽微であり，証拠調べも速やかに終わると見込まれるなど相当と認めるときは，被疑者の同意等[66]を得た上で，公訴提起と同時に，即決裁判手続の申立てをすることができる（法350の16）．対象は，簡易公判手続と同様，死刑又は無期若しくは短期1年以上の自由刑に当たらない事件に限られる．現実には，事実関係が単純で，ある程度定型的に量刑判断できる事件において利用されている．

手続の内容　裁判所は，即決裁判手続の申立てがあった場合には，できる限り速やかに公判期日を開き[67]，その期日において，被告人が有罪の陳述をしたときは，この手続によることが不相当と認める場合などを除

---

[66] 被疑者段階で弁護人が付いている場合には，その同意ないし留保も必要とされている．また，即決裁判手続の期日には弁護人の出頭が必要的であるところ，被告人又は弁護人が同意を撤回した場合には，この手続によって審判する旨の決定を取り消さなければならないとされており（法350の25），被告人が正式な裁判を受ける権利の保護が図られている．

[67] 公判期日は，起訴の2週間後に開かれる例が多い．

き，この手続によって審判する旨を決定し，簡易な方法による証拠調べを行った上，原則として即日判決を言い渡さなければならない(法350の21〜350の24・350の28)．伝聞法則の適用がなく，証拠調べ手続に関する規定の適用がないことは，簡易公判手続の場合と同様である(法350の24・350の27)．アレインメントの制度と異なることも，簡易公判手続の場合(⇨360頁)と同様である．

弁護人の必要的関与 被疑者は，即決裁判手続によることについて同意するか否かを明らかにしようとする場合に，貧困その他の事由により弁護人を選任できないときは，国選弁護人の選任を請求できる(法350の17)．裁判所は，被疑者・被告人の同意のみでなく，弁護人の同意もなければ即決裁判手続によって判決を言い渡すことはできない(弁護人の同意の確認を要することにつき法350の20参照)．また，即決裁判手続を行うべき公判期日は，弁護人がないときには，開くことができない(法350の23)．このように，弁護人の同意を即決裁判手続による審理・判決の前提とすることによって，被疑者・被告人の権利の保護を図っている．

科刑制限・上訴制限 即決裁判手続において，懲役又は禁錮の言渡しをする場合には，その刑の全部の執行を猶予しなければならない(法350の29)．執行猶予に限ると，判決内容の予測が容易になるため，刑事裁判が被告人に与える感銘力を低下させることになるが，被告人が利用しやすいものとする必要があるため，科刑制限が設けられた．他方，再審請求をすることができる場合に当たる事由があるときを除き，当該判決で示された罪となるべき事実の誤認を理由とする上訴をすることはできない(法403の2・413の2)．上訴の権利はこのように制限されるが，相応の合理的理由があるから，裁判を受ける権利を保障する憲法32条に反するものではない(最判平21・7・14刑集63・6・623)．

以上のように，事実誤認による上訴権を制限し，法令違反，量刑不当等を理由とする上訴を許しているにすぎないが，手続面で被告人の同意と弁護人の関与を必要的とし，実体面で刑の全部の執行猶予に限ることによって，上訴される事態は少ないものと考えられる．

364 ●第 4 章 公判手続

再起訴制限の緩和　即決裁判手続の申立てがなされた後に被告人が否認に転じるなどしたために同手続によらないこととなった事件について，証拠調べが行われることなく公訴が取り消されたときは，公訴取消し後の同一事件についての再起訴の制限(法340⇨220頁)の例外として，同一事件について更に起訴することができる(法350の26)[68]．

11　裁判員制度

制度の趣旨　「裁判員の参加する刑事裁判に関する法律」(裁判員法)により，平成21年5月から，一般の国民の中から選ばれた裁判員が裁判官とともに一定の重大な犯罪に関する裁判を行うという裁判員制度が実施されている．この制度は，国民に裁判に加わってもらうことによって，国民の司法に対する理解を増進し，長期的にみて裁判の正統性に対する国民の信頼を高めることを目的とするものであり，それまでの刑事裁判も基本的にはきちんと機能していたという評価を前提として，新しい時代にふさわしく，国民にとってより身近な司法を実現するための手段として導入されたものである．連日的開廷による集中審理(それに伴う迅速化)の実現と，直接主義・口頭主義の実質化を推進する力となるものであることから，それまでのわが国の刑事裁判の問題点を解消し得るものと期待された．施行後は，裁判員等として関与する国民の高い意識と誠実さに支えられ，制度を運用する法曹三者の努力などもあって，概ね順調に運用され(証拠調べの変容につき，349頁参照)，制度として定着しつつある[69]．

---

[68]　即決裁判制度は，導入当初はそれなりに利用されていたが，その後はあまり利用されなくなっており，その理由の一つとして，その制度が捜査手続等の合理化・効率化に直接つながるものではないことが指摘されていた．検察官としては，被告人が否認に転じても立証不十分にならないような捜査をしておく必要があるため，即決裁判手続を求めるメリットが少ないと考えられたことなどによる．そのため，平成28年法改正により，再起訴制限が緩和され，これによって，被告人側の応訴態度の変化で即決裁判手続によらないこととなった場合に，一旦公訴を取り消して再捜査する余地を認めて，即決裁判手続の利用の拡充による捜査・公判手続の合理化・効率化を図ろうとしている．この法改正の後，申立て件数は多少増加したものの，再び減少傾向にある．

[69]　裁判員制度導入前の刑事裁判については，少数ながら世間の注目を集めるような事件で審理が長期化すること，審理・判断が必要以上に精緻なものとなり書証依存の傾向があることなどが，

(1) 基本構造

対象事件　裁判員制度の対象となる事件は，法定刑に死刑又は無期刑を含む事件と法定合議事件のうち故意の犯罪行為で人を死亡させた事件という，国民の関心の高い重大事犯(件数としては地裁に起訴される事件の 2% 程度)である．もっとも，裁判員に過度の負担を負わせるのを避けるため，裁判員やその親族等に危害が加えられるなどのおそれがあって，裁判員の職務の遂行ができないような事情がある場合と，審判に著しく長期間を要したり，裁判員が出頭しなければならない公判期日等が著しく多数回で，裁判員の選任が困難であるような事情がある場合には，対象事件から除外される．

被告人が公訴事実を認めるか否かによる区別は設けられず，また，被告人に裁判員の関与した裁判体によるか裁判官のみの裁判体によるかを選択する権利も認められていない．

合議体の種類・構成　対象事件は，基本的には，裁判官 3 人と裁判員 6 人の合議体(原則的合議体)で取り扱われる．例外的に，公訴事実に争いがなく，事件の内容等に照らし適当であり，当事者にも異議がない事件については，裁判官 1 人と裁判員 4 人の合議体(例外的合議体)で審理・裁判することができるとされている．なお，必要な場合には補充裁判員が置かれる．

裁判員の権限　裁判員は，裁判官とともに，事実の認定，法令の適用(いわゆる法令の当てはめである)，刑の量定を行うが，その他の判断，すなわち法令の解釈，訴訟手続に関する判断等は，基本的に，裁判官のみが行う．後者の判断については専門的知識や迅速な判断が求められることなどによる．裁判員が判断に関与する事柄の審理は裁判官と裁判員で行い，裁判員にも証人等に対する質問権が認められ，他方，裁判官のみが判断する事柄の審理は裁判官のみで行うこととなる．

大きな問題点として指摘されていた．制度導入後は，計画的・集中的な公判審理と直接主義・口頭主義を重視した証拠調べが実現し，それらの問題点の多くは解消できつつあると考えられるが，公判前整理手続の長期化への対策，裁判員候補者の辞退率の上昇への対策などの課題も指摘されており，制度の定着までにはなお相当の期間を要するものと思われる．

評議・評決 裁判員の関与する判断のための評議は，構成裁判官と裁判員が行うが，裁判長は，必要な説明を丁寧に行い，分かりやすく評議を整理し，裁判員の発言する機会を十分に設けるなど，裁判員が職責を十分に果たすことができるように配慮しなければならない．評決は，基本的には単純過半数で決せられるが，構成裁判官又は裁判員のみによる多数では被告人に不利益な判断をすることができない．裁判官と裁判員の協働という本制度導入の趣旨に基づくものである．

> **陪審制との相違** 陪審制を採る多くの法域においては，事実認定は陪審のみが行い，法令の解釈と量刑は裁判官が行うものとされている．また，陪審の評決については，結論のみで理由が示されないため，事実誤認に関する上訴は認められていない．裁判員制度は，裁判員と裁判官が共に事実認定・量刑を行い，判決においては従来どおり理由を示し，事実誤認に対する上訴も認めるものであって，陪審制との相違は大きい．

(2) 裁判員の選任

選任される裁判員 裁判員は，衆議院議員の選挙権を有する国民[70]の中から無作為抽出の方法で選ばれた候補者を母体として選任される．その候補者の中で，制度の趣旨から裁判員となることが相当でない者，すなわち法で定められた欠格事由[71]・就職禁止事由・不適格事由に該当する者は除かれ，また，国民に過大な負担を強いることはできないため，辞退の申立てをした者の中で，裁判所が辞退事由[72]に当たると認めた者も除かれることになる．

選任手続 まず，地方裁判所が，毎年，翌年に必要な裁判員候補者の員数を算定

---

70) 18歳以上の者が選挙権を有することとなった平成28年6月以降も，しばらくは20歳未満の者は就職禁止事由該当とされていたが，令和4年4月以降，選挙権を有する18歳以上の国民から選ばれる．
71) 欠格事由は，義務教育を終了しない者，禁錮以上の刑に処せられた者，心身の故障のため職務の遂行に著しい支障がある者等である．
72) 辞退事由は，70歳以上の者，常時通学する学生・生徒のほか，病気，同居の親族の介護・養育，自ら処理しなければ著しい損害を生じさせる重要な用務，日時を変更できない社会生活上重要な用務等があり，裁判員の職務を行うことが困難である者等である．

し，管轄区域内の市町村に割り当てる．その通知を受けた市町村の選挙管理委員会は，選挙権のある者の中から通知された員数の者をくじで選び，その名簿を地方裁判所に送付し，地方裁判所ごとに裁判員候補者名簿を調製する．そして，個々の対象事件の第1回公判期日が決まると，候補者名簿の中から更に抽選してその事件の裁判員候補者を選定し，裁判員等選任手続の行われる期日に呼び出す．選任手続期日には，裁判員候補者が欠格事由・就職禁止事由・不適格事由等に該当しないか，不公平な裁判をするおそれがないかなどを判断するために，候補者への質問が行われ，それらの事由に該当する候補者については，請求又は職権により不選任の決定がされる．また，辞退を申し立てた候補者が辞退事由に該当する場合も，不選任決定がされる．これに加えて，訴訟当事者は，一定数まで理由を示さない不選任の請求をすることができる．このような手続を経て不選任とならなかった裁判員候補者の中から，規則の定める方法で裁判員及び補充裁判員が選任される[73]．

なお，裁判員がその義務に違反し，引き続き職務を行わせるのが適当でないと認められるときや，その資格を有しなくなったことが明らかになったときなどは，当事者の請求により又は職権で，解任される．

(3) 裁判員の参加する公判の手続

公判前整理手続　裁判員事件では，審理に要すると見込まれる期間が明らかになっている必要があることから，必ず公判前整理手続に付される．この手続を経ることによって，争点を絞り，効率的で，しかも裁判員に分かりやすい集中的・計画的審理を実現させることが可能となる．すなわち，裁判員の拘束される期間をできるだけ短くし，争点に集中した審理を行うことによって，裁判員の負担が過重にならないようにすることができるとともに，裁判員が事件の実体に関して理解し，裁判官との評議を経て刑事裁判に実質的に関与できるようになる．また，公判前整理手続においては，請求された証拠の採否の決定まで行うことができるから，裁判員の関与しない訴訟手続に関する判断などは，可能であればこの段階ですませておくことが

---

[73] 不選任請求を却下した決定に対しては，異議申立てをすることができ，対象事件の係属する地方裁判所の別の合議体が判断することになる．この異議申立てに関しては即時抗告に関する規定が準用されるが，選任手続の性質に照らし，執行停止の効力に関する刑訴法425条は準用されず，異議申立てがされても裁判員等選任手続は停止されない（最決平25・3・15刑集67・3・319）．

できる[74]．

<small>鑑定手続
実施決定</small>　従来，審理が長期化する1つの大きな要因となっていたのが鑑定，特に精神鑑定であった．裁判員が参加した審理を始めた場合には，鑑定のために長期間審理が中断するような事態を可能な限り避けるのが望ましいことから，公判開始前に鑑定を決定して調査等の作業を実施させ(鑑定手続実施決定)，その結果を予定された公判審理の中で報告させることができるようになった．

<small>公判手続の特則</small>　裁判官，検察官及び弁護人は，裁判員の負担が過重なものとならないようにしつつ，裁判員がその職責を十分に果たすことができるよう，審理を迅速で分かりやすいものとすることに努めなければならない．特に，裁判員法では，**冒頭陳述**に当たって，公判前整理手続における争点及び証拠の整理の結果に基づき，証拠との関係を具体的に明示しなければならないこと，**公判手続の更新**に際しては，新たに加わる裁判員がその後の審理に実質的に関与できるようにするため，争点と既に取り調べられた証拠を，過重な負担なしに，理解できるようにする必要があることが明記されている．

<small>証拠調べ</small>　証拠調べについても，適正・迅速で分かりやすいものとなることが必要であるため，新たに刑訴規則において，その実現のための規定が設けられた(これらの規定は，裁判員制度によらない一般事件でも心掛けるものであるため，裁判員法の施行に先立ち，平成17年11月から施行されている)．

まず，争点を中心とした公判審理を実現するため，証拠調べの請求に当たっては，必要な証拠を厳選しなければならない(規189の2)．争いのない事実については，訴訟関係人は，誘導尋問，同意書面，合意書面を活用するなどして，合理的な証拠調べが行われるように努めなければならない(規198の2)．さらに，犯罪事実に関しないことが明らかな情状に関する証拠の取調べは，できる限り，犯罪事実に関する証拠調べと区別して行うよう努めなければならない(規198の3)．

また，従来，供述調書の任意性・信用性等が争われる事件では，往々にして取調べの状況に関する証拠調べに時間を要し，審理長期化の原因ともなっ

---

[74]　裁判員事件においては当事者追行主義を前提とした訴訟運営が特に強く要請されることにつき，262頁注12参照．

ていたため，特に，立証責任のある検察官に対し，被告人又は被告人以外の者の供述に関して取調べの状況を立証しようとするときは，取調べ状況記録書面等の資料を用いるなどして，迅速かつ的確な立証に努めなければならないことが規定された(規198の4)[75]．

現実の裁判員裁判においては，多くの事件で，争点を中心とした分かりやすい審理が行われるようになってきている(⇨349頁)．

部分判決　1人の被告人に対して裁判員裁判の対象事件を含む複数の事件が起訴され，その弁論が併合された場合には，裁判員の負担等を考慮し，一定の場合に，一部の事件を区分して順次審理し(**区分審理決定**)，事実認定に関する**部分判決**を行い，最後の合議体が残りの事件を審理した上，併合事件全体について刑の言渡しを含めた終局判決を行うことができる．すなわち，複数の事件が併合され，審理の長期化が予想されるなどの場合に，裁判員の負担が著しく大きいため円滑に裁判員を選任できなくなることが予想されるため，そのような一定の場合に，裁判所は，一部の事件ごとに区分し，順次審理する旨の決定をすることができる．区分審理が行われると，有罪・無罪・管轄違い・免訴・公訴棄却のいずれかの部分判決が順次言い渡されるが，部分判決に対して独立して不服を申し立てることはできない．裁判所は，すべての区分事件の審理を終えた後，残りの事件の審理及びすべての事件の情状について審理し，併合事件全体について，量刑判断を含めた終局判決を行う．終局判決を行う裁判体の構成員である裁判員は，自ら事実関係の審理に加わっていない区分事件についても併せて刑の量定を行うことになるが，部分判決において犯行の動機，態様，結果等の情状に関する事実が示されるので，それを基に判断することになる．

---

[75] 裁判員制度対象事件に関しては，同制度の実施前から，検察官及び警察官による被疑者の取調べにおいて，裁量による録音・録画が試行され，その後，試行範囲が拡大し，検察官の取調べについては本格的に実施されていた．そのような状況も前提として，平成28年法改正により，裁判員制度対象事件については，逮捕・勾留中の被疑者の取調べについては録音・録画が義務付けられることとなった(法301の2．令和元年6月1日施行⇨160頁)．このような実情を背景として，被疑者の取調べ状況を録音・録画したDVDが裁判員裁判で取り調べられる例も生じている．このDVDを自白の任意性の立証のみでなく，罪体立証の実質証拠として用いた例もあるが，公判中心主義(⇨350頁)からの要請等も考慮すると，その必要性は慎重に判断されることになろう(東京高判平28・8・10高刑集69・1・4参照)．

(4) 裁判員の保護・罰則

保護のための措置　労働者が裁判員の職務を行うために休暇を取得した場合に，解雇その他不利益な取扱いをすることを禁止し，裁判員や裁判員候補者等を特定するに足りる情報を公にすることを禁止し，事件係属中に当該事件に関して裁判員・補充裁判員と接触することを禁止するなど，裁判員等を保護するための規定が設けられている[76]．

罰則　裁判員等に対する請託罪，威迫罪や，裁判員等の氏名漏示罪を設けるなどして，裁判員等の保護を図っているほか，裁判員等に対しても，職務上知り得た秘密等を漏らした場合や，裁判員候補者が質問票に虚偽の記載をした場合などについて，罰則が設けられている．

(5) 裁判員制度の合憲性

合憲性　裁判員制度については，当初から違憲論も存在したため，それを意識した制度設計が進められたが，制度開始後2年半を経て，最高裁は，多岐にわたって裁判員法の違憲が主張された事件につき，憲法が採用する統治の基本原理や刑事裁判の諸原則，憲法制定当時の歴史的状況を含めた憲法制定の経緯，憲法の関連規定の文理等を総合的に検討し，その合憲性を肯定した(最大判平23・11・16刑集65・8・1285)[77]．

---

[76] 立法段階において，犯罪報道を行うに当たっては裁判員等に事件に関する偏見を生ぜしめないように配慮しなければならないと規定することが検討されたが，報道機関が自主ルールを策定すべき対応を始めたことから，その状況を踏まえて更に慎重に検討する必要があるとして，見送られた．平成20年初めに新聞協会等が指針をまとめ，自主ルールの策定が進められたが，その実効性を巡っては種々の議論があり，今後の運用を見守る必要がある．

[77] 最大判平23・11・16は，合憲判断を示した上で，以下のように付言している．「裁判員制度は，陪審制に類似するが，参審制とも共通するところが少なくなく，わが国独特の国民の司法参加の制度であるということができる．それだけに，この制度が陪審制や参審制の利点を生かし，優れた制度として社会に定着するためには，その運営に関与する全ての者による不断の努力が求められる．裁判員制度が導入されるまで，わが国の刑事裁判は，裁判官を始めとする法曹のみによって担われ，詳細な事実認定などを特徴とする高度に専門化した運用が行われてきた．司法の役割を実現するために，法に関する専門性が必須であることは既に述べたとおりであるが，法曹のみによって実現される高度の専門性は，時に国民の理解を困難にし，その感覚から乖離したものにもなりかねない側面を持つ．刑事裁判のように，国民の日常生活と密接に関連し，国民の理解と支持が不可欠とされる領域においては，この点に対する配慮は特に重要である．裁判員制度は，

司法の国民的基盤の強化を目的とするものであるが，それは，国民の視点や感覚と法曹の専門性とが常に交流することによって，相互の理解を深め，それぞれの長所が生かされるような刑事裁判の実現を目指すものということができる．その目的を十全に達成するには相当の期間を必要とすることはいうまでもないが，その過程もまた，国民に根ざした司法を実現する上で，大きな意義を有するものと思われる．このような長期的な視点に立った努力の積み重ねによって，わが国の実情に最も適した国民の司法参加の制度を実現していくことができるものと考えられる．」

第5章 証拠法

I 総　説

1　証　拠

317条　事実の認定は，証拠による．

(1) 証拠裁判主義

　　　　　　刑事訴訟の目標は，① 具体的刑罰権の存否の確定，すなわち公訴提
　証　拠　起された事件について被告人に刑罰を科すことができるか否かの確
定と，② 量刑，すなわち科すことができるとしたらどのような刑罰を科すの
が相当であるかを量定することにある．前者は，さらに，(i) 当事者(検察官)
の主張する一定の犯罪事実が認められるか否かの確定(**事実認定**)と，(ii) その
事実に法を適用することにその作用を分けることができる．実際の裁判にお
いては，事実認定が重要になることが圧倒的に多い(⇨ 494 頁)．適正な事実
認定がされてこそ，初めて正当な法律の適用が可能になるからである．

　犯罪事実の認定は，過去に生じた事実の認定であり，それを直接見聞した
者は判断者とはなれないから[1]，判断者としては，直接見聞した者ら(目撃者,
被害者，被告人等)の報告(供述)によったり，あるいは犯罪が残した様々な痕跡
を手掛かりにしたりして，合理的な推論を重ね，犯罪事実を認定するのであ
る．ここでいう報告や痕跡のように合理的推論の根拠となる資料を**証拠**とい
う．この事実認定に関する法則を**証拠法**といい，その手続を証拠調べ手続とい
う．

---

[1] 事件の証人となった裁判官が職務の執行から除斥されること(法 20 ④)などにその一端が現れ
ているが，公正な裁判を実現する上で不可欠な要素である．

証拠法 証拠調べ手続についての定めに加えて，証拠の許容性に関する法則からなる．狭義の証拠法は後者を指す．その法源としては，① 憲法37条Ⅱ項，38条Ⅱ・Ⅲ項，② 刑訴法317～328条が中心であり，具体的には自白法則(⇨400頁)と伝聞法則(⇨418頁)からなる．ほかに，実定法規に明示されていないものとして，(ア)挙証責任(⇨395頁)，(イ)関連性の要求(⇨383, 476頁)，(ウ)公知の事実(⇨393頁)，(エ)違法収集証拠の排除(⇨479頁)等に関する理論がある．

法317条は，事実の認定は証拠に基づくものでなければならないとする(**証拠裁判主義**)[2]．ここでいう「事実」とは，訴訟で問題となる一切の事実ではなく，犯罪事実を指す．また，「証拠」とは，どんな証拠でもよいというのではなく，**許容性のある証拠**，すなわち証拠能力・証明力があり適式の証拠調べを経た証拠を意味する．同条は，犯罪事実については厳格な証明(⇨387頁)を要するという趣旨をも含んでいるといえる．

> 証拠裁判主義は，古代の神判のような証拠によらない裁判を排し，訴訟における事実の存否は証拠に基づく合理的なものでなければならないとするものであり，近代裁判の大原則とされている．それは，糾問主義のころの自白偏重主義への反省に基づくものでもある(⇨14頁)．

(2) 証拠の種類と分類

証拠資料・方法 「証拠」というと，証人と証拠物などが思い浮かぶであろう．ただ，事実認定の資料となり証明の手段となり得るのは，証人の証言や，証拠物の内容・形状などである．このような「推論の資料」そのものである証言や証拠物の内容・形状などを，特に**証拠資料**と呼ぶ．他方，証拠資料の供給源となる証人や証拠物を**証拠方法**と呼ぶ．証拠方法を取り調べることによって得られるものが証拠資料なのである．

---

[2] 犯罪については，発生から犯人の検挙を経て起訴されるまでの間に，時として過激な報道が行われる．判断者は，そのような報道内容によって心証を形成することがあってはならない．職業裁判官は事実認定について訓練し，経験を重ねているため，証拠に基づいてのみ事実を認定することが可能であるが，裁判員制度においては，裁判員の心証に影響を及ぼさないか懸念されている．報道機関の策定した自主的なルールの適切な運用や，裁判官の適切な説明などにより，そのような心配のない制度とする必要がある．

証拠方法は，人証・物証・書証に分かれる．

人証・物証・書証 **人証**は，証人，鑑定人，被告人のように口頭で証拠を提出する証拠方法であり，証拠調べの方式は，尋問(法304)又は質問(法311)である．

物証とは，犯行に使用された凶器や犯行によって得られた被害品のように，その物の存在及び状態が証拠資料となる物体をいう．現場も物証に含まれる．証拠調べの方式は，展示(法306)又は検証(法128)である[3]．書面であっても，凶器を隠すのに使用した新聞紙のように，内容は問題とならず存在と状態だけが証拠として用いられる場合は，物証であって書証ではない．書面の性質を併有する物証は，証拠物たる書面と呼ばれる．

書証とは，その記載内容が証拠資料となる書面をいう．書証は，更に証拠調べの方式によって**証拠書類**と**証拠物たる書面**とに分けられる．前者は朗読だけで足りるが(法305)[4]，後者は展示と朗読の両方が必要である(法307)[5]．

> 証拠書類と証拠物たる書面は，書面の記載内容だけが証拠となる場合であるか，記載内容のみでなく書面の存在又は状態も証拠となる場合であるかによって区別される(最判昭27・5・6刑集6・5・736)．両者の差異は，証拠調べの方式として朗読のほかに展示を要するか否かにある．展示とは，物の存在・状態を知覚することにほかならないから，偽造した文書などのようにその記載内容と共にその存在や状態が証拠価値を有している書面は，代替性のない証拠物たる書面であり，他方，そ

---

3) 証拠物の取調べ方式は，その物を示すこと，すなわち展示である．裁判長は，証拠物の取調べを請求した者にこれを示させることになるが，自らこれを示し，又は陪席の裁判官若しくは裁判所書記官にこれを示させることもできる(法306 I・II)．証拠調べが終わると裁判所に提出され(法310)，領置される．

4) 証拠書類の取調べ方式は，取調べを請求した者にこれを朗読させるのが原則であるが，裁判長自らこれを朗読し，又は陪席の裁判官若しくは裁判所書記官にこれを朗読させることもできる(法305 I・II)．また，相当と認めるときは，朗読に代えて，要旨の告知によることができる(規203の2)．証拠調べが終わると裁判所に提出され，訴訟記録に編綴される．なお，裁判所の許可があれば，原本に代えて謄本を提出することができる(法310)．

5) 証拠物たる書面の取調べ方式は，展示及び朗読である(法307)．朗読の代わりに要旨の告知をしてもよい(規203の2)．展示や朗読は，証拠の内容をより良く認識する方法の例示であるから，証拠資料の性質によっては他の方法を用いる方が適当な場合もある．例えば，録音テープの場合の再生，映画フィルムの場合の映写等である．録音テープの証拠調べの方式につき，最決昭35・3・24(刑集14・4・462)は，犯行現場で犯行時の犯人の発言を中心に録音したテープにつき，その証拠調べは，公判廷でこれを展示し，かつ録音再生機により再生する方法によるべきであるとしている．

れ以外の，捜査機関の作成した供述調書，私人の作成した被害届などのように記載内容だけが証拠価値を有しその存在や状態が問題とならない書面は，代替性のある証拠書類と考えられる．

　以上と似た分類方法として，**人的証拠**と**物的証拠**がある．証拠方法が自然人である場合が人的証拠であり，それ以外の場合が物的証拠である．両者は，これを取得する強制処分に差異がある．すなわち，人的証拠を取得する強制処分は召喚，勾引であり，物的証拠を取得する強制処分は押収である．人的証拠は，原則として人証であるが，人の身体の状態が証拠となる場合（例えば，傷痕，指紋）は，人的証拠ではあっても，人証ではなく，物証である．物的証拠は，物証と書証を含んでいる．

直接証拠
間接証拠

　犯罪事実を直接証明するのに用いられる証拠が**直接証拠**であり，具体的には目撃者の証言，被害者の証言，被告人の自白，又はそれらの者の供述調書などである．これに対し，**間接証拠**とは，犯罪事実を直接にではなく，一定の事実（**間接事実**）を証明することにより犯罪事実の証明に寄与する証拠であり，例えば，犯行現場に残された犯人の指紋や凶器の存在などを証明する証拠がこれに当たる．犯罪事実は，実際には多くの間接事実によって推論されていく．例えば，指紋や凶器の存在から特定の人物が犯行現場に居たこと（間接事実）を証明し，その事実などから，その者による犯行を推認することが可能となる（⇨500頁）．間接証拠のみによって，有罪を認定することも可能である（最判昭38・10・17刑集17・10・1795）．間接証拠のことを**情況証拠**ともいう[6]．

　　本証と反証　要証事実（⇨418頁）について挙証責任を負っている者がその事実を証明するために提出する証拠を本証といい，相手方がその事実を否定し，あるいはそれに疑いを生じさせるために提出する証拠を反証という[7]．刑事訴訟では，検察官が犯罪事実の存在や違法性等阻却事由の不存在を証明する責任を負っているので（⇨397頁），通常は検察官の提出する証拠が本証であり，被告人側の提出する証拠が反証となる．

---

6)　実務上は，間接事実のことを情況証拠という場合もある．
7)　規則204条は，相手方の証拠の証明力を争うために提出される証拠を反証と呼んでいる．

実質証拠
弾劾証拠　犯罪事実の存否の証明に向けられる証拠を実質証拠といい，実質証拠の証明力を弱める証拠を弾劾証拠という[8]。例えば，犯行の目撃者の証言の証明力を弱めるために，目撃時が薄暗くなっていた事実を証明する証拠は，弾劾証拠である。弾劾証拠は反証に含まれるが，反証が実質証拠である場合もあることに注意しなければならない。弾劾証拠については，証拠法上，特別の扱いがなされる（⇨461頁）。

供述証拠と
非供述証拠　言語又はこれに代わる動作によって表現された供述（認識・判断の叙述）が証拠となるものを**供述証拠**という。例えば，証人の証言，供述調書等である。これに対して，物の存在，状態などを証明するためのそれ以外の証拠を**非供述証拠**という[9]。例えば，犯行に使用された凶器等である。証拠物を検証して調書にすると，そこでは検証者による認識・評価の叙述が含まれるので，供述証拠となる。ただ，両者の区別は，必ずしも形式的に決定できるわけではない。写真や録音テープ等を供述証拠と解するか非供述証拠と解するかについては，争いがある（⇨427-429頁）。

　被告人（被疑者）から供述を得る場合には，黙秘権の適用があるが，指紋や血液等の非供述証拠を得ることは，意思に反してでも行い得る。同様に写真撮影，身体測定を強制することも禁じられてはいない（法218Ⅲ・137・138等）。ここにも，供述証拠と非供述証拠の差が生じる。

供述証拠は，人の記憶に残っている犯罪の現象を再現する証拠であるから，それが法廷に達するまでに，知覚して記憶し，その後表現し叙述するという各段階において誤りが入り込む危険がある。そこで，原則として，相手方の反対尋問にさらすなどして誤りの有無と程度を確かめた上でなければ証拠にできない。これに対し，非供述証拠は，このような危険を考慮する必要がない（現場に残された凶器は，法廷で証拠調べをする際も，同じ状態であるといってよ

---

8) 実質証拠の証明力に影響を及ぼす事実（補助事実）を証明する証拠を補助証拠という。補助証拠のうちの主要なものは弾劾証拠であるが，ほかに，証明力を強める増強証拠，一度弱められた証明力を回復する回復証拠がある。
9) 供述証拠と非供述証拠の区別は，人的証拠と物的証拠の区別と必ずしも対応しない。人的証拠でも，人の身体は，非供述証拠であるし，物的証拠でも，供述書，供述調書などは，供述証拠である。

い）．そこで，犯罪事実との関連性(⇨383頁)が認められれば，証拠とすることができる．

公判廷外の供述を内容とする証拠で，その供述の内容の真実性を立証しようとするものを**伝聞証拠**と呼ぶ．「伝聞証拠は反対尋問によるチェックを経ておらず，誤りが含まれている危険があるので，証拠になし得ない」という原則を**伝聞法則**という．供述証拠と非供述証拠との差は，伝聞法則の適用の有無にあるということになる．

2 証拠能力と証明力

> **318条** 証拠の証明力は，裁判官の自由な判断に委ねる．

(1) 自由心証主義

自由心証主義 法318条は，裁判官の理性と良心を信頼して証拠の証明力の評価を裁判官の自由な判断に委ねた方が実体的真実の発見に資するという考えの下に，「証拠の証明力の評価を法律で定めることをせず，専ら裁判官の自由な判断に任せる」という自由心証主義を採用している[10]．

かつては，証拠の証明力を裁判官の自由な心証に委ねることをせず，一定の証拠がなければ有罪とされないとか，一定の証拠があれば一定の事実を認定しなければならないとされていた（**法定証拠主義**）．その時期には，自白が重視されていたため，自白を得るための拷問が行われることにもなった．それに対する批判として登場したのが自由心証主義である．その意味で，自由心証主義には，「自白偏重の否定」という意味が込められている（証拠裁判主義 ⇨ 374頁）．また，証拠の価値（証明力）は具体的な事案によって異なるものであるから，あらかじめ一般的に法定するのは無理である．その点にも，法定証拠主義が否定された理由がある．

もっとも，自由心証主義といっても，裁判官の恣意的な判断を許すものではなく，その判断は論理則や経験則に基づく合理的なものでなければならな

---
10) 自由心証主義は，後述の厳格な証明，自由な証明のいずれにも妥当する．

い．したがって，現代社会においては，**裁判官による経験則に適合した合理的な判断**がなされているか否かが重要であるといえよう[11]．

> 現行法は，自白に関して自由心証主義の例外を定めている．すなわち，自白だけでは，それがどんなに信用できるものであっても，有罪にしてはならず，必ず他の証拠（補強証拠）を必要とする（憲 38 III，法 319 II）．これは自由心証主義の**唯一の例外**であるが，この例外も，自白偏重の否定から生じたものである．

また，「自由」といっても意外に制限されていることに留意する必要がある．まず，判断の材料に用い得る証拠の範囲はかなり制限されている（証拠能力 ⇨ 381 頁）．そして，最終段階においても，「疑わしきは被告人の利益に」の原則が働く（挙証責任 ⇨ 395 頁）．ただ，わが国の場合，陪審制を採用した英米法系の国よりは，裁判官の判断が重視されているといえよう．陪審制の下では，法律の専門家ではない陪審員の判断を誤らせないようにするために，証拠能力はもとより，証拠調べの方法まで細かな制限が定められているのに対し，大陸法系では，法律家としての裁判官の理性を信頼して自由な心証形成を任せる面が広く残されている[12]．

証明力 裁判における事実認定としては，当事者が犯罪事実や犯罪の成立を否定する事実などを証明しようとして提出した証拠につき，その証明力を評価することが中心となる．そのような証拠が事実についての心証を形成させる力を**証明力**（**証拠価値**）という．証明力は，その有無のみでなく程度が問題となる（⇨ 495 頁）．

現実の裁判においては事実認定が最も困難な問題となることが多いが，その困難性の最大の原因は，裁判官の自由な判断に任されている証拠の証明力

---

[11] 証拠の評価が客観的にも合理的なものとなるために，当事者に証拠の証明力を争う機会を与え（法 308），有罪判決には犯罪事実を認定した証拠の標目（法 335 I）を含む理由（法 44 I）を示すことを求め，さらには，下級審の判断の合理性について上訴審が審査することにしている（法 378 ④・382・411 等）．
[12] 裁判員制度は，法律専門家である裁判官と非法律家である裁判員とが相互のコミュニケーションを通じてそれぞれの知識・経験を共有し，その成果を裁判内容に反映させようとするものであるが，陪審制の下におけるような細かな規定を設けることは想定されていない（裁判員の自由心証を保証していることにつき，裁判員法 62 条参照）．それは，自由心証主義といえども論理則・経験則に基づく合理的なものでなければならないことを，裁判官が加わることによって担保できるものと考えていることによる．

の評価が形式的・一義的には決定し得ないという点にある．証明力の有無・程度をめぐって当事者の意見が異なる例は枚挙にいとまがない．したがって，国民の規範意識を体現しつつ説得力のある証明力の評価を行う能力こそが，専門家としての法律家の存在意義であり，その能力を獲得するための日々の研鑽が強く求められている．

証拠の証明力は，証拠と事実との間の関連性の大きさを示す**狭義の証明力**（**関連性** probative value）と，その証拠がどの程度信用できるのかという**信用性**（credibility）からなる．「被害者の横で犯人の顔を見た」という証言の方が「100m前方に逃げ去った犯人の服を見た」という証言よりも関連性が大きい．他の多くの証拠，特に客観的証拠と符合する証言の方が他にそのような証拠のない証言よりも信用性が高い．論理的にその者しか知り得ない事実が含まれていて，それが他の証拠により確認された場合なども[13]，その証言の信用性は高い．

(2) 証拠能力

証拠能力の意義　証拠能力とは，証拠として事実認定に用いることの適格性のことで，狭義には，厳格な証明（⇨387頁）の資料として公判廷で取り調べることができる証拠の法律上の資格をいう．証拠能力のない証拠は，犯罪事実の認定に用いてはならないだけでなく，証拠調べをすることも許されない．裁判官[14]の心証形成に不当な影響を及ぼすおそれがあるからである．その意味で，証拠の許容性と表現した方がわかりやすいといえよう．

現行刑訴法は，伝聞法則，自白法則など証拠能力の制限を大幅に設けている．それらが，証拠法の章で学ぶ最も重要な部分である．

　　証拠能力のない証拠の取調べ請求は却下されるべきであり，このような証拠について取調べ請求又は採用決定があった場合には，当事者は異議を申し立てることができる（法309）．既に取り調べられた証拠が証拠能力のないものであることが

---

[13] 例えば，いわゆる秘密の暴露が含まれた自白には一般的に高い信用性が認められる（⇨412, 499頁）．
[14] この章において，事実認定を行う者という趣旨で「裁判官」という表現を用いている場合，裁判員裁判では裁判員を含むことになる．

判明した場合は，裁判所は，職権でこれを排除することができる（規207）．特に，当事者の異議申立てに理由があるときは，裁判所はこれを排除しなければならない（規205の6Ⅱ）．

証明力と証拠能力 証明力が証拠の実質的な価値であるのに対し，証拠能力は証拠の形式的な資格であるといってよい．証明力の評価が裁判官の自由心証に委ねられているのに対し，証拠能力の有無は法律によって定められており，裁判官の自由な判断は許されていない[15]．

このように，証明力と証拠能力は，元来は証拠の異なる場面を問題としているが，連続的な面をも有することに注意しなければならない．例えば，適式に宣誓した証人の虚偽の証言は，証拠能力はあるが証明力がなく，これに対し，不当に長い期間の取調べの結果として真実を述べた自白は，証明力はあるが証拠能力がないから，証明力と証拠能力は別次元の問題であるように見える．しかし，証拠能力の制限のうちには，信用性の低い証拠や誤解・偏見を生みやすい証拠，すなわち，伝聞証拠に代表されるような類型的に証明力に疑問のある証拠を事実認定に用いることが危険であることから，その取調べを一律に認めないことにしたものも含まれているのである．その意味で，証拠能力の制限は証明力とつながりを持っている．

証拠禁止 証拠能力が否定される場合としては，必ずしも証明力の低さと関係しない場合も含まれる．その証拠を用いることが手続の適正その他一定の利益を害するため，証拠としての資格を奪うという場合がある．これを**証拠禁止**と呼ぶ．その実定法上の例は，被告人の自白及び不利益な事実の承認で任意性（⇒403頁）を欠くものについて，証拠能力を否定した規定である（憲38Ⅱ，法319Ⅰ・322Ⅰ）．ただ，任意性のない自白は，内容的に虚偽であるおそれが大きいという面もあるので，証明力と全く無関係というわけではない[16]．ほかにも，証拠収集の手続に重大な違法があるため，証拠能力が制限される場合がある（**違法収集証拠**）．これには，違法な手続によって得られた証拠物，違法な身柄拘束中に取り調べられた供述などが考えられる．

---

15) 証拠能力の有無の判断は，訴訟手続に関するものであるから，裁判員裁判においても裁判官のみで判断することになり，証明力の判断は裁判官と裁判員が協働して行うことになる．
16) 参考人等の供述で任意性のないものについても，明文の規定はないが，任意性のない自白と同様，証拠能力を否定すべきである（法325参照）．これに対し，証人尋問のように裁判官の面前で得られた供述については，任意性が問題となるとは考え難い．

証拠禁止の類型は，その証拠を用いることが真実の発見に役立つとしても，公正な手続の保障等の政策目的のためには証拠能力を否定すべきものとされる．もとより，真実発見を犠牲にすることには，国民，特に被害者の抵抗感を伴い，軽微な違法であれば証拠能力を肯定されるべきであるため，具体的事案でどこまで政策目的を考慮すべきかは困難な問題である(違法収集証拠 ⇨ 479 頁)．

証明力を欠く証拠　訴訟法は，どのような証拠が証拠能力を有するかについての一般的な定めをせず，むしろ，証拠能力が制限(否定)される場合について規定している(法 319 I・320 I 等)．また，規定がなくても，解釈上，証拠能力の制限される場合が考えられる．それらは，証拠の性質として，実質的に証明力を欠く場合と，証明力が全くないとまではいえないものの，事実認定を誤らせる危険性があるため，証拠能力が制限される場合に大別される．

　まず，前者の例として，**当該事件に関する意思表示文書**が挙げられる．例えば，起訴状は，検察官の主張と意思表示だけを内容とする書面であるから，その性質上当然に証明力はなく，証拠能力が認められない．検察官の論告や弁護人の弁論を記載した書面，両当事者の証拠説明書等も同様である[17]．

　また，後者の例として，事実上の根拠を持たない単なる**うわさ，想像，意見**を内容とする証拠は，その性質上証明力が極めて乏しいので，証拠能力が否定される．証人の場合には，自ら体験した事実によって推測した事項を供述することができるが(法 156 I)，推測事項であれば証拠能力が認められるものの，単なる想像，意見であれば証拠能力はないから，その両者を区別しなければならない．新聞記事等であっても，単なる風聞や意見にすぎない場合は証拠能力がない．

関連性　関連性には，要証事実に対して必要最小限度の証明力を有していることをいう**自然的関連性**と，ある程度の証明力があるようにみえるが，誤った心証を形成させるおそれが強い場合にそれが否定される**法律的関連性**の 2 種類があるとされる．それらの位置付けについては種々の見解がある

---

17) ただし，事件に関する意思表示文書であっても，告訴状や告発状のように犯罪事実の申告という報告部分を含んでいるものは，その部分に限り証拠能力がある．また，意思表示文書が訴訟法上の事実(⇨ 392 頁)を証明する場合に証拠として用いることができるのは別論である．

が，前者は狭義の証明力（⇨ 381 頁）ととらえれば足りよう．後者はその多くの部分を伝聞法則，自白の任意性等の証拠能力の問題としてとらえられるが，それではカバーできない問題がある．上記のうわさ，想像，意見や，次に述べる被告人の悪性格の証拠がその一例である．

悪性格の証拠　被告人が犯人であることを証明するために，被告人の悪性格，とりわけ**同種前科**等を証拠とすることが許されるかという問題がある．一般的に，前科の存在を示すことは，犯罪の成否を判断する陪審に不当な偏見を与えるおそれがあるなどとして，陪審制を採用する諸国では，前科を証拠として利用できる場合が限定され，利用可能な要件とその手続に関する詳細なルールが定められている．わが国は陪審制を採用していないが，そのような偏見を与えると疑われる状況の存在すること自体が裁判の公正さを保つ上で望ましくないことに変わりないため（裁判員が犯罪の成否の判断に関与する裁判員制度においても同様であろう），刑訴法等に明文の規定はないものの，わが国でも，前科証拠は，犯罪事実を立証する証拠としては原則として証拠能力を欠き，例外的に証拠能力が肯定されると解されている．判例も，犯人性の立証に用いることができる場合については，厳しく限定している．すなわち，最判平 24・9・7（刑集 66・9・907）は，「前科証拠は，自然的関連性があることに加え，証明しようとする事実について，実証的根拠の乏しい人格評価によって誤った事実認定に至るおそれがないと認められるときに証拠能力が肯定され，前科証拠を被告人と犯人の同一性の証明に用いる場合は，前科に係る犯罪事実が顕著な特徴を有し，かつ，それが起訴に係る犯罪事実と相当程度類似することから，それ自体で両者の犯人が同一であることを合理的に推認させるようなものであるときに証拠能力が肯定される」旨判示し，証拠能力の肯定される場面を限定している．同判決は，① 前科の犯行に**顕著な特徴**があり，② それが起訴事実と**相当程度類似**することにより，③ **それ自体が犯人性を合理的に推認させる**ことを，前科証拠が許容される基準として示したものである．

前科以外の類似する他の犯罪事実（**類似事実**）についても，それを犯人と被告人の同一性を立証する間接事実として用いることが許されるかは，同様に考えることになる．すなわち，最決平 25・2・20（刑集 67・2・1）は，前科以外の他

の犯罪事実(併合審理を受けていて被告人が認めている犯罪事実)を被告人と犯人の同一性の間接事実とすることについても，最判平24・9・7を引用した上,「これらの犯罪事実が顕著な特徴を有し，かつ，その特徴が証明対象の犯罪事実と相当程度類似していない限り，許されない」と，類似事実についても同様の基準を示している[18)19)].

他方，故意，目的，動機，知情のような主観的要件については，同種前科によって立証することが許される(最決昭41・11・22刑集20・9・1035[20)])．また，前科によって構成要件である常習性や加重要件である累犯性を立証することが許される点にも異論はない．これらの場合は，犯人性の立証のように事実認定を誤る危険性が低いことなどによる．

> 最判平24・9・7は，住居侵入・窃盗・現住建造物等放火事件等で起訴された被告人が，放火については自分の犯行ではないと争ったため，検察官が，被告人は窃盗に及んだが欲するような金品が得られなかったことに立腹して放火に及ぶという前件放火と同様の動機に基づいて本件放火に及んだものであり，前件放火と本件放火はいずれも特殊な手段方法でなされたものであると主張して，被告人が多数回に及ぶ窃盗と放火(未遂を含む)で実刑に処せられた前科に関する前科調書，判決書謄本，前件放火に関する被告人の供述調書謄本や，犯行の特殊性に関する警察官証人等の取調べを請求したという事案に関するものである．第1審は，それらのうち判決書謄本を情状証拠として採用した以外は，関連性なし又は必要性なしとして却下し，起訴された事実のうち本件放火については被告人の犯行と認定することはできないとした．これに対し，控訴審は，前科調書，判決書謄本及び供述調書謄本のう

---

18) このように考えれば，起訴された複数の犯罪がいずれも顕著な特徴を有し，その間に相当程度の類似性が認められる場合には，すべての犯罪について犯人性が争われている場合であっても，その1つが確定できればそれが他の事実を立証する間接事実となる関係にあるため，併合して審理することに問題はないということになる．
19) 余罪(起訴されていない犯罪事実)についても，同様に考えることができるが，それを間接事実として用いるためには，その事実が確定できるものである(被告人が自認している場合を含む)ことが更に必要となる．なお，余罪を公訴事実認定のための証拠としたり，実質的に処罰しようとするのではなく，認定された犯罪事実の量刑資料の1つとするのであれば，許容される(⇨228頁)．
20) 最決昭41・11・22は，社会福祉のための募金名下の詐欺事件で，詐欺の犯意が争われたが，同種の方法による詐欺の前科があった事案について,「犯罪の客観的要素が他の証拠によって認められる事案において，詐欺の故意のごとき主観的要素を，被告人の同種前科の内容によって認定しても違法でない」旨判示している．

ち，本件放火と特徴的な類似性のある犯行の手段方法等に関する部分については，いずれも関連性が認められるとし，それらを却下したことが訴訟手続の法令違反に当たるとして，第1審判決を破棄した．最高裁は，本文のような一般的判示をした上，本件においては前科に係る犯罪事実に顕著な特徴があるとはいえず，同事実と起訴に係る犯罪事実との類似点が持つ両者の犯人が同一であることを推認させる力がさほど強いものではないなどと指摘し，「前科に係る証拠を犯人の同一性の証明に用いることは，被告人に対して放火を行う犯罪性向があるという人格的評価を加え，これをもとに被告人が犯人であるという合理性に乏しい推論をすることに等しく，許されない」とし，原判決を破棄した．前科による犯人性の推論は人格評価を介することになるため，前科に係る犯罪事実と起訴に係る犯罪事実の類似性が「それ自体で両者の犯人が同一であることを合理的に推認させるようなもの」であることを要求し，厳格な限定を付したものである．

　また，最決平25・2・20は，住居侵入，窃盗(未遂を含む)，現住建造物等放火等計20件で起訴され，うち10件については概ね争いがなく，残り10件について犯人性が争われ，原判決が，前科に係る犯罪事実と被告人の自認する10件の類似事実には特殊な性癖，手口，態様の特徴，特異な犯罪傾向が認められ，残り10件の各事実と一致すると判断した事案について，最判平24・9・7を引用した上，これらの犯罪事実に顕著な特徴があるとはいえないとして，「前科に係る犯罪事実及び前科以外の他の犯罪事実を，被告人と犯人の同一性の間接事実とすることは，被告人に対して実証的根拠の乏しい人格的評価を加え，これをもとに犯人が被告人であるという合理性に乏しい推論をすることにほかならず，許されない」と判示した．

伝聞証拠　他人の供述を内容とする供述と書面は，原則として証拠能力が認められない(法320Ⅰ⇨418頁)．本人が直接法廷で供述する場合と異なり，他人又は書面を介して法廷に提出されるので，裁判所が本人にその真偽を直接確かめることができないし，当事者も反対尋問ができないため，その証明力について吟味できず，かなり疑わしい場合も含まれるからである．また，被告人の反対尋問権は憲法37条Ⅱ項で保障されているから，反対尋問を受けていない供述証拠を採用することには慎重でなければならない．

　ただ，伝聞証拠でも一定の証明力を有することは経験則上明らかであるし，反対尋問権の行使が不可能な事態もあり，当事者が放棄することも可能なものであるから，伝聞証拠に対する証拠能力の制限は絶対的なものではない．伝

聞証拠については広く例外が認められていることに注意しなければならない（⇨ 430 頁）．

3　証拠による証明

(1)　厳格な証明と自由な証明

証明　証拠によって過去に存在した事実の存在を推論させ，その事実について一定の心証を抱かせることを証明という．推論は，社会一般の通常人を納得させるに足りる論理則，経験則によらなければならない．証明には，厳格な証明，自由な証明及び疎明の3種類がある．

厳格な証明　証拠能力が認められ，かつ，公判廷における適法な証拠調べを経た証拠による証明が**厳格な証明**である（最判昭 38・10・17 刑集 17・10・1795 参照）．刑訴法には，証拠能力についていくつかの制限が設けられ（法 319 I・320 I 等），証拠調べの方法も証拠の種類に応じたものが定められている（法 304・305〜307）．これらの要件をいずれも満たした証拠による証明を厳格な証明と呼ぶ．犯罪事実（罪となるべき事実）はもちろんのこと，これに準ずるような重要な事実については，厳格な証明が必要となる．

自由な証明　訴訟において認定されなければならない事実は多様であり，すべての事実を厳格な証明によって証明する必要があるとすると制度が動かなくなってしまう．そこで，手続的な事実等については，より簡便な証明で足りるとされている．厳格な証明のような証拠能力の存在と適式な証拠調べという制約のない証明を**自由な証明**という[21]．それ故，自由な証明の内容は，厳格な証明ほど一様のものではない．ただ，証拠能力の制限がないことは共通している[22]．この場合の証拠調べの方式は，厳格な証明で必要とされるほどの厳格さは必要がないとされるが，方式が全く自由でよいとい

---

[21]　心証の程度が証明と疎明の中間的な場合を「自由な証明」と説明する者もいるので注意を要する．

[22]　もっとも，証拠能力が要らないといっても，任意性のない供述を用いることは許されないから（法 319 I・325 参照），主として伝聞法則の制約がないことに実質的な意味がある．

うわけではない．上訴との関係からその証拠は記録に残されていなければならないし，証拠を相手方に示して反証の機会を与えるためにも，証拠調べの必要な場合がある．これを特に，**適正な証明**という[23]．

疎明　さらに，裁判官に確からしいという程度の心証(推測)を生じさせることで足りるという**疎明**が用いられる場合が規定されている(法206 I・227 II 等)．訴訟手続上の事項に限られ，もちろん，厳格な証明におけるような厳格さは必要ではない．

心証の程度　裁判官の心証の程度は，合理的な疑いを生ずる余地のない程度に真実であるとの心証(**確信**)，肯定証拠が否定証拠を上回る程度の心証(**証拠の優越**)，一応の蓋然性が認められるという心証(**推測**)の3段階に分けられる．それらは，厳格な証明，自由な証明，疎明に概ね対応する．

合理的な疑いを生ずる余地のない程度とは，一般人なら誰も疑わない程度の状態を意味し(最判昭23・8・5刑集2・9・1123参照[24])，抽象的な可能性としては反対事実が存在するとの疑いをいれる余地があっても，健全な社会常識に照らしてその疑いに合理性がないと一般的に判断される場合も含まれる．この点は，直接証拠によって事実認定をすべき場合と情況証拠によって事実認定をすべき場合とで異なるところはない(最決平19・10・16刑集61・7・677)．裁判に

---

23) 自由な証明が許される場合であっても，少なくとも公判廷で取り調べ，当事者に意見・弁解の機会を与えるべき場面があるとするもので，簡易公判手続や量刑資料の取調べについて主張された．いわば，厳格な証明と自由な証明の中間といえよう．このうち簡易公判手続については，適当と認める方法で取り調べることができるとされている(法307の2)．量刑資料の取調べについては，主要な量刑資料であるいわゆる犯情(犯罪事実に属する情状 ⇨ 391頁)であれば厳格な証明が必要であるし，それ以外の単なる情状であっても，それが当事者の重大な関心事であることが少なくないため，裁判の公正の確保の見地からも，実務上厳格な証明によっていることが多い．

24) 最判昭23・8・5は，「原判決に挙げている証拠を綜合すると，……『被告人が昭和22年6月18日夜T旅館に投宿し，同夜其の隣室に宿り合せていた全く未知の客Mのレインコートの内ポケットから，ひそかに同人所有の現金2622円50銭在中の革製二ツ折財布1個を抜き取りこれを隠して持っていた』という事実は，肯認し得られるのである．そして一件記録によれば，被告人は原審公判に至って，忽然として『それは交際のきっかけを作るために隠したのである』と主張し出したのである．なるほど，かかる主張のようなことも，不完全な人間の住むこの世の中では全然起り得ないことではないであろう．しかし冒頭に述べたような事実があったとしたら，それが盗んだのではなくて，交際のきっかけを作るために隠したに過ぎないということが判明するまでは，普通の人は誰でもそれは泥棒したのだと考えるであろう．これが，吾々の常識であり又日常生活の経験則の教えるところである」と判示している．

おける証明は，自然科学界の実験に基づく理論的証明ではないから，「真実の高度な蓋然性」をもって満足せざるを得ない．自然科学における真実に関しては反証というものを容れる余地はないが，訴訟上の証明に対しては通常反証の余地が残されているのである．

最決平 19・10・16 は，爆発物取締罰則違反，殺人未遂の犯人性や殺意を情況証拠による間接事実に基づいて認定した事案につき，「刑事裁判における有罪の認定に当たっては，**合理的な疑いを差し挟む余地のない程度**の立証が必要である．ここに合理的な疑いを差し挟む余地がないというのは，反対事実が存在する疑いを全く残さない場合をいうものではなく，抽象的な可能性としては反対事実が存在するとの疑いをいれる余地があっても，健全な社会常識に照らして，その疑いに合理性がないと一般的に判断される場合には，有罪認定を可能とする趣旨である．そして，このことは，直接証拠によって事実認定をすべき場合と，情況証拠によって事実認定をすべき場合とで，何ら異なるところはない」とした．

なお，最判平 22・4・27 刑集 64・3・233 は，母子を殺害してその居室に放火したという殺人，現住建造物等放火事件において，情況証拠によって被告人が犯人と認定した第 1 審判決とそれを是認した控訴審判決につき，審理不尽，事実誤認の疑いにより破棄し，事件を第 1 審に差し戻したが，同判決は，上記最決平 19・10・16 を引用した上で，「情況証拠によって認められる間接事実中に，被告人が犯人でないとしたならば合理的に説明できない（あるいは，少なくとも説明が極めて困難である）事実関係が含まれていることを要する」旨判示している．この点をどのように理解するかについては，見解が分かれ得るところであるが，補足意見や反対意見も加えて検討すれば，「合理的な疑いを差し挟む余地のない程度」という立証の程度を従来よりも高くしたり，新たな基準を定立したりしたというものではなく，情況証拠によって事実認定をする場合には，被告人が犯人であることを前提とすればすべての間接事実を矛盾なく（合理的な疑いを差し挟む余地なく）説明できる事実関係が認められることが当然の前提となるが，それを裏面から考えれば，そのような事実関係（個々の事実でなく，総体として）は「被告人が犯人でないとしたら合理的に説明できない（あるいは，少なくとも説明が極めて困難な）事実関係」ともいえるはずであるから，そのような事実関係が同時に認められるかという観点からも吟味する必要があることを示したものと考えられる．

厳格な証明と自由な証明はともに確信を要するとする見解もあるが，自由な証明の場合はそれぞれの証明の対象となる事実の訴訟における重要性に差異があるから，一律に確信まで要求するのは相当でない．自由な証明の対象となる事実の

うちには確信まで要求される事実もあるが、その中心となる訴訟法上の事実については、証拠の優越で足りるものと解される。

(2) 厳格な証明の対象

刑罰権の存否にかかわる事実　刑罰権の存否及び刑罰の量を定める事実は、厳格な証明が必要である。犯罪事実が厳格な証明の対象であることは争いがない。

犯罪事実とは、構成要件に該当する違法・有責な事実であるから、構成要件に該当する事実[25]はもちろんのこと、違法性及び有責性の基礎となる事実の存在も、厳格な証明を必要とする。また、**違法性阻却事由**又は**責任阻却事由**に当たる事実の不存在についても、厳格な証明を必要とする。

処罰条件及び**処罰阻却事由**[26]も、行為が可罰的であるか否かの要件であるから、犯罪事実に準ずる重要な事項に当たる。したがって、処罰条件の存在及び処罰阻却事由の不存在についても、厳格な証明を必要とする。

なお、厳格な証明の対象となる事実を推測させる間接事実も、厳格な証明を必要とする。

刑の加重減免事由　刑の重さを規定する事実も厳格な証明が必要である。**累犯前科**(刑56)は、犯罪事実そのものではないが、**刑の加重事由**として処断刑の範囲を変えるもので(刑57)、実質において犯罪構成事実に準ずるから、これを認定するには厳格な証明を要する(最大決昭33・2・26刑集12・2・316)。

数個の犯罪事実が**併合罪になることを妨げる確定判決の存在**も、相対的な意味では刑を加重する理由となる不利益な事実であるから、累犯前科と同じく、厳格な証明を要する(最判昭36・11・28刑集15・10・1774)。

---

25) 構成要件該当事実として厳格な証明の対象となるのは、主観的構成要件要素である故意・過失、客観的構成要件要素である実行行為、結果、因果関係である。共謀共同正犯における共謀も、厳格な証明の対象である(最大判昭33・5・28刑集12・8・1718)。
26) 処罰条件としては、①刑法197条Ⅱ項の事前収賄罪における公務員となること、②破産法265条、266条、270条の破産犯罪における破産手続開始決定が確定することが挙げられる。処罰阻却事由としては、①憲法51条の両議院の議員であること、②刑法244条Ⅰ項の配偶者、直系血族又は同居の親族であること、③同法257条Ⅰ項の配偶者又は直系血族・同居の親族若しくはこれらの者の配偶者であることなどがある。

刑の減免事由には，未遂(刑 43)，従犯(刑 62)，心神耗弱(刑 39 II)，過剰防衛・過剰避難(刑 36 II・37 I 但書)，自首(刑 42)などがある．刑の減免の理由となる事実は，犯罪事実に属するか(未遂，従犯)，有責性ないし違法性に関係する事実(心神耗弱，過剰防衛，過剰緊急避難)であるから，その不存在についてはいずれも厳格な証明を必要とする．自首も，犯罪事実そのものには関係しないが，その存否によって処断刑の範囲(刑 42)や刑を科すことの要否(刑 80・93)が左右される以上，その不存在については厳格な証明を要する．

量刑資料 刑の量定の基礎となる事実を広く**情状**と呼ぶ．情状には，犯行の動機，手段・方法，被害の程度など犯罪事実に属するものと，犯行後の反省や被害弁償など犯罪事実から独立したものがある．前者の犯罪事実に属する情状(いわゆる**犯情**)は，犯罪事実自体の立証と不可分の関係にあるから，厳格な証明を必要とすることは明らかである．後者の犯罪事実に属さない情状は，重要性において犯罪事実や刑の加重減免の理由となる事実と質的な差があること，非類型的で厳格な証明に適さず，これを要求するとかえって量刑の資料を得るのが困難になることなどから，自由な証明で足りると解されている．例えば，被告人の性格，環境等については，多くの資料に基づいて総合的に判断するのが望ましく，厳格な証明を求めたのでは基礎にできる証拠が限定されて不合理な場合が生じるおそれがある[27]．

もっとも，刑事訴訟においては，刑罰権の存否を明らかにすることと並んで刑罰権の量を定めることも劣らず重要であり，現実の刑事事件の大半は，犯罪事実そのものについては争いがなく，専ら量刑が当事者の関心事となっていることを考えると，当事者主義の訴訟構造の下においては，情状についても，両当事者に反証の機会を与えるために厳格な証明によるのが望ましく，それを必要とする見解もある．実務上も，そのような見地から，厳格な証明によっていることが多く，被害弁償の事実の存否等については，厳格な証明によるのが通例である．このように考えると，犯罪事実に属さない情状についても，少なくとも全くの自由な証明と考えるのではなく，証拠を相手方に示

---

27) 最判昭 24・2・22 (刑集 3・2・221) は，刑の執行を猶予すべき情状の有無につき，必ず適法な証拠に基づいて判断しなければならないが，犯罪を構成する事実の場合と異なり，必ずしも刑訴法に定められた一定の方式に従い証拠調べを経た証拠のみによる必要はないとしている．

し，反論を述べる機会を与えるなどの適正な証明が必要だと考えられる[28]．

犯罪事実の認定と刑の量定は質的にかなり異なるため，両者の手続を明確に分けて行うべきだという立法論的主張もある(**手続二分論**)．しかしながら，わが国では，法定刑の幅が広いこともあって，犯罪の成立に争いはなくても量刑を巡って争いとなることが少なくないこと，そのような事案では犯罪事実に属する情状事実の内容が争いとなる場合が多く，そのような事実を認定して量刑する手続と犯罪事実の認定手続を分ける意味がないことなどから，二分論を支持する者は少ない．ただ，裁判員制度が導入され，裁判員にとって分かりやすい審理となる必要があることから，刑訴規則において，犯罪事実に関しないことが明らかな情状に関する証拠の取調べは，できる限り，犯罪事実に関する証拠調べと区別して行うよう努めなければならない旨が定められ（規198の3），現実にも審理と評議を2段階に分けた例が見られるようになっている．なお，同規則は裁判員裁判以外の一般事件にも適用される．

(3) 自由な証明の対象

訴訟法上の事実　訴訟法上の事実については，自由な証明で足りる．ただ，訴訟法上の事実といっても，その重要性には程度の差がある．訴訟条件の有無のような終局判決の基礎となる訴訟法上の事実や，証拠能力に関する事実などは，訴訟において重要であるから，当事者に攻撃・防御を尽くさせるため，少なくとも，公判廷における適当な証拠調べをした証拠による証明を必要とすると解すべきである（適正な証明）．実際には，親告罪の告訴の有無（訴訟条件）や自白の任意性（証拠能力に関する事実）については，厳格な証明によっている[29]．

その他の訴訟法上の事実，例えば期日変更決定，弁論併合決定，公判手続停止決定等の基礎となる事実や，公訴棄却決定（法339）の基礎となる事実に関する証明は，自由な証明で足りる．例えば，最決昭58・12・19（刑集37・10・1753）は，電報電話局長が作成した警察署長宛の「逆探知資料は存在しない」

---

28) 余罪と量刑につき，229頁参照．
29) ただし，裁判員裁判においては，裁判員の負担が過重にならないようにとの配慮が必要になるところ，訴訟手続に関する判断は構成裁判官のみで行うことができるため，実体審理の前提となるような訴訟法上の事実の確認については，公判前整理手続ですませておくとの要請が強まる（⇨261頁注11）．そのため，実務上厳格な証明によっている範囲は，従前より多少狭まっている．

という回答書について，逆探知に関する証人申請の採否等を判断するための資料にすぎず，このような訴訟法的事実については自由な証明で足りるから，その回答書を取り調べた措置に違法はないとしている．

(4) 証明の必要のない事実

<small>法 規</small> 法規や経験法則は，事実そのものではなく，裁判所が事実を認定し，あるいは法律を適用する際に用いる準則であるから，もともと証明の対象とはならない．しかし，一部の外国法・慣習法や，専門的な経験法則などのように，特別の知識・経験によって初めて認識し得るものについては，証明の対象となるから，鑑定等の方法によって，その存否を認定する．

<small>公知の事実</small> 訴訟で問題となる「事実」は，原則として証明を必要とする．しかし，通常の知識・経験を持つ人が疑いを持たない程度まで一般に知れわたっている**公知の事実**は，厳格な証明の対象であっても，証明の必要はない．公知の事実としては，①歴史的事実(関東大震災で東京が混乱した)，②事実の状態(新宿に高層ビルが多い)，③一般的な情報(酒を飲むと判断力が落ちる)，④確実な資料で容易に確かめ得る事実(2000年の1月1日は何曜日か)，⑤概念の内容・記号の意味(例えばUSB, DVD)などである．これらの事実は，誰もが真実であると認めているのであるから，証明の必要はない[30]．

<small>裁判上顕著な事実</small> 裁判所が職務上知った事実，例えば被告人が第1回公判の前に保釈されたことのように，裁判所が事件の審理に際して知り得た事実で，両当事者も知っているものについては，証明の必要がない．このように，裁判所が職務上知り得た事実については証明が不要であるとしても，それは常に妥当するものではなく，当該事件の当事者が知り得ないような場合，例えばその裁判所が以前に下した判決などについて，証明を不要とするのは不合理であろう．争点に関連するような場合には，その点を当事者に説明し，反証の機会を与える必要があるといえよう．

---

30) 例えば，判例は，東京都内においては普通自動車の最高速度を原則として40km毎時とする規制(当時)が道路標識によりなされている事実が，公知の事実に属するとしている(最決昭41・6・10刑集20・5・365)．また，「被告人が昭和27年5月25日施行の富山県高岡市長選挙に際し，同年5月5日立候補し，同選挙に当選した」という事実を，その地域の一般人に知れわたった事柄であるとし，公知の事実に属するとしている(最判昭31・5・17刑集10・5・685)．

なお，最判昭30・9・13(刑集9・10・2059)は，「通称ヘロインが塩酸ジアセチルモルヒネを指すものであることについては，裁判所に顕著であって，必ずしも証拠による認定を要しない」としている．しかし，通称ヘロインが塩酸ジアセチルモルヒネに当たるということは，裁判上顕著な事実というよりも，むしろ法令解釈の問題に当たる(最判昭29・12・24刑集8・13・2348参照)として，証明を要しないと解すべきであろう．

推定 一定の事実(前提事実)が証明されると他の事実(推定事実)を認定し得る場合をいう[31]．推定は，① みなし規定によるもの，② 法律上の推定，③ 事実上の推定に分かれる．

「……とみなす」と規定された場合には，法律により推定が強制される．反対事実の立証を許さない推定である．それ故，みなし規定は，刑訴法上の証明の問題として扱う必要はない．

法律上の推定とは，推定規定が法律に設けられている場合であり，反対事実を積極的に立証しない限り，前提事実が証明されると推定事実の認定が強制されることになる．反対事実の立証を許す点で，みなし規定と異なる．法律上の推定は，検察官により前提事実が証明されれば，被告人側で反対事実の立証をしない限り，推定事実を認定しなければならないわけであるから，通常は被告人に負担を強いる場合が多く，実質的には挙証責任の転換に通じる(⇨398頁)．そして，裁判官の自由心証を一定の範囲ではあるが制限するものであり，実体的真実主義と乖離する危険性を有するので，法律上の推定の例は少ない．① 人の健康に係る公害犯罪の処罰に関する法律5条が代表例とされる．この他，② 名誉毀損罪の真実性の証明(刑230の2)，③ 同時傷害の特例(刑207)，④ 爆発物取締罰則6条，⑤ 児童福祉法60条Ⅳ項などは，挙証責任の転換の問題であるが(⇨398頁)，実質的には法律上の推定の趣旨を含んでいる．

事実上の推定とは，法律で定められた推定ではなくて，甲事実が存在すれば通常乙事実が存在する(又はしない)という論理則，経験則により，裁判官が事実上行う推定である．裁判官の論理則，経験則に基づく心証形成であり，自

---

[31] 「被告人は無罪の推定を受けている」というような場合の推定は，前提事実がないから，ここでいう推定ではない．

由心証の作用といえよう[32]．実務において事実上の推定が果たす役割は極めて大きい．ただ，事実上の推定は，法律上の推定とは異なり，積極的に反対の事実が証明されなくても，事実の存在(又は不存在)について疑わしい状況があれば，その推定は働かず，積極的な証明が必要となる[33]．

4　挙証責任

実質的挙証責任　証明の必要がある事実について，取り調べられた証拠によっても存否いずれとも判断できなかった場合に不利益な認定を受ける当事者の地位を挙証責任(客観的挙証責任・実質的挙証責任)という．刑事訴訟では，犯罪事実については検察官に挙証責任がある(⇨397頁)．刑罰権の行使を求める国家が犯罪事実を立証すべきであり，被告人の方で積極的に無罪を立証すべき責任を負わせるのは相当でないためである．「疑わしきは被告人の利益に(in dubio pro reo)」という原則はこのことを示している．「無罪の推定(presumption of innocence)」も同様である[34]．

　実質的挙証責任が問題となるのは，証明を要する事実に関する証拠が提出され終わった後でも，なおその事実の存否が真偽不明なときである．犯罪事実の存否が不明なときには，犯罪事実は存在しないものと扱われるべきことは，具体的訴訟の始まる前から定まっている．このように，実質的挙証責任は，訴訟の具体的な進行状況と無関係に定まっている[35]．

---

32) 構成要件に該当する事実が存在するときは，通常，違法性阻却事由又は責任阻却事由は存在しないから，構成要件該当事実が証明されたときは，阻却事由の不存在は証明を必要としない．間接事実によって主要事実を認定する場合も，多くはこの事実上の推定による．

33) 殺人罪の構成要件に該当する事実が証明されれば，違法性阻却事由の不存在が事実上推定されるが，それが正当防衛のためになされたものであることをうかがわせる証拠があるときは，この推定が働かないから，被告人の有罪を立証しようとすれば，被告人の行為が正当防衛ではないことまで検察官が証明しなければならない．

34) 無罪の推定の原則は，法の明文にはないけれども，近代的な刑事裁判では共通の原則として採用されている(フランス人権宣言9条，世界人権宣言11条Ⅰ項参照)．

35) 実質的挙証責任を定める必要性は，職権主義，当事者主義のいずれにおいても変わりがない．どちらにおいても，自由心証で証拠を評価した後でもなおある事実の真偽が不明という事態は起こり得る．その際に，裁判所が行う判断については，職権主義だから検察側に有利にということにはならない．当事者のどちらに不利益に判断するか決めるのは，別個の政策判断である．

形式的挙証責任　他方，具体的な訴訟手続において実際に証拠を提出しなければならない責任も，挙証責任と呼ばれる．裁判所に対し，自分の側に不利益な判断をされるのを避けるために，それを覆す証拠を出す責任であり，**立証の負担**とも呼ばれる．また，実質的挙証責任と区別するために形式的挙証責任(主観的挙証責任)と呼ばれることもある．実質的挙証責任が訴訟の経過や当事者の活動によって動くものではないのに対し，形式的挙証責任は，訴訟の進展に応じてしばしば動き得るものである．当事者主義の訴訟手続では形式的挙証責任が表面化する[36]．

　形式的挙証責任は，挙証(立証)の必要とも呼ばれる．いずれの当事者が現実に証拠を提出しなければならないかという問題であり，訴訟の具体的状況に応じて両当事者の間を移動する．まず，実質的挙証責任を負担している当事者が，第一次の形式的挙証責任を負う．したがって，犯罪事実については，検察官がこれを証明する証拠を提出しなければならない(規 193 I 参照)．検察官がこの責任を果たせば，被告人は，そのまま反論しなければ有罪になるので，被告人の方で犯罪事実を否定する証拠を提出すべき事実上の必要が生ずる．ここで形式的挙証責任が検察官から被告人に移動したことになる．そこで，被告人の方で例えばアリバイの存在を立証したとすると，今度は，検察官がアリバイを崩す証拠を提出する必要が生ずるのである．もっとも，実際の訴訟はそのように単線的に進行するわけではなく，観念的には段階の異なる立証が併行して複線的に行われることも少なくない．

挙証責任の分配　具体的事項に関し，その実質的挙証責任を検察官と被告人のどちらに分配するかをいう．刑事訴訟における挙証責任の分配は，民事訴訟の場合のように複雑ではない．前述のように，「疑わしきは罰せず」，「疑わしきは被告人の利益に」という原則が認められ，無罪の推定の法理が働くので，証明を要する主要な事実(犯罪事実等)の実質的挙証責任は，ほとんどすべて検察官が負う[37]．犯罪事実について被告人にその不存在の挙証責任を負わせるとすると，その証明は非常に困難であるばかりか，検察官

---

[36] 職権主義の下では，裁判所自ら証拠を収集する責めを負うから，形式的挙証責任は余り意味をなさないが，当事者主義の下では，当事者が証拠を提出する責務を負うから，形式的挙証責任は，裁判所がどちらの当事者に立証を促すべきかなどの基準として重要である．

[37] 国家が刑罰権に基づく被告人の処罰(人権の制限)を求めているのであるから，検察官の側に，刑罰権の根拠となる犯罪事実の挙証責任を負わせるのは当然であろう．

に比して著しく証拠収集能力の劣る被告人にとって非常に酷なことになるからである．

検察官の挙証責任 犯罪の構成要件に該当する事実，処罰条件である事実，法律上刑の加重理由となる事実の存在については，すべて検察官に挙証責任がある．

違法性阻却事由，責任阻却事由，処罰阻却事由，法律上刑の減免理由となる事実の不存在についても，検察官に挙証責任がある．この点については，かつて，刑事訴訟の当事者主義化が強調され，被告人と検察官は対等なのだから少なくとも違法性・責任阻却事由につき挙証責任を転換すべきであるとする議論が存在した．しかし，例えば正当防衛の証明を被告人側ができないために有罪とすることになると，かなり広く「疑わしきは罰する」という結果になってしまう．その不合理を回避するため，被告人の阻却事由の立証は厳格な証明でなく自由な証明で足りるとする議論も存在した．それでも「疑わしきは罰する」ことに変わりはないから，相当でない．

　もとより，被告人が正当行為(刑35)，正当防衛(刑36)を口にすれば検察官がその不存在をすべて立証しなければならないとするのも不合理であろう．被告人側でも，「違法性阻却事由が存在するかもしれない」という疑いを生じさせるに足りる証拠の提出が必要である(証拠提出の責任，争点形成責任)．阻却事由の不存在については，構成要件に該当すれば原則として阻却事由は存在しないという事実上の推定があるから(⇨395頁注32)，被告人側の立証などによってその推定が破れた場合にだけ立証すればよいのである．

そのほか，訴訟法上の事実であっても，訴訟条件の存在(告訴の存在，時効の未完成等)については，それが処罰の前提となるから，検察官に挙証責任がある[38]．

---

38) その余の訴訟法上の事実については，一般に，その事実を主張して一定の手続上の効果を求める側に挙証責任がある．例えば，証拠能力があることは，その証拠を申請する側に挙証責任がある．証拠能力を立証できなければ証拠として採用されないためである．したがって，検察官が申請した証拠の証拠能力(例えば自白の任意性)は検察官が，弁護人が申請した証拠の証拠能力は弁護人が立証すべきことになる．違法収集証拠として証拠能力が争われた場合も同様であり，通常は，その証拠を申請した検察官が証拠収集手続に重大な違法がなかったことを立証する責任を負う(最判令3・7・30刑集75・7・930の補足意見参照)．

以上のように，犯罪事実については，検察官がその存在を合理的な疑いを生ずる余地のない程度に真実である(確信)と証明しなければならないから(⇨388頁)，この程度に至らなければ，犯罪事実は存在しないものとして無罪の判決がされることになる(法336後段)．したがって，犯罪事実の存否不明の場合のみでなく，存在する可能性はあるもののその存在が合理的な疑いを生じる余地のない程度まで立証されない場合も，無罪となる．

挙証責任の転換 刑事手続では，以上のように原則として検察官に挙証責任が存在するが，例外的に被告人側に分配することが許される．被告人に挙証責任を分配することを**挙証責任の転換**という．しかし，そのためには，被告人に挙証責任を負担させる実質的な合理性がなければならない．その中心は，推定される事実の直接的立証の困難性である．それに加えて，その事実の当罰性の高さと，推定することが社会通念上相当であること，推定の前提として既に証明された事実だけでも一定の当罰性を有すること，推定された行為に予定される法定刑が相対的に軽いものであることなどの事情が勘案されなければならない．その総合判断の結果，推定が不当であれば，法文の形式的解釈を超えて被告人への挙証責任の転換を否定すべきである．

名誉毀損罪の真実性の証明 名誉毀損罪は，本来摘示した事実の真偽にかかわらず成立するのであるが(刑230 I)，表現の自由への配慮から，事実が真実であるほか，事実の公共性，摘示の公益性が満たされれば，被告人は処罰されない(刑230の2)．ただ，摘示された事実が真実であることについては，被告人に挙証責任がある．この点に関して東京高判昭28・2・21(高刑集6・4・367)は，「刑法第230条の2によれば，刑法第230条第 I 項の行為が公共の利害に関するものであり且専ら公益を図る目的に出たものと認められたときは裁判所は当該事実の真否の探究に入らなければならないのであって，この場合においては，裁判所は一般原則に従いその真否の取調をなすべきである．そしてかかる取調の後その事実が真実であったことが積極的に立証された場合に初めて被告人に対して無罪の言渡がなされるのであって，取調の結果右事実が虚構又は不存在であることが認められた場合は勿論，真偽いずれとも決定が得られないときは真実の証明はなかったものとして，被告人は不利益な判断を受けるものである．かくして裁判所がこの点について諸般の証拠を取調べ，真相の究明に努力したにも拘わらず，事実の真否が確定されなかったときは，被告人は不利益な判断を受けるという意味において被告人は事実の証明に関し挙証責任を負うものと云うを妨げない」としている．

その他の特例 刑法207条(**同時傷害の特例**)は，それぞれの暴行による傷害の軽重，あるいは自己が傷害を生じさせた者でないことについての証明ができなければ傷害罪の共犯としての責任を負わせる旨規定する．ここでも，挙証責任を被告人に負わせているといえよう(最決平28・3・24刑集70・3・349参照)．その他，労働基準法121条I項ただし書における事業主が違反の防止に必要な措置をしたこと，児童福祉法60条IV項における児童の年齢を知らなかったことについて過失がなかったことなども，被告人に挙証責任がある．

なお，挙証責任の転換と推定(⇨394頁)とは完全に同一とはいえない．推定，特に事実上の推定は，推定事実の存在を疑わせることができれば推定を破ることができるから，必ずしも推定事実の不存在についての実質的挙証責任を相手方に転換させるものではない．これに対し，法律上の推定の場合は，前提事実が立証されると相手方が推定事実の不存在を証明しなければならなくなるという意味では，挙証責任が転換している．この点では，両者は連続的である．

自白法則

> **憲法 38 条 II** 強制，拷問若しくは脅迫による自白又は不当に長く抑留若しくは拘禁された後の自白は，これを証拠とすることができない．
> **III** 何人も，自己に不利益な唯一の証拠が本人の自白である場合には，有罪とされ，又は刑罰を科せられない．
> **刑訴法 319 条 I** 強制，拷問又は脅迫による自白，不当に長く抑留又は拘禁された後の自白その他任意にされたものでない疑のある自白は，これを証拠とすることができない．
> **II** 被告人は，公判廷における自白であると否とを問わず，その自白が自己に不利益な唯一の証拠である場合には，有罪とされない．
> **III** 前 2 項の自白には，起訴された犯罪について有罪であることを自認する場合を含む．

1 自白の意義

供述証拠としての自白　自白は，事実認定において「証拠の王」として重んじられてきた．そのためもあって，獲得方法などに大きな問題を抱えてきた．そこで，憲法及び刑訴法は，自白について証拠法上の特別の制約を設けて，慎重な取扱いを定めている．証拠能力の要件である任意性と証明力に関する補強証拠がこれである．

証拠能力が最も問題となるのは，その内容に誤りが入り込む危険の多い供述証拠である．そこで，証拠法の大半は，供述証拠に関するものとなっており，供述証拠の種類によって，自白法則と伝聞法則に大別される．まず自白法則を論じ，伝聞法則は III で述べることとする．

II 自白法則 ● 401

主体		公判廷で直接供述	公判廷外で供述
被告人	自　白	自白法則（319条）	自白法則（319条）
	それ以外	──	伝聞法則（322条）
その他		──	伝聞法則（321条等）

自白の意義　　自白とは，自分の犯罪事実を認める被告人自身の供述である．自分に不利益な事実を認める供述を**承認**といい（法322 I 参照），自白も承認の一種であるが，犯罪事実の**全部又は主要部分**を認める供述でなければならない．犯罪事実の一部しか認めない供述，間接事実だけを認める供述，前科の存在を認める供述などは，承認ではあるが自白ではない．

> 自白か単なる承認かによって異なる手続法上の取扱いは，補強証拠を必要とするか否かにある（⇨412頁）．証拠能力については，いずれも任意性が要件となっている（法319 I・322 I）．ただし，任意性が憲法上の要求（憲38 II）か，訴訟法上のもの（法322 I）かという違いはある（⇨403頁）．

　構成要件該当事実をすべて認めているが，正当防衛などの**違法性阻却事由**や，期待可能性の欠如などの**責任阻却事由**を主張しているような場合，その供述が自白に当たるかについては争いがある．自白とする意義は，補強証拠の要求などの保護を必要とする点であり，そのような観点からは，客観的構成要件事実（罪体）を認める供述は自白とすべきである（⇨415頁）．

> 起訴された犯罪について有罪であることを認める陳述を，**自認**という．自認は，全面的に犯罪事実を認めるだけでなく，有罪とされてもよいという主張をも含む場合をいい，自白としての取扱いを受ける（なお，法319 III は，自認をアレインメントの「有罪の答弁」（⇨360頁）を意味するものとして用いている）．

自白の時期・形式　　自白は，どのような時期に誰に対してなされたものでもよいし，口頭によると書面によるとを問わない．被告人に対する証拠としてその者の犯罪事実を認める供述を用いる場合は，すべて自白に該当する．したがって，自白は，公判廷におけるもの，公判廷外で被疑者又は参考人として捜査機関に対してなされたもの，私人に対してなされたもの，民事手続の証人等としてなされたもの，自分の日記に書かれたものなど様々

な形を採る．

自白の証拠調べの時期　証拠の取調べ請求は，通例，まず検察官が公訴事実の立証に必要と考える証拠の取調べを請求することになる（規193 I）が，例外として，被告人の自白調書については，犯罪事実に関する他の証拠が取り調べられた後でなければ，その取調べを請求することができないとされている（法301）．これは，予断を排除することと，自白に補強証拠を必要とすることを手続上も確保しようとしたものである．したがって，「犯罪事実に関する他の証拠」とは，判例がいうように，自白の補強証拠を意味するものと解すべきである[1]．

自白以外の　被告人は，公判期日において，冒頭手続の認否として，被告人
被告人供述　質問への答えとして，あるいは最終陳述として供述する機会がある．被告人は，法311条により，終始沈黙し，又は個々の質問に対して供述を拒むこともできるが，もちろん被告人が望めば供述することができる．これらのうち冒頭手続の認否あるいは最終陳述は，訴訟の一方当事者である被告人の主張という性格が強いが，被告人質問における供述と同様，供述として証拠ともなり得る[2]．

被告人の供述は被告人にとって有利にも不利にも証拠となるが，それが自白であれば，後述の自白としての取扱いを受けることになるのは当然である．

被告人の公判廷外の供述は，自白であれば自白法則が適用され，それ以外は伝聞法則の対象となる．

---

1) 補強証拠が取り調べられる前に自白を内容とする証拠の取調べを請求すること，及びこれに基づいて証拠決定をすることも，事実関係に争いのない事件においては行われるのが通例であるが，現実には補強証拠が取り調べられた後に自白が取り調べられており，法の趣旨に反するとはいえないであろう（⇨326頁注13）．最決昭26・6・1（刑集5・7・1232）は，「刑訴301条は，被告人の自白を内容とした書面が証拠調の当初の段階において取り調べられると，裁判所をして事件に対し偏見予断を抱かしめる虞れがあるから，これを防止する趣旨の規定と解すべきである．されば単に右の書面が犯罪事実に関する他の証拠と同時に取調が請求されただけで，現実の証拠調の手続において，他の証拠を取り調べた後に右自白の書面が取調べられる以上は，毫も同条の趣意に反しないものといわなければならない」としている．
2) 冒頭手続における被告事件に対する陳述（法291 IV）において（⇨323頁），被告人が公訴事実を認める旨の陳述をした場合，これは公判廷における自白として証拠となるが（最決昭26・7・26刑集5・8・1652），一般に被告人は訴訟法に詳しいとはいえず，その効果などを意識せずに陳述することが多いので，その評価には慎重を要する（規197 II参照）．

被告人以外の者の供述 被告人以外の者の供述は，それが共犯者（実体法上の共犯に該当する者）や共同被告人（共同審理を受けている者）のものであり，被告人が犯罪事実に関与したことを認める供述であっても，ここでいう自白ではない．

> **共犯者の「自白」** 被告人とともに犯罪を犯したと述べる共犯者の供述については，自己の責任を軽減しようとして被告人に責任を転嫁するおそれがあるが，そのために，共犯者の供述だけで被告人の罪責を認めるのは危険であるなどとして，被告人本人の自白と同様に取り扱うべきであるとする見解もあった．しかし，共犯者といえども被告人にとっては第三者であり，反対尋問によるテストも可能であるから，被告人の自白と同一視することはできない．これが多数説であり，判例も，当初は動揺したが，この考え方で落ち着いた（最大判昭33・5・28刑集12・8・1718）．もっとも，共犯者の供述の信用性については，前記のように自己の責任を被告人に転嫁するなどのおそれがあるため，そのような動機に基づく虚偽供述ではないか慎重に吟味する必要がある（⇨496頁）．

2　自白の証拠能力

(1)　自白法則

任意性 一般に，「自己に不利益なことの供述は信用できる」と考えられることなどから，自白は証拠の王とも呼ばれ，かつては強制・拷問などを加えて自白を得ることもしばしば行われた．そこで，自白については，証拠法上，他の供述証拠と区別されて，強制的要素の加わった可能性のある自白，すなわち**任意性を欠く疑いのある自白を排除**する原則が定められている（**自白法則**—法319条Ⅰ項）．

任意性のない自白は，絶対的に，証拠能力が認められない[3]．憲法38条Ⅱ項は，「強制，拷問若しくは脅迫による自白又は不当に長く抑留若しくは拘禁された後の自白は，これを証拠とすることができない」と規定し，法319条

---

3)　任意性のない自白は，被告人が証拠とすることに同意（法326）をしても証拠とはならないし，自由な証明の証拠として用いることも許されない．また，証明力を争う証拠として用いることも許されない（東京高判昭26・7・27高刑集4・13・1715）．

Ⅰ項は，この憲法の規定と同一内容の自白のほか，「その他任意にされたものでない疑のある自白」についても，証拠とすることができない旨規定している．

排除根拠　任意性のない自白が証拠とならない実質的な根拠に関しては，3つの考え方が対立する．第1説は，強制，拷問等によって得られた任意性のない自白は虚偽内容を含む可能性が高く信用性が低いので証拠にならないとする**虚偽排除説**である．同説によれば，「任意性がない」とは，虚偽の自白を誘引する情況の存在を意味する．

第2説は，供述の自由を中心とする被告人の人権を保障するため，強制，拷問等によって得られた任意性のない自白は証拠とならないとする**人権擁護説**である．憲法38条Ⅱ項は，同法36条(拷問の禁止)，38条Ⅰ項(黙秘権の保障)の実効性を担保するための規定ということになる．この説によれば，「任意性がない」とは，被告人の供述の自由を侵す違法な圧迫の存在をいうことになる．

第3説は，憲法38条Ⅱ項，刑訴法319条Ⅰ項は，自白採取の過程に違法がある場合に，その自白を排除する趣旨を規定したものであるとする**違法排除説**である．ただ，法319条の解釈論として，「任意性」の概念から切り離された違法手段一般を問題とすることには無理がある[4]．さらに，違法収集証拠の排除という一般原則と別に自白法則の中で証拠収集の違法性を論じる意味は少ない(⇨72頁注10, 491頁)．違法排除説は，捜査の適正を目指した主張であり，違法収集証拠の排除法則が発展する前にはそれなりの意味があったが[5]，排除法則が実務上も一定の範囲ではあるが認められるようになった現在，その存在意義は少なくなっている．とはいえ，違法な身柄拘束中に得られた自白の証拠能力を考える場合などは，必要性がある(⇨491頁)．

> 現在は，任意性のない自白が証拠とならない実質的な理由を，虚偽排除説と人権擁護説の両者の組み合わせで説明するのが合理的である．一方のみに割り切ること

---

4) なお，下級審の中には，任意性に全く疑いがない自白であっても排除を認める議論がなかったわけではない．例えば，別件逮捕の違法を理由とする金沢地七尾支判昭44・6・3(判時563・14)，東京地判昭45・2・26(判時591・30)等である．

5) アメリカでは，自白の証拠能力を限定することによって適正手続の確保を図ってきたという歴史が存在する(田宮351頁)．

は適切でなく，両方の趣旨を含んでいるものと解すべきである．したがって，任意性の有無は，虚偽排除の観点と人権擁護の観点を総合して判断されなければならない．また，違法排除説も補充的に必要である．

虚偽排除説	虚偽であることの危険性があるので排除 真実であると考えられる場合は排除しない
人権擁護説	黙秘権等の被告人の人権を守るため 自白を得る際の人権侵害を抑制
違法排除説	違法な手段の下に獲得された自白は排除 「任意性」と離れた解釈の可能性

(2) 任意性の具体的判断

強制・拷問・脅迫 自白法則は，任意性に疑いがあると認められる場合を類型化する作業により，外形的事情によって判断できるように明確化されなければならない．強制行為によって得られた自白は，任意性のない典型例である．法319条の強制，拷問，脅迫とは，肉体的又は精神的な苦痛を与える強制行為のすべてを含む表現である．

自白を排除するには，強制行為と自白との間に因果関係のあることが必要である．ただ，因果関係が直接的に認定されなくても，取調べにおいて強制が加えられた場合には，その強制と自白が時間的に近接していれば因果関係の推認されることが多いであろうし，因果関係のないことが積極的に認められない限り，任意性に疑いが残ることになろう．また，警察官から強制等を加えられて自白したような場合には，引き続き身柄を拘束されている間になされた検察官に対する自白も，その影響下で行われたものと推認されるので，因果関係を断つ特段の事情がない限り，任意性に疑いが残ることになろう．

強制，拷問，脅迫が加えられて得られた自白であると認められる以上，その自白が**真実であると判明しても，証拠となし得ない**（証拠禁止 ⇨ 382頁）．その範囲では，虚偽排除説は人権擁護説によって修正される．重大な人権侵害が認められるからである．

具体的判断 強制等による自白か否かの判断として，被告人が公判廷で「その時は

警察官に叱られたので，左様に殺すつもりで殴ったと申し上げましたが，実際は殺す気がなかったのであります」とか，「係官がそうだろうそうだろうと申すので，とうとうそうだと申しておいたのでありました」などと述べたとしても，そのような事情によって直ちに自白が強制によるものであるということはできない（最大判昭 23・7・14 刑集 2・8・856）．また，公判廷における自白は，それと同内容の警察官に対する供述が仮に強制によるものであったとしても，何ら強制を加えられないで任意になされたものであるから，間接の強制とはいえない（最大判昭 23・11・5 刑集 2・12・1473）．

以上とは異なるが，最判昭 32・7・19（刑集 11・7・1882）は，被告人の警察官に対する自白が強要によるもので任意性が認められない場合でも，その後にされた被告人の検事等に対する自白まで当然に任意性を欠くものと断定することはできないとしつつも，被告人が警察において令状によらないで抑留され，その間に自白を強要されているような場合は，その後において適法な勾留がなされ，自白強要の事実がないとしても，検事等に対する被告人の自白は，その任意性に疑いがあるとしている[6]．

不当に長い抑留・拘禁の後の自白　不当に長く抑留又は拘禁された後の自白も，任意性のない自白の典型例である．抑留は短期間，拘禁は長期間の拘束を意味する．

「不当に長い」とは，虚偽排除説の視点からは，虚偽の自白をしてでも釈放を求めたいと思うような苦痛を与えるほど長いことをいい，人権擁護説の観点からすれば，供述の自由を侵す程度に長いことを意味することになる．不当に長いか否かは，犯罪の罪質，重大性，勾留の必要性などの客観的事情に加えて，年齢，性格，健康状態など被疑者固有の事情を総合して，具体的な事件ごとに判断されるべきである．

具体的判断　裁判例としては，窃盗の直後に現場の近くで被告人の所持品の中から

---

[6] 強制行為と自白との因果関係については，当初の段階で任意性を失わせるような強制行為が加えられた場合には，それを断つ特段の事情が認められない限り，その後の自白もその影響を受けているものとされる例が多い．例えば，最判昭 27・3・7（刑集 6・3・387）は，「検事に対する被告人の自白が，その一両日前警察署における刑事の取調の際に長時間に亘る肉体的苦痛を伴う尋問の結果した自白を反覆しているに過ぎないのではないかとの疑が記録上極めて濃厚であって，かかる疑を打ち消すべき特段の事情を発見することができないにもかかわらず，警察における前示肉体的苦痛と検事に対する右自白との間に因果関係がなかったかどうかについて十分な審理を尽さず，この自白を犯罪事実認定の証拠としたときは，審理不尽の違法がある」としている．

被害金品が出てきたという事件について，被告人が逃亡するおそれもないのに 109 日間拘禁し，その後に被告人が初めて犯行を自白した場合に，「不当に長く抑留又は拘禁された後の自白」に当たるとされ(最大判昭 23・7・19 刑集 2・8・944)，単純な 2 個の窃盗事件において，逮捕されてから 6 か月 10 日間引き続き拘禁された後，控訴審の公判廷で初めて自白するに至った事案について，被告人が拘禁後 1 か月余で病気になり，拘置所内の病舎に収容され，その公判期日にも病舎から出頭して自白した上，身柄の釈放を求めていたような事情がある場合には，「不当に長く拘禁された後の自白」に当たるとされた(最大判昭 24・11・2 刑集 3・11・1732)．

また，満 16 歳に満たない少年に対し勾留の必要を認められないような事件について 7 か月余勾留し，その間別罪である放火罪について取調べをした場合において，その間の自白に一貫性がなく，途中で一旦犯行を否認したことがあるようなときは，7 か月余の勾留の後にされた自白は，「不当に長く抑留又は拘禁された後の自白」に当たるとされている(最大判昭 27・5・14 刑集 6・5・769)．

これに対し，3 個の窃盗行為に関する 6 か月 16 日の拘禁の後になされた自白であっても，被告人が当初から自白していたことや当時の裁判所の処理能力などを考えれば必要な期間であったものと認められるから，不当に長く拘禁された後の自白には該当しないとされ(最大判昭 23・2・6 刑集 2・2・17)，また，関係者多数の喧嘩にかかる殺人等の事案に関し，拘禁後 160 日ないし 173 日後の自白であっても，必ずしも不当に長い拘禁後の自白であるとはいえないとされている(最判昭 25・8・9 刑集 4・8・1562)．

不当に長い拘束と自白との間には，**因果関係**が必要である．例えば，被告人が当初から一貫して自白している場合には，因果関係は否定される[7]．釈放後相当日数を経過して自白した場合も，因果関係は否定される(最大判昭 23・7・29 刑集 2・9・1076)．

自白法則と違法収集証拠排除法則　違法な抑留・拘禁の間に得られた自白の証拠能力に関しては，自白法則と違法収集証拠排除法則との関係をどのように考えるかにつき，見解が分かれている．自白については専ら任意性の観点から判断すべきで，違法収集証拠排除法則の適用はないとする見解や，任意性とは別に違法収集証拠排除

---

[7] 最大判昭 23・6・23 (刑集 2・7・715) は，「憲法第 38 条第 II 項において『不当に長く抑留若しくは拘禁された後の自白はこれを証拠とすることができない』と規定している趣旨は，単に自白の時期が不当に長い抑留又は拘禁の後に行われた一切の場合を包含するというように形式的，機械的に解すべきものではなくして，自白と不当に長い抑留又は拘禁との間の因果関係を考慮に加えて妥当な解釈を下すべきものと考える」としている．

法則も適用されるとする見解などである．身柄拘束が違法であればその間になされた供述に影響を及ぼすと考えるのが自然である上、違法収集証拠排除法則は明白な条文上の根拠がないことなどもあって、まずは条文上の根拠があり判例の集積も多い自白法則によって判断すべきであろう．とはいえ、任意性を疑わせる強制行為等が存在しなくても、抑留・拘禁自体に憲法違反など重大な違法がある場合には、任意性の観点とは別に違法収集証拠排除法則が適用される余地もあると考えられる（⇨ 491 頁）．

<その他任意性に疑いのある自白> 強制、拷問又は脅迫による自白、不当に長く抑留又は拘禁された後の自白以外であっても、任意性の認められないものがある．任意性に疑いがあるといえるか否かについては、条文に例示された強制、拷問、脅迫や長期拘束等に示されている「証拠としない理由」を勘案しつつ、虚偽排除・人権擁護の視点から実質的に考察されなければならない．

まず、**手錠をかけたままの取調べによる自白**は、通常は任意性を欠くと考えられる．捜査機関が被疑者を取り調べる際に手錠を施すことの適否については、公判廷の場合のような規定はない（法287 I 参照）が、供述の自由を担保するためには、施錠しないで取り調べるのが原則である．最判昭38・9・13（刑集17・8・1703）は、「勾留されている被疑者が、捜査官から取り調べられるさいに、さらに手錠を施されたままであるときは、その心身になんらかの圧迫を受け、任意の供述は期待できないものと推定せられ、反証のない限りその供述の任意性につき一応の疑いをさしはさむべきである」としている[8]．また、判例は、**糧食の差入れが禁止されている間の自白**についても、特段の事情のない限り、任意性に疑いを生じさせるものとしている（最判昭32・5・31 刑集11・5・1579）．

次に、**約束による自白**は排除される．捜査機関が、被疑者に対し、自白すれば起訴猶予にする、あるいは釈放するなど利益な処分の約束をし、その結果被疑者が自白した場合である（最判昭41・7・1 刑集20・6・537）．このような自白

---

8) 片手錠の場合は、事案によるが、任意性の肯定される例も少なくない．例えば、福岡高判昭54・8・2（刑月11・7=8・773）は、被疑者段階で片手錠及び腰縄をされたままの取調べによる自白につき、任意性を肯定している（ほかに、大阪高判昭50・9・11 判時 803・24 等）．

は，利益目当ての虚偽自白である可能性が類型的に高いと考えられるため，任意性に疑いが生じる．ただし，平成28年法改正で導入された合意制度（平成30年6月1日施行）において得られた供述については，弁護人の関与や合意内容の書面化など信用性を担保するための措置が講じられており（⇒163頁），類型的に虚偽供述をする可能性が高いとはいえないため，合意制度によるものであることのみによって任意性に疑いが生じるとは解されないであろう（もっとも，その自白の信用性については，その事情を含めた慎重な吟味が求められることになる）．

　また，**偽計**による**自白**も排除される．偽計によって被疑者が心理的強制を受け，虚偽の自白が誘発されるおそれが濃厚であるから，やはり任意性に疑いが生じるのである．最大判昭45・11・25（刑集24・12・1670）は，いわゆる**切り違え尋問**という偽計によって自白を得た事案[9]につき，「捜査官が被疑者を取り調べるにあたり偽計を用いて被疑者を錯誤に陥れ自白を獲得するような尋問方法を厳に避けるべきであることはいうまでもないところであるが，もしも偽計によって被疑者が心理的強制を受け，その結果虚偽の自白が誘発されるおそれのある場合には，右の自白はその任意性に疑いがあるものとして，証拠能力を否定すべきであり，このような自白を証拠に採用したことは，刑訴法319条Ⅰ項の規定に反し，ひいては憲法38条Ⅱ項にも違反する」と明示した．

長時間の取調べと任意性　徹夜又は長時間の取調べの結果得られた自白の任意性も問題となり得る（最決昭59・2・29刑集38・3・479，最決平1・7・4刑集43・7・581（⇒84頁）参照）．もっとも，この点は，逮捕前の任意捜査において，事実上身柄を拘束して長時間取り調べた結果得られた自白の証拠能力の問題として現れることが多く，その場合には，任意捜査の限界とその違法性の有無が焦点となり，そのようにして得られた証拠をその違法性の故に排除すべきか否かが論じられることになる（⇒491頁）．

9）　けん銃の隠匿所持の事案において，被告人の妻は，自分の一存でけん銃を買って自宅に隠匿所持していた旨を供述し，被告人も，妻が勝手に買ったものであると供述していたところ，検察官は，まず被告人に対し，実際は妻がそのような供述をしていないのに，妻が被告人と共謀したと自供した旨を告げたところ，被告人が共謀を認めるに至ったので，次いで妻に対し，被告人が共謀を認めた旨を告げ，妻も共謀を認めたので直ちにその調書を取り，再度被告人を取り調べて自白調書を作成した．

確かに，その際，「長時間の取調べにより任意性が失われるか」という点も検討される必要があるが，任意捜査の形態をとっていることもあって，強制的色彩の弱い場合が多く，任意性に疑いを生じさせる例は少ない．

他方，**追及的あるいは理詰めの取調べによる自白**(最大判昭 23・11・17 刑集 2・12・1565 参照)，**誘導的な取調べによる自白**(広島高松江支判昭 25・5・24 判特 7・138 参照)，**黙秘権の告知を欠いた取調べによる自白**(最判昭 25・11・21 刑集 4・11・2359)，**数人がかりでの取調べによる自白**(仙台高秋田支判昭 25・10・30 判特 14・188 参照)等は，直ちに任意性に疑いを生じさせるものではない．もっとも，いずれの場合も，当該具体的な取調べの態様いかんによっては，任意性に疑いを生じさせる場合もないわけではない[10)11)]．

　接見制限と自白　弁護人との接見交通権が不当に制限された状況下での自白についても問題となるが，常に任意性に疑いを生じさせるものとはいえない．例えば，最決平 1・1・23 判時 1301・155 は，検察官が一部の弁護人との接見を不当に制限したものの，他の弁護人との接見の直後に自白した事案について，任意性を肯定している．もっとも，接見制限の程度が被告人の弁護人選任権の重大な侵害に当たるような場合には，違法収集証拠排除の見地から，その間になされた自白の証拠能力が否定されることになろう(⇨ 492 頁)．

(3) 任意性の立証

立証責任　自白の任意性の実質的挙証責任(⇨ 395 頁)は，検察官にある．証拠能力を基礎付ける事実についての挙証責任はその証拠の提出者(自白については通常は検察官)にあるからである．さらに，「任意にされたものでない疑のある自白」は証拠とすることができないという法 319 条の文言からいっても，検察官は，任意性に疑いがないことまで立証すべき責任がある

---

10) 被疑者に対する黙秘権の事前告知(法 198 II)は，黙秘権の行使を実効性のあるものとするためであり，告知しないで得られた自白が直ちに任意性を欠くものではないが(前掲最判昭 25・11・21)，供述義務があるものと誤信させるなど実質的に黙秘権を侵害して得られた場合は，違法に得られた証拠として排除される(東京高判平 22・11・1 判タ 1367・251 参照)．
11) 病気中の自白の任意性も問題となる．取調べに耐えられる病状であるならば，捜査機関等がこの状態を作り出しあるいはこれを利用して取り調べたというような事情がない限り，病中であることから直ちに任意性に疑いが生じることにはならないであろう(最判昭 25・7・11 刑集 4・7・1290 参照)．

と解される．任意性に関する事実の立証は，訴訟法上の事実の立証であるから，自由な証明で足りるが，実務上は，事柄の重要性にかんがみ，厳格な証明によっている例が多い(⇨392頁)．

立証方法　任意性の立証に関し，かつては，不当な取調べの存否を巡って被告人と取調官の供述が対立し，その点に関する客観的資料が乏しく審理が長期化する例も少なくなかったため，裁判員制度導入を控えた平成17年の規則改正において，検察官は，できる限り取調べ状況記録書面等の資料を用いるなどして迅速かつ的確な立証に努めなければならない旨規定された(規198の4)．その後，取調べの録音・録画が試行されたこともあり，取調べ状況を録音・録画したDVDが裁判員裁判において取り調べられる例も見られるようになった．そのような中で，平成28年法改正により，身柄拘束された被疑者を裁判員制度対象事件と検察官独自捜査事件について取り調べる場合には，原則としてその取調べの全過程を録音・録画する制度が導入され(⇨160頁)，任意性を立証するために録音・録画の取調べ請求をすることが義務付けられた．

録音・録画の取調べ請求義務　検察官は，裁判員制度対象事件[12]と検察官独自捜査事件の逮捕・勾留中に行われた被疑者の取調べや弁解録取の際に作成され，自白を含む不利益な事実の承認を内容とする供述調書等の証拠調べ請求をした場合において，その任意性が争われたときは，当該供述調書等が作成された取調べの開始から終了までを録音・録画した記録媒体(DVD等)の取調べを請求しなければならない(法301の2 I)．検察官がこの取調べ請求をしないときは，裁判所は，自白調書等の取調べ請求を却下しなければならない(同II)[13]．この制度の導入(令和元年6月1日施行)により，的確な任意性の立証とともに，その前提となる取調べ自体の適正な実施が担保さ

---

[12]　法301条の2は，対象事件を法定刑に基づいて規定しているため，裁判員制度対象事件ではない内乱罪等も対象事件となるが，基本的には，裁判員制度対象事件と検察官独自捜査事件が録音・録画制度の対象となっている．

[13]　録音・録画記録の取調べ請求義務が履行されても，それによって直ちに任意性が立証されたことになるわけではない．例えば，当該自白調書等が作成された取調べより前に行われた取調べの録音・録画記録は，取調べ請求義務の対象とはならないが，それが任意性の立証に必要とされることもあり得る．なお，法301条の2 I項・II項は，被告人の供述の伝聞供述(⇨453頁)において被告人供述の任意性が争われた場合にも準用される(同条III)．

れ，任意性が争点となること自体が少なくなるものと期待されている．

3 自白の証明力

(1) 補強証拠

自白の証明力　自白についても，その証明力は慎重に判断されなければならない．① 自白に至る経過や動機を検討するほか，② 内容の合理性が判断されなければならない．「供述内容は辻褄が合っているか」という判断は，一般人の常識に適ったものでなければならないが，法律家としての専門的能力を最も問われる部分ともいえよう．もっとも，この点の判断は，しばしば主観的なものとなる危険性があるため，他の証拠，特に物的証拠や客観的証拠との整合性の有無と程度という客観的判断を重視すべきであろう．さらに，その際，③ 犯人でなければ知り得ないような事情が含まれているか否かをチェックする必要がある．犯行の主要な部分にそのような事情(いわゆる**秘密の暴露**)が含まれていれば，その自白は原則として信用できるものと考えられるからである(⇨499頁)．

補強法則　被告人を有罪とするには，自白のほかに他の証拠(**補強証拠**)を必要とする．任意性があり信用性も認められる自白によって，裁判官がどれだけ強い有罪の心証を得たとしても，他の証拠がなければ有罪としてはならないのである．このように自白しか証拠がない場合は有罪となし得ないことを**補強法則**という(憲38 III，法319 II・III)．補強法則は，自白の証明力の制限，すなわち自由心証主義の唯一の例外である(⇨380頁)．

ところで，被告人に不利益な唯一の証拠が第三者の供述であれば，それのみで被告人を有罪とすることができるのに，何故自白に限って補強証拠を必要とするのであろうか．まず，自白は，犯罪体験者の告白として過大に評価される危険がある．そのために，自白は，歴史的にも証拠の中で最も重んじられてきたが，他方では，任意性のない虚偽の自白によって誤判を招いた例も少なくない．第三者の供述であれば反対尋問の機会があるが，自白にはその機会がないためである．そこで，自白の偏重を避けることによって誤判を

防止し(虚偽排除的側面)，併せて間接的には，自白の強要を防止するため(人権擁護的側面)，自白に補強証拠を必要としたものと考えられる[14]．

公判廷における自白と憲法38条Ⅲ項 　刑訴法319条Ⅱ項は，「公判廷における自白であると否とを問わず，その自白が自己に不利益な唯一の証拠である場合には，有罪とされない」として，公判廷における自白についても補強法則の適用を認めているが，憲法38条Ⅲ項は公判廷の自白に補強証拠を要するとは明言していない．そこで，憲法38条Ⅲ項の「自白」に「公判廷の自白」が含まれるのか争いがある．肯定説によれば，刑訴法319条Ⅱ項は憲法の趣旨を明らかにしただけということになるが，否定説によれば，憲法の趣旨を更に前進させたものということになる．判例は否定説を採っている(最大判昭23・7・29刑集2・9・1012，最判昭42・12・21刑集21・10・1476)．

　両説の差は，具体的には公判廷における自白のみで有罪とした場合に生じる．肯定説によれば，その判決は憲法違反となり，上告の際には適法な上告理由(法405①)となるが，否定説によると，訴訟法違反にすぎず，上告の際には職権破棄の理由(法411①)にとどまる．また，いわゆるアレインメント制度(⇨360頁)の採用についても，否定説では可能になるという違いがある．

補強証拠適格 　証拠能力のある証拠であれば，原則として，補強証拠になり得る．人証，物証，書証を問わないし，直接証拠であると間接証拠であるとを問わない(最判昭26・4・5刑集5・5・809)．ただ，補強法則の趣旨を考えると，実質的に考察して**自白からの独立性**がなければ補強証拠となり得ないことに注意を要する．他の機会の自白であっても，**自白を自白の補強証拠**とすることはできない(最大判昭25・7・12刑集4・7・1298)．自白をどれだけ集めても，自白のみで処罰することの危険性を克服することはできないからである．

　被告人の**承認**は，例えば被告人の日記やメモのように，嫌疑を受ける前に嫌疑と関係なしに作成されたような場合は，法323条により独立の証拠価値があるから(⇨443頁)，自白からの独立性を認めることができる(最決昭32・11・2刑集11・12・3047)．

---

14) 自白偏重の防止の狙いは，ほかにも，自白は補強証拠が取り調べられた後でないと取り調べてはならないとされていること(法301)などに現れている．

形式的には自白と別個の第三者の供述であっても，実質的には被告人の自白を内容とし，それを伝えるにすぎないものであれば，補強証拠になり得ない．これに対し，被告人との共同犯行の状況を述べる共犯者や共同被告人の供述は，補強証拠になり得る．自白からの独立性が認められるからである(⇨ 403 頁)．

(2) 補強証拠の必要な範囲

犯罪事実以外の事実 補強証拠を要するのは犯罪事実についてであり，犯罪事実以外の事実については補強証拠を必要としない．例えば，累犯となる前科は，被告人の供述だけで認定することができる．補強証拠の意義は，架空の犯罪で処罰されるのを防止することにあるから(最判昭 24・4・7 刑集 3・4・489 参照)，犯罪事実以外についてまで補強証拠を必要とするものではないと解される．

最判昭 26・3・6 (刑集 5・4・486) は，「憲法 38 条 III 項の定める，自白を唯一の証拠とすることの禁止は，もともと犯罪事実の認定に関するものである」とし，追徴の理由とされた没収できなかった原因事実については自供のみによって認めたとしても違法ではないとした．最決昭 29・12・24 (刑集 8・13・2343) も，累犯加重の事由である前科の事実を被告人の自白だけで認定しても，憲法 38 条 III 項及刑訴法 319 条 II 項に違反しないとしている．

主観的構成要件事実 犯罪事実のうちどの部分について補強証拠を必要とするかについては，刑訴法などに定めがあるわけではない．刑事訴訟において犯罪事実を認定するには，刑法の構成要件に該当する犯罪事実が存在することと，それが被告人によって犯されたことの証明が必要となる．構成要件該当事実は，実行行為・結果・因果関係という客観的な事実(罪体—corpusdelicti)と，故意・過失・目的等の主観的な事実に大別されるが，前者に補強証拠があれば架空の犯罪による処罰を防止することができる上，主観的事実については，補強証拠の存在しない場合も少なくないから，主観的事実まで補強証拠を必要とするものではない(**罪体説**)．

最判昭 24・4・7 (刑集 3・4・489) は，「そもそも，被告人の自白の外に補強証拠を要するとされる主なる趣旨は，ただ被告人の主観的な自白だけによって，客観的には架空な，空中楼閣的な事実が犯罪としてでっち上げられる危険——例えば，客観的

にはどこにも殺人がなかったのに被告人の自白だけで殺人犯が作られるたぐい——を防止するにあると考える．だから，自白以外の補強証拠によって，すでに犯罪の客観的事実が認められ得る場合においては，なかんずく犯意とか知情とかいう犯罪の主観的部面については，自白が唯一の証拠であっても差支えないものと言い得るのである」とする[15]．

さらに，共同正犯の意思の連絡について，最判昭 22・12・16（刑集 1・88）は，「被告人の自白の外，証人 A の供述記載を証拠として引用しているのであるから，所論のように被告人と他の共犯者との間の強盗の意思連絡について被告人の自白以外に他の証拠がないからとて，前記法律の規定に違反して虚無の証拠によって事実を認定したものとはいえない」として，補強証拠を不要としている．

被告人と犯人の同一性 被告人が犯人であることについては，その補強証拠の要否に関して学説に争いがあるが，必要がないものと解される．被告人が犯人であることについては，補強証拠のない場合が少なくないため，一律に補強証拠を要求すると真相解明のかなりの部分を断念せざるを得なくなる上，そのような証拠の存否は偶然性に左右されることになるので，補強証拠を必要とするのは相当でない．判例も同様に解しており，最大判昭 30・6・22（刑集 9・8・1189）は，「被告人が犯罪の実行者であると推断するに足る直接の補強証拠が欠けていても，その他の点について補強証拠が備わり，それと被告人の自白とを綜合して本件犯罪事実を認定するに足る以上，憲法 38 条 III 項の違反があるものということはできない」としている．

客観的構成要件事実 客観的構成要件事実については，補強証拠を必要とする．学説には客観的構成要件事実のほぼすべてにわたり補強が必要だとするものも見られるが，架空の犯罪による処罰を防止するという補強法則の趣旨を考えても，そこまでの必要はなく，犯罪の客観的構成要件事実の重要な部分について，補強証拠があれば足りるものと解される．

問題は，何をもって「重要部分」と解するかである．学説は，実体法上の構成要件の重要部分と解しているが，判例は，「自白を補強すべき証拠は，必ずしも自白にかかる犯罪組成事実の全部に亘って，もれなく，これを裏付け

---

[15] また，判例は，盗品等に関する罪の盗品性の知情について，補強証拠は必要ないとしている（最大判昭 25・11・29 刑集 4・11・2402，最大判昭 26・1・31 刑集 5・1・129 等）．

するものでなければならぬことはなく，**自白にかかる事実の真実性を保障し得るものであれば足る**」としている(最判昭23・10・30刑集2・11・1427)．具体的事案への適用の場面では両者に違いが出ることは少ないと思われるが，補強証拠を必要とする理由が架空の犯罪による処罰の防止にあることや，主観的構成要件事実や被告人と犯人との同一性についてまで補強証拠を要求していないことなどを考えると，「重要部分」を刑法論上の構成要件の主要要素と解すべきではなく，犯罪事実の存在を認める**自白内容の真実性を担保**するものであれば足りるものと解すべきであろう．

補強の必要な具体的範囲　殺人罪の場合，単なる死体の存在という自然的事実の補強証拠だけでは不十分であり，それが犯罪行為によって発生したものである点まで補強証拠を必要とする．実質的に考えても，そこまで補強されれば殺人についての自白の真実性が保障されるものといえる．

また，無免許運転の罪については，運転行為のみならず無免許であるという事実についても補強証拠を必要とする(最判昭42・12・21刑集21・10・1476)．無免許の事実も犯罪の重要な部分と考えられるし，運転行為そのものは何ら犯罪的色彩のない性質のものであるから，無免許の事実に補強証拠が存在して初めて，被告人の自白の真実性を保障できるといえよう．

さらに，窃盗罪の場合，盗難被害届から結果の発生(盗難被害)という窃盗罪の重要な部分が証明できれば，被告人の窃盗の自白の真実性を保障し得るから，補強証拠として十分である(最判昭26・3・9刑集5・4・509)．それに比し，盗品等有償譲受け等の罪の場合に，盗難被害届だけで自白を補強するのに十分といえるか否かは争いがある．盗難被害届は，客観的な盗品性は証明できるが，譲受けについて補強するものではないからである．盗品等有償譲受け罪の罪体の重要部分は譲受け行為であるとして，被害届だけでは補強証拠として不十分であるとの考えもあるが，自白にかかる事実の真実性を保障し得るものという基準によれば，補強証拠として十分であるということになる(最決昭26・1・26刑集5・1・101，最決昭29・5・4刑集8・5・627)[16]．

補強証拠の証明力　このように，判例は，補強証拠がどの範囲の事実について必要

---

[16] 強盗傷人罪について傷害の部分の補強証拠で十分かという点においても，犯罪の重要部分を実質的に理解しなければならない．最判昭24・4・30(刑集3・5・691)は，補強証拠が「暴行を加え因って同人に傷害を与えた」という事実を立証するだけであって，強盗傷人罪の全部を立証するものではないが，犯罪構成事実の一部を立証するものであっても，被告人の自白にかかる事実の真実性を十分に保障し得るものであるから，被告人の自白のみによって判示事実を認定したものということはできないとしている．

かという問題と，補強証拠の証明力がどの程度必要かという問題とを明確に区別せず，自白と補強証拠とが相まって犯罪事実を証明する程度で足りるとしている（最判昭 24・4・7 刑集 3・4・489，最判昭 28・5・29 刑集 7・5・1132）．

　学説も，補強証拠を必要とする範囲の事実につき，補強証拠だけで合理的な疑いを生ずる余地がない程度に真実であると証明できるまでの必要はないとしているが，補強証拠だけで事実について一応心証を抱かせる程度の証明力は必要であると解する説が有力である．自白に補強証拠を必要とする理由から考えて，自白を離れて補強証拠だけで一応の心証を抱かせる程度の証明力が必要であるとするのである．しかし，証拠としての自白も存在しているのであるから，それと相まって事実を証明できる程度であれば足りると解することも可能である．具体的には，補強証拠と自白との間に，被害物件の種類・数量や犯行時間などの細部では多少の相違があっても，自白を加味することにより補強証拠によって事実を証明することができれば足りると解すべきである．

III 伝聞法則とその例外

1 伝聞法則の意義

320条 I 第321条乃至第328条に規定する場合を除いては，公判期日における供述に代えて書面を証拠とし，又は公判期日外における他の者の供述を内容とする供述を証拠とすることはできない．

(1) 伝聞法則の根拠

伝聞法則 反対尋問を経ていない供述証拠(伝聞証拠)は原則として証拠になり得ないことを，**伝聞法則**と呼ぶ(⇨379頁)．伝聞証拠とは，具体的には「公判期日における供述に代わる書面」及び「公判期日外における他の者の供述を内容とする供述」(伝聞証言)で，その原供述の内容である事実の証明に用いられる証拠を意味する．このような書面や証言のように，事実認定の基礎となる体験が，体験者自らの公判廷における供述によってではなく，他の間接的な方法で公判廷に報告される場合に，体験者の供述する内容の事実(**要証事実**)の認定に用いることを許さないこととするのが伝聞法則の趣旨である(法320 I)[1]．

例えば，Xが殺人を目撃した場合，目撃状況を自ら記載した書面(供述書)又は捜査官等が聞き取って記録した書面(供述録取書)を公判廷に提出することがある．これが「公判期日における供述に代わる書面」である．また，Xからその目撃状況を聞いたYが法廷でその内容を供述するのが「公判期日外における他の者の供述を内容とする供述」である．いずれも，目撃者であるX自身に法廷の場で供述

---

1) 伝聞証拠となるか否かは，要証事実との関係で決まってくる(⇨420頁)．

を求めるものではないため，目撃した際の状況について反対尋問できないし，それ故に供述時の態度等を観察することもできない．そこで，そのような証拠によっては原供述の内容である事実の認定ができないこととされているのである．

供述証拠の危険性　供述証拠は，人間が，ある出来事を五官を通して知覚し，これを記憶し，さらにこれを表現することによって，裁判所に体験内容を報告するものである．その間，まず知覚の場面において，見間違い，聴き違い等の誤りが生じるおそれがある．また，記憶には限界があり，時間が経過すれば不正確になり，その後の体験の影響などで誤った記憶に転換することもある．さらに，表現の場面においても，質問者との関係や質問の方法などによっては，記憶の内容が純粋に客観的に表現されるとは限らない．事実の一部の表現が欠落して全体として不正確な内容となったり，記憶と異なる内容の表現となったりすることも決して珍しいことではない．このように，供述証拠は，**知覚** ⇨ **記憶** ⇨ **表現**のそれぞれの段階で**誤りが混入する危険**があり，人間の記憶に頼らない非供述証拠とは異なっている．

反対尋問の重要性　以上のような供述証拠の危険性を除去するには，供述者本人を公判廷に出頭させて尋問することが合理的である．とりわけ，利害の対立する反対当事者による尋問(反対尋問)が有効である．反対尋問権は，被告人，検察官双方が有するが，特に被告人の反対尋問権は憲法によって保障されている(憲法 37 条 II 項前段)[2]．これに対し，法廷外の供述は，反対尋問によるチェックがなく，また，公判廷での証言と異なり，宣誓し偽証罪に問われるというおそれもなく，さらに，裁判所が供述時の供述者の態度状態を観察することもできないので，真実性の担保が弱い．

> **直接主義の意味**　供述内容の正確性を評価する上では，事実認定をする裁判所が供述者の態度等を直接観察することも重要である．伝聞証拠は，このような作業を経ないため，評価の正確性の保障がなく，事実認定を誤らせるおそれがあるわけであ

---

[2]　被告人の反対尋問権は十分保障されなければならない．証人が被告人の面前では圧迫を受けて十分な供述をできないおそれがあるために被告人の退廷が命じられる場合(法 304 の 2)でも，反対尋問権は保障される．しかし，被告人が法廷の秩序を乱したために退廷を命じられた場合(法 341 参照)などは，反対尋問権を自らの責によって喪失したものとされ，書証に同意したものとみなされることもある(最決昭 53・6・28 刑集 32・4・724)．

る．これが伝聞証拠について原則的にその証拠能力を否定する根拠の1つであるといえよう．

伝聞証拠の問題性
---
① 伝聞に際し虚偽が入り込みやすい
② 不利益を受ける当事者の反対尋問によるチェックがない
③ 偽証罪による縛りがない
④ 裁判所が供述時の供述者の態度状態を観察できない

伝聞法則の限界 このように考えてくると，真実の発見のためには伝聞証拠を一切排除するのが望ましいということになりそうである．しかし，(1)伝聞証拠であるからといって常に虚偽であるとは限らないのは当然である．その上，(2)証人の直接の尋問が時間的・経済的に大きな負担となることは否定できない．証人にとっても法廷に出ることが負担となることは少なくない．特に，(3)証人の記憶が弱まったり，証人の行方不明，死亡といった事態も十分あり得るから，伝聞証拠を証拠とせざるを得ない場合が存在する．それ故，伝聞証拠の禁止は，合理的な例外を認めるやわらかな原則でなければならない．上記表の①〜④の不都合がどれだけ存在するかを前提として，たとえ伝聞証拠であっても使用しなければならない必要性を勘案し，排除すべき証拠の範囲を確定する必要がある．刑訴法は，321条以下に例外を詳細に規定している[3]．

(2) 伝聞法則の不適用

要証事実は何か 一見すると法320条I項により証拠とすることができない供述証拠に当たるように見えるが，実は伝聞証拠ではないという場合がある．その供述によって，内容となっている事実を立証しようとする場合には，上記のような危険性があるから，伝聞法則の適用を受けることになるが，そのような供述がされたこと自体を立証しようという場合には，

---
[3] なお，簡易公判手続によって審判する旨の決定がされた事件では，伝聞証拠に関する証拠能力の制限が解除されている（法320 II）．即決裁判手続（⇨362頁）の場合も同様である（法350の27）．

そのような危険性がないから，伝聞法則は問題とならない(**伝聞法則の不適用**)．このように，伝聞証拠か否かは**要証事実**との関係によって定まるものであり，要証事実が原供述の内容となる事実ではなく，原供述の存在自体である場合は，伝聞法則の例外(⇨430頁以下)ではなく，そもそも伝聞法則が適用されないのである(**非伝聞**)[4]．その例としては，以下のように，① 言葉が要証事実である場合，② 言葉が行為の言語的部分である場合，③ 言葉を情況証拠として用いる場合などがある[5]．いずれの場合も，言葉を供述証拠として用いるのではなく，非供述証拠として用いているといえる．

　最判昭38・10・17(刑集17・10・1795)は，警察本部警備課長殺害事件(いわゆる白鳥事件)において，「伝聞供述となるかどうかは，要証事実と当該供述者の知覚との関係により決せられるものと解すべきであって，Xが一定内容の発言をしたこと自体を要証事実とする場合には，その発言を直接知覚したYの供述は伝聞供述にあたらないが，Xの発言内容に符合する事実を要証事実とする場合には，その発言を直接知覚したのみで，要証事実自体を直接知覚していないYの供述は伝聞証拠にあたる」(要旨)と判示し，以下の供述について伝聞証拠に当たるか否かを示した．すなわち，被告人Xの(a)「白鳥はもう殺してもいいやつだな」との発言，Xの(b)「白鳥課長に対する攻撃は拳銃をもってやるが，相手が警察官であるだけに慎

---

4) このように，伝聞証拠であるか否かは要証事実が何であるかによって異なってくるから，当該犯罪事実がどのような内容で，そのうちのどの事実(あるいはどの間接事実)を立証するための証拠であるかをよく検討する必要がある．すなわち，供述の存在自体が犯罪事実ないし間接事実として要証事実となるのであれば，伝聞法則の適用はないが，供述内容の真実性が要証事実であれば，伝聞法則の適用を受けることになる．実務上は，伝聞法則の適用を避けようとする当事者が，その言葉の存在自体を立証するものであると述べることも少なくないが，当該事件でその言葉の存在自体を立証する必要があるのか，その言葉の内容の真実性を立証したいための方便なのではないか検討しなければならない．例えば，言葉が過去の出来事の報告であるような場合は，その時点での言葉の存在を立証することに意味はなく，言葉の内容となっている過去の出来事を立証しようとする場合が多いであろう．言葉の存在自体を立証する必要性に比して，伝聞法則の脱法的用法による危険性の方が遥かに大きい場合には，立証の必要性は否定されることになる．逆に，発言がその内容の真実性に関係なく社会生活上意味がある場合は，言葉の存在自体を立証する必要性の認められることが多いであろう．
5) ほかに，弾劾証拠として自己矛盾の供述を用いる場合も，供述内容の真実性を立証するためでなく，供述の存在自体を立証することによって，それと矛盾する他の機会の供述の信用性を減殺させようとするのであるから，伝聞証拠に当たらない(⇨462頁)．
　以上のほか，自己又は年齢の極めて近接した兄弟姉妹の生年月日のように，他人から教えられた知識ではあるが日々の体験によってその知識の真実性に関し独自の確信を有するに至るものは，直接体験による認識といえるから，伝聞証拠ではない(最決昭26・9・6刑集5・10・1895)．

重に計画をし，まず白鳥課長の行動を出勤退庁の時間とか乗物だとかを調査し慎重に計画を立てチャンスをねらう」との発言等に関する共犯者らの供述については，Xが発言したこと自体が要証事実とされているもので，伝聞証拠に当たらないとした．他方，実行犯とされるZが事件後に(c)「白鳥課長を射殺したのは自分である」と打ち明けた旨の関係者の供述については，Zが白鳥課長を射殺したことを要証事実としているもので，伝聞証拠に当たるとした[6]．

　また，最大判昭44・6・25（刑集23・7・975）は，名誉毀損罪における真実性の証明に関し，本件記事の内容として被害者及びその部下の言動を第三者から伝え聞いた者の証言は，その事実の真実性の証明に用いるのであれば伝聞に当たるが，被告人が真実であると誤信したことに相当な理由があったかどうかの証明に用いるのであれば，伝聞証拠とはいえないとしている．

言葉が要証事実である場合　脅迫・恐喝等の脅迫文言や名誉毀損の中傷文言のように，その発した言葉自体が犯罪行為の一部を構成する場合には，どのような言葉が述べられたか自体が立証の対象となる．例えば，証人Xが公判廷で「Aは『Bが放火したところを見た』と言っていました」と証言する場合，それを被告人Bが放火の実行行為をしたという事実の証拠として用いるのであれば，発言内容の真実性が問題となるから，正に伝聞証拠となるが，被告人Aが被害者Bを恐喝する手段としてそのような発言をしたという事実や，あるいは被告人Aがそのような発言をしてBの名誉を毀損したという事実の証拠として用いるのであれば，Bが本当に放火したかという発言内容の真実性は問題とならない．後者のような場合は，「Bが放火したところを見た」とAが発言したこと自体が立証すべき事実（**要証事実**）なのであるから，原供述者Aに対して反対尋問を行う必要はなく，Aの言葉を聞いたというXに対して尋問すれば足りることになる．言い換えれば，後者のような場合の言葉は犯罪行為の一部なのであるから，Xは犯行の目撃者と同じ立場にあるといえる．

---

[6] 最判昭38・10・17の(a)(b)の発言は，被告人の意図を推認させる間接事実，あるいは同席していた共犯者との間での謀議の成立を推認させる間接事実を要証事実とする例であり，いずれも言葉の存在を情況証拠とする場合であるから，伝聞証拠には当たらない．他方，(c)の発言は，発言者Zの発言時点での認識を立証するものではなく（本件ではそのような立証は意味がない），過去の事実を報告するものであって，報告内容のとおりの事実（Zが白鳥課長を射殺したこと）の存在を要証事実とするのであるから，伝聞証拠に当たる．

III 伝聞法則とその例外 ● 423

<small>行為の言語的部分</small>　言葉が行為の一部となっている場合も，伝聞証拠ではない．例えば，傷害事件の犯人が，「この野郎」と言いながら他人の背中を強く叩いた場合を想定すると，その言葉だけでは法的な意味は明らかでないが，「元気か」というような言葉ではなく「この野郎」という言葉だったことなどによって，叩いたことが傷害の実行行為と分かるのであるから，行為に随伴して法的意味を付与するものといえる．このような言葉を行為の言語的部分という．この場合も，言葉の内容の真実性ではなく，傷害行為の一部である言葉の存在自体を立証しようとするものであるから，伝聞法則の適用はない．

<small>言葉を情況証拠とする場合</small>　言葉の内容の真実性ではなく，その存在を情況証拠として用いる場合も，伝聞証拠ではない．例えば，証人 X が公判廷で「A は『おれはキリストの生まれ変わりだ』と言っていた」と証言する場合，この証言によって A がキリストの生まれ変わりであることを証明しようとするわけではなく，A がそのような言葉を述べたことを A の責任能力の欠如を推認させる**情況証拠**(間接事実)として用いようとするのであるから，発言内容の真実性は問題とならず，原供述者 A を反対尋問する意味はない．

　被告人や関係者の**認識・意図・動機**，その間における**謀議**の成立過程等を立証する必要のある事案では，それらを推認させる間接事実として，それらの者がある供述をしたこと自体を立証する必要のあることが多い．人の内心は他人が目で見ることはできず，内心の状態を知るには，当人の発言や当人が聞いた発言とそれへの応答が重要であり，それらを通じてしか内心の動きを知ることができない場合も少なくないためである．

　以上は，発言したこと自体を証明し，それを情況証拠として他の要証事実(原供述者の精神状態や認識・意図等)を推認させるという点で，言葉自体がそのまま要証事実である場合と異なるが，いずれの場合も発言内容の真実性ではなく発言したこと自体を立証しようとするものであり，その点では変わりがないといえる．

　被告人の認識　盗品有償譲受け事件において盗品を持ち込んだ相手方と被告人との会話や，薬物密輸入事件において被告人が通関の際に税関職員に話した弁解な

とは，発言内容の真実性の立証ではなく，盗品性についての被告人の認識や，隠匿された薬物についての認識を推認させる情況証拠としての立証であれば，伝聞証拠に当たらない．

被告人の意図・動機　殺人犯が「許せない」などと怒鳴っていたという目撃者の供述なども，発言内容の真実性を要証事実とするのではなく，犯人が興奮していたこと，あるいは被害者への敵意を示していたという，殺意を推認させる情況証拠として立証しようとするのであれば，伝聞証拠に当たらない．前掲最判昭38・10・17は，被告人自身の (a)(b) の発言に関する共犯者の供述が伝聞証拠に当たらないとしているが，これも，その発言を被告人の意図を推認させる間接事実として立証しようとすると解したものと考えられる．

なお，最判昭30・12・9 (刑集9・13・2699) は，当時の強姦致死被告事件において，第1審判決が，被告人がかねてＡと情を通じたいとの野心を持っていたことを犯行の動機として認め，その証拠として「Ａが，生前，『被告人はすかんわ，いやらしいことばかりする』と言っていた」旨のＢの証言を掲げている点につき，同証言は要証事実(間接事実である動機の認定)との関係において伝聞証拠に当たるとしている．Ａのこの発言の要証事実がＡの被告人に対する嫌悪の情ということであれば伝聞証拠には当たらないが，被告人が犯人性を争っているこの事件では，Ａの嫌悪の情を立証することは意味がない．したがって，この発言は，被告人の犯行の意図・動機を立証する間接事実として，被告人がＡにいやらしいことをしたということを立証しようとするものと考えられるが，その場合にはＡの発言内容の真実性が問題となるから，Ｂの証言は伝聞証拠に当たることになる[7]．

謀議の成立過程　共犯者間の謀議の成立についても，それに関係した者の供述が得られない場合には，謀議の場に居た者らの発言自体を間接事実(要証事実)として，謀議の成立を推認する過程を経ざるを得ない．また，その場での発言が，発言者や聞き手の認識や意図を推認させ，その場に居た者らの間での意思の連絡を推認させる重要な客観性のある資料となり得ることは，被告人の意図・動機等の場合と同じである．例えば，前掲最判昭38・10・17が指摘する被告人自身の (a)(b) の発言は，いずれも，共犯者との謀議の成立を推認させる間接事実となるから，それを要証事実とするのであれば，その発言に関する共犯者の供述は伝聞証拠に当たらないとされたものと理解できる．

---

7)　伝聞証拠であるとしても，Ａが死亡しているため，法324条Ⅱ項・321条Ⅰ項3号により，伝聞法則の例外として証拠能力が認められる余地はあるが (⇨453頁)，最判昭30・12・9ではこの点は問題となっていない．

心の状態を述べる供述　このような意図・動機，謀議等を推認させる言葉のうち，現在の内心の状態を述べる供述については，以上とは別の説明もされている．心の状態を述べる供述は，先に説明したとおり，当人の内心の状態を知る上で最も重要な客観的資料であることから，伝聞供述に当たらないとする見解が多数を占めるが，その理由付けが異なるのである．多くの見解は，心の状態を述べる供述について，その内容の真実性を立証する供述証拠であるとしながらも，伝聞証拠の場合に問題となる知覚・記憶・表現の過程のうち，知覚・記憶は問題とならず，表現の真摯さのみが問題となるので，真摯さが認められれば伝聞証拠に当たらないと説明する．この見解によれば，表現の真摯さの問題が証拠一般に共通する関連性の問題ということになり，原供述者以外の者の証言でも立証できることになるから，原供述者の反対尋問を要しないという意味で非伝聞とされる．しかし，この見解に対しては，供述過程の一部が欠けるとしても伝聞証拠に当たらないとする理由はなく，真摯さを疑う余地がある以上は，伝聞証拠として原供述者に反対尋問する必要があるなどの批判もある[8]．

　人の内心を知るにはその人の当時の発言が客観性のある最も重要な資料の1つであるが，その発言自体の立証が常に供述内容の真実性の立証に直結するわけではないし，真摯さに欠ける発言であっても，間接事実としての証拠価値が大きい場合もある．また，心の状態を述べる供述に当たる場合と言葉を情況証拠とする場合との境界線は必ずしも明確なものではない．言葉を情況証拠とする場合には，その言葉の存在自体を立証する必要があるのか（それが要証事実となり得るのか）を常に検討する必要があるが，心の状態を述べる供述であれば多数の見解のいうような性格を有することは，この段階での問題とすれば足りるであろう．このように言葉を情況証拠とする場合に含まれると考えれば，上記のような批判も招かず，簡明であるように思われる[9]．も

8）　心の状態を述べる供述も伝聞証拠に当たるとする見解のうちにも，表現の真摯性に対応する特信情況の存在が認められれば伝聞法則の例外として証拠能力を付与する見解があるが，これに対しては，供述不能の要件を満たさなくても伝聞法則の例外を認めるというのは明文に反するとの批判がある．
9）　言葉を情況証拠とする場合と同様に考える見解に対しては，発言の存在を立証することによって発言内容の真実性を立証するにほかならないから，伝聞法則を潜脱するとの批判等がある．

ちろん，このように理解しても，表現の真摯さの有無は問題となるが，そのことは証明力の次元で考慮されることになる．

> **謀議メモ** 共謀に参加した者あるいはそれらの者から内容を伝え聞いた者が謀議の内容をメモした場合に，そのメモが伝聞証拠に当たるかが問題となる．意思連絡ないし謀議の内容を記載したメモの存在自体を立証するものと考えれば，非供述証拠と解することができる（心の状態を述べる供述の概念を用いる見解は，謀議メモについても，それと同じものと説明する）．ただ，メモには多様な類型のものが考えられるし，要証事実が何かによっては伝聞証拠になる場合もあるから，当該メモの性格に応じて検討しなければならない．例えば，参加者全員が共謀の内容を確認して作成したメモ（昔の連判状のようなもの）であれば，作成者（連判者全員）の認識を立証する上でも，それらの者の間の共謀の成立を立証する上でも，非伝聞となる．そのような文書を作成したこと自体が共謀形成の一過程となっているといえるからである．これと異なり，共謀参加者から説明を受けた者が，それに加わろうとして作成したメモであれば，その時点での作成者の認識と共謀への参加（説明者との意思の連絡）を立証するのみでなく，その時点での説明者の意図・計画を立証する関係でも，非伝聞になると考えられる[10]．しかし，後者のようなメモであっても，そ

　確かに，「あいつを殺してやる」という発言を想定すると，その発言の存在を殺意を認定する情況証拠とするのは，伝聞法則の潜脱のようにみえるかもしれないが，発言時の状況次第では，必ずしも殺意の存在を示すとは限らない．また，「あいつはけしからん，許せない」という発言であれば，他の間接事実（けん銃を準備したことなど）と合わせなければ殺意を認定するには不十分であろうから，殺意を認定する情況証拠の1つとして発言の存在自体を立証することに異論は少ないであろうが，その中間的なものを想定していくと，その限界が必ずしも明確でないことが分かるであろう．発言の存在自体を立証しようとする場合は，前記注4記載のように，そのような立証が当該訴訟で必要なのか，発言内容の真実性を立証したいがための方便なのではないか常に検討しなければならないが，そのような検討作業を経れば，伝聞法則を潜脱するものかどうか判断できるであろう．

　なお，心の状態を述べる供述の概念を用いる見解のうちには，表現の真摯さが認められた場合に非伝聞として証拠となり得るとするものがある．しかし，この見解は，証明力が認められれば証拠能力があるというのと似た面があり，証人Xの尋問中にAの発言内容を尋ねる質問に対して伝聞供述を求めるものとして異議が申し立てられた場合でも，XにAの発言内容を答えさせ，その場の状況も証言させないと真摯さが判断できないことになりかねないから，表現の真摯さを証拠能力の要件と捉えるのは相当でない．

10) 東京高判昭58・1・27判時1097・146は，日雇労働者の支援者らが手配師らに暴行を加え，慰謝料名下に金員を喝取するなどした恐喝等の事件において，共犯者Aが2日前の会議に出席したBから会議で確認された事項を聞いてノートに記載した「確認点―しゃ罪といしゃ料」というメモについて，要旨，「人の意思・計画を記載したメモは，その意思・計画を立証するためには伝聞法則の適用はないと解される．知覚，記憶，表現，叙述を前提とする供述証拠と異なり，知覚，記憶を欠落するのであるから，その作成が真摯になされたことが証明されれば，必ずし

れによって説明者と他の共謀参加者との間で既に成立していた謀議の内容を立証するというのであれば，報告文書の性格を帯びるから，伝聞証拠に当たることになる[11]．

(3) 機械的記録と供述証拠——写真，録音テープ，ビデオテープ等

機械的記録の証拠能力 写真，録音テープ，ビデオテープ等に伝聞法則の適用があるかが問題とされてきた．科学技術が進歩するに伴い，新しい態様の証拠が法廷に提出されるようになったためである．そこでの争点は，これらの新しい態様の証拠が供述証拠に該当するか否かであり，供述証拠説と非供述証拠説が対立する．

写真・映画 写真，映画等の映像記録の場合，撮影機のレンズ等を通した画像がデータとして記録媒体に記録され，それが再生される．その際，対象物の知覚・記憶・表現のいずれの過程も機械を介して行うことになるが，その機械を操作するのは人間であるため，人間が操作することによって誤りが入り込む危険性があるとして，その点を重視する考え方と，機械による科学的正確性は人間の知覚・記憶・表現よりはるかに高いとして，その

　も原供述者を証人として尋問し，反対尋問によりテストする必要がないからである」とした上で，「共謀にかかる犯行計画を記載したメモも，それが真摯に作成されたと認められる限り，伝聞法則の適用されない場合として証拠能力を認める余地がある．ただ，そのメモについては，それが最終的に共犯者全員の共謀の意思の合致するところと確認されたものであることが前提とならなければならない」旨判示し，メモの証拠能力を認めた原審の措置に違法はないとした．同様の裁判例として，大阪高判昭57・3・16判時1046・146がある．これらの裁判例は，心の状態を述べる供述に関する見解と同様の説明を用いているが，言葉を情況証拠とする場合として説明すること(例えば，言葉の記載されたメモの存在を立証することにより，作成者の認識や作成者と説明者との意思の連絡を推認させようとするもの)も可能である．なお，443頁注35参照．

11) 謀議メモについては，それが発見されてもどのような情況で作成されたか不明なことがある．発見された場所や記載の体裁等から推測するほかないが，共謀の成立過程で参加者の1名が作成したメモとしか分からない場合，どのようなことを要証事実とする場合まで非伝聞となるかについては，見解が分かれている．作成者の認識と発言者(同席した特定又は不特定の者)との意思の連絡に加えて，参加者全員の意図・計画を要証事実とする場合にも非伝聞になるとする見解もあるが，前者を要証事実とする場合に限ると考えるのが相当であろう．もっとも，前者が立証できた場合には，他の証拠によって参加者全員が共通の意図・計画を有していたことが認定できれば，参加者らがメモ作成者と同一の犯罪意思を有していたことや，発言者を介して作成者と参加者らの意思の連絡まで推認することも可能となろう．

点を重視する考え方が対立する．前者は，人間が機械を操作して作成するため，対象の選定，撮影の位置・角度等によって実際とは異なった画面を作成することが可能である上，修正の危険性もあることを重視して，供述証拠と解し，撮影者を喚問して反対尋問を経なければ証拠とすることができないと解する(**供述証拠説—検証調書類似説**)．これに対し，後者は，機械による科学的記録においては，供述証拠のように知覚・記憶・表現の過程に誤りが入り込む危険性は著しく低いから，反対尋問によってテストする必要はなく，撮影者の喚問を含め可能な方法で，意図的な撮影や修正の有無を慎重に吟味すれば足りると解する(**非供述証拠説**)．機械的装置による記録は，人の記憶よりはるかに正確性が高く，修正の危険性等は物的証拠であっても否定できないことであるから，後者の見解が相当である[12]．

> 最決昭59・12・21(刑集38・12・3071)も，非供述証拠説を採用しており，「犯行の状況等を撮影したいわゆる現場写真は，非供述証拠に属し，当該写真自体又はその他の証拠により事件との関連性を認めうる限り証拠能力を具備するものであって，これを証拠として採用するためには，必ずしも撮影者らに現場写真の作成過程ないし事件との関連性を証言させることを要するものではない」と判示している．
>
> なお，写真等のうちには，検証調書や鑑定書に添付された写真のように，説明や供述を補充するために用いられるものもあるが，その場合は供述と一体をなしており，独立の証明力を持たないから，本体である書面と同一の証拠能力(法321条Ⅲ項又はⅣ項)を持つとする見解が通説である(田宮328頁)．もっとも，それらの写真のみが独立して証拠となることもあり，その場合にはやはり非供述証拠(証拠物等)として取り扱われることになる．

録音テープ　録音テープ等の音声記録の証拠能力についても，写真等と同様に考えられる．犯罪現場の状況等を録音したいわゆる現場録音も，現場写真同様，機械的記録であるから，非供述証拠と解される．したがって，録音者の尋問を含め可能な証拠によって，要証事実とのつながり(関

---

[12] 非供述証拠説によっても，証拠申請された写真について作為的操作や事後的修正が主張された場合には，関連性や信用性等の認定のためにも撮影者等を証人として喚問することになるから，実際には供述証拠説による場合と大きな差異の生じないことが多い．もっとも，撮影者が不明，出廷不能等によって尋問できない場合でも，非供述証拠説では，他の方法(写真自体を含む)で関連性や作為的操作・修正の有無を立証することが可能である．

連性),作為的な操作の有無やデータの編集の有無などを確かめれば足りる[13].

録音テープでも,被疑者や参考人の供述を録音したいわゆる**供述録音**は,調書に録取されるべきものが,代わりにテープに収録されたものであり,現場録音と異なり録音された話者の供述内容である事実が要証事実となるのであるから,伝聞法則が適用される供述証拠に該当する.そこで,法 321 条以下の伝聞法則の例外の規定が準用されることになるが,録音テープには供述者の署名押印がない点が問題となる.しかし,原供述と録音された内容が一致することは,録音の科学的正確さによって担保されているから,供述者の署名押印がなくても,供述録取書に準じてその証拠能力が決せられると解してよい.すなわち,被告人の供述録音は法 322 条に準じ,被告人以外の者の検察官の面前における供述録音は法 321 条 I 項 2 号,司法警察職員又は私人の面前におけるそれは同項 3 号に準じて,それぞれ証拠能力の有無が判断される.また,証拠調べの方式は,録音を再生することになる.

ビデオテープについては,映画と録音テープの複合体と考えられるから,それらと同様に考えればよい.最近のデジタル式の記録媒体[14]も同様に考えられる.

(4) 写し・コピーの証拠能力

謄本・抄本・写し

謄本とは,原本の内容全部について同一の文字,符号により転写した文書であって,内容を証明する権限を有する者が原本と同一である旨の認証を付したもの,**抄本**とは,原本の内容の一部について謄本と同じように作成された文書,**写し**とは,原本の内容全部を同一の文字,符号により転写した文書であるが,認証文が付されていないものをいう.

謄本・抄本・写しの証拠能力についての規定はないが,原本が証拠能力を有する場合には,以下のような要件が充たされればその謄本等を証拠として利用することができる.

もちろん,原本の方が優れた証拠であることは疑いがないが,実際問題として,謄本等で足りるとしなければ審理を進められない場合も少なくない.謄本等を利用できる要件として,① 原本が存在し,又は存在していたこと,②

---

13) 録音テープについても,供述証拠説が主張されている.この説によれば,法 321 条 III 項が類推適用されることになる(検証調書類似説).
14) 取調べ状況を録音録画した DVD は,供述証拠として用いることもできるが,任意性判断の資料として供述時の状況を立証するために用いる場合は,非供述証拠である(なお,任意性の立証が実務上は厳格な証明によっていることにつき ⇨ 392 頁).

原本の提出が不能又は困難であること，③ 原本と同一内容であることの3点が挙げられる．謄本等の取調べを請求する場合には，原本の証拠能力の要件に加えて，この3点の挙証が必要となる．もっとも，相手方が，謄本等を証拠とすることに同意(法326 I)するか，あるいは，同意はしないとしても謄本等を利用することに異議がなければ，上記要件の証明は必要がないと考えられる．

　ただ，謄本・抄本の場合は，特別の事情のない限り，認証文によって原本の存在及び原本との同一性が証明されていると考えられるので，① と ③ の点はほぼ充たされており，実際には写しの場合に問題となるにすぎない．また，② の点は，原本を証拠として用いる必要性の程度や，原本の提出が困難な事情等の検討を経て判断されることになるが(最判昭31・7・17刑集10・8・1193，最判昭35・3・24刑集14・4・447参照)，科学技術の進歩により近時の電子的複写については形状まで原本と同一のものとなっているから，この要件は実務上ゆるやかに解されるようになっている[15]．

　証拠物の写し　なお，証拠物の写しである写真(例えば，凶器であるナイフの写真，契約書の写真)も，原物に証拠能力があれば，謄本等と同様の要件の下に証拠とすることができる．

2　伝聞法則の例外

(1)　概　説

　伝聞法則の例外　伝聞法則といえども絶対のものではない(⇨420頁)．伝聞証拠を排除する根拠とされる被告人の証人審問権(憲37 II 前段)も，例外を許さないものではない(最大判昭24・5・18刑集3・6・789参照)．伝聞証拠の排除を必要とする実質的根拠と，それでも伝聞証拠を使用しなければならない必要性を比較衡量した上，証拠能力を認める場合に付し得る条件など

---

15)　原本の提出の困難性という ② の要件について，最良証拠の法則ないし写しの提出の必要性の問題にすぎないとして，それを不要とした裁判例もある(テレビニュースの映像を録画したビデオテープの証拠能力を認めた東京高判昭58・7・13高刑集36・2・86)．

を併せ考慮して，合理的な限界を設定しなければならない．法320条Ⅰ項は，「第321条乃至第328条に規定する場合を除いては……」として，例外の存在を明示している．法321条ないし328条において，書面及び証言それぞれの性質に応じ，具体的かつ詳細に「使用可能な伝聞証拠」の範囲が示されている．

まず，①伝聞証拠の排除によって利益が守られるべき当事者がその利益(反対尋問権)を放棄すれば，伝聞証拠にも証拠能力を認め得る．法326条による同意書面がそれに当たる(⇨457頁)．法327条の合意書面も，同様の理由により伝聞証拠に証拠能力を認めるものである．

次に，②伝聞証拠の基本的問題点である「反対尋問により供述の正確性のチェックができないこと」をある程度克服している伝聞証拠は証拠能力が認められる．すなわち，既にある程度の反対尋問のテストを受け，又はその機会を与えられた供述を内容とする書面，具体的には公判準備又は公判期日における被告人以外の者の供述録取書(法321Ⅱ前段)，裁判所又は裁判官の検証調書(同後段)と，反対尋問を考えることが無意味な供述を内容とする書面，具体的には被告人の供述書・供述録取書(法322)である．これらは単に直接主義の要請に反しているだけなので，ほぼ無条件に証拠能力が認められている．

そして，③伝聞証拠ではあるが，反対尋問による吟味に代替し得るほどの高い信用性を保障する事情(**信用性の情況的保障**)がある場合には[16]，伝聞証拠を用いる必要性が高いことを条件に証拠能力が認められる．

伝聞証拠を用いる必要性とは，伝聞証拠しか証拠がない場合(伝聞証拠の唯一性)や，原供述者が死亡したり行方不明になったりして公判廷に喚問できない場合(法321Ⅰ参照)，あるいは原供述者の喚問が著しく困難であったり，原供述の再現が期待できない場合などである(⇨444頁)[17]．

④性質上公判廷で反対尋問のテストを行うことが極めて困難なものについ

---

[16] その供述がされた外部的な状況から見て，高い信用性が担保されていることをいう．この場合の信用性とは，あくまで証拠能力の要件としての問題であり，証拠の内容が真実であることをいう証明力とは別である．基本的には外形的事実によって判断されるが，供述内容自体も判断資料となり得る(⇨451頁)．

[17] これらの場合には，伝聞証拠であっても用いないとかえって事実認定を誤るおそれがあるから，伝聞証拠に証拠能力を認めた上，その信用性の判断を裁判官の自由心証に委ねるのが合理的と考えられるのである．

ては，反対尋問を経ていないというだけで排除すべきではない．例えば，検証調書(法321Ⅲ)や鑑定書(同Ⅳ)は，「作成の真正」の立証を条件として証拠能力が認められている．

また，⑤証拠の証明力を争うための証拠としてであれば，伝聞証拠も用いることができる(法328)．ただ，法328条によって提出し得る証拠の範囲を自己矛盾の供述に限定すれば(⇨462頁)，本条は伝聞法則の例外ではなく，むしろ同原則が適用されない場合の1つということになる．

```
伝聞法則の例外
321条──被告人以外の者の書面
  Ⅰ項─①‥‥裁判官の面前調書(供述録取書)
  Ⅰ項─②‥‥検察官の面前調書(供述録取書)
  Ⅰ項─③‥‥他に該当しないすべての書面
  Ⅱ項─前段‥公判準備・公判期日における供述録取書
  Ⅱ項─後段‥裁判所・裁判官の検証調書
  Ⅲ項‥‥‥‥検察官・警察官の検証調書
  Ⅳ項‥‥‥‥鑑定書
321条の2‥‥ビデオリンク方式による証人尋問調書
322条──被告人の供述書・供述録取書
323条──戸籍謄本・帳簿など特別の書面
324条──伝聞の供述(書面以外)
326条──同意書面
327条──合意書面
328条──弾劾証拠
```

(2) 実質的に反対尋問を経た供述調書等

> **321条 Ⅱ** 被告人以外の者の公判準備若しくは公判期日における供述を録取した書面又は裁判所若しくは裁判官の検証の結果を記載した書面は，前項の規定にかかわらず，これを証拠とすることができる．

公判準備・公判期日における供述録取書 　被告人以外の者の公判準備又は公判期日における供述を録取した書面は，無条件に証拠能力が認められる(法321Ⅱ前段)．被告人以外の者とは，その証拠が用いられる被告人本人以外の者をいい，証人，鑑定人のほか，共犯者，共同被告人も含まれ

る(同条Ⅰ項の場合も同じである)．被告人以外の者の**公判準備における供述を録取した書面**とは，証人・鑑定人等を公判期日外で尋問した場合に作成される尋問調書等である(法281・158，更に法303参照)．公判期日における証人・鑑定人等の供述は，伝聞証拠ではないから，供述そのものが当然に証拠になるが，公判手続の更新(破棄差戻しや移送の後の更新も含む)があれば，それ以前の手続の公判調書中の証人・鑑定人等の供述部分は，被告人以外の者の**公判期日における供述を録取した書面**として証拠になる．

　これらの場合，その供述が行われた際に当事者の立会権・尋問権が与えられたのであるから(法157・158・304)，反対尋問権は現に保障されている．ただ，書面化されているという点で，直接主義に反するのである．そこで，伝聞証拠ではあるけれども，無条件に証拠能力が認められる．それ故，立会権・尋問権がなかった他事件の書面は含まれず，現に審理中の事件の公判準備又は公判期日でなければならない．他の事件についての調書は，321条Ⅰ項1号書面になる[18]．

裁判所・裁判官の検証調書　裁判所又は裁判官の検証の結果を記載した書面(検証調書)は[19]，無条件で証拠能力を有する(法321Ⅱ後段)．検証は客観的な事実の認識作業であるが，当事者には立会権が与えられ(法142・113)，裁判所又は裁判官に必要な説明を行って注意を喚起することにより，その観察を正確なものにすることができるので，反対尋問に相当するテストの機会があったものと評価することができるからである[20]．もとより，裁判所(官)が行ったものであるという点も，無条件で証拠能力が認められる大きな根拠である．

---

18) 併合前の他の被告人の事件の公判調書等も，当該被告人には立会権，尋問権がなかったのであるから，法321条Ⅰ項1号書面となる．
19) 裁判官の検証とは，受命裁判官・受託裁判官による検証(法142・125)，証拠保全の検証(法179)などを指す．
20) 当事者に立会いの機会がなかった別事件や民事事件における裁判所又は裁判官の検証調書が本項に含まれるか否かについては争いがある．本項の検証調書については，裁判所又は裁判官が行うために検証結果の信用性が高い点を重視する考え方によれば，含まれることになるが，本項は前・後段とも当事者の立会権が保障されていたことを理由としているものと考えられるので，これには含まれないと解すべきであろう．その場合には，法321条Ⅲ項が準用され，裁判所書記官が真正な作成を供述すれば証拠能力が認められることになる．

ビデオリンク方式による証人尋問調書 ビデオリンク方式による証人尋問(⇨343頁)が行われて,その供述を記録した記録媒体の添付された調書が作成されている場合には[21],その供述者を証人として尋問する機会を訴訟関係人に与えることを条件として,証拠能力が認められる(法321の2).性犯罪の被害者等が共犯事件などで繰り返し証言するという心理的・精神的負担を軽減するために,ビデオリンク方式による証人尋問が行われる場合には,記録媒体への記録が認められたため(法157の6 III),その趣旨を達成しつつ反対尋問権を保障しようとするものである.

(3) 被告人の供述を内容とする書面

> **322条 I** 被告人が作成した供述書又は被告人の供述を録取した書面で被告人の署名若しくは押印のあるものは,その供述が被告人に不利益な事実の承認を内容とするものであるとき,又は特に信用すべき情況の下にされたものであるときに限り,これを証拠とすることができる.但し,被告人に不利益な事実の承認を内容とする書面は,その承認が自白でない場合においても,第319条の規定に準じ,任意にされたものでない疑があると認めるときは,これを証拠とすることができない.
>
> **II** 被告人の公判準備又は公判期日における供述を録取した書面は,その供述が任意にされたものであると認めるときに限り,これを証拠とすることができる.

被告人の供述書・供述録取書 供述証拠に関して重要な意味を持つ反対尋問という観点からは,被告人の供述は特別の存在である.被告人の供述に対して,裁判官と検察官によるチェックはあり得るが,被告人自身による反対尋問は考えられないからである.確かに,被告人の供述を内容とする書面も伝聞証拠ではあるが,憲法37条 II 項の保障とは無関係なのである.また,対立当事者である検察官による「反対尋問」は考えられるが,被告人に不利益な内容の供述については,それも意味がない.ただ,供述が書面に転化されていて裁判官によるテスト(直接主義)を受けていないとい

---

[21] 性犯罪の被害者等については,公開の法廷で証人尋問を受けることによって生じる心理的・精神的負担を軽減するため,ビデオリンク方式による証人尋問を利用することができる(法157の6 I).また,証人が被告人と同一の裁判所構内に出頭すること自体によって証人に著しい負担が及ぶ場合も,証人を同一構内以外の場所に出頭させてビデオリンク方式による証人尋問を利用することができる(同II).これらの場合において,共犯事件等で同一事実について再び証言することが予想されるときは,記録媒体に記録することが認められている(同III).

う点で，伝聞証拠とされているにすぎない．供述録取書の場合は，録取者が供述者の話を聞いて文章にまとめる過程で誤りの介在する危険があるが，それは供述者が内容を確認して署名押印していることで補われているともいえる．このような理由で，不利益な事実の承認を内容とする被告人の書面は，無条件で証拠能力を認めることができるのである．ただし，不利益な事実の承認が自白とまでいえない場合でも，法319条に準じ，任意にされたものでない疑いがあると認めるときは，これを証拠とすることができない(法322 I 但書)．

その結果，被告人の供述を内容とする書面，すなわち「被告人が作成した供述書」又は「被告人の供述を録取した書面で被告人の署名若しくは押印のあるもの」は，その供述内容が**被告人に不利益**であるかどうかによって，証拠能力の要件が異なる．その内容が自白又は不利益事実の承認である場合は，任意性に疑いがなければ証拠能力が認められるが，そうでない場合には，特に信用すべき情況の下に供述されたものであるとき(特信性)に限り，証拠とすることができる(法322 I)．

> 被告人の**供述書**としては，自白した当初の段階や余罪を認めた際に捜査官の求めに応じて作成する上申書等があるが，多くの訴訟では**供述録取書**，すなわち被告人の司法警察職員又は検察官に対する**供述調書**(⇨157頁)のみが用いられている[22]．

不利益事実の承認が含まれていない被告人の供述については，検察官による反対尋問を考慮しなければならないため，反対尋問に代わるものとして，特に信用すべき情況でなされたものであるとき(特信性)に限り，証拠能力が認められる．**特信情況**とは，その供述の信用性を保障するような情況をいい，法321条 I 項3号の場合と同様と考えられる(⇨452頁)．

> 検察官が被告人の供述書・供述録取書を請求する場合，そのうちには供述内容が被告人に有利なものも含まれていることがあるが，通常は弁護側の同意(法326 I)により証拠とされるので，特信情況は問題とならない．逆に，弁護人が請求する場合も，被告人の公判廷における供述を補充するようなものであれば，その趣旨で同意されることが少なくなく，仮に不同意とされたときは，公判廷で被告人に供述させれば供述書等を用いないで足りる場合が多い．

---

[22] 弁解録取書(法203 I・204 I・205 I 参照)や勾留質問調書(法61)も，被告人の供述を録取した書面に当たる(弁解録取書につき最判昭27・3・27刑集6・3・520)．

被告人の公判期日における供述は，伝聞証拠ではないから，そのまま証拠能力を有するが，公判手続の更新があれば，その供述を記録した公判調書が証拠となる．また，被告人の公判準備における供述としては，公判準備として行われた検証の現場における被告人の指示説明や，公判準備の証人尋問における証人との対質(規124)の際の被告人の供述などがあり，これらの供述を記録した公判準備調書が証拠となる．

<small>被告人の公判準備・公判期日における供述録取書</small>

これらの公判期日・公判準備における供述を記録した調書は，供述が**任意**にされたものであるときに限り，証拠とすることができるとされているが(法322 II)，公判期日又は公判準備における供述で任意性が問題となることは実際上考えにくく，法311条II項(被告人質問)における「任意に供述する場合」と同様に考えてよいであろう．

なお，被告人以外の者の公判準備又は公判期日における供述で被告人の供述を内容とするもの，例えば証人の「被告人が『あの日は朝から大学にいた』と言った」という供述などは，法322条を準用して証拠能力の有無が判断されることになる(法324 I ⇨ 453頁)．原供述が被告人の供述であるから，被告人の供述書(法322 I)と同一の要件が必要とされる．

(4) 捜査機関の検証調書，鑑定書

> **321条 III** 検察官，検察事務官又は司法警察職員の検証の結果を記載した書面は，その供述者が公判期日において証人として尋問を受け，その真正に作成されたものであることを供述したときは，第I項の規定にかかわらず，これを証拠とすることができる．
>
> **IV** 鑑定の経過及び結果を記載した書面で鑑定人の作成したものについても，前項と同様である．

<small>検証調書</small> 捜査機関[23]の検証の結果を記載した書面は，その作成者が証人として真正に作成したものであることを供述したときは，証拠とす

---

23) 作成者が「検察官，検察事務官又は司法警察職員」でなくても，性質上「検証」といえるものであれば準用できるが，私人による個人的な認識の報告にすぎないような場合は準用できないであろう(最決平20・8・27刑集62・7・2702は，私人の作成した燃焼実験報告書につき準用を否定している)．

ることができる(法321 III). 捜査機関の検証調書が伝聞証拠であるにもかかわらずこの程度の要件で証拠能力が認められる理由は，検証が五官の作用により事物の存在・状態を観察して認識することであり，そこでは評価というような主観的要素の入り込む余地が少なく，しかもその結果は単なる記憶によって保存することが困難なものも多く(形状，色彩，距離等)，検証直後に作成された書面の方が正確性や詳細さにおいて口頭による場合より優れているといえるからであろう[24]. ただ，捜査機関は一方当事者であり，検証であっても裁判所又は裁判官の検証に比し公平性の担保がないし，当事者の立会権も保障されていない．そこで，裁判所・裁判官の検証調書(法321 II)とは異なり，作成者が証人として尋問を受け，真正に作成したものであることを供述した場合に限り，証拠として認められる．

真正に作成されたものであることの供述とは，間違いなく自分が作成したという供述(作成名義の真正)と，検証したところを正しく記載したという供述(記載内容の真正)を併せて意味している．なお，当事者は，作成者が作成の真正について証言する機会に，併せて観察や記載の正確性についても反対尋問をすることができると解すべきである．

実況見分調書 捜査機関が強制処分として行う検証(法218・220 I ②)の結果を記載した書面のみでなく，任意処分として行う検証の結果を記載した書面，いわゆる実況見分調書[25]も，書面の性質としては検証調書と変わらないから，本項所定の書面に含まれる(最判昭35・9・8刑集14・11・1437)．これに対しては，検証は令状に従って行うから正確なのであって，法321条III項は強制処分としての検証に限るという批判も存在する(平野216頁)．もし任意処分も含めれば，私人の記録した書面も同様に扱わなければならなくなるはずで，不合理だともする．しかし，記載内容の正確性は令状に従って行われることによって担保されるわけではないこと，同じ捜査機関が職務として作成した検証調書と実況見分調書とで取扱いを異にすべき理由は見出し難いことなどを考えると，両者を同一に扱うのは決して不合理ではない．

なお，最判昭47・6・2(刑集26・5・317)は，**酒酔い鑑識カード**について，各欄の記載の性質，方法等を具体的に検討し，検証類似の性質を有する部分については法

---

[24] この点は，裁判所又は裁判官の検証調書の場合(⇨433頁)も同様である．
[25] 検視調書(法229)も，基本的には変死体の状態を見分した結果を記載した調書であるから，実況見分調書と同様に扱うべきである．

321条Ⅲ項により，捜査報告書の性質を有する部分については法321条Ⅰ項3号により証拠能力を判断すべきものとした．すなわち，被疑者の氏名・年齢欄，「化学判定」欄(巡査が被疑者の呼気を通した飲酒検知管の着色度を観察して比色表と対照した検査結果を検知管の示度として記入したもの)，被疑者の外部的状態に関する記載のある欄(同巡査が被疑者の言語，動作，酒臭，外貌，態度等の外部的状態に関する所定の項目につき観察した結果を所定の評語に印をつける方法によって記入したもの)については，「同巡査が，被疑者の酒酔いの程度を判断するための資料として，被疑者の状態につき右のような検査，観察により認識した結果を記載したものであるから，紙面下段の調査の日時の記載，同巡査の記名押印と相まって，刑訴法321条Ⅲ項にいう『検証の結果を記載した書面』にあたるものと解するのが相当である」とし，また，「外観による判定」欄についても，「同巡査が被疑者の外部的状態を観察した結果を記載したものであるから，右と同様に，検証の結果を記載したものと認められる」とした．しかし，他方，「被疑者との問答の記載のある欄は，同巡査が所定の項目につき質問をしてこれに対する被疑者の応答を簡単に記載したものであり，必ずしも検証の結果を記載したものということはできず，また，紙面最下段の『事故事件の場合』の題下の『飲酒日時』および『飲酒動機』の両欄の記載は，以上の調査の際に同巡査が聴取した事項の報告であって，検証の結果の記載ではなく，以上の部分は，いずれも同巡査作成の捜査報告書たる性質のものとして，刑訴法321条Ⅰ項3号の書面にあたるものと解するのが相当である」とした．

　また，最決昭62・3・3 (刑集41・2・60) は，**警察犬による臭気選別**の経過及び結果を記載した報告書について，「警察犬による本件……各臭気選別は，右選別につき専門的な知識と経験を有する指導手が，臭気選別能力が優れ，選別時において体調等も良好でその能力がよく保持されている警察犬を使用して実施したものであるとともに，臭気の採取，保管の過程や臭気選別の方法に不適切な点のないことが認められるから，本件各臭気選別の結果を有罪認定の用に供しうるとした原判断は正当である(右の各臭気選別の経過及び結果を記載した本件各報告書は，右選別に立ち会った司法警察員らが臭気選別の経過と結果を正確に記載したものであることが，右司法警察員らの証言によって明らかであるから，刑訴法321条Ⅲ項により証拠能力が付与されるものと解するのが相当である)」としている(⇨477頁)．

　　立会人の指示説明　検証又は実況見分に際しては，目撃者，被害者，被疑者等を立会人として，その指示説明を求めることが，明文の規定はないが一般に認められている．立会人の指示説明は，その内容が証拠となるものではなく，それを手掛かりとして検証等を行ったものと考えられるから，検証の結果と一体のものとして，本項により証拠能力を認めることができる(最判昭36・5・26刑集15・5・893)．こ

のようなことから，指示説明は必要最小限度のものとすることが望ましいが，その限度を超えた場合でも，その内容が証拠となるものではなく，内容の真実性が争いとなる場合には立会人を証人として尋問する必要がある[26]．

犯行再現実況見分調書 近時，捜査段階で被疑者に犯行状況を動作で再現させ，その経過と結果を警察官がまとめた犯行再現実況見分調書(あるいは同様の写真撮影報告書等)が証拠調べ請求される例が少なくない．被疑者の再現した被害者との位置関係や体勢等を立証するものとしては，実況見分調書の性質を有するが，それと同時に犯行状況を立証するための証拠としても用いるのであるから，自白としての性質も有している．したがって，証拠能力を有するためには，同意があれば別として，実況見分調書としての法321条Ⅲ項の要件のみでなく，自白としての法322条Ⅰ項の要件(任意に犯行再現を行ったこと)も充たす必要がある(最判平17・9・27刑集59・7・753)．被害者に被害状況を再現させた経過と結果を記載した被害再現実況見分調書(あるいは同様の写真撮影報告書等)についても，同様に考えられるから，法321条Ⅲ項の要件のみでなく，法321条Ⅰ項3号の要件も充たす必要があるが，一般的には後者のうちの供述不能の要件を充たす事態は考え難い[27]．

鑑定書 裁判所又は裁判官の命じた鑑定人の作成した鑑定書(鑑定の経過及び結果を記載した書面)も，捜査機関の検証調書と同様，鑑定人が証人として尋問を受け，真正に作成したものであることを供述したときは，証拠とすることができる(法321Ⅳ)．鑑定は，専門性を有する特別の知識経験のあ

---

[26] **指示説明**(あるいは**現場指示**)は，例えば交通事故を起こした自動車と歩行者が衝突した地点を示すように，検証等の対象を特定するための立会人の説明であり，検証等の趣旨(事件との関連性)を示す限度で証拠能力が認められるにすぎないから，指示説明の内容の真実性を証明する証拠として用いることはできない．指示説明を超えた立会人の事件に関する説明(例えば，事故を起こした自動車は時速約80kmで走行し，減速せずに歩行者と衝突したというもの)は，**現場供述**といわれるが，検証等の際に事件に関する供述をしたにすぎないから，現場供述を内容の真実性を証明する供述証拠として用いるのであれば，第三者の供述の場合は法321条Ⅰ項3号により，被疑者の場合は法322条Ⅰ項により，証拠能力の有無を判断することになる．第三者の場合には法321条Ⅰ項3号の要件を充たすことは考え難いから，その者の証人尋問が必要となる．被疑者の場合も，法322条Ⅰ項の要件である署名押印を欠くことが多いであろう．

[27] 他にも，法322条Ⅰ項又は321条Ⅰ項3号に該当するためには，供述者の署名又は押印が必要となるが，写真の部分は撮影，現像等の記録の過程が機械的操作によってなされることから署名押印は不要と解されるものの(⇨429頁)，その余の供述録取部分等は，その要件を充たさないことになる(前掲最判平17・9・27参照)．

　なお，被害再現実況見分調書の証拠能力がない場合でも，そのうちの被害再現写真のみが被害者の証人尋問において示されることがある．証人に不当な影響を与えず，供述内容を明確化するためであれば，許容されるであろうし，その写真が証人尋問調書に添付されて証言の一部となることもあるが，写真自体が証拠となるわけではない(⇨341頁)．

る者だけが認識し得る法則又は事実の供述であるから，通常その内容は，相当の正確性を有する．しかも，内容が専門的で，複雑あるいは微妙な事項を含むため，公判廷において口頭で報告するよりも書面で報告する方が正確性を保ちやすいという特性を有する．また，鑑定人は特に裁判所の命じた場合には，ほぼ中立的な立場にある．検証調書と同様に扱われるのは，以上のような理由による．

　捜査機関から**鑑定の嘱託を受けた者(鑑定受託者)**の作成した**鑑定書**(法223 I)も，裁判官の命じた鑑定人の場合に比し，人選の公正さ，宣誓の有無等において相違がないわけではないが，鑑定の性質としては本質的に異なるところがないから，本項を準用し得る(最判昭28・10・15刑集7・10・1934)[28]．

　医師の診断書は，鑑定人又は鑑定受託者の作成する鑑定書とは異なり，通常は結論のみを記載するものであるため，「鑑定の経過及び結果を記載した書面」と同一視することには批判もある．しかし，作成者である医師の専門的知識・経験に基づく判断を内容としており，仮に虚偽を記載すれば処罰されることになり(刑160)，記憶に基づく口頭の報告よりも書面による報告に親しみやすいことなどを考慮すると，鑑定書と同様に扱うことが許されよう(最判昭32・7・25刑集11・7・2025)．医師の作成した**死体検案書**も，法321条IV項の適用を受ける書面に含まれる．

　　ポリグラフ検査結果回答書　ポリグラフ検査とは，被検者に被疑事実等に関連する質問を関連のない質問に交ぜて答えさせ，その際の複数の生理的変化を**多現象同時記録装置**(ポリグラフ)に記録させるものである(⇨202頁)．生理的変化として，呼吸，血圧，脈拍，皮膚の電気反射等が測定される．検査者は，検査記録を観察分析し，被検者の「はい」又は「いいえ」という返答の真偽を判断して，検査の経過と結果をポリグラフ検査結果回答書に記載する．この書面は，検査者(専門家)が被検者の応答に関する検査記録等から判断した一種の心理鑑定ともいうべきものであるから，法321条IV項を準用して証拠能力の有無を判断すべきである．ただ，ポリグラフ検査は，一定の信頼性があるとはされているものの(⇨479頁)，証

---

28) 鑑定書という表題でなくても，実質的に鑑定書といえるものであればよい．例えば，火災原因の調査・判定に関する学識経験者が，燃焼実験を行い，その考察結果を報告した燃焼実験報告書は，法321条IV項の書面に準ずるものとして，証拠能力を有する(最決平20・8・27刑集62・7・2702参照)．

(5) 323条文書——特に信用すべき情況下で作成された書面

> **323条** 前3条に掲げる書面以外の書面は，次に掲げるものに限り，これを証拠とすることができる．
> ① 戸籍謄本，公正証書謄本その他公務員(外国の公務員を含む．)がその職務上証明することができる事実についてその公務員の作成した書面
> ② 商業帳簿，航海日誌その他業務の通常の過程において作成された書面
> ③ 前2号に掲げるものの外特に信用すべき情況の下に作成された書面

無条件の証拠能力　刑訴法は，その性質上高度の信用性があり，かつ，伝聞証拠であっても証拠とする必要性が強い特定の書面について，文書の提出で口頭による報告の代替を認めるのが合理的であると考え，証拠能力を認めている(法323)．具体的には，① 公務員が職務上証明することができる事実について作成した書面，② 業務の通常の過程において作成された書面，③ 以上の場合と同程度に信用性のある書面である．「前3条に掲げる書面以外の書面は，次に掲げるものに限り，これを証拠とすることができる」とは，当該書面は，前3条の規定が適用されずに証拠とすることができるという趣旨と解されている[29]．

公務員の証明文書　戸籍謄本，公正証書謄本等のように公務員(外国の公務員を含む)が職務上証明することのできる事実について作成した書面は，証拠能力が認められる(法323①)．公務員が職務として取り扱う事項を公的な客観的資料に基づいて証明した文書であるため，高度の信用性の情況的保障があると考えられるからである．**戸籍謄本**とは，戸籍に記載された事項の正確な写しであることを市町村長が証明した文書であり，**公正証書謄本**とは，公正証書の正確な写しであることを公証人が証明した文書である(公証人法52)．これらは本条1号書面の例示であり，ほかに，**各種登記簿謄本**(近時は電

---

29) 被告人が自分の業務の通常の過程において作成した書面は，その内容が被告人に不利益なものであっても，法322条によって証拠能力が認められるのではなく，法323条2号の書面として証拠能力を有するものと解される(被告人が備忘のため取引関係を記入した書面に関する最決昭32・11・2刑集11・12・3047参照)．

磁的に記録されたそれらの**全部事項証明書**），**印鑑証明書**，**前科調書**[30]，**身上照会回答書**[31]等が1号文書に含まれる．

業務文書　商業帳簿，航海日誌，その他業務の通常の過程[32]において作成された書面も，証拠能力が認められる(法323②)．例示されている**商業帳簿**(商19)，**航海日誌**(船員法18Ⅰ③)は，いずれも業務の過程においてその都度正確に記入される性質の書類であるから，高度の信用性が認められる．しかも，作成者が複数であることが多く，それらの者の喚問を必要とするのは合理的でない．最近は，帳簿も電磁的に記録されることが少なくないが，その場合の記録もこれに該当するものと考えられる(電磁的記録が破産法の「商業帳簿」に当たるとした最判平14・1・22刑集56・1・1参照)．

ほかに，医師のカルテも，医師の診療業務の遂行上，順序を追って継続的に作成されるものであるから，業務文書に含まれる．なお，文書が業務文書に当たるか否かを判断するに際しては，当該書面自体の形状，内容だけでなく，その作成者の証言等から認められる書面の性質，作成状況等をも資料とすることができる(漁船の操業位置に関する無線受信記録が本号書面に当たるとした最決昭61・3・3刑集40・2・175参照)．

その他特に信用すべき情況の下に作成された書面　1号，2号の文書のほかにも，特に信用すべき情況の下に作成された書面は，無条件に証拠能力が認められる(法323③)．したがって，本条3号の特信性は，1号，2号の書面に準ずる程度の高度の信用性を意味する(最判昭31・3・27刑集10・3・387参照)[33]．3号の書面の例としては，統計表，スポーツの記録，株式

---

30)　前科調書は，法務省で全国のものを一元管理している前科記録から，公務員である検察事務官が各庁の端末でプリントアウトしたもので，被告人の前科の内容を証明する文書であり，法323条1号に該当する書面と見ることができる．前歴を立証するための指紋照会回答書等も，前科調書同様，同号の書面と解される．
31)　身上照会回答書は，被告人の氏名，本籍，生年月日等を市町村役場に照会して得た回答書であり，市町村長の証明文書として法323条1号の書面に当たる．
32)　業務の通常の過程で作成されるものであっても，捜査機関が捜査の過程において作成する文書，例えば，捜査報告書，捜索差押調書，現行犯人逮捕手続書等は，業務文書に含まれない．これらの文書は，法321条Ⅰ項3号によって(⇨452頁，453頁注45)，証拠能力の有無が判断される．
33)　法323条3号にいう特信性は，法321条Ⅰ項3号にいう特信性(⇨452頁)より高度なものと考えられる．

の相場等が挙げられている．

　日記，手紙，メモについては，一律に3号の文書に当たるとはいえない．もとより，日記帳でも航海日誌に準ずる程度の実質を備えているものは，証拠能力を認めることができるが，一般の日記は，類型的にそのような高度な信用性は認め難いであろう[34]．手紙も同様であり，その作成経過，形式，内容等から高度の信用性が認められる場合に限り，3号の書面として証拠とすることができる(最判昭29・12・2刑集8・12・1923)．

　メモの特信性についても，実質的に判断されなければならない．① 作成者が自ら経験した内容を，② その印象が鮮明なうちに作成したもので，③ 記述の正確性を推認する事情が存在する場合に，例外的に3号の書面として取り扱うことができる．それに該当しない場合は，法321条I項3号によって証拠能力を認められる必要があろう[35]．

3　321条I項文書——信用性の情況的保障と必要性

> **321条I**　被告人以外の者が作成した供述書又はその者の供述を録取した書面で供述者の署名若しくは押印のあるものは，次に掲げる場合に限り，これを証拠とすることができる．
> 　① 裁判官の面前(第157条の6第I項及び第II項に規定する方法による場合を含む．)における供述を録取した書面については，その供述者が死亡，精神若しくは身体の故障，所在不明若しくは国外にいるため公判準備若しくは公判期日において供述することができないとき，又は供述者が公判準備若しくは公判期日において前の供述と異なった供述をしたとき．
> 　② 検察官の面前における供述を録取した書面については，その供述者が死亡，精神若しくは身体の故障，所在不明若しくは国外にいるため公判準備若しくは公判期日において供述することができないとき，又は公判準備若しくは公判期日において前の供述と相反するか若しくは実質的に異なった供述をしたとき．ただし，公判準備又は公判期日における供述よりも前の供述を信用すべき特別の情況の存すると

---

34) 法323条の書面に当たらない場合には，法321条I項3号(被告人の日記は法322条I項)により，証拠能力の有無が判断される．
35) 犯行の計画内容が記載されたいわゆる**謀議メモ**は，法323条の書面には該当しないが，それによって犯行そのものを立証するのではなく，そのような記載のあるメモが存在したこと自体を謀議の存在の情況証拠として用いようとするのであるから，伝聞証拠に当たらない(⇨426頁)．

> きに限る.
> ③ 前2号に掲げる書面以外の書面については,供述者が死亡,精神若しくは身体の故障,所在不明又は国外にいるため公判準備又は公判期日において供述することができず,かつ,その供述が犯罪事実の存否の証明に欠くことができないものであるとき.ただし,その供述が特に信用すべき情況の下にされたものであるときに限る.

(1) 321条I項の意義

3類型4要件 前記2で検討した書面以外のもので,被告人以外の者(⇨432頁)が作成した供述書又はその者の供述録取書は,法321条I項に定められた要件を備えない限り,証拠とすることはできない[36].ここで対象とする書面は,供述者の署名又は押印のあるもので,(a)裁判官の面前における供述を録取した書面(裁判官面前調書),(b)検察官の面前における供述を録取した書面(検察官面前調書),(c)その他の供述録取書・供述書の3類型に分かれる.そして,同項に示されている伝聞法則の例外を認める要件は,①供述の再現不能,②供述の相反性,③不可欠性,④特信性の4つである.各類型に応じて異なる要件が定められている.

①**供述の再現不能**とは,書面の供述者が死亡,精神若しくは身体の故障,所在不明,又は国外にいるため公判準備若しくは公判期日において供述することができないことであり,②**供述の相反性**とは,供述者が公判準備若しくは公判期日において書面中の供述と異なる供述をしたことである.そして,③**不可欠性**とは書面の供述が犯罪事実の証明に欠くことができないものであることをいい,④**特信性**とは書面の供述を信用すべき特別の情況が存在することをいう.このうち,①ないし③は,伝聞法則の例外を認める実質的根拠のうち「必要性の原則」そのもの,あるいはそれを具体化したものであり(⇨431頁),④は,「信用性の情況的保障」を表している.

法321条I項は,書面の種類に応じてその各要件を整理すると次のようになる.(c)その他の供述録取書及び供述書は,①③④の3要件がそろわないと証拠能力が認められない.それに対し,(a)裁判官面前調書はかなり容易に

---

36) 同意のある場合(⇨457頁)は別である.また,弾劾証拠として用いることができる場合もある(⇨461頁).

321 I ①	裁判官面前調書	「供述不能」or「供述相反性」
321 I ②	検察官面前調書	「供述不能」or「供述相反性＋特信性」
321 I ③	他の供述録取書・供述書	「供述不能＋不可欠性＋特信性」

証拠能力が認められ，①又は②の存在で足りる．(b)検察官面前調書はその中間であり，①又は②プラス④の要件が求められる．

供述書・供述録取書 　供述者自ら供述を記載して作成した書面を**供述書**という．被害届，上申書，答申書，捜査報告書など刑事手続の中で作成される供述書面のみでなく，刑事手続と関係なく作成された日記，手紙，メモ等も含まれる．筆跡や供述内容等で作成者を特定し得るから，供述者の署名押印は必須ではない(最決昭 29・11・25 刑集 8・11・1888)．

第三者が供述者から聴いた供述内容を記録した書面を**供述録取書**という．証人尋問調書，供述調書等が代表例である．原供述者の供述を録取者が聞き取って記録し書面で法廷に報告するのであるから，二重の伝聞となるが，録取の正確性を保障する趣旨で原供述者の署名又は押印があれば，録取者が介在することによる伝聞性は解消したものと考えられる．

> 署名押印も絶対的な要件ではなく，録取内容の正確性が同程度に担保されていれば足りると解されていることに注意を要する．例えば公判調書の場合は，書記官が作成して裁判官が認印することになっている上，正確性を保障する規定(法 51)などもあるから，供述者の署名押印は必要とされない．また，供述者が署名押印できない正当な理由があり，しかも正確性を保障する他の事情が存在するときは，署名押印がある場合と同一視することができる[37]．

(2) 被告人以外の者の裁判官の面前における供述を録取した書面

裁判官面前調書 　捜査段階又は第 1 回公判期日前の**証人尋問調書**(法 226-228)，証拠保全の証人尋問調書(法 179)，付審判請求手続の

---

[37] 供述者が署名できないときは他人に代書させることができるが，その場合には代書事由の記載が必要である(規 61)．ただ，署名を代書した立会人が代書事由を記載しなかった場合でも，供述録取書の末尾に作成者による代書事由の記載があり，立会人がその記載を見た上で自己の署名押印をしたと認められるような態様のものであるときは，法 321 条 I 項にいう「署名」があるのと同視できる(最決平 18・12・8 刑集 60・10・837)．

証人尋問調書(法265)等は，いずれも裁判官の面前における被告人以外の者の供述を録取した書面として，法321条Ⅰ項1号により証拠能力が認められる．他事件の公判準備又は公判期日における証人又は被告人としての供述を録取した書面も，本号の書面に当たる(最決昭29・11・11刑集8・11・1834，最決昭57・12・17刑集36・12・1022)．

　本号の書面は，供述の再現不能(前段)又は相反性(後段)のいずれかの要件が充たされれば，証拠能力が認められる．両者は証拠としての必要性に基づく要件であり，供述の信用性の情況的保障に関する要件は付加されていない．裁判官面前調書が，公正な立場にある裁判官の面前でなされた供述を録取した書面なので，それ自体で高度の情況的保障が認められるからである．

供述不能　　法321条Ⅰ項各号に共通する要件として，**供述者の死亡**，**精神・身体の故障**，**所在不明又は国外にいること**により公判準備又は公判期日における**供述が不能**であることが掲げられている．これらの事由は，例外的に伝聞証拠を用いる必要性を基礎づけるものであるから，死亡以外の要件は一定程度継続していなければならない．一時的な心身の故障や所在不明などは含まれず，期日を変更するなどの方法により，供述者の喚問をできる限り図らなければならない．**心身の故障**の場合も，その証人の重要性や訴訟の進行状況等によって異なるが，ある程度の期間待てば回復の見込みがある場合は該当しないであろう．もちろん，他方で迅速裁判の要請も考慮する必要がある．**所在不明**は，失踪した場合に限定されるわけではないが，単に連絡が付かないというだけでは足りない．各号に掲げられた死亡等の事由は例示であり，それに準ずる事由で供述の再現が不能となる場合も含まれる．

　　証人が**宣誓を拒絶**した場合や，証言拒否権を行使するなどして**証言を拒絶**した場合も，供述不能に当たる．共同被告人の事件で相被告人が**黙秘権を行使**したときも，同様である．これらの場合，公判廷の供述が得られない点では，死亡，所在不明等の事由と異なるところはないからである．また，書面を証拠としても，証言拒否権や黙秘権を侵したことにはならない．判例は，古くから，証人が喚問されながら証言を拒絶した場合は，検察官の面前における同人の供述につき被告人に反対尋問の機会を与え得ない点で供述者の死亡した場合と何ら変わりがないから，同人の検察官に対する供述調書を証拠とすることを妨げないとしてきた(最大判昭27・4・9刑集6・

4・584，更に最決昭 44・12・4 刑集 23・12・1546)．

なお，証言拒絶の場合も，それが一時的なものであれば，供述不能に当たるとはいえない(東京高判平 22・5・27 高刑集 63・1・8)[38]．

記憶喪失 証人が記憶喪失を理由に証言を拒んだ場合も，供述不能に該当する(最決昭 29・7・29 刑集 8・7・1217)．ただ，記憶喪失は，その原因や程度がさまざまである．病的な記憶喪失で全く供述が得られない場合や，年月の経過で記憶の大部分が失われたような場合は，供述不能に当たる．しかし，一部分について記憶があいまいなため尋問者の期待する供述が得られないにすぎないような場合は，記憶喚起のために誘導尋問をすることなども可能なのであるから，供述不能と即断すべきではない．証人が記憶喪失を理由に証言を拒んだとしても，供述を渋っているにすぎないことも少なくないから，慎重な取扱いが必要である(事案によっては，相反性の要件に該当する場合もあろう)．

相反性 1 号後段により，供述者が公判廷で前の供述と異なった供述をした場合にも，同人の裁判官面前調書の証拠能力が認められる．「相反するか実質的に異なった場合」に限定されている検察官面前調書に比してより広く証拠能力が認められているのは，裁判官の面前だから高い信用性の情況的保障があることを理由とする．

(3) 被告人以外の者の検察官の面前における供述を録取した書面

供述不能 検察官が参考人等を取り調べたときは，供述録取書を作成する(法 223 II・198 III)．この検察官の面前における供述を録取した書面のことを検察官面前調書あるいは検面調書と呼ぶ．

検面調書は，第 1 に，供述者の死亡等による供述不能の場合には，それのみで証拠能力が認められる(法 321 I ② 前段)．特に信用できる状況の存在は要

---

[38] 東京高判平 22・5・27 は，殺人等被告事件の共犯者とされる証人が，自らの刑事裁判が係属中であるなどの理由で証言を拒絶した事案に関し，一時的な供述不能では足りず，事案の内容，証人の重要性，審理計画に与える影響，証言拒絶の理由及び態度等を総合考慮して供述不能といえるか判断すべきであるとした上，本件については，① 合理的な期間内に証言拒絶の理由が解消し，証言する見込みが高かったと認められること，② 原審公判前整理手続の時点で証言拒絶を想定できたのに，柔軟に対応できる審理予定を定めていなかったこと，③ 被告人が犯行を全面的に否認している重大事案で，同証人の証言が極めて重要であることなどを考え併せると，原審が供述不能に当たるとして証拠採用したのは違法であるとした．

件とされておらず，この点では裁判官面前調書と類似の扱いがされている．

　　法321条I項2号前段については，供述不能というだけで反対尋問の権利を奪うものであって憲法37条II項に違反するおそれがあり，違憲の疑いを避けるためには信用性の情況的保障の要件を補充する必要があるとする見解も有力に主張されている(田宮381頁)．しかし，判例は，一貫して合憲性を認めている．例えば，最判昭36・3・9(刑集15・3・500)は，検察官面前調書につき，「証人が外国旅行中であって，これに対する反対尋問の機会を被告人に与えることができない場合であっても，その証人の検察官に対する供述録取書を証拠に採用することは憲法第37条第II項の規定に違反しない」としている．

　国外退去と供述不能　訴追側が不当に供述不能の状態を作出したような場合は，供述不能の状態となっても証拠能力を否定される場合が考えられる．手続的正義の観点からの制約である．例えば，最判平7・6・20(刑集49・6・741)は，「退去強制によって出国した者の検察官に対する供述調書については，検察官において供述者がいずれ国外に退去させられ公判準備又は公判期日に供述することができなくなることを認識しながら殊更そのような事態を利用しようとした場合や，裁判官又は裁判所がその供述者について証人尋問の決定をしているにもかかわらず強制送還が行われた場合など，その供述調書を刑訴法321条I項2号前段書面として証拠請求することが手続的正義の観点から公正さを欠くと認められるときは，これを事実認定の証拠とすることが許容されないこともある」と判示している(⇨493頁)．

最判平7・6・20以降，退去強制による出国が見込まれる者の供述調書について，その内容が争われた場合，通例，検察官は，証人尋問が必要と考えれば，出国前に尋問できるように出入国在留管理局等から情報を収集して裁判所と弁護人に伝えるなどし，裁判所も，同局や両当事者の協力を得ながら，証人尋問が実施できるように期日や方法(公判期日外や，法227条によるもの，証拠保全としてのものを含む)等を迅速に，しかも柔軟に調整することになった．証人尋問の実現に向けたそのような合理的努力がされた場合には，結果的に証人尋問が実施できなくても，手続的正義の観点から公正さを欠くとはいえず，当該供述調書を法321条I項により採用することが許容される[39]．

---

39) 例えば，東京高判平20・10・16(高刑集61・4・1)は，当初はAの出国まで相当の日時を要すると見込まれていたことから，弁護人は証拠保全の請求(裁判所が検察官を介して示唆したもの)を行わないこととし，公判期日外の証人尋問期日が決められたところ，その後事態が急展開

検面調書に証拠能力が認められる第2の場合は，供述者が公判準備又は公判期日において検察官の面前で行った供述と相反するか又は実質的に異なった供述をしたときで(相反性)，しかも公判準備又は公判期日における供述よりも検察官の面前で行った供述を信用すべき特別の情況の存する場合(特信性)である(法321 I② 後段)．

相反性

この規定は，1人の者が検察官の面前と裁判所の面前で異なる供述(自己矛盾の供述)をしたときに関するものである．伝聞法則の例外のうち，実務上は，この規定が最も重要な働きをすることが多いといっても過言ではない[40]．法廷外における自己矛盾の供述は，諸外国の法制でも証明力を争う証拠として用いることが認められているが，わが国の刑訴法はそれを一歩進めて，特信性が備わる場合に限って，法廷外における前の供述に実質証拠としての証拠能力を認めているのである．

前の供述と相反するか又は実質的に異なった供述とは，立証事項との関係で，公判準備又は公判期日の供述と検面調書記載の供述とが，表現上明らかに矛盾しているか，あるいは表現自体としては矛盾していないように見えても前後の供述などを照らし合わせると，結局は異なった結論を導く可能性のある供述である．どちらも，当該証人から検面調書と同一趣旨の供述を公判準備又

して退去強制により出国したため，証人尋問できなかった事案につき，裁判所と検察官が，それぞれの立場から各時点における状況を踏まえて証人尋問の実現に向けて相応の尽力をしたことが認められるなどとして，Aの供述調書を法321条I項により採用したことに違法はないとした．また，東京高判平7・6・29高刑集48・2・137(退去強制により出国したBの供述調書の不同意部分について，検察官が法321条I項によって請求したところ弁護人が異議を述べず，弁護人が既に法廷外でBと面会して作成していた供述調書を証拠として請求し採用された事案)，東京高判平8・6・20判時1594・150(公判期日外で証人尋問を行うことを決めたところ，2日後の出国予定が判明したため，裁判所が翌日に尋問できるよう期日を変更しようとしたが，被告人を尋問場所まで押送できる態勢がとれないのに，弁護人が被告人の立会いができなければ異議があると述べるなどしたため，証人尋問できなかった事案)，東京高判平21・12・1判タ1324・277(被告人と同時に逮捕された共犯者C・Dにつき勾留中に法227条による証人尋問が行われたが，検察官から弁護人の立会いに異議が申し立てられたため，裁判官が弁護人の在廷を認めながらも反対尋問は行わせなかったところ，C・Dは，被告人が起訴された日に釈放され，1週間後に退去強制により出国した事案) 等も，同様の判断をしている．

40) 贈収賄事件や選挙違反事件などのように，犯行に関与した者の関与を認める供述の存在が有罪，無罪を決める上でポイントとなる事件では，しばしばこの規定による共犯者(対向犯)の検面調書の採否が，訴訟の結論に大きな影響を与える．証拠能力を認められてもその後に信用性が評価されることになるが，特信性も証拠能力の要件の1つとなっているため，証拠として採用されると信用性も認められることが多いことによる．

は公判期日において得られないために，伝聞証拠である検面調書を用いる必要がある場合を意味する[41][42]．

　最決昭32・9・30(刑集11・9・2403)は，「相被告人の検察官に対する供述を録取した書面で，その公判廷における供述よりも内容において詳細なものは，刑訴法321条Ⅰ項2号にいわゆる公判期日において前の供述と実質的に異った供述をしたときにあたらないとはいえない」としている．

　2号後段ただし書は，前記のとおり，相反性が認められる場合で，**特信情況** さらに公判準備又は公判期日における供述よりも**前の供述を信用すべき特別の情況**の存するときにのみ，証拠能力が認められると規定している．この要件を，**特信性**と呼ぶ．反対尋問に代わる信用性の情況的保障を証拠能力の要件としているのである．

　特信性の調査方法は，特に規定されているわけではないが，供述がなされた際の**外部的な事情を基準**として判断されなければならない．仮に外部的事情でなく供述内容の信用性の比較に求めるとすると，証拠能力の要件を決めるために証拠の証明力を評価しなければならないことになってしまい，証拠評価に混乱が生じるおそれがある．証拠能力の問題と証明力の問題は，一応別個の問題とすべきである．ただし，外部的事情を推知させる資料として，供

---

41) 供述が全部にわたって相反したり，あるいは実質的に異なったりする必要はなく，事実に関する供述の一部について，その要件を充たせば足りる．この場合に，相反する部分のみが本号によって証拠になると解する見解もあるが，その部分のみが証拠とされても適切な信用性の評価が困難であることから，その関連でまとまりのある一定範囲までは証拠となるものと解すべきであろう．

42) 公判期日等において証人として供述した後に作成された検面調書は，「前の」供述とはいえないから，2号の書面に該当しない(東京高判昭31・12・15高刑集9・11・1242)．しかし，この場合でも，再び公判期日等において証人として証言し，その検面調書と相反する供述をしたときには，本号が適用される．すなわち，最決昭58・6・30(刑集37・5・592)は，「すでに公判期日において証人として尋問された者に対し，捜査機関が，その作成する供述調書をのちの公判期日に提出することを予定して，同一事項につき取調を行うことは，現行刑訴法の趣旨とする公判中心主義の見地から好ましいことではなく，できるだけ避けるべきではあるが，右証人が，供述調書の作成されたのち，公判準備若しくは公判期日においてあらためて尋問を受け，供述調書の内容と相反するか実質的に異なった供述をした以上，同人が右供述調書の作成される以前に同一事項について証言をしたことがあるからといって，右供述調書が刑訴法321条Ⅰ項2号にいう『前の供述』の要件を欠くことになるものではないと解するのが相当である(ただし，その作成の経緯にかんがみ，同号所定のいわゆる特信情況について慎重な吟味が要請されることは，いうまでもない)」と判示している．

述内容も用いざるを得ない．この点につき，最判昭30・1・11（刑集9・1・14）は，「刑訴321条Ⅰ項2号は，伝聞証拠排斥に関する同320条の例外規定の一つであって，このような供述調書を証拠とする必要性とその証拠について反対尋問を経ないでも充分の信用性ある情況の存在をその理由とするものである．そして証人が検察官の面前調書と異った供述をしたことによりその必要性は充たされるし，また必ずしも外部的な特別の事情でなくても，その供述の内容自体によってそれが信用性ある情況の存在を推知せしめる事由となると解すべきものである」としている．

2号の特信性は，絶対的な特信情況をいう3号の特信性（⇨452頁）や，それ以上の特信性を必要とする法323条3号の特信性（⇨442頁）と異なり，検察官の面前における供述の際と公判準備又は公判期日における供述の際のいずれにより信用性の情況的保障があるかという相対的判断である．したがって，前者の情況が通常よりも高い信用性のある場合のみでなく，その情況は通常と変わりなくても，後者の情況に信用性の欠けるところがあれば，特信性が肯定される．実務上は，後者の例が多い．例えば，供述者が被告人やその関係者と特別の利害関係が存することによって，被告人の面前で被告人に不利なことを供述するのをためらったり，関係者らから働きかけを受けたりした事情があれば，被告人の在廷する公判廷における供述は信用性が低下する情況にあるといえる．

2号後段書面の取調べ時期　法321条Ⅰ項2号後段によって証拠とすることができる書面については，検察官は必ずその取調べを請求しなければならない（法300）．証人の公判廷における供述よりも検面調書の方が被告人に不利益な内容であれば，検察官が当然その取調べを請求するであろうから，この規定は，被告人に利益な調書について特に実益がある．取調べの請求時期について特別の規定はなく，当該証人尋問期日に限られるわけではないが[43]，被告人側で調書に関しても尋問する機会を与えるため，証人尋問が終了するまでの間に請求又は開示することが通常は望まれる．特に，検察官が被告人に不利な内容の検面調書を請求する場合は，当該証人の尋問の過程において，証言と調書との相反性と，調書作成時の信用できる情況あるいは証言時が信用性に乏しい情況を明らかにすべきである．

---

43) 最判昭30・1・11（刑集9・1・14）は，後の公判期日に調書の取調べが行われても，憲法37条Ⅱ項に違反しないとしている．

(4) 被告人以外の者のその他の供述録取書及び供述書

3号書面　被告人以外の者の裁判官面前調書と検察官面前調書を除くその他の供述録取書及びすべての供述書は，① 供述不能の要件が存し，かつ，② 供述が犯罪事実の存否の証明に不可欠のものであり，さらに，③ 供述が**特に信用すべき情況**の下にされたものであるときに限り，証拠能力が認められる(法321Ⅰ③)．ただ，このような厳しい要件を充たす証拠は少ない[44]．

> まず，第1に，供述者が公判準備又は公判期日で供述できるのであれば，3号書面は証拠となり得ない．1号や2号後段のように相反性に基づいて許容される余地はないからである．第2に，3号書面が証拠能力を認められるためには，その供述が犯罪事実の存否の証明に欠くことができないという要件が必要である．「欠くことができない」とは，必ずしも他の適法な証拠では同一の立証目的を達し得ない場合に限定されるわけではないが，犯罪事実の証明のために実質的に必要と認められなければならないから(東京高判昭29・7・24高刑集7・7・1105)，かなり厳しい限定となる．第3に，3号の特信性は，2号後段のそれのように相対的なものではない．書面における供述の際に信用性の情況的保障がなければならない．

　最決平12・10・31(刑集54・8・735)は，日本国政府からアメリカ合衆国政府に対する捜査共助の要請に基づき，同国に在住する者が，黙秘権の告知を受け，同国の捜査官及び日本の検察官の質問に対して任意に供述し，公証人の面前において，偽証罪の制裁の下で，記載された供述内容が真実であることを言明する旨を記載して署名するなどして作成された供述書につき，法321条Ⅰ項3号にいう特に信用すべき情況の下にされた供述に当たるとしている．

　また，最判平23・10・20(刑集65・7・999)は，国際捜査共助の要請に基づき中華人民共和国において作成された共犯者の供述調書につき，黙秘権が実質的に告知され，取調べの間，肉体的・精神的強制が加えられた形跡がないなどの事実関係を前提とすれば，法321条Ⅰ項3号書面に当たるとしている．

　本号で証拠能力の有無を判断すべき供述録取書としては，検察事務官，司法警察職員，弁護人等の作成した供述調書がある．麻薬取締官等の特別司法警察職員の作成した供述調書も同様である．また，外国の裁判官は，1号の裁

---

44)　もちろん，3号書面であっても同意(法326Ⅰ)により証拠能力が付与され得る．現実の訴訟ではその例がむしろ多いといえる．

判官に当たらないから，その面前での証人尋問調書も，本号の書面に当たる（嘱託証人尋問調書につき東京高判昭 62・7・29 高刑集 40・2・77，韓国の公判調書につき最決平 15・11・26 刑集 57・10・1057）．さらに，被告人以外の者の作成した**供述書**は，すべて本号の書面に当たる．私人の作成した被害届，告訴状，任意提出書等である[45]．

(5) 伝聞証言

> **324 条 I** 被告人以外の者の公判準備又は公判期日における供述で被告人の供述をその内容とするものについては，第 322 条の規定を準用する．
> **II** 被告人以外の者の公判準備又は公判期日における供述で被告人以外の者の供述をその内容とするものについては，第 321 条第 I 項第 3 号の規定を準用する．

被告人の供述の伝聞供述　被告人以外の者の公判準備又は公判期日における供述で，被告人の供述を内容とするもの，例えば，証人 X の「被告人は『放火した』と言っていた」旨の供述は，原供述が被告人の供述であるから，法 322 条を準用して証拠能力の有無を判断する（法 324 I）．したがって，被告人の供述が自白又は不利益事実の承認である場合は任意性に疑いがないときに，それ以外の場合は特に信用すべき情況でされたものであるときに，証拠能力が認められる．

被告人以外の者の供述の伝聞供述　被告人以外の者の公判準備又は公判期日における供述で，被告人以外の者の供述を内容とするもの，例えば，証人 X の「A が『被告人が放火したのを見た』と言っていた」旨の供述は，原供述が被告人以外の者の供述であるから，法 321 条 I 項 3 号を準用して証拠能力の有無を判断する（法 324 II）．したがって，供述不能，不可欠性，特信性の各要件が充たされる場合にのみ，証拠能力が認められる．

最判昭 33・10・24（刑集 12・14・3368）は，第 1 審公判における検察官側の証人 X の証言中に M の供述を内容とする伝聞部分があっても，同証言に際し被告人側か

---

[45] 捜査機関が捜査の過程で作成する文書，例えば，現行犯人逮捕手続書，捜索差押調書，捜査報告書等も，3 号により証拠能力の有無が判断される．これらの捜査書類を法 323 条の業務文書と解することはできない（⇨ 442 頁注 32）．

ら異議の申立てのあった形跡がないばかりでなく，M は既に当時の記憶を全く喪失しており，控訴審の際には所在不明となっていたことが明らかであるときは，法324条II項，321条I項3号の趣旨に則り，第1審公判の公判調書中の当該伝聞証言を証拠とすることができるとしている．

また，最判昭38・10・17 (刑集17・10・1795) は，「刑訴法324条II項，321条I項3号所定の要件を具備した伝聞供述の原供述者が特定の X 又は Y のいずれであるか不明確であっても，それだけの理由でその伝聞供述が証拠能力を有しないものとはいえない」としている．

以上と異なり，被告人の公判準備又は公判期日における供述で，被告人以外の者の供述を内容とするものについては，特別の定めがない．被告人に不利益なものについては，反対尋問権の放棄があったとして，法326条の同意があったものと解し，他方，被告人に不利益でないものについては，検察官の反対尋問の機会を確保するため，法324条II項にならって321条I項3号を準用すべきであろう．

(6) 再伝聞証拠

再伝聞　参考人 X の検察官面前調書の中に「被告人 Y が『A を殺してきた』と言っていた」という供述記載がある場合のように，伝聞証拠の中に伝聞供述が含まれている場合をいう．X の供述は，書面による報告であるという点で伝聞であり，その供述の中に他人 (Y) の供述を含んでいる点で再伝聞なのである．

再伝聞の証拠能力について明示した規定はないが，一次伝聞に関して供述調書の性質に応じた要件 (X の検察官面前調書であれば法 321条I項2号) が求められるだけでなく，再伝聞部分について，伝聞証言に準じて法324条に掲げられた要件 (供述者 Y が被告人の場合には法322条，第三者の場合には法321条I項3号) が必要となる．このように二重の要件が必要となるので，再伝聞証拠が証拠となることは，被告人の同意があるか，あるいは一方が被告人の供述である場合を除くと，現実には考え難い．

最判昭32・1・22 (刑集11・1・103) は，共同被告人 X の検察官に対する供述調書中の，「X が被告人 Y から『Y ら4人で S 方へ火焰瓶を投げつけてきた』という話

を聞いた」旨の供述記載の証拠能力について，伝聞の部分については法321条Ⅰ項2号に加えて324条が類推適用され，したがって同条によりさらに322条又は321条Ⅰ項3号が準用されて証拠能力の有無を判断すべきであるとした原審の判断を正当であるとしている．一次伝聞である検面調書が証拠能力を有するための要件(法321条Ⅰ項2号)に加え，再伝聞部分に関しては法324条を準用し，322条又は321条Ⅰ項3号により判断すべきものとしているのである．

一次伝聞	321条Ⅰ項各号 又は 322条等
再伝聞　324条	被告人 → 322条 ①不利益内容 or ②特信状況
	第三者 → 321条Ⅰ項3号 ①供述不能 + ②不可欠性 + ③特信性

再伝聞と同意　当事者が再伝聞証拠を証拠とすることにつき，何らの制限をも加えず同意(法326Ⅰ)した場合には，その同意は一次伝聞である供述調書の供述者に対してのみでなく原供述者に対しても反対尋問権を合わせて放棄したものと認められるから，同意を積極的証拠能力の付与と解するか否か(⇨457頁)にかかわらず，全体について証拠能力を取得する．

(7)　任意性の調査

> **325条**　裁判所は，第321条から前条までの規定により証拠とすることができる書面又は供述であっても，あらかじめ，その書面に記載された供述又は公判準備若しくは公判期日における供述の内容となった他の者の供述が任意にされたものかどうかを調査した後でなければ，これを証拠とすることができない．

任意性調査　法321条ないし324条の規定により証拠とすることができる書面等であっても，あらかじめ，その書面に記載された供述等が任意にされたものかどうかを調査した後でなければ，これを証拠とすることができないとされている(法325)．これを任意性の調査という．本条の意義について，最決昭54・10・16(刑集33・6・633)は，「裁判所が，同法321条ないし324条の規定により証拠能力の認められる書面又は供述についても，さらに

その書面に記載された供述又は公判準備若しくは公判期日における供述の内容となった他の者の供述の任意性を適当と認める方法によって調査することにより、任意性の程度が低いため証明力が乏しいか若しくは任意性がないため証拠能力あるいは証明力を欠く書面又は供述を証拠として取り調べて不当な心証を形成することをできる限り防止しようとする趣旨のものと解される」とし、任意性の調査は、「通常当該書面又は供述の証拠調べに先立って同法321条ないし324条による証拠能力の要件を調査するに際しあわせて行われることが多いと考えられるが、必ずしも右の場合のようにその証拠調べの前にされなければならないわけのものではなく、裁判所が右書面又は供述の証拠調後にその証明力を評価するにあたってその調査をしたとしても差し支えないものと解すべきである」としている。

　調査は、裁判所が適当と認める方法によって行えば足りる。したがって、例えば、被告人以外の者の検察官に対する供述調書の証拠調べに際し、弁護人から特信性がない旨の異議申立てがあり、異議は理由がない旨の裁判があったような場合は、その際に任意性の有無についても調査されたものと解することができる（最決昭32・9・18刑集11・9・2324）。

　なお、証拠とすることに同意（法326 I）のあった書面又は伝聞証言については、本条の調査をする必要はない（⇨457頁）。

4　証拠とすることの同意及び合意書面

> **326条 I**　検察官及び被告人が証拠とすることに同意した書面又は供述は、その書面が作成され又は供述のされたときの情況を考慮し相当と認めるときに限り、第321条乃至前条の規定にかかわらず、これを証拠とすることができる。
> 　**II**　被告人が出頭しないでも証拠調を行うことができる場合において、被告人が出頭しないときは、前項の同意があったものとみなす。但し、代理人又は弁護人が出頭したときは、この限りでない。
> **327条**　裁判所は、検察官及び被告人又は弁護人が合意の上、文書の内容又は公判期日に出頭すれば供述することが予想されるその供述の内容を書面に記載して提出したときは、その文書又は供述すべき者を取り調べないでも、その書面を証拠とすることができる。この場合においても、その書面の証明力を争うことを妨げない。

(1) 証拠とすることの同意

同意書面 　検察官と被告人の双方が証拠とすることに同意した書面又は供述は，その書面が作成され又は供述のされたときの状況を考慮し，相当と認めるときに限り，法321条ないし325条の規定にかかわらず，これを証拠とすることができる(法326 I)．

　同意は，一義的には，原供述者に対する反対尋問権を放棄する意思表示であるが，それにとどまらず積極的に証拠に証拠能力を与える当事者の訴訟行為である[46]．まず，原供述者を証人として喚問してみてもその書面と同じ供述しか得られないと思われる場合には，反対尋問権を放棄する例が多い．さらに，実務的には，反対尋問の余地のない被告人の自白調書等についても同意される例が少なくないが，この場合は積極的な証拠能力の付与の趣旨と解することができる．

　次に，当事者が同意した証拠は，裁判官が**書面の作成又は供述の際の情況を考慮し，相当と認めるときに限り**，証拠とすることができる．当事者の同意だけで直ちに証拠能力を与えるわけではなく，相当性が要求されていることに注意を要する．それを証拠とすることが手続の公正に反する場合には[47]，証拠能力を否定すべきだからである．もっとも，実務上，同意のあった証拠について相当性の要件を欠くと判断された例は極めて少ない．

同意の効力 　当事者の同意があれば，法321条から324条のどの要件に当てはまるかを考慮することなく，また法325条による任意性の調査をする必要もなく(最決昭26・6・7刑集5・7・1243)，状況上相当と認められれば証拠能力を有することになる．そのため，無条件で証拠能力を認められる類型の書面(例えば法323条の書面)等についても，実務上はまず同意の有無を確

---

[46] 学説上は，反対尋問権の放棄と解するのが通説であるが，伝聞証拠として証拠能力の欠如を主張する利益の放棄と解する見解(伝聞性解除行為説)も有力である．実務上は，積極的な証拠能力の付与と一般に解されており，それに従って運用されている．そこで，被告人の自白調書のみでなく，証拠物や非供述証拠についても，本条を準用して同意による証拠能力の付与が行われている．

[47] 例えば，証拠収集の手続に極めて重大な違法があり，当事者の放棄できない憲法上の権利の侵害が認められるような場合である(⇨482頁)．

かめるのが通例である．このように，同意は，現実の訴訟において，伝聞法則の例外の最も重要な役割を果たしているといってよい．

同意の効力は，同意者とその相手方に及び，その他の当事者には及ばない．したがって，被告人が複数の場合には，1人の被告人のした同意の効力は他の被告人に及ばない．また，1通の書面でも可分である限り，その一部について同意することができるため，実務上も，参考人の捜査段階における供述調書等について「部分同意」が活用されている．

なお，同意は，証拠能力を付与するにとどまり，その証拠の証明力まで認めるものではない．

同意の方法　同意権者は，当事者すなわち検察官と被告人である(法326 I)．弁護人については，同条 II 項ただし書の場合のほか明示がないが，いわゆる包括代理権に基づき，被告人の意思に反しない限り，同意することができる．通常は弁護人が訴訟活動の一環として同意の有無を述べる．

同意は，裁判所に対してなされなければならない[48]．単に相手方に対して同意の意思を伝えても，同意の効力は生じない．同意は，証拠能力を付与する重要な訴訟行為であるから，原則として証拠として取り調べる前に，その意思が明確に示されていることが必要である(もっとも，後述のように，伝聞証言については黙示の同意と解される例も少なくない)．

　　証拠調べの請求について意見を求められた際に，「意見はない」とか「異議はない」と述べたとしても，直ちに同意があったものとすることはできない．このような陳述があったときは，裁判所は当事者にその真意をよく確かめて，同意の趣旨か否か明確にしておくべきである．

　　被告人が事実を全面的に争っている場合と弁護人の同意　被告人が終始犯罪事実を争っている場合には，弁護人が「異議なし」と述べただけでは同意の趣旨と解釈できないことが多い．例えば，最判昭 27・12・19 (刑集 6・11・1329) は，「被告人において全面的に公訴事実を否認し，弁護人のみがこれを認め，その主張を完全に異にしている場合においては，弁護人の証拠調請求に異議がない旨の答弁のみをもって，被告人が書証を証拠とすることに同意したものとはいえない」としている(同

---

48)　同意は，公判廷でなされることが多いが，公判期日外に書面を提出して行うことも稀ではない．また，第1回公判期日前の公判前整理手続やその後の期日間整理手続に付された場合には，その手続の中で行われることになる(法316の5⑥・316の28)．

種の事案につき最判昭27・11・21刑集6・10・1223参照)．もっとも，被告人が事実を全面的に争っている場合であっても，その争点の内容や当該事件の証拠構造によっては，弁護人の証拠への同意の陳述が合理的な弁護活動と考えられることもあるから，常に被告人が書証を全部不同意にする意思であると解することはできない．

伝聞証言と同意　証人の供述の中に伝聞供述が表れた場合，そのような供述を予想して事前に異議が述べられていたり，その証人尋問の行われている間に異議の申立てがなされたりしなければ，黙示の同意があったものと解されることになる．すなわち，判例は，被告人及び弁護人から異議の申立て(法309 I)がないまま証人尋問が終了したときには，直ちに異議の申立てができないなどの特段の事情がない限り，黙示の同意があったものと解されるとしている(最決昭59・2・29刑集38・3・479)．

同意の撤回・取消し　同意の撤回が許されるかどうかについては争いがあるが，同意によって生じた訴訟上の効果がその後の手続の進行や発展によって覆されることはないと考えられる．証拠調べに入る前であれば撤回を必要とする理由によっては撤回の認められる余地があるとしても，一旦当該証拠の証拠調べに入った後は許されないであろう．

　同意が錯誤に基づく場合も，訴訟行為一般についてと同じように，原則としては無効ないし取消しを認めるべきではない．ただ，同意が同意した側の責めに帰することのできない重要な点の錯誤に基づくもので，取消しを認めなければ著しく正義に反する場合のように，特殊例外的な事情があるときに限り，取消しも認められることがあろう．

同意後の証人喚問　同意した書面の「証明力」を争うために証人喚問を要求し得るかに関して，不可能説と可能説が対立する．同意を反対尋問権の放棄と解する見解によれば不可能説になると思われるが，実務では同意を積極的証拠能力の付与と解しているので(⇒457頁)，可能説が有力である．

(2)　擬制同意

被告人不出頭　被告人が出頭しないでも証拠調べを行うことができる場合(法284・285条の比較的軽微な事案)において，被告人が出頭しないときは，裁判所は同意の有無を確かめることができず，訴訟の進行が阻害されるから，これを防止するため，同意があったものとみなされる(法326 II)．

これを**擬制同意**という．代理人又は弁護人が出頭したときは，これらの者に同意の有無を確かめることができるので，擬制同意は認められない(同項但書)．

<small>退廷命令と擬制同意</small>　問題は，勾留されている被告人が出頭を拒否した場合(法286の2)や，被告人が許可を受けないで退廷し，又は法廷秩序維持のため退廷命令を受けた場合(法341)も，「被告人が出頭しないでも証拠調を行うことができる場合」に含まれるかという点である．確かに，事件の審理と被告人への制裁とは区別して論じるべきであるが，法326条Ⅱ項は，必ずしも被告人の同意の意思が推定されることを根拠にこれを擬制しようというのではなく，裁判所が被告人の同意の有無を確かめる方法がないときは訴訟の進行が著しく阻害されるので，これを防止するため，被告人の真意のいかんにかかわらず適用できるとした規定と解される．したがって，被告人が秩序維持のために退廷させられたときは，被告人自らの責めにおいて反対尋問権を失い，被告人不在のまま判決の前提となるべき証拠調べを含む審理を追行することができるとして，公判手続の円滑な進行を図ろうとしている法341条の法意を考えると，法326条Ⅱ項は，341条により審理を進める場合においても適用されると解すべきである(最決昭53・6・28刑集32・4・724)[49]．

(3) 合意書面

<small>合意</small>　裁判所は，検察官及び被告人又は弁護人が合意の上，文書の内容又は公判期日に出頭すれば供述することが予想されるその供述の内容を書面に記載して提出したときは，その文書又は供述すべき者を取り調べないでも，その書面を証拠とすることができる(法327)．もっとも，この合意は，あくまで証拠能力についての合意であって，証明力についての合意ではないから，その書面の証明力を争うことは差し支えない．なお，この合意書面は，実務上用いられる例が少ないが，充実した効率的審理の観点からはより活用されるべきである[50]．

---

[49]　具体的な適用範囲については争いがあり，当該事案の具体的事情にもよるが，少なくとも退廷命令を受けた被告人において取調べ請求されるものと予期することが可能であった書証等については，法326条Ⅱ項の適用が認められる．

5 証明力を争う証拠（弾劾証拠）

> **328条**　第321条乃至第324条の規定により証拠とすることができない書面又は供述であっても，公判準備又は公判期日における被告人，証人その他の者の供述の証明力を争うためには，これを証拠とすることができる．

弾劾証拠　公判期日における証人等の供述の証明力を争う証拠を弾劾証拠という．証明力を争うとは，証明力を減殺させることである．伝聞証拠であっても，事実認定に用いるのではなく他の証拠の証明力を弾劾するためにだけ用いるのであれば，弊害が少ないので，使用が認められている．すなわち，伝聞法則の例外には該当しない書面又は供述（法321条ないし324条により証拠とすることができないもの）であっても，証人等の供述の証明力を争うためであれば，証拠として使用することができる．したがって，弾劾証拠として提出された証拠によって犯罪事実を認定してはならない．これは弾劾証拠としての性質上当然のことである（最決昭28・2・17刑集7・2・237[51]）．

証明力の減殺　弾劾証拠が証明力を減殺する証拠を含むことに異論はないが，ほかに証明力を増強する場合も含まれるとする見解や，いったん減殺された供述の証明力を回復する場合は含まれるとする見解もある[52]．しかし，**増強証拠**も含むとすることは，「争う」という文言に沿わない．また，公判廷での供述だけでは犯罪事実を認定できない場合に，増強証拠と合わせれば認定できるというのであれば，結局は増強証拠を実質証拠として犯罪事実の認定に用いるのと同じ結果になる．したがって，増強証拠を認めるのは相当でない．これに対し，**回復証拠**も含まれるとする見解は，いったんは減殺された場合に限るのであれば，公判廷にお

---

50)　平成17年の改正で設けられた規則198条の2は，「訴訟関係人は，争いのない事実については，誘導尋問，法第326条第I項の書面又は供述及び法第327条の書面の活用を検討するなどして，当該事実及び証拠の内容及び性質に応じた適切な証拠調べが行われるよう努めなければならない」と定めている．

51)　最決昭28・2・17は，「第1審判決はMの司法警察員に対する第1, 2回各供述調書を有罪の証拠としているが，右は所論のとおり被告人において証拠とすることに同意しなかった書類であって，検察官は同公判廷における証人Mの供述に対しその信憑力を争う為の証拠として刑訴328条に基いて提出したものである．従って，第1審判決がこれを有罪判決の直接の証拠としたことは違法である」と判示している．

52)　増強証拠を認めた裁判例として東京高判昭31・4・4高刑集9・3・249が，回復証拠を認めた裁判例として東京高判昭54・2・7判時940・138がある．

ける供述等の信用性の判断にのみ用いるものと考えられるので，相当と思われる．

弾劾証拠の範囲 弾劾証拠については，証明力を争おうとする供述をした者の相反する供述(**自己矛盾の供述**)に限るかどうかという対立がある．証人等が他の機会に矛盾した供述をしていたことこそが弾劾になるとする立場と，証人等の供述の信用性一般を揺るがすものであれば足りるとする立場の対立である．前者は，例えば証人Xが公判廷で「Aが放火するのを見た」と供述したとすれば，この供述の証明力を争う証拠として使用できるのは，Xの自己矛盾の供述，例えば「Bが放火するのを見た」旨の供述，「放火したのは誰か分からない」旨の供述などに限定され，同一内容の供述であってもそれが別人Yのものであれば，弾劾証拠として使用することは許されないとするのである．自己矛盾の供述であれば，Xが「放火犯は誰か」という事実に関し異なる機会に異なる供述をしたこと自体を立証することにより，法廷における証言の信用性を減殺する効果をもたらすことになる．この場合，弾劾証拠である法廷外の供述(「Bが放火するのを見た」等)は，その供述内容の真実性(「Bが放火した」等)を証明するために提出されたわけではない．それ故，そもそも伝聞証拠ではないのである(伝聞法則の不適用の例であることにつき ⇨ 421頁注5)．ところが，証明力を争うためにYの法廷外の「Bが放火するのを見た」旨の供述を用いる場合は，自己矛盾の場合と異なり，その内容が真実であることを前提とする(Bが放火した事実が真実であって初めて，Aが放火するのを見た旨のXの証言の証明力が減殺される)．

　問題は，法328条がこのような範囲まで伝聞法則の例外を認めたと解すべきか否かである．確かに，条文上は，自己矛盾の供述に限るという限定はないので，自己矛盾の供述に限定されないとする見解もあるが，第三者の供述を弾劾証拠として用いる場合には前記のように実質証拠として用いている可能性があるし，第三者の供述でもよいとすると法321条以下の規定によっても証拠となり得ないものが無限定に法廷に持ち込まれるおそれがあることなどから，自己矛盾の供述に限定すべきである．実務は，そのように運用されており，判例もそれを是認している(最判平18・11・7刑集60・9・561[53])．

自己矛盾の供述　公判廷外の供述が公判廷での供述と矛盾する場合，それが① 裁判官の面前での供述あるいは② 検察官の面前での供述であれば，それだけで実質証拠として証拠能力を有する余地がある（法321 I① 後段・② 後段 ⇨ 447, 449頁）．それに対し，③ 警察官の面前での供述の場合は，実質証拠となる余地はないので，法328条で弾劾証拠として用い得るにとどまる．

---

53)　最判平18・11・7 は，「刑訴法328条は，公判準備又は公判期日における被告人，証人その他の者の供述が，別の機会にしたその者の供述と矛盾する場合に，矛盾する供述をしたこと自体の立証を許すことにより，公判準備又は公判期日におけるその者の供述の信用性の減殺を図ることを許容する趣旨のもの」であるから，「刑訴法328条により許容される証拠は，信用性を争う供述をした者のそれと矛盾する内容の供述が，同人の供述書，供述を録取した書面（刑訴法が定める要件を満たすものに限る．），同人の供述を聞いたとする者の公判期日の供述又はこれらと同視し得る証拠の中に現れている部分に限られる」とした．

IV 共同被告人の証拠

1 共同被告人の法律関係

(1) 共同被告人と併合審理

共同被告人 　共同被告人とは，併合審理を受けている複数の被告人のことをいう[1]．併合審理（主観的併合 ⇨ 356 頁）は，重複立証が避けられるなど訴訟経済に資する上，各被告人に共通する事実の合一的確定を図ることができ，量刑のバランスも図れるなどのメリットがあるが，他方，被告人相互間で利害が相反し，被告人の権利保護が不十分になりかねないこと，各被告人ごとに証拠関係がまちまちになって手続が複雑化し，被告人が多数になると訴訟指揮に困難を来たし，訴訟が遅延しかねないことなどのデメリットもあるため，それらの諸事情を考慮してメリットの方が大きい場合に行われている（⇨ 357 頁）．このように併合審理が行われるのは各被告人の証拠に共通するものがある場合であるから，共同被告人となるのは，通常，その間に刑法上の概念である「共犯」，すなわち共同正犯，教唆犯，幇助犯や，対向的共犯の関係にある場合が多いが，必ずしもそれに限られず，窃盗犯と盗品譲受け犯の事案や，同じ機会にそれぞれ吸引した薬物使用犯らの事案等もしばしば見受けられる．したがって，共同被告人と共犯とは別個の概念であり，両者に必然的関係はない．

---

[1] なお，ある被告人から他の被告人のことを指して共同被告人ということもあるが，その場合は，通常，「相被告人」という．

併合審理されていても，各被告人に対する訴訟法律関係は被告人ごとに別個である．したがって，検察官は，各被告人に共通の証拠の取調べを請求することも，各被告人ごとに異なる証拠の取調べを請求することもできる[2]．被告人側も，各被告人が共通の証拠の取調べを請求することも，それぞれ独自の証拠を請求することもできる．また，検察官が被告人らに共通の証拠を申請した場合でも，各被告人ごとに同意・不同意の意見を述べることになり，同意の効果は他の被告人には及ばないから，同意した被告人のみの関係で書証を取り調べ，不同意とした被告人の関係では書証に代えて証人を申請することも可能である．このように，共同被告人の法律関係は元々個別的なものであるから(**法律関係の個別性**)，証拠が異なることになったとしてもやむを得ない[3]．

併合審理における法律関係

　一部の被告人との関係でのみ証拠調べをする場合には，その他の共同被告人(及びその弁護人)には，その証拠調べに関して意見を述べ，異議を申し立て，反対尋問をするなどの権利はない．その証拠調べの効果は，他の共同被告人には及ばないからである．したがって，仮に，その証拠調べの効果を有利に利用できる立場にある当事者(検察官又は他の共同被告人・弁護人)が，それを他の共同被告人との間にも及ぼす必要があると考えるのであれば，その当事者において取調べを請求する必要がある．また，裁判所が事実の合一的確定等の見地からその必要性を

---

2) 検察官は，証拠調べ請求の際に請求の相手方を明示しなければならない．不明確であれば，裁判所が釈明を求めるのが相当であるが，併合審理している以上は，特別の事情がない限り，被告人全員の関係で請求しているものと解するのが相当な場合が多いであろう(最判昭33・3・6刑集12・3・400参照)．逆に，被告人側から証拠調べ請求があった場合，特に明示されない限りは当該被告人の関係でのみ請求されていると解してよいが，防御の利益が共通することや事実認定の合一が求められることも少なくないから，裁判所が他の被告人に請求意思の有無を確かめておくのが相当な場合もあろう．

3) 併合審理されている被告人の間で証拠関係がある程度異なることはやむを得ないとしても，重要な証拠関係が異なることになれば弁論の分離を考えるべきである．例えば，共同被告人X・Yに共通の書証(Aの供述調書)が請求されたが，Xのみが同意したためXの関係でのみ書証が取り調べられ，Yの関係ではそれに代えて証人Aの尋問が行われるという場合，それが事実認定上重要な証拠であれば，事実の合一的確定が困難となり，証拠関係も複雑となり得るので，弁論を分離する方が相当なことが多くなろう．もっとも，その証人尋問の結果，供述調書と同内容の証言が行われたり，それとは異なる証言となったものの，供述調書が法321条1項2号等により採用されるような場合には，事実の合一的確定も可能であるから，証拠関係が複雑とはならないのであれば，分離の必要が少なくなるといえよう．

　なお，裁判員裁判の場合には，共同被告人間で証拠関係が異なるようであれば，原則として弁論を分離すべきであろう(⇨357頁注58)．

感じた場合には，そのような立場の当事者に対し，請求意思の有無を確認するのが望ましい（⇨358頁）．

　併合前にある被告人のために取り調べた証拠が，併合することによって当然に他の共同被告人の関係でも証拠になるというわけではない（最判昭45・11・5判時612・96）．仮に他の被告人の関係でも証拠とする必要があるのであれば，その被告人の関係で改めて取り調べなければならない．刑事責任の有無は個別に判断されるのが当然だからである．

（2） 併合と分離

併合と分離　以上のように，併合審理されていても共同被告人の法律関係は個別のものであるが，重要な証拠や多くの証拠が共同被告人間で共通であれば，前述のとおり，訴訟経済に資するほか，事実の合一的確定を図ることができ，量刑のバランスも図れるなど併合審理を行うメリットがある．しかしながら，共同被告人間の利害が相反する場合には，弁論を分離しなければならない（法313 II，規210）．例えば，共犯者であるXとYがともに起訴されたが，Xが事実を認め，Yが犯行への関与を争ったため，重要な証拠である被害者の供述につき，Xの関係では書証として，Yの関係では証人として供述を求めることになったり，Yの関係で共同犯行を認めるXの供述が重要になったりする場合である．

　このように重要な証拠関係に違いが生じる場合は，Xの関係でのみ取り調べられた証拠から認定される事実とYの関係でのみ取り調べられた証拠から認定される事実とが矛盾し，合一的確定が困難になることが多いし，それにもかかわらず併合審理を続けると，XとYの双方がともに他の被告人の関係でのみ取り調べられた証拠の影響を受けて不利な心証を形成されたのではないかとの疑いを抱くことになりかねないからである[4]．

> **共同被告人の一部が書証に同意した場合**　共同被告人X・Yに共通する書証（Aの供述調書）につき，Xが同意，Yが不同意とした場合，その書証は，同意したXの関係でのみ証拠能力を有するから，これを取り調べることができる．Yの関係では証拠とならないから，それに代えてAを証人として尋問することになる．こ

---

[4] 共同被告人間の利害の相反とは，単にその主張が対立するのみでなく，このような証拠関係の違いのあることが前提となろう．

の場合には，弁論を分離することもできるが，併合審理を続けるときは，①Ｘの関係で書証を取り調べ，Ｙの関係でのみＡの証人尋問を行う方法(どちらを先に行うかで更に方法が分かれる)，②Ｘ・Ｙ双方の関係でＡの証人尋問をし，Ｘの関係では書証の請求を撤回させる方法，③Ｘの関係で書証の取調べを決定した上，Ｘ・Ｙ双方の関係でＡを尋問し，その後Ｘの関係でのみ書証を取り調べる方法等がある．これらのいずれかの方法でなければならないわけではなく，当該事案におけるＡの供述の重要性，Ａの証人尋問に要する時間，Ａの証言と供述調書との相違の有無・程度，Ａの供述調書がＹの関係で法321条Ⅰ項2号書面等として採用される可能性，各別に心証を形成することの容易さの程度等に応じて，最も適切な方法を採用すればよい[5]．

共同被告人の一部が不出頭の場合　共同被告人Ｘ・Ｙの事件で，共通の証人Ｂを尋問すべき公判期日に，Ｘは出頭したがＹが出頭しなかった場合，その処理には困難な問題が生じる．まず，Ｙについて不出頭許可ができる事件(法285参照)であれば，不出頭を許可して公判手続を進めれば足りる．そのような事件でなければ，Ｘ・Ｙ双方の関係で期日を延期し，後の期日に改めてＢを尋問することや，ＸとＹの事件を分離し，Ｘの関係でのみ公判を開いてＢを尋問し，Ｙについては後の期日で改めてＢを尋問することも可能であるが，再度の出廷という証人の負担等を考えると，次のような方法の是非を検討すべきである．まず，第1の方法として，ＸとＹの事件を分離し，Ｘの関係でのみ公判を開いて証人Ｂの尋問を行い，後のＹの公判期日でＹの同意を得てＸの公判調書中の証人Ｂの供述記載部分を取り調べるということが考えられる．しかし，Ｙが同意しなければＢを再度尋問しなければならないし，Ｙの関係で反対尋問の機会を与える必要がある場合にも，Ｂを再度尋問しなければならなくなる．そこで，Ｙの同意が得られる見込みがない場合には，第2の方法として，Ｙの弁護人が出頭していて異議がない場合に限り，ＸとＹの事件を分離してＹの関係で公判準備期日に変更し，Ｘについては公判期日の証人尋問として，Ｙについては公判準備期日の証人尋問として，並行してＢを尋問するという方法が考えられ，実務上活用されている．訴訟経済に資する上，証拠関係の共通を維持できるからである．なお，この場合，Ｙの関係で

---

5)　争点の認定にとってＡの供述が重要であり，Ｙの関係において心証形成に疑いを招かないような配慮が必要な場合には，①の方法は避けるべきであり，その要請が強い場合には，むしろ弁論の分離を考えるべきであろう．また，②の方法は，Ａの供述が重要でないか，Ａの尋問予定時間が短く，供述調書と同内容の尋問結果が得られる見込みがある場合でないと，採用しにくいであろう．③の方法も，Ａの供述が重要でないか，Ａの尋問予定時間が短いか，ＸもＡの証人尋問に立ち会うことを希望しているような場合でないと，採用しにくいであろう．
　　裁判員裁判においては，証拠関係が共通とならない①や③の方法は採用し難く，証拠関係の共通化ができないのであれば，弁論を分離することになろう．

公判準備期日に変更する旨と証人の尋問事項がYに告知されていないが(法157Ⅱ・158Ⅱ参照)，弁護人に異議がなければこの瑕疵は治癒したものと考えられる[6]．

2　共同被告人の供述

(1)　共同被告人の証人適格

証人としての供述　共同被告人の法律関係については，解釈論上いくつかの問題が存在するが，特に共同被告人の供述をどのような方法によって獲得することができるかが問題となる．XとYが共犯者等であるときに，Xの供述をYの証拠として用いる場合としては，Xが証人として供述する場合，Xが共同被告人として供述する場合，公判廷外におけるXの供述(供述調書)が用いられる場合が想定される．

このうち，最初の方法については，Xを共同被告人のまま証人とすることはできない．被告人であれば，第三者と違って黙秘権を有し，供述義務がないから，そのような者を証人とすることは，供述義務を負う証人の地位と矛盾するためである(⇨334頁)．したがって，Xを証人とするには，Yと弁論を分離してYの公判では第三者の立場にする必要がある．この点，Xの犯罪事実に関係がなく専らYに関する事項について供述する場合であれば被告人のまま証人として証言できるとする見解もあるが，やはり，同一手続内で被告人と証人という相容れない立場にXを置くのは相当でない．

> **弁論の分離の可否**　XとYの弁論を分離すれば共同被告人でなくなるから，Yの事件につきXを証人として尋問することは可能である．ただ，被告人は，自分の事件の関係では，終始沈黙し，又はいつでも供述を拒否できるのに，証人として尋問される場合には，証言拒否によってその事実について自分が有罪であることを暗示するか，さもなければ偽証の制裁という威嚇の下に供述を余儀なくされるのであ

---

6)　第2の方法によった場合，Yの弁護人もその場で反対尋問することが可能であり，この尋問調書(公判及び公判準備調書として1通のみ作成される)は，Yの関係では法321条Ⅱ項によって証拠能力を有することになる．なお，この方法については，Yが正当な理由なく出頭しない場合にのみ採り得るとする見解もあるが，弁護人に異議のないことを必要とするのであるから，不可欠な要件と解する必要はないように思われる．

るから，実質的に憲法 38 条 I 項の精神に反するという批判が存在する(田宮 387頁)．しかし，刑訴法は，原則として何人でも証人適格を有するものとしているから(法 143 条以下)，たまたま共同被告人であっても，被告人たる地位を離れれば，その者を証人として尋問することは何ら差支えないはずである．証人であっても，法 146 条により，その者が有罪判決を受けるおそれのある事項については証言を拒否することができるのであるから，自己の防御権はなお保障されている．このように証言拒絶権が保障されているのであるから，宣誓の上供述を求められるとしても，直ちに自己に不利益な供述を強要される結果となるわけではないのである(最決昭 29・6・3 刑集 8・6・802)．また，分離された X が証人として証言拒絶権を行使したからといって，X の有罪を推認し得ないことは明らかである(不利益推認の禁止)．なお，X 本人についてみると，事件が分離された後に Y との関係で証人として証言した場合，その証言は，X 自身の犯罪についての証拠として用いられることがあり得る(最決昭 31・12・13 刑集 10・12・1629，最判昭 35・9・9 刑集 14・11・1477)．

(2) 共同被告人の公判廷における供述

> **311 条 I** 被告人は，終始沈黙し，又は個々の質問に対し，供述を拒むことができる．
> **II** 被告人が任意に供述をする場合には，裁判長は，何時でも必要とする事項につき被告人の供述を求めることができる．
> **III** 陪席の裁判官，検察官，弁護人，共同被告人又はその弁護人は，裁判長に告げて，前項の供述を求めることができる．

　次に，X が公判廷で(共同)被告人のまま供述する場合については，X が黙秘権を有し，供述義務を負わないため，Y の反対尋問権をいかに確保すべきかが問題となる．

被告人としての供述

　共同被告人 X・Y の事件において，X が公判廷で被告人として供述する場合，X は被告人の地位のままであるから，手続を分離して証人として供述する場合の証言拒絶権よりも広い黙秘権の保障が認められている．このことは，逆に，Y にとっては，X が Y に不利益な供述をした場合でも黙秘権を行使されて反対尋問できないおそれがあるという問題を生じる．同じく被告人である Y の反対尋問権をどのように実質的に確保するかが，X の供述の証拠能力の有無を判断する核心部分といえよう．X の供述は，形式は伝聞ではないが，反対尋問を経ていないという点で伝聞証拠排除の実質的根拠と同じ問題を含む．

この点，学説においては，反対尋問権とは供述者が尋問に応ずべき法律上の義務があることを前提とした観念であるから，Y が X に質問をし，X がこれに応答したとしても，反対尋問権が確保されているとは言えず，常に弁論を分離して証人として尋問しない限り，Y にとって不利益な供述に証拠能力を認めることはできないとする見解も見られる．

　しかし，共同被告人 X の供述に対し，Y は法 311 条 III 項により質問の機会が与えられているのであるから，実質的には反対尋問の機会が保障されていると考えられるので，弁論を分離して証人として尋問しないでも，Y に対する関係で証拠能力を認めてよいと解される．実務的にみても，供述者がどこまで供述しようと考えているかによって異なるのは当然としても，共同被告人として供述するか証人として証言するかによって供述範囲が異なるということは稀である．判例も同様であり，弁論を分離しなくても共同審理の際に共同被告人は相互に反対尋問の機会が与えられているのであるから，他の共同被告人との関係において，その供述の証拠能力を否定すべき理由はないとしている（最判昭 28・10・27 刑集 7・10・1971）．ただ共同被告人が黙秘権を有するということから，ある被告人が他の共同被告人からの尋問に対して現実に黙秘権を行使した場合には，その供述の証拠価値は慎重に判断されるべきである．

　　なお，学説には，X が Y の質問に対し供述することによって事実上反対尋問権が確保されれば，X の供述に証拠能力を認めることができるが，X が Y の質問に対し黙秘権を行使し，質問が現実に効果を収めなかった場合には，X の供述を Y に対する関係で証拠とすることができないとする中間説も有力である．しかし，X が黙秘した場合に Y の反対尋問権が保障されなかったとして証拠能力を一律に否定するのは，合理的ではない．黙秘権を行使した場合には，X を分離して証人として尋問しても，ほぼ同じ範囲で証言拒絶権を行使されることになると思われるからである．したがって，証拠能力を認めた上，黙秘権の行使の仕方などを考慮して，証拠の信用性を慎重に評価すれば足りるとするのが合理的である．

(3) 公判期日外の供述

共同被告人の供述調書　　X と Y が共同被告人であるとき，X の供述調書はどのような要件を充たせば Y に対する証拠になり得るであろうか．X の供述調書が Y にとって伝聞証拠であることには疑いがないから，

Yがこれを証拠とすることに同意（法326 I）しない限り，原則として証拠能力がない．問題は，法321条以下のいずれの規定によって証拠能力が例外的に認められるかにある．ここでも，Xを「Yにとっても被告人」として扱うのか，「Yにとっては第三者」として扱うのかが問題となる．前者によれば，被告人の供述についての法322条I項が適用され，自己に不利益で任意性が認められるか，又は特信状況が必要となる．これに対し，後者によれば，被告人以外の者の公判廷外の供述に関する法321条I項が適用になる．Yにとってみれば Xの供述はY自身の供述とはやはり同視し得ないし，X自身に不利益で任意性があればよいとするとYが不利になりすぎるという配慮もある．

　刑事責任の有無は個別に考えるべきであり，単に弁論が併合されているか否かという事情によって取扱いを異にするのは相当でないことなどを考慮すれば，単純に，Xが共同被告人であったとしても被告人Yにとっては「被告人以外の者」に当たると解すべきである．したがって，法322条ではなく321条I項各号の要件を充たした場合にのみ，Xの供述調書は証拠能力を有することになる．この点では，共同被告人の供述調書も，第三者の供述調書と同じ扱いを受けるのであり，共同被告人が刑法上の共犯であると否とを問うものではない[7]．

　　　具体的には，共同被告人Xが，① 公判廷外とは異なる供述を公判廷で行った場合と，② 公判廷で被告人としての供述を拒否した場合が問題となる．①の場合は，証人の場合と同様，自己矛盾の供述として処理されることになり，例えば検察官面前調書であれば，特信状況のある限り証拠となる．②の場合，共同被告人に対しては法311条III項による質問が実質的な反対尋問権の行使に当たるが，共同被告人Xが黙秘権を行使すれば，公判廷での供述が不能な場合に該当するので[8]，法321条の他の要件が充たされれば証拠となり得る[9]．

---

7) 共犯である共同被告人の供述調書について最決昭27・12・11（刑集6・11・1297），共犯でない共同被告人の供述調書について最判昭28・6・19（刑集7・6・1342）参照．
8) これに対しては，共犯者の供述を録取した書面については，訴追機関の面前でのものは一般的に特信状況に欠けるとして，共犯者が公判廷で黙秘した場合であっても証拠能力は原則として認められないとする見解もある．しかし，判例・多数説は，共犯者と第三者の場合とを区別していない．
9) もっとも，公判廷でXがYの質問に答えない理由の如何によっては，弁論を分離してXの証人尋問を行い，その上で供述調書の採否を決めるのが相当な場合もあると思われる．

3 共犯者の供述と補強証拠

共犯者の供述(自白) 共犯者の供述(共犯者の側からとらえると自白)については，自己の刑事責任を免れたり，軽減されることを企図して第三者を巻き込むおそれ，あるいは，真犯人を隠すために他の者を犯人に仕立て上げるおそれなどのいわゆる**巻き込みの危険**がある．そのため，共犯者の供述だけで被告人を有罪とできるか，それとも，共犯者の供述(自白)も本人の自白と同一視して，補強証拠がなければ被告人を有罪となし得ないかが争われている[10]．

この点については，自白に補強証拠を必要とする趣旨に照らし共犯者の自白を被告人本人の自白と区別すべき理由はないこと，もし，共犯者の自白に補強証拠は要らないとすれば，共犯者の1人が自白し他方が否認した場合に，他に補強証拠がない限り，自白した者は無罪となり，否認した者は有罪になるという不都合な結果を生ずることなどを理由に，補強証拠を必要とする説も有力である(団藤285頁等)．

しかし，共犯者といっても第三者であって被告人本人ではないし，共犯者の供述については被告人に反対尋問の機会があるのであるから，両者を同一視すべきではない．また，補強証拠は自由心証主義の例外であるから，この規定を安易に拡張するのは相当でない[11]．判例も，当初は動揺したが，最大判昭33・5・28(刑集12・8・1718)以降，一貫して，共犯者の供述を憲法38条Ⅲ項にいう「本人の自白」と同一視し又はこれに準ずるものとすべきではないとして，共犯者の供述に第三者の供述と同様の証拠能力を認め，補強証拠は

---

10) 例えば，XとYが殺人の共同正犯として起訴され，Xの「Yと共同してAを殺害した」という供述はあるが，それ以外に証拠がない場合，この供述のみをもって，Yを有罪とすることができるかが問題となるわけである．Xのこの供述は，Xにとっては自白であるが，Yにとっては自白ではなく，不利益な証拠に当たる．

11) 共犯者の供述については，従来から「巻き込みの危険」が指摘され，その信用性は慎重に吟味すべきものとされている．そのためもあって，これまでも，多くの裁判例は，必ずしも補強証拠とはいえないこともあるものの，供述の信用性を肯定するに足る何らかの積極的根拠を求めている．このような状況を前提とすると，自白したXが補強証拠がなくて無罪となるような証拠関係であれば，Xの供述の信用性を肯定するのは極めて困難であり，そのXの供述のみで否認しているYが有罪になるという事態が実際に生じるとは考え難い．

必要でないとしている．

　最大判昭 33・5・28 は，「憲法 38 条 III 項の規定は，被告人本人の自白の証拠能力を否定又は制限したものではなく，また，その証明力が犯罪事実全部を肯認できない場合の規定でもなく，かえって，証拠能力ある被告人本人の供述であって，しかも，本来犯罪事実全部を肯認することのできる証明力を有するもの，換言すれば，いわゆる完全な自白のあることを前提とする規定と解するを相当とし，従って，わが刑訴 318 条(旧刑訴 337 条)で採用している証拠の証明力に対する自由心証主義に対する例外規定としてこれを厳格に解釈すべきであって，共犯者の自白をいわゆる『本人の自白』と同一視し又はこれに準ずるものとすることはできない．けだし共同審理を受けていない単なる共犯者は勿論，共同審理を受けている共犯者(共同被告人)であっても，被告人本人との関係においては，被告人以外の者であって，被害者その他の純然たる証人とその本質を異にするものではないからである．されば，かかる共犯者又は共同被告人の犯罪事実に関する供述は，憲法 38 条 II 項のごとき証拠能力を有しないものでない限り，自由心証に委かさるべき独立，完全な証明力を有するものといわざるを得ない」としている(その後の同趣旨のものとして，最判昭 35・5・26 刑集 14・7・898，最判昭 45・4・7 刑集 24・4・126，最判昭 51・2・19 刑集 30・1・25)．

　共犯者の供述について指摘されている「巻き込みの危険」と同種の危険は，純然たる第三者の場合にも存在し，被告人から被害を受けたという被害者の供述(例えば，強制性交等被告事件において，同意に基づくとの被告人の主張を否定する被害者の供述)などにおいても犯人に仕立て上げるおそれがないとはいえないし，自分が犯人ではなく被告人が犯人であるという者の供述(例えば，殺人事件において，殺害の犯人は A であって自分はその場に居合わせただけであると被告人が主張するのに対し，犯人は被告人であり自分はその場に居合わせただけであると供述する A の供述)などの場合には，被告人を犯人に仕立て上げて責任を転嫁するおそれが共犯者の場合より大きいとさえいえる．したがって，「巻き込みの危険」を理由に共犯者の供述のみを特別に扱うべき必然性はない．また，共犯者の供述を証拠能力の次元でとらえ，補強証拠を要すると解するとしても，補強証拠を要する範囲について学説の争いがあることや，補強証拠を要する程度について見解が相違することなどが如実に示しているように，供述の真実性を実質的に担保するような補強証拠でなければ意味がないところ，十分な補強証拠があるか否かの判断は，信用性の有無の判断と密接に関連している．しかも，証拠能力の次元でとらえるとしても，証拠能力が認められる供述については次に証明力の判断をしなければならず，証明力の問題は避けられないのであるから，「巻き込みの危険」を十分認識して信用性を判断するのであれば，補強証拠の有無を独立した証拠能

力の要件とする必要性は少ないように思われる[12].

<u>共犯者の供述による補強</u>　共犯者の供述が被告人本人の自白を補強し得ることに争いはない(最大判昭 23・7・19 刑集 2・8・952). 共犯者の供述に補強証拠を必要としないとする先に述べた考え方によればもちろんであるが, 共犯者の自白に補強証拠が必要であるとする見解も, 共犯者の自白と本人の自白を全く同じものと考えるわけではないから, 共犯者の供述は補強証拠になり得るものとしている[13].

---

12) なお, 平成 28 年法改正により, 証拠収集等への協力及び訴追に関する合意制度(⇨ 163 頁)と刑事免責制度(⇨ 336 頁)が導入された(いずれも平成 30 年 6 月 1 日施行). 前者の合意制度に基づく供述は, 第三者を巻き込む虚偽供述であるおそれがあるため, 合意に基づく供述が他人の公判で証拠として用いられるときは, 合意内容の記載された書面を検察官が証拠調べ請求する義務があるとされており, 供述の信用性が厳しく吟味される仕組みとなっている. したがって, このような供述は, 自己の刑事責任の軽減を見返りとしていることが明確であり, 巻き込みの危険が具体化しているのであるから, それを念頭に置いて信用性を慎重に吟味する必要がある. 具体的には, 裏付証拠が十分に存在するなど, 積極的に信用性を認めるべき事情が十分にある場合でない限り, 信用性を認めることはできないものと考えられる. 後者の刑事免責制度に基づく証言も, 証人が自己の刑事責任を問われる危険を減少ないし消滅させることの見返りになされるものであるから, 裁判所の決定に取引の要素はなく, 偽証罪の制裁も存するものの, それによって虚偽供述のおそれが消失するものではなく, 慎重な評価が求められることに変わりはない.

13) そこで, 補強証拠を必要とする見解によったとしても, 共犯者 3 名のうち X と Y が自白して Z が否認している場合には, X と Y については, ともに自白していて, 相互にその供述が補強されていることになる. また, Z についても, 共犯者である X 又は Y の供述が「本人の自白」に当たるという見解によったとしても, Y 又は X の供述により補強されていることになるから, Z も有罪となる(最判昭 51・10・28 刑集 30・9・1859 参照).

V 証拠の許容性

1 科学の進歩と証拠評価

非供述証拠 　刑訴法は供述証拠に関する定めが多く，非供述証拠については特別の規定がない．伝聞性や供述の任意性の問題がないからである．非供述証拠は，証拠として採用されれば大きな証拠価値を有することも少なくないため，そこでは，① 証拠としての関連性の有無や，② その収集の仕方が問題となり得る．また，科学技術の進歩によって採証方法の進化が著しく，そのことも新たな問題を提起している．

> **科学的採証**　**人の識別**に関する科学技術の進歩は著しい．従来は，識別する効果の大きな ① 血液型，② 指紋に加えて，③ 毛髪，④ 臭気，⑤ 声紋，⑥ 筆跡，⑦ 足跡等が証拠として用いられていたが，近時は，⑧ DNA 鑑定がその効果の大きさから重要な役割を果たすようになってきている．他方，**人の状態**に関する科学的証拠としては，① 責任能力に関する鑑定，② 尿や毛髪からの覚醒剤等の検出，③ 血液や呼気からのアルコールの検出，④ ポリグラフ検査等が使用されている．また，情報伝達手段の高度化に伴い，写真，録音テープ，ビデオテープ，CD，DVD 等が広く利用されているほか(⇨ 107, 427 頁)[1]，コンピュータのデータの分析やアクセス履歴の解析等が重要となってきている．さらに，**物の状態**に関する科学的証拠としては，① 薬物の特定に関する鑑定，② けん銃の弾痕，線条痕等の同一性に関する鑑定等が用いられている．なお，人の生死についての脳死説は，検視に関して新たな課題を提起した(⇨ 167 頁注 18)．

---

1) 科学的証拠のうち，写真，録音テープ，ビデオテープ等については，そもそもこれらの証拠が非供述証拠か供述証拠(伝聞証拠)かという形で議論されることが多いので，伝聞法則に関連して説明した(⇨ 427 頁)．

科学的証拠と関連性　科学的証拠の証明力については，その社会的評価が固まるまでの間，困難な問題を生ずる場合が少なくない．そこでは，どのような条件が備わっていれば関連性を認めることができるかが問題となる．一般的には，その科学技術が一般的に信頼できるものであり，当該事案における用いられ方が相当なもので，その方法や結果の当否を事後的に評価し得る場合には，証拠としての関連性を認めることができよう（なお，井上正仁「科学的証拠の証拠能力」研修 560-3・562-6 参照）．

関連性　関連性には，法律的関連性と，要証事実に対して必要最小限度の証明力を有していることをいう自然的関連性の 2 種類があるとされる（⇨ 383 頁）．新たな類型の証拠について問題となるのは，この自然的関連性である．科学的証拠については，一般的に信頼できる手段が用いられており，具体的訴訟において証明力の吟味が可能なものであれば，自然的関連性が認められる．

血液型・指紋　血液型や指紋の鑑定（鑑識）が証拠としての関連性を有することに争いはない．血液型としては，ABO 式のほか，MN 式，Q 式，E 式，Rh 式等の分類が用いられている．各式による分類結果が同一であってもそれだけで同一性が断定できるものではないが，それらを重ねることによって，同一性の識別能力が高まることになる．他方，指紋は，同一性の識別能力が高く，現場に遺留された指紋が当該事件の犯人のものと認められて，しかも被告人が他の機会にそこに触れる機会がなかったと認められる場合には，遺留指紋と被告人の指紋が合致すればそれのみで犯人との同一性を認めることができるといえる．

声紋・筆跡鑑定　文書や電話による脅迫事件や恐喝事件などでは，脅迫文の筆跡と被告人のそれとの同一性を判定したり，犯人の声と被告人の声との同一性を判定して，犯人と被告人との同一性を立証することが，広く行われている．**筆跡鑑定**は，判断手法によっては客観性に乏しいものもあるため，その証明力に限界はあるものの，経験によって裏付けられた合理的なものであれば，証拠として用い得る（最決昭 41・2・21 判時 450・60）．筆跡鑑定書は，法 321 条 IV 項により，鑑定書の作成者が作成の真正を証言すれば証拠能力が認められる．**声紋鑑定**とは，音声を解析装置によって紋様化（画像化）して個人識別を行う手法であるが，言葉のつながり方や語調などによって

変動するため，その証明力には限界がある．実務で利用される例も少なくないが，検査の実施者が必要な技術と経験を有する適格者であり，使用した器具の性能，作動も正確であるときは，その検査の経過及び結果についての忠実な報告には証拠能力を認め得る(東京高判昭 55・2・1 判時 960・8)．

警察犬による臭気選別 警察犬による臭気選別検査とは，犯行現場に遺留された犯人の使用したとみられる物品等を採取した上，指導手がそれに付着した犯人の体臭(原臭)を警察犬に嗅がせて記憶させ，一定距離離れた台の上に置かれた複数の物品(被疑者の体臭の付着した物品を含む)の中から，原臭と同じ体臭の付着している物件を選別して持って来させる方法によって，被告人と犯人との同一性を立証する手法である．最決昭 62・3・3(刑集 41・2・60)は，専門的な知識と経験を有する指導手が，臭気選別能力が優れ，選別時においてもその能力がよく保持されている警察犬を使用して実施し，しかも臭気の採取，保管の過程や選別の方法に不適切な点がないときは，これを有罪認定の用に供することができるとしている(⇨ 438 頁)[2]．

そのような指導手が作成した書面であれば，鑑定受託者による鑑定書の一種として法 321 条 IV 項を準用し，また，選別実験に立ち会った警察官が実験の経過と結果を記載した書面であれば，実況見分調書の一種とみて同条 III 項を準用して，証拠能力を判断することになる．

DNA 型鑑定 DNA 型鑑定とは，人の細胞内に存在する DNA (デオキシリボ核酸)の塩基配列を鑑定対象として個人識別を行う手法である．非常に高い確率で個人を識別できる方法として注目され，平成 17 年 9 月からは，警察において鑑定記録がデータベース化され(DNA 型記録取扱規則)，鑑定件数も増加している．

DNA 型鑑定の方法についても，科学技術の発展によって技術的改良が進められているが，最決平 12・7・17 (刑集 54・6・550) は，DNA 型鑑定の 1 つの方法である MCT118DNA 型鑑定[3]について，「本件で証拠の一つとして採用さ

---

2) 犬の嗅覚が優れていることは一般に認められているが，嗅覚の科学的解明となると必ずしも十分ではなく，また事後的検証にも困難が伴うため，関連性を疑問視する見解もある．

3) 第 1 番目の染色体の MCT118 の部位に，16 個の塩基が一組になって繰り返し並んでいる部分があり，その繰り返し回数の違いを調べる方法である．この MCT118DNA 型鑑定については，後述のように再審判決で問題が指摘されたため，現在は，それに代わる STR 型鑑定(15 種

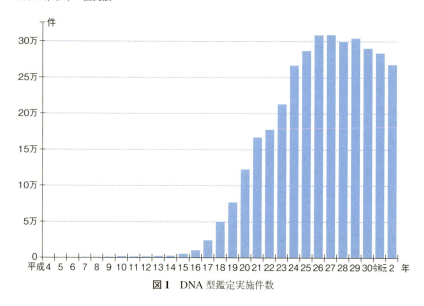

図1 DNA型鑑定実施件数

れたいわゆるMCT118DNA型鑑定は、その科学的原理が理論的正確性を有し、具体的な実施方法も、その技術を習得した者により、科学的に信頼される方法で行われたと認められる。したがって、右鑑定の証拠価値については、その後の科学技術の発展により新たに解明された事項等も加味して慎重に検討されるべきであるが、なお、これを証拠として用いることが許される」とした[4]。この事件については、後に再審が開始され、当該DNA型鑑定が科学的に信頼される方法で行われたと認めるには疑いが残るとされて、無罪判決が確定したが[5]、DNA型鑑定の科学的原理やそれを個人識別に用いるという鑑定方法自体の有用性が否定されたものではない。もっとも、DNA型鑑定においても、その鑑定結果の信頼性は、鑑定資料の適正な保管、適格な検査

の型同時検出)等が捜査において用いられている。STR型によるDNA型鑑定の信用性を肯定した例として、最判平30・5・10刑集72・2・141参照。
4) DNA型鑑定が有罪認定の証拠として用いられた従来の事例は、DNA型鑑定以外にも有力な証拠が存在した事案が多いが、DNA型鑑定は、その識別能力を考えると、唯一の証拠であっても有罪認定が可能となり得る種類の証拠である。
5) いわゆる足利事件(幼女のわいせつ誘拐殺人事件)に関する宇都宮地判平22・3・26判時2084・157.

者による正確な作業と解析等が前提となっていることは当然である(それらの点で不正確であるとして DNA 型鑑定結果の信用性を否定した例として，福岡高判平 7・6・30 判時 1543・181)[6]．

ポリグラフ　ポリグラフ検査結果回答書(⇨440頁)について，判例は，弁護人の同意のあった事案に関してであるが，① その検査結果が検査者の技術経験，検査器具の性能に徴して信頼できるものであり，かつ，② 検査の経過及び結果を忠実に記載したものであるときは証拠能力があるとしている(最決昭 43・2・8 刑集 22・2・55)．同意がない場合には，一種の心理的鑑定を行ったものとみて(ポリグラフの内容は 202 頁)，法 321 条 IV 項の準用によりその証拠能力が判断される[7]．

2　違法収集証拠の排除

(1)　排除法則の意義

違法収集証拠排除の原則　違法な手続によって収集されたものは裁判における証拠から排除すべきであるという理論である．捜査段階における人権侵害をチェックするために証拠法でも対応すべきものとする考え方であり，令状主義等による事前のチェックや，違法捜査に対する事後的な措置(損害賠償等の民事上の責任追及，懲戒等の行政上の責任追及)のみでは刑事訴訟の適正が完遂できないという考慮が基本に存在する．証拠を収集する手続に違法があるとその証拠能力の否定される場合があることは，明文の規定はないものの[8]，判例によって採用された原則とされ，一般にも認められている．な

---

6) DNA 型鑑定については，再検査又は追試の可能性があることを証拠能力を肯定する要件とすべきものとする見解もある．試料が多い場合にはそれが望ましいといえても，試料が微量である場合にまでそれを要求するのは相当ではないであろう．最決平 12・7・17 もその点を要件としていない．
7) 学説には，科学的信頼性になお問題があるなどとして，関連性に疑問があるとするものもある．これに対しては，捜査官と被害者以外には犯人だけしか知らない事実の質問とその他の質問との組み合わせによる「緊張最高点質問法」など，技術は進歩しており判定の正確度は高いとする見解もある．証明力については慎重な吟味が必要であろう(⇨440頁)．
8) 憲法には違法収集証拠排除の法則は明示されていない．しかし，憲法 31 条の適正手続の保障

お，供述証拠については，憲法38条Ⅱ項や刑訴法319条Ⅰ項により，拷問や長期の拘禁の後の自白など違法捜査によって得られたものが証拠から排除されている(⇨403頁)．その結果，違法収集証拠というときは主に非供述証拠を指すことが多い(証拠禁止⇨382頁)．

実質的根拠 憲法31条は適正手続の保障を定め，同35条は証拠物の強制的な収集には令状が必要だとしている．捜査手続も，国民の利益のために存在するものではあるが，憲法で保障された国民の人権の保障を最大限尊重しなければならないことはいうまでもない．ところが，捜査機関はしばしば違法な手続によってまで証拠を収集しようとする．それは，違法であるとしてもその証拠が必要だからである．そのため，裁判所が違法に収集された証拠に基づいて判決する場合には，その違法行為を助長することにもなりかねない．そこで，違法手続を禁圧するには，それによって得られた証拠の利用可能性を奪うことが有効であるといえよう．軽微な違法があった場合はともかくとして，憲法違反その他重大な違法手続によって得られた証拠の証拠能力は否定すべきであるとされるのは，このような考えからである．

ただ，証拠物の場合，収集手続に違法があってもなくても，その証拠の証明力自体には変わりがない．したがって，実体的真実発見のためにはこれを証拠とすることを認める一方，捜査機関の違法については，別に民事上，行政上の責任を追及することによって救済を図るべきであると考えることも不可能ではない．しかも，違法な手続によって収集された証拠物の証拠能力を否定する明文の規定は存在しない．しかしながら，拷問等の違法な手続によって収集された自白については，その証拠能力が否定されているから(法319Ⅰ)，証拠物についても同等の配慮をすることが必要であろう．実質的に考えても，重大な違法手段によって収集された証拠を利用することは，適正手続の保障に反することになるし，司法に対する国民の信頼を揺るがすことにもなる[9]．また，違法捜査を抑止するためには，事後的な救済措置のみでは実

や，刑訴法1条の「刑罰法令の適正な適用」に根拠を求めることも，不可能ではない．また，違法に収集された自白の証拠能力を否定する規定(法319)が根拠だといえないこともない．この点については，法317条にいう証拠は適法な証拠を意味するから，違法収集証拠は同条の証拠とはなり得ないと説明する見解もある．

効性に乏しく，違法収集証拠の排除による方が，最善の方法とまではいえないにせよ一定の効果を期待できる(田宮400頁参照)[10]．このような理由により，違法収集証拠については，適正手続の保障や令状主義の精神をないがしろにする重大な違法があり，排除することによって将来の違法捜査を抑止することが必要と認められる場合に排除すべきものと考えられる．

　違法捜査の抑止の観点からすれば，違法捜査を受けた者以外の者に対して証拠が提出された場合にも，証拠排除は認められることになる．これに対しては，違法捜査を受けて権利を侵害された者にしか違法収集証拠の排除を申し立てる適格(**スタンディング**)がないとする見解もある．違法収集証拠として排除されるべきか否かを判断するには違法が重大であるか否かが検討されるが，その際には当該事件及び当該被告人との関係が考慮されることになるから，少なくともその限度においては，誰が申し立てるかによって結論の左右される場合があるといえよう（なお，刑事免責を与えて得た供述の証拠としての許容性を否定した最大判平7・2・22刑集49・2・1は，刑事免責を与えられて供述させられた本人ではなく，それを有罪立証の証拠とされた者が違法を申し立てた事案に関するものである）．

　また，違法収集証拠として考慮される違法は，捜査の対象とされた者の人権を侵害するおそれのある性質のものであり，捜査過程の違法であれば何でも考慮されるというわけではない．例えば，最決昭63・3・17刑集42・3・403は，速度違反車両を追尾して得られた速度測定結果を内容とする証拠について，パトカーが赤色警告灯をつけずに最高速度を超過して速度違反車両を追尾した場合においても，警察官に速度違反の罪の成立することがあるのは格別，証拠能力の否定に結びつくような性質の違法はないと判断している．

　なお，**私人が違法に収集した証拠**を訴追機関が利用した場合には，その証拠は排除されない．適正手続の視点，違法捜査の抑止の視点のいずれからも，排除すべき理由は導けないからである．もっとも，捜査機関が自ら違法捜査を行ったものと実質的に同視できるような形で私人を利用した場合には，排除されよう．この点につき，最決平17・7・19刑集59・6・600は，医師が，治療目的で救急患者の尿を採取して薬物検査をしたところ，覚醒剤反応があったため，その旨警察官に通報し，これを受けて警察官がその尿を押収したという事案について，警察官が尿を入手した

---

9) 他方では，真犯人を無罪放免とすることが国民の信頼を損なうことにもなるため，証拠収集手続に重大な違法がある場合にのみ証拠が排除されるものとされ，その重大性の判断に際しては事件の重大性も考慮されることになる．
10) 抑止の効果は実証されていないとの批判もあるが，捜査官が違法との非難を招かないように慎重になっていることも否定できないであろう．

過程に違法はないと判断している．医師による尿の採取過程や警察官への通報に違法があれば，その程度等によっては尿に関する鑑定書等の証拠能力に影響を及ぼすこともあるとの考えから，違法の有無を判断したものと理解される．

違法収集証拠への同意も認められる．同意は反対尋問権の放棄のみでなく積極的な証拠能力の付与であるから，違法収集証拠への同意も有効である．しかし，証拠収集の手続に極めて重大な違法があり，当事者の放棄できない憲法上の権利の侵害が認められるような場合には，同意が不相当であるとして排除される場合が考えられる（⇨457頁）．

（2） 判例の排除法則

判例の立場　　判例は，当初，「押収物は押収手続が違法であっても物其自体の性質，形状に変異を来す筈がないから其形状等に関する証拠たる価値に変りはない」として（最判昭24・12・13裁判集刑事15・349），排除法則に消極的であった．しかし，現行刑訴法施行後約30年を経て，最判昭53・9・7（刑集32・6・1672）が違法収集証拠排除の原則を認めるに至った[11]．最高裁がそこにおいて証拠能力の判断に適正手続の観点を加味するようになった点は，適正手続型訴訟観の浸透，旧刑訴法的な考え方からの脱却の現れとも解し得るが，その後単純に証拠排除の範囲が拡大したわけではなく，判例が真実発見の視点を放逐したものではないことも，確認しておかなければならない．

　　最判昭53・9・7（刑集32・6・1672）は，違法に収集された証拠物の証拠能力については，刑訴法の解釈に委ねられており，刑訴法1条の見地からの検討を要するとした上[12]，「刑罰法令を適正に適用実現し，公の秩序を維持することは，刑事訴訟の重要な任務であり，そのためには事案の真相をできる限り明らかにすることが必要であることはいうまでもないところ，証拠物は押収手続が違法であっても，物それ自体の性質・形状に変異をきたすことはなく，その存在・形状等に関する価値に変りのないことなど証拠物の証拠としての性格にかんがみると，その押収手続に違法が

---

[11]　違法収集証拠排除に関しては種々の理論的構成が考えられるが，あくまでわが国の解釈論として展開されなければならない．また，最判昭24・12・13の指摘が消え去ったわけではない．
[12]　最判昭53・9・7は，この点につき，「違法に収集された証拠物の証拠能力については，憲法及び刑訴法になんらの規定もおかれていないので，この問題は，刑訴法の解釈に委ねられている」と判示しているので，憲法を直接の論拠とするのではなく，令状主義の精神と抑止効果も考慮した政策的刑訴法解釈に基づくものと理解されている．

あるとして直ちにその証拠能力を否定することは，事案の真相の究明に資するゆえんではなく，相当でないというべきである．しかし，他面において，事案の真相の究明も，個人の基本的人権の保障を全うしつつ，適正な手続のもとでされなければならないものであり，ことに憲法35条が，憲法33条の場合及び令状による場合を除き，住居の不可侵，捜索及び押収を受けることのない権利を保障し，これを受けて刑訴法が捜索及び押収等につき厳格な規定を設けていること，また，憲法31条が法の適正な手続を保障していること等にかんがみると，証拠物の押収等の手続に，憲法35条及びこれを受けた刑訴法218条Ⅰ項等の所期する**令状主義の精神を没却するような重大な違法**があり，これを証拠として許容することが，**将来における違法な捜査の抑制の見地からして相当でない**と認められる場合においては，その証拠能力は否定されるものと解すべきである」と判示している．

　もっとも，この判例は，当該事案(⇨102頁)の覚醒剤の押収手続について，「被告人の承諾なくその上衣左側内ポケットから本件証拠物を取り出したK巡査の行為は，職務質問の要件が存在し，かつ，所持品検査の必要性と緊急性が認められる状況のもとで，必ずしも諾否の態度が明白ではなかった被告人に対し，所持品検査として許容される限度をわずかに超えて行われたに過ぎないのであって，もとより同巡査において令状主義に関する諸規定を潜脱しようとの意図があったものではなく，また，他に右所持品検査に際し強制等のされた事跡を認められないので，本件証拠物の押収手続の違法は必ずしも重大であるとはいえないのであり，これを被告人の罪証に供することが，違法な捜査の抑制の見地に立ってみても相当でないとは認めがたいから，本件証拠物の証拠能力はこれを肯定すべきである」として，押収手続の違法を認めながらも証拠能力を認めている．

(3) 具体的な排除判断

相対的排除説　　違法収集証拠の排除基準については，端的に手続の違法の有無のみを基準とする絶対的排除説といわれる説もみられるが，学説上も，司法に対する国民の信頼の確保の観点と違法捜査の抑止の観点から採証手続の違法性の程度や抑止効果等を総合的に考慮して判断する相対的排除説が有力である．具体的には，手続違反の程度・状況・有意性・頻発性，手続違反と証拠獲得との因果性の程度，証拠の重要性，さらに事件の重大性等が挙げられる(井上正仁「刑事訴訟における証拠排除」404頁)．「令状主義の精神を没却するような重大な違法」があり，「将来における違法な捜査の抑制の見

地から相当でない」と認められる場合に排除すべきものとする判例の基準も，実質的にそれと同旨である[13]。

「重大な違法」と「違法捜査の抑制」との関係について，両者は実質的に重なり合っており重大な違法捜査が抑制の対象であり排除の対象であるとする考え方(田宮403頁)と，重大な違法又は違法捜査の抑制のいずれかが認められれば排除されるとする考え方が対立する。判例は，違法の重大性と違法捜査抑制の見地からの排除相当性の両方の要件を必要としているが，例外的な場合(将来用いられそうもない違法捜査等)を除き，重大な違法があれば違法捜査抑制の見地からも排除を相当とするのが通例であるため，実際の訴訟においては，重大な違法といえるか否かの判断が証拠を排除するか否かの結論に直結することが多い。

そこで，証拠収集手続に重大な違法があったか否かを確定することが不可欠であり，重大とはいえない違法であれば格別，重大な違法の疑いがあるのに，その点を確定することなく違法捜査抑制の見地から証拠排除が要請される状況にあるか否かを判断するのは誤りとなる(最判令3・7・30刑集75・7・930参照[14])。

---

[13] これに対しては，事件の重大性や証拠の重要性を考慮すれば，結局処罰の必要を重視することになり，証拠は排除されないことになるとの批判がある。しかし，排除を認める範囲が広いほど合理的であるとする前提は論証されていない。排除法則を適用するに当たっては，前述のように，当該事案の個別的な事情を総合的に考慮すべきである。その上で排除を認めるか否かという規範的価値判断は，第1次的には裁判所によって行われることになる。

[14] 最判令3・7・30の事案は，警察官が，職務質問のため停車させた被告人運転車両の中からチャック付ビニール袋の束を見つけ，被告人に覚醒剤事犯の犯歴が多数あることなども判明したが，被告人が任意の採尿や所持品検査に応じなかったことから，自動車等に対する捜索差押許可状と強制採尿令状の発付を得て，同許可状に基づく捜索差押えにより覚醒剤を発見し，任意提出された尿の鑑定により覚醒剤の使用が判明したという覚醒剤の所持及び自己使用の事件について，覚醒剤並びに覚醒剤及び尿の各鑑定書の証拠収集手続の適法性が争われた。1審は，ビニール袋は車両内にもともとなかったとの疑いは払拭できず，警察官がもともとなかったのにあると確認した旨の疎明資料を作成して令状請求したもので，重大な違法があるとして，上記各証拠の証拠能力を否定したのに対し，控訴審は，ビニール袋がもともと車両内になかったとの疑いを拭い去ることはできないが，その疑いはそれほど濃厚ではなく，その程度にとどまる事情だけを根拠に上記各証拠の証拠能力を否定しても，将来における違法行為抑止の実効性を担保し得るか疑問があり，上記各証拠を証拠として許容することが将来における違法な捜査の抑制の見地から相当でないとはいえず，その余の手続に重大な違法はないなどとして，1審判決を破棄した。これに対し，最高裁は，上記各証拠の証拠能力を判断するためには，ビニール袋が車両内にもともとなかったのに警察官があると確認した旨の疎明資料を作成して令状請求したのか否かという事実を確定し，これを前提に証拠収集手続に重大な違法があるかどうかを判断する必要があり，その判断においてこの事実の持つ重要性に鑑みると，原判決には判決に影響を及ぼす法令の適用解釈の誤りがあるとして，原判決を破棄した。捜査官が虚偽の内容の疎明資料を作成して令状の発付を得たとの事実が認められれば，捜査官の法軽視の態度が顕著であり，通常は重大な違法があると判断すべきことを明らかにしたものと解することができるであろう(なお，立証責任の観点からもその事実の確定を要する旨の補足意見が付されている⇨397頁注38)。

V 証拠の許容性 ● 485

具体的判断 　　問題は，証拠の収集手続にどの程度の違法があれば証拠能力を否定すべきかにある．それは，他面では，いかなる事情が抑止効果を必要とするかである．違法の程度が軽微である場合，例えば，捜索差押許可状によって押収したが令状の記載に明白な誤記があったという程度の形式的違法にとどまるのであれば，押収物については証拠能力を認めるべきである(最判昭27・2・21刑集6・2・266参照)．これに対し，証拠物の押収手続に令状主義の精神を没却するような重大な違法があり，これを証拠として許容することが将来における違法な捜査の抑制の見地からして相当でないと認められる場合においては，その証拠能力は否定されるべきである．

　言い換えれば，違法収集証拠を用いることにより，被疑者・被告人の人権を侵害し，刑事司法システムの公正さや正義を疑わせるおそれの程度と，その証拠を排除することにより，真実発見の利益を放棄し，刑事司法システムの運用コストを増大させる程度との比較衡量であり，具体的には，① **違反した法規の重大性**，② **違反の態様の悪辣性**，③ **被告人の利益を直接侵害した程度**，④ **捜査官の法軽視の態度の強弱**，⑤ **当該捜査方法が将来繰り返される確率**，⑥ **当該事案の重大性とその証拠構造における当該証拠の重要性**，⑦ **手続の違法と証拠収集との因果性の程度**などが考慮されなければならない．

> 違法収集証拠排除の考慮要素
> ①違反した法規の重大性
> ②違反の態様の悪辣性
> ③被告人の利益を直接侵害した程度
> ④捜査官の法軽視の態度の強弱
> ⑤当該捜査方法が将来繰り返される確率
> ⑥事案の重大性・証拠構造における当該証拠の重要性
> ⑦手続の違法と証拠収集との因果性の程度

　令状に基づく捜索の現場で警察官が被告人に暴行を加えた違法があったとしても，それ以前に発見されていた覚醒剤は，違法行為の結果収集された証拠ではないから，証拠能力は否定されない(最決平8・10・29刑集50・9・683)．また，たまたま一部の捜査官が違法な捜査をしたが，それがなくてもいずれ他者の適法な捜査により当該証拠に到達したといえる場合には，証拠は排除されない．将来の適法な捜査によ

り当該証拠が収集されるであろうから，その証拠による証明をあえて否定する必要性は減少しているためである（最決昭63・9・16刑集42・7・1051参照）。

この点に関する最高裁の判例は，覚醒剤事犯に関するものに集中しているが，それらの多くの事案では，捜査手続に違法があるとしながらも，重大な違法とは認めず，証拠能力を肯定している。すなわち，最判昭61・4・25（刑集40・3・215）は被告人宅への立入り，任意同行及び採尿手続につき，最決昭63・9・16（刑集42・7・1051）は任意同行，所持品検査，差押え手続及び採尿手続につき，最決平6・9・16（刑集48・6・420）は職務質問の現場に長時間留め置いた措置につき，最決平7・5・30（刑集49・5・703）は所持品検査，現行犯逮捕及び採尿手続につき，最決平15・5・26（刑集57・5・620）は所持品検査につき，いずれも，それらの手続が違法であったとしながら，重大な違法とはいえないとして，証拠排除を認めなかった。これらの判例では，緊急逮捕等が可能であった事案で違法が相対的に軽い点や，令状主義潜脱の意図がなかった点，強制力が用いられていない点などが考慮されている。なお，最決平21・9・28（刑集63・7・868 ⇨ 188頁）も，宅配便の荷物を検証許可状によることなくX線検査した行為につき，違法であったとしながらも，警察官らが，宅配便業者の承諾を得，検査対象を限定する配慮もしていて，令状主義を潜脱する意図がなかったことや，当該覚醒剤が，X線検査の結果以外の証拠も考慮して発付された令状に基づく捜索において発見されたことなどを指摘して，重大な違法があるとまではいえないとしている。また，警察官が日本国外に所在する蓋然性のある記録媒体にリモート・アクセスをして電磁的記録の複写をするなどした行為についても，任意の承諾に基づくものとはいえず，任意捜査として適法とはいえないものの，実質的には司法審査を経て発付された捜索差押許可状に基づくもので，令状主義を潜脱する意図もなかったことを指摘して，重大な違法とはいえないとしている（最決令3・2・1刑集75・2・123 ⇨ 181頁）。

他方，最判平15・2・14（刑集57・2・121）は，被疑者の逮捕手続の違法と警察官がこれを糊塗しようとして虚偽の証言をしたことなどに表れた警察官の態度を総合的に考慮し，逮捕手続の違法の程度は令状主義の精神を没却するよ

うな重大なものであり，採取された尿の鑑定書の証拠能力は否定されるとしている．捜査官の令状主義潜脱の意図が顕著であった場合には，違法捜査抑止の必要性が高まることになると考えられる．

最大判平 29・3・15(刑集 71・3・13 ⇨ 80, 189 頁)は，GPS 捜査は令状がなければ行うことができない処分であるとして，本件 GPS 捜査に重大な違法があったとはいえず，それによって得られた証拠の証拠能力は否定できないとした原審の判断を，憲法及び刑訴法の解釈適用を誤ったものとした上，当該捜査によって直接得られた証拠及びこれと密接な関連性を有する証拠の証拠能力を否定した第 1 審判決を正当と判断している．

令状の発付を得て証拠を収集しても，令状発付の要件を欠いた場合は，発付が違法となるものの，令状請求の疎明資料において合理的根拠の欠如が客観的に明らかであったとはいえない場合は，重大な違法とはいえない(最判令 4・4・28 裁判所ウェブサイト ⇨ 194 頁)．

　① 最判昭 61・4・25： 覚醒剤使用事犯の捜査に当たり，警察官が被疑者宅寝室内に承諾なしに立ち入り，また明確な承諾のないまま同人を警察署に任意同行した上，退去の申し出にも応ぜず同署に留め置くなど，任意捜査の域を逸脱した一連の手続に引き続いて尿の提出，押収が行われた場合には，その採尿手続は違法性を帯びるものと評価せざるを得ないが，被疑者に対し警察署に留まることを強要するような警察官の言動はなく，また，尿の提出自体は何らの強制も加えられることなく，任意の承諾に基づいているなどの本件事情の下では，その違法の程度はいまだ重大であるとはいえず，尿についての鑑定書の証拠能力は否定されない．

　② 最決昭 63・9・16： 警察官が被疑者をその意思に反して警察署に連行した上，その状況を直接利用して所持品検査及び採尿を行った場合に，その手続に違法があっても，連行の際に被疑者が落とした紙包みの中身が覚醒剤であると判断され，その時点で被疑者を逮捕することが許された本件事情の下では，その違法の程度はいまだ重大であるとはいえず，その手続により得られた覚醒剤等の証拠の証拠能力は否定されない．

　③ 最決平 6・9・16： 覚醒剤使用の嫌疑のある被疑者に対し，自動車のエンジンキーを取り上げるなどして運転を阻止した上，任意同行を求めて約 6 時間半以上にわたり職務質問の現場に留め置いた警察官の措置は，任意捜査として許容される範囲を逸脱し，違法であるが，被疑者が覚醒剤中毒をうかがわせる異常な言動を繰り返していたことなどから運転を阻止する必要性が高く，そのために警察官が行使し

た有形力も必要最小限度の範囲にとどまり，被疑者が自ら運転することに固執して任意同行をかたくなに拒否し続けたために説得に長時間を要したものであるほか，その後引き続き行われた強制採尿手続自体に違法がないなどの本件事情の下においては，一連の手続を全体としてみてもその違法の程度はいまだ重大であるとはいえず，強制採尿手続により得られた尿についての鑑定書の証拠能力は否定されない．

④最決平7・5・30：警察官が職務質問に付随して行う所持品検査として被疑者の運転していた自動車内を承諾なく調べた行為及びこれに基づき発見された覚醒剤の所持を被疑事実とする現行犯逮捕手続に違法があり，引き続いて行われた採尿手続も違法性を帯びるが，警察官は，停止の求めを無視して自動車で逃走するなどの不審な挙動を示した被疑者について，覚醒剤の所持又は使用の嫌疑があり，所持品を検査する必要性，緊急性が認められる状況の下で，覚醒剤の存在する可能性の高い自動車内を調べたものであり，また，採尿手続自体は，何らの強制も加えられることなく被疑者の自由な意思による応諾に基づいて行われているなどの本件事実関係の下においては，採尿手続の違法はいまだ重大とはいえず，その手続により得られた尿の鑑定書の証拠能力は肯定することができる（⇨102頁）．

⑤最判平15・2・14：被疑者の逮捕手続には，逮捕状の呈示がなく，逮捕状の緊急執行もされていない違法があり，これを糊塗するため，警察官が逮捕状に虚偽事項を記入し，公判廷において事実と反する証言をするなどの経緯全体に表れた警察官の態度を総合的に考慮すれば，本件逮捕手続の違法の程度は，令状主義の精神を没却するような重大なものであり，本件逮捕の当日に採取された被疑者の尿に関する鑑定書の証拠能力は否定される[15]．

しかし，捜索差押許可状の発付に当たり疎明資料とされた被疑者の尿に関する鑑定書が違法収集証拠として証拠能力を否定される場合であっても，同許可状に基づく捜索により発見され，差し押さえられた覚醒剤及びこれに関する鑑定書は，その覚醒剤が司法審査を経て発付された令状に基づいて押収されたものであり，同許可状の執行が別件の捜索差押許可状の執行と併せて行われたものであることなど本件事情の下では，証拠能力は否定されない．

⑥最決平15・5・26：警察官が，ホテル客室に赴き宿泊客に対し職務質問を行ったところ，覚醒剤事犯の嫌疑が飛躍的に高まったことから，客室内のテーブル上にあった財布について所持品検査を行い，ファスナーの開いていた小銭入れの部分から覚醒剤を発見したなど本件事情の下においては，所持品検査に際し警察官が暴れ

---

[15] 最判平15・2・14は，捜査官が手続上の違法を糊塗するために逮捕状に虚偽を記入したり，虚偽の証言をしたりしたことを指摘している．その理解については見解が分かれるが，それらの事後的な事情は，逮捕手続の違法性の程度を評価する上での資料として用いられたものであり，事後的な事情で先行手続が違法になるとしているものとは解されない．

る全裸の宿泊客を約30分間にわたり制圧した事実があっても，当該覚醒剤の証拠能力を肯定することができる．

⑦最決平21·9·28： 覚醒剤が隠されている疑いのある宅配便の荷物を，荷送人や荷受人の承諾を得ず，検証許可状によることなしにX線検査した行為は違法であるが，X線検査時に覚醒剤譲受け事犯の嫌疑が高まっており，事案を解明するためにはX線検査を行う実質的必要性があり，荷物そのものを現実に占有し管理している宅配便業者の承諾は得ており，検査の対象を限定する配慮もしていたので，令状主義に関する諸規定を潜脱する意図があったとはいえないし，本件覚醒剤等は，X線検査の結果も一資料としつつそれ以外の証拠も考慮して発付された令状に基づく捜索において発見されたもので，X線検査と関連性を有するとしても，その証拠収集過程に重大な違法があるとまではいえず，証拠の重要性等諸般の事情を総合すると，その証拠能力を肯定することができる．

⑧最判令4·4·28： 覚醒剤事犯の前科が多数あり，尿の任意提出に応じたことのない被告人につき覚醒剤使用の嫌疑で強制採尿令状を請求し，その発付を得て強制採尿した事案につき，強制採尿の実施が犯罪の捜査上真にやむを得ない場合とは認められないなど，令状の発付は違法であるが，疎明資料において令状発付の合理的根拠の欠如が客観的に明らかであったとはいえず，警察官らは令状取得後も尿の任意提出を促すなどしていて，令状主義に関する諸規定を潜脱する意図があったともいえないから，強制採尿により得られた尿の鑑定書等の証拠能力は肯定することができる．

先行手続の違法の影響 違法性の程度を判断するに当たっては，当該証拠を収集した直接的手続(後行手続)の違法性の有無を検討するのみでなく，それに先行する手続の違法性をも検討する必要がある．後行手続が先行手続の違法を直接利用しているような場合には，後行手続も違法性を帯びることがあるからである(なお，141頁参照)．もっとも，先行手続の違法の程度が重大とはいえない場合や，後行手続が先行手続を直接的に利用したとはいえない場合には，当該証拠の証拠能力は肯定される(前掲最判昭61·4·25，最決平6·9·16，最決平7·5·30等)．

<u>違法捜査の抑止</u> 基本的には，捜査方法に重大な違法があればそれを抑止する必要性が高く，しかも捜査官の法軽視の態度が顕在化していると考えられるので，違法捜査抑止の政策的な必要性も高い(したがって，重大な違法の疑いがあるのに，その点を確定せずに違法捜査抑止の見地から必要性がないと判断することは，通常は許容されない⇨484頁)．もっとも，違法の程度が重

大とまではいえなくても，その捜査手法が頻繁に行われているとみられる場合には，それを抑止するために証拠が排除されることになろう．また，捜査官の令状主義潜脱の意図が顕在化している場合にも，そのような捜査手法を抑止する必要性が高いから，証拠排除が広く認められることになろう(前掲最判平15·2·14参照)．これらとは逆に，違法捜査をした捜査官が**善意**であった場合，すなわち意図せずに許容限度を超えてしまったために手続が違法となったような場合には，その違法性の程度にもよるが，証拠の排除されないことが多くなるものと考えられる．

(4) 違法収集証拠から得られた証拠

毒樹の果実の理論　違法収集証拠に基づいて収集された他の証拠の証拠能力については，議論の対立が見られる．違法捜査によって収集された証拠に基づいて発見された証拠(派生的証拠)も排除されるとする見解を，**毒樹の果実の理論**という．

いかなる範囲の派生的証拠が排除されるかは，当初の証拠収集方法の違法の程度と両証拠間の関連性の強弱によって判断されるべきである．当初の違法が重大であれば，その影響力は強く，派生的証拠との間に何らかの関連性がある程度でも派生的証拠を排除すべきことになり[16]，逆に，当初の違法が軽度のものであれば，派生的証拠との間の関連性が強くても，証拠能力の認められる場合があることになる．また，①派生的証拠を得る際に被疑者の同意があった場合，②原証拠と派生的証拠との間に他の適法に得られた証拠が介在する場合，③原証拠によらなくてもそれと同一内容を証明し得る他の適法な証拠が存在する場合，④派生的証拠が当初の違法捜査とは独立した捜査活動から得られた場合などは，違法に収集された原証拠との関連性が否定されるため，証拠能力を認めることができる(例えば前掲最判平15·2·14．なお最判昭58·7·12刑集37·6·791 ⇨ 491頁注17参照)．この判断構造は，前述の「先行

---

[16] 例えば，東京高判平25·7·23(判時2201·141)は，虚偽の約束による自白のみでなく，この自白を疎明資料として発付された捜索差押許可状に基づいて発見押収された覚醒剤及びその鑑定書等についても，重大な違法によって得られた自白と密接不可分な関連性を有するとし，違法収集証拠として排除している．

手続の違法の影響」(⇨489頁) と基本的に同様と考えられる．

(5) 排除法則と自白法則

<small>供述証拠の違法排除</small>　次に，供述証拠を収集する手続に違法がある場合について検討する．それが自白であるときは，多くは，任意性に影響することになるので，任意性に疑いがあるという理由で証拠能力が否定される(⇨403頁)．第三者の供述でも，任意性を欠けば，証拠能力が否定されることになる(⇨455頁)．そこで，任意性にまでは影響しないものの，それを収集する手続に違法がある場合について，どのように考えるかが問題となる．そこでは，主として被疑者の供述が問題となるが，違法な身柄拘束中に取り調べられた供述のほか，黙秘権を告知せずに得た供述，弁護人との接見交通権を制限して得た供述などが問題となる．そこにおいても，違法の重大性とその違法が供述に及ぼす影響の程度等が検討されなければならない．

<small>違法な身柄拘束中の取調べ</small>　令状主義(憲33)に違反した場合のように身柄拘束に重大な違法がある場合には，その拘束中に得られた供述の証拠能力は，原則として否定されるべきである(⇨408頁)．身柄拘束が違法であれば，その間になされた供述にも影響を及ぼすのは当然であり，影響力の点では証拠物の場合よりも一般的に強いといえるからである．もっとも，違法な身柄拘束中に作成された供述調書であるとしても，それのみによって直ちに排除すべき違法があるとはいえない(最判昭27・11・25刑集6・10・1245)．例えば，違法な別件逮捕に基づく勾留中における供述であっても，裁判官による勾留質問における供述が記録された勾留質問調書は，証拠能力が認められる(最判昭58・7・12刑集37・6・791[17])．裁判官による勾留質問の手続は捜査とは異なった独立のものであり，公正な立場にある裁判官の質問に対する供述で

---

17) 最判昭58・7・12は，「勾留質問は，捜査官とは別個独立の機関である裁判官によって行われ，しかも，右手続は，勾留の理由及び必要の有無の審査に慎重を期する目的で，被疑者に対し被疑事件を告げこれに対する自由な弁解の機会を与え，もって被疑者の権利保護に資するものであるから，違法な別件逮捕中における自白を資料として本件について逮捕状が発付され，これによる逮捕中に本件についての勾留請求が行われるなど，勾留請求に先立つ捜査手続に違法のある場合でも，被疑者に対する勾留質問を違法とすべき理由はなく，他に特段の事情のない限り，右質問に対する被疑者の陳述を録取した調書の証拠能力を否定すべきものではない」としている．

あれば，身柄拘束の違法性の影響は遮断されると考えられるからである．このように，供述証拠についても，違法収集証拠排除法則と基本的には同様に考えることができる．

　東京高判平 14・9・4（判時 1808・144 ⇨ 120 頁）は，捜査段階における 9 泊 10 日にわたる宿泊を伴う取調べが任意捜査として許容される限界を超えた違法なものであるとした上，その取調べによって得られた上申書とこれに引き続く逮捕・勾留中に得られた自白の証拠能力につき，「自白を内容とする供述調書についても，証拠物の場合と同様，違法収集証拠排除法則を採用できない理由はないから，手続の違法が重大であり，これを証拠とすることが違法捜査抑制の見地から相当でない場合には，証拠能力を否定すべきである」として，証拠能力を否定した．この判決は，違法な取調べによる自白についてもすべて違法収集証拠排除法則で判断するかのように判示しているが，自白については，手続の違法が供述内容の真実性に影響するため，任意性の有無を判断基準としても，排除の結論が導かれたものと思われる．
　同様の問題が生じる場面の一例として，弁護人との接見交通権が極端に制限された違法な状態で得られた供述の排除の問題がある．最決平 1・1・23（判時 1301・155 ⇨ 410 頁）は，弁護人との接見交通権が不当に制限されたものの，違法とまではいえない事案について，自白の任意性を問題にして，それを肯定している．自白の証拠排除が問題となる場合，明白な条文上の根拠のない違法収集証拠排除法則によって判断するよりも，条文上の根拠があり，判例の集積も多い任意性の有無を判断基準とする方が，判断が明確になり，説明も容易になるであろう．そのため，実務的には，まず，任意性判断において「違法排除」の視点を広げて問題を処理することができないか検討されることになるであろうが，それを超えて正面から証拠収集の重大な違法性が問題になる場合は，供述証拠・非供述証拠に共通する違法収集証拠排除法則を用いることになるように思われる．したがって，接見制限の場合も，違法の程度が被告人の弁護人選任権の重大な侵害に当たるような場合には，違法収集証拠排除の見地から，その間になされた自白の証拠能力が否定されることもあると考えられる (⇨ 407 頁)．

(6)　手続的正義の観点からの証拠排除

手続的正義と証拠排除

　以上は，証拠収集手続に違法のある場合についてであるが，実定法に反する場合でなくても，手続的正義に反すると認められる場合には，証拠としての許容性が否定されることがある．例

えば，刑事免責制度導入前には，犯罪者に対して刑事免責を与えて供述を獲得することはわが国では認められていなかったため(⇨336頁注27)，その供述を証拠とすることは許されないとされた(最大判平7・2・22刑集49・2・1)．

刑事免責と嘱託尋問調書　最大判平7・2・22（刑集49・2・1）は，当時の刑訴法につき，刑事免責の制度を採用しておらず，刑事免責を付与して獲得された供述を事実認定の証拠とすることを許容していないものと解すべきであるとして，外国の裁判所における嘱託証人尋問調書の証拠能力を否定した[18]．

　この最高裁判決は，わが国が採用していない手続によって得られた証拠はすべて許容されないとしているものではなく，刑事免責によって得られた供述を対象としたものである．そのことは，国際的な捜査共助の要請に基づいて作成された供述書(公証人の面前で偽証罪の制裁の下に供述し作成したもの)が法321条I項3号に該当するとした最決平12・10・31刑集54・8・735(⇨452頁)からも明らかである．なお，その後，刑事免責制度がわが国にも導入された(⇨336頁)．

国外退去と供述不能　訴追側が不当に供述不能の状態を作出したような場合は，法321条I項2号前段に掲げられた供述不能の要件には該当しても，同条に基づく証拠として許容されない(⇨448頁)．

---

18)　事案は次のとおりである．東京地検検察官は，東京地裁裁判官に対し，H外2名に対する贈賄及び氏名不詳者数名に対する収賄等を被疑事実として，法226条に基づき，当時アメリカ在住のCらに対する証人尋問を，国際司法共助として同国の管轄司法機関に嘱託してされたい旨請求した．この請求に際し，検事総長は，証人の証言内容等に仮に日本国法規に抵触するものがあるとしても，証言した事項について証人らを法248条により起訴猶予とするよう東京地検検事正に指示した旨の宣明書を，また，東京地検検事正は，起訴を猶予する旨の宣明書を発しており，東京地裁裁判官は，アメリカ合衆国の管轄司法機関に対し，以上の宣明の趣旨をCらに告げて証人尋問されたいとの検察官の要請を付託して，証人尋問を嘱託した．しかし，Cらが日本国において刑事訴追を受けるおそれがあることを理由に証言を拒否したので，連邦地方裁判所判事が，Cらに対する証人尋問を命ずるとともに，日本国において公訴を提起されることがない旨を明確にした最高裁判所のオーダー又はルールが提出されるまで本件嘱託に基づく証人尋問調書の伝達をしてはならない旨裁定した．そこで，検事総長が改めて将来にわたり公訴を提起しないことを確約する旨の宣明をし，最高裁判所は検事総長の確約が将来にわたりわが国の検察官によって遵守される旨の宣明をし，これらが連邦地方裁判所に伝達された．これによって，以後Cらに対する証人尋問が行われ，既に作成されていたものを含め，同人らの証人尋問調書が順次わが国に送付された(なお，最高裁は，この嘱託証人尋問調書を除いても，各犯罪事実を優に認定することができるとした)．

VI 事実の認定

1 総論

事実の認定　適正な事実認定がされることは，裁判における大前提である．犯罪事実が争われた場合，それが犯人と被告人の同一性を争うような全面的なものであればもちろん，犯行態様の一部を争うような部分的なものであっても，適正に認定されなければ，的確な最終的判断に達することはできない．犯罪事実の認定は証拠によるが，その証拠は，証拠能力を有し，適法な証拠調べを経たものでなければならない(⇨390頁)．

2段階の判断　事実を認定する過程は，個々の証拠の証明力の判断と，それらの証拠によって認められる事実からの推認という2つの段階に分けられる．もっとも，この区分は観念的なものであり，現実には，後述のとおり，個々の証拠の証明力を判断する過程で他の証拠(あるいはそれから推認される事実)との整合性を必ず検討することになるため，並列的に進められることになる．特に，現実の審理において証拠調べを続けながら心証を形成する過程を考えると，両者は相互に影響し合いながら進められるといえる．この両過程における判断には，自由心証主義が妥当するが，その判断は論理則，経験則等に照らして合理的なものであることが必要であり(⇨379頁)，それなくしては判断(裁判)の客観性を担保することはできない．

合理的な疑いを超える立証　これらの作業を経て，合理的な疑いを差し挟む余地のない程度に立証された場合に，犯罪事実として認定されることになる(⇨388頁)．

2 個々の証拠の証明力の判断

<u>証拠の類型</u>　個々の証拠の証明力の有無・程度の判断は，あくまで個別的なものであるから，一般化して論じるのは困難であるが，これまでの裁判例で指摘されたことを踏まえ，証拠の類型に応じた認定手法や留意点を概観すると，以下のような重層的な検討を経て証明力が判断されるということができる．

(1) 物的証拠

<u>高度な証明力</u>　物的証拠は，客観性があるだけに，争点に関連するものであれば，その証明力は一般的に高度なものと考えられる．例えば，犯人が犯行現場に残した指紋や体液の DNA 型が被告人のそれと合致すれば，被告人と犯人との同一性を認める決め手ともなり得る有力な証拠となる．ただし，物的証拠それ自体が事件とのつながりを証するわけではなく，他の証拠と突き合わせることによってその関連性も，またその重要性も明らかになるものであるから，つながりを証する他の証拠の証明力に左右される点が大きいことを念頭に置いて，証明力を判断する必要がある[1]．また，物的証拠については，いずれかの段階で偽造・変造されたり，他の物と取り違えられたり，「汚染」(DNA 型鑑定等の対象物への他の物の混入等)されたりする危険性があるから，そのような危険性の存在しないことが確認できなければ，証明力を認めるのは困難である．

(2) 人的証拠

<u>意図しない誤り</u>　人の供述については，意図的な虚偽や，意図しない誤りが含まれる危険がある．供述者が事件の帰趨に利害関係を有する場合には，意図的な虚偽を述べる危険性が強まるが，利害関係がない供述者

---

1) 犯行現場に遺留されていた指紋や体液の DNA 型が被告人のそれと合致した場合，それが当該犯行の犯人が遺留したものであって，しかも被告人が別の機会に遺留した可能性が全くないといえるときにのみ，被告人と犯人との同一性を認める決め手となり得る．そのいずれかが疑わしい場合には，指紋や DNA 型の合致のみでは被告人が犯人と推論することはできず，相応の証明力を有する間接事実となるにとどまることになる(⇨ 477 頁)．

であっても，意図しない誤りの混入する危険性は否定できない．供述証拠について，知覚・記憶・表現のそれぞれの段階で誤りの混入する危険があることは，伝聞法則の根拠ともなっているが(⇨419頁)，その証明力の検討の段階でも，このような誤りが混入していないか確認しなければならない．この点が問題となる代表例は，目撃者による犯人識別供述であるが，その知覚の正確性は，客観的条件(距離，明暗，時間等)，主観的条件(視力，観察の意識性等)，観察対象の特徴の存否と内容，観察対象の既知性等にかかっており，記憶の正確性は，犯人を目撃してから識別するまでの期間，犯人選別手続の正確性(特に，捜査官による示唆，誘導の有無)等にかかっているなどと一般的に指摘されている．その供述が被告人と犯人の同一性を認める唯一の証拠であるような場合には，より慎重な信用性判断が求められることになる[2]．

意図的な虚偽供述 意図的な虚偽供述の危険性が指摘される代表例は，共犯者の供述であるが(巻き込みの危険 ⇨ 472頁)[3]，その余の供述者についても，その利害関係の程度によっては，虚偽供述のおそれが否定できない．犯罪の被害者であっても，例えば，交通事故の被害者が自己の過失を否定する虚偽供述をした例や，窃盗事件の被害者が，盗難品に掛けられていた損害保険金を多く得ようとして，虚偽の被害額を申告した例，知人と性的関係を持った女性が夫への説明に窮して強制性交の被害を受けたと供述した例などがある[4]．また，犯罪の疑いを掛けられた被疑者が，責任を免れるために虚偽の供述をしたり，逆に捜査官の追及を受けて虚偽の自白をしたりしたとされる例も少なくない[5]．

虚偽供述の動機 そこで，個々の供述者の立場を考えて，虚偽供述をすれば得られる利益の有無・程度を検討することが必要になる．例え

---

2) 被害者又は目撃者の犯人識別供述の信用性が否定された例として，最判平1・10・26(判時1331・145)，最決平26・7・8(判時2237・141)等．
3) 共犯者の供述の信用性が否定された例として，最判平1・6・22(刑集43・6・427)，最判平21・9・25(判時2061・153)等．なお，合意制度又は刑事免責制度による共犯者の供述の信用性につき，474頁注12参照．
4) 被害者の供述の信用性が否定された例として，満員電車内の痴漢事件に関する最判平21・4・14(刑集63・4・331)，当時の強姦事件に関する最判平23・7・25(判時2132・134)等．
5) 被告人の自白の信用性が否定された例として，最判昭57・1・28(刑集36・1・67)，最判昭63・1・29(刑集42・1・38)，最決平24・2・22(判時2155・119)等．

ば，共犯者の場合であれば，他の証拠によって共犯者自身の関与が疑われている最大限の責任の範囲(単独での犯行など)を想定し，それと共犯者が自認している責任の範囲(分担した犯行部分など)を比較することによって，得られる利益(免れることのできる刑事責任)の大きさを把握することができる[6]．得られる利益が大きい場合ほど，虚偽供述の危険性は大きくなるから，その供述の信用性を慎重に吟味する必要性が高まり，逆に，その供述によって共犯者自身の受ける不利益が大きくなるのであれば，それだけ虚偽供述の危険性が少なくなるといえるわけである[7]．もっとも，供述者がどのような動機で虚偽供述をするのかは，本人が隠しているために明らかでないことが多いから，注意しなければならない．また，虚偽供述による利益があるからといって，それだけで信用性に疑いが生ずるものではなく，そのような立場にあっても真実を供述する者も少なくないのであるから，そのような利益の大きさに基因する虚偽供述の危険性を常に念頭に置いて，後に述べるような個別事情を検討して，虚偽のおそれがないか判断すべきものと考えられる．虚偽供述の危険性が大きいほど慎重な検討が必要になるわけである．

供述者の属性　供述者の属性についても，供述証拠の信用性が問題となる場合には常に検討しなければならない．例えば，年少者や知的能力に障害がある者については，表現力が稚拙であるために供述が変遷・動揺したり，あるいは表現不足のために一見不自然と思われる供述をすることがあるとされる．そのような点があるからといって直ちに虚偽と決めつけるべきではないものの，他人に影響されやすく，親族や捜査官の示唆や誘導に乗りやすいという事情もあるから，そのことを考慮しながら以下の個別事情を検討すべきことになる．

---

6) 例えば，被告人が共犯者に誘われて犯行に加担し見張りをしたと主張している事案において，共犯者が，それとは逆に，被告人から誘われて見張りをしたにすぎないと供述している場合には，共犯者は，自分が主犯として負うべき相応の責任を虚偽供述によって免れる利益があるといえる．

7) 例えば，所属する犯罪集団の幹部を共犯者として述べると，供述者本人又は家族が報復を受ける危険性が高い場合は，わざわざそのような不利益な虚偽を述べるとは考え難いといえよう．

(3) 供述の信用性を吟味する際の判断資料

信用性の
判断資料
　ある者の供述の信用性が争われている場合には，まず，それを除く他の証拠によってどのような間接事実を認定することができ，その限りで争点がどの程度まで認められるか検討するのが相当である．それが被告人の自白である場合は，特に強く妥当する．当該供述以外の証拠によって認定できる範囲が広いときは，それだけ信用性の判断が容易になるのに対し，それが唯一の証拠であるような場合は，その信用性を慎重に検討することが必要となるからである．主として後者の場合に，既に述べた虚偽供述の危険性の大きさと供述者の属性を検討する必要性が強まるが，それのみでその供述が虚偽であるか否かを判断できるものではなく，① 他の証拠との整合性，② 供述の経過，③ 供述内容の合理性・自然さ，④ 供述態度などを幅広く検討する必要がある．

他の証拠と
の整合性
　供述が他の証拠と整合するか否かは，客観性のある判断資料であるだけに，どのような類型の供述証拠であっても，重要な検討事項である．一般的には，供述の方からみて，より核心的な，より多くの部分が他の証拠と整合するほど，また，他の証拠の方からみて，より客観的な，より多くの証拠が供述と整合するほど，さらに，質的にみて整合性の程度が強いほど，その信用性が増強されることになる．逆に，より核心的な，より多くの部分が他の証拠と矛盾するほど，より客観的な，より多くの証拠が供述と矛盾するほど，矛盾の程度が強いほど，その信用性が減殺されることになる．また，消極的な整合性，すなわち，その供述が真実であれば必ず残っているはずの事実をうかがわせる証拠が存在しないことなども，信用性を低下させる1つの事情である．

供述の経過
　供述の経過についての検討も，客観性のある判断要素であるため，重要である．まず，一般的には，供述が一貫しているほど，その信用性は増強され，変遷を重ねているほど，その信用性は低下するといえる．もっとも，意図的に虚偽供述をしている場合には，供述が一貫しているのがむしろ当然ともいえるから，一貫性が信用性を増強する事情とならないこともある．また，記憶の混乱や薄れによる誤った供述を訂正した場合の

ように，変遷の原因が合理的なものであれば，信用性に影響することはなく，変遷の原因に合理性が認められないときにのみ，信用性を低下させることになる．

　供述を始めた動機も，信用性の判断に大きく影響する．供述者が自己の利害を離れて自発的に供述を始めた場合には，その信用性は強く肯定できるが，自己の責任を問われるおそれがあるために他の者に責任があるという供述を始めたときや，捜査官あるいは他の関係者から示唆されたとおり供述したときのように，供述者の利害関係が絡んでいたり，自発性に疑いがある場合には，信用性が減殺されることになる．そこで，供述の動機を的確に把握する必要が生ずるが，そのためには，供述の時期，それまでの供述内容からの変化の程度，当時の捜査の進展状況等を検討することが不可欠となる．

　秘密の暴露　被告人の自白や共犯者の供述については，被告人の関与に関する部分にいわゆる「秘密の暴露」が存在する場合，その供述が自発的になされ，客観的証拠にも裏付けられているものとして，信用性が容易に肯定されることになる（⇨412頁）．

供述内容の合理性・自然さ　この点も，供述の信用性を吟味する際に欠かせない判断資料であり，不合理・不自然な点が多いほど供述の信用性に疑問が生ずることになる．もっとも，このような不合理さ，不自然さの判断は，ややもすると主観的な評価に流れがちであるから，信用性の有無の決め手としてはならない．人は，同じ状況に置かれたからといって，必ずしも一定の行動をするとは限らないし，また，意図的に虚偽供述をする者は，できるだけ合理的で自然な内容の話を構築しようとするであろうから，むしろ，ある状況に置かれた者がそのような行動に出るとはおよそ考えられないというように，裏側から不合理性・不自然さを肯定できる場面などにおいて利用するほうが一般的には相当であるといえよう．

　体験供述　供述の迫真性・具体性・臨場感等のいわゆる体験供述の存否も，主観的判断であるから，あまり重要視すべきではない．特に，捜査官の録取した供述調書の場合は，捜査官の主観と表現を経たものであることを常に考慮する必要がある．

供述者の供述態度(堂々とした供述，涙ながらの供述等)も，その信用
供述態度　性を評価する際の判断資料となるが，この判断も主観的性格が強
く，信用性を肯定する方向へも否定する方向へも，本来有する効果以上に誇
張された効果を与えられがちであるから，補充的な判断要素と位置付けるべ
きであろう．

3 　全証拠による認定

信用性を肯定できる個々の証拠から間接事実を認定する過程と，
合理的推論　そのようにして認められた間接事実から主要事実を推認する過
程は，ほぼ同様であり[8]，いずれも論理則，経験則等に照らした合理的なも
のであることが不可欠である．その要点は，以下のとおりである．

まず，できるだけ客観的な証拠を基礎に据える必要がある．物的
客観的証　証拠であっても評価を容れる余地のあるものがあるが，評価を容
拠の重視
れる余地が少ない証拠ほど重視すべきであり，そこから合理的に
推認できる事実を認定の中心に捉えるのが相当である．逆に，そのような客
観的証拠に反する証拠は，信用性が否定されることになる．

供述証拠の場合は，できるだけ利害関係のない者の供述を重視すべきである．また，利害関係の異なる者が同一内容の供述をしている場合，一般的には，符合する供述の信用性を認めることができるが，利害関係が異なっても特定の供述部分に限っては利害が合致するということもあり得ないではないから，そのような可能性がないか確認しておく必要がある．

主要事実を直接認定することができる証拠がある場合には，そ
情況証拠に　の証拠の信用性を検討すれば足りるが，間接証拠(情況証拠)しか
よる認定
ない場合には，それらの間接証拠によって認められる間接事実
から主要事実を認定できるかが問題となる．いわゆる情況証拠による認定である(⇨377頁)．一般的には，争点である主要事実により近接する，より多

---

8) 犯人性が問題となっている場合の被告人の自白や，目撃者の犯人識別供述等の直接証拠であれば，この過程は1つであり，その信用性が認められると直ちに主要事実が認定されることになる．

方面の，より多くの証拠があるほど，また，それらの証拠が相互に独立した関係にあるほど，その推認力は強くなるといえる[9)10)]．

情況証拠 情況証拠については，その存在の時点を基準として，予見的(事前的)，併存的(同時的，すなわち被告人が犯罪を犯し得る地位にあったこと)，遡及的(事後的)なものに分類され，また，推定の働く方向を基準として，積極的(帰責的)と消極的(免責的)なものに分類される．それぞれの情況証拠が有する意味(主要事実との関係等)について，この分類を併用しながら多角的に検討する必要がある．個々の証拠の間においては，争点である主要事実により近接する証拠ほど強い推認力を有し，個々の証拠についてみると，その主要な部分がより広くより強く他の証拠に裏付けられているほど強い推認力を有することになる．

情況証拠の推認力については，上記のように，個々の情況証拠に関する個別的検討を適切に行うとともに，それらの情況証拠によって認められる間接事実を総合して，合理的な疑いを差し挟む余地のない程度まで犯罪事実が立証できたかを適切に判断(**総合評価**)しなければならない[11)]．

4 審理への反映

立証の構造　争われた犯罪事実を立証する責任は検察官にあるから，検察官がどのような証拠によって立証するか，何を立証の柱とするかなどを決めることになるが，以上のような裁判所の事実認定の手法を踏まえて立証の全体像を組み立てる必要がある．この点は，弁護側が積極的に反証を行おうとする場合も，同様である．

証拠の整理　裁判所は，公判前整理手続を含む争点整理の過程で，当事者の考えている立証構造を確認し，どのような証拠が重視されるかなどの一般的考えを示しながら，証拠を整理し，審理計画を立てることになる．検察官申請の証拠であれば，高い信用性を認め得るであろう証拠，争点

---

9) 個々の証拠の信用性が十分なものではなくても，それらが相互に補強し合って推認力が強まることはあり得るものの，その信用性が薄弱なものばかりであれば，いくら積み重なっても推認力が強まらないこともある(最判昭48・12・13判時725・104参照)．
10) 情況証拠による認定が問題となった例として，最判平22・4・27(刑集64・3・233)等．
11) 殺人・窃盗被告事件について，情況証拠によって認められる一定の推認力を有する間接事実の総合評価という観点からの検討を欠いたとして原判決を破棄した例に，最判平30・7・13刑集72・3・324がある．

である主要事実への推認力が強いと思われる証拠等ほど採用して取り調べるべきものと考えられるし，弁護人申請の証拠であれば，検察側のそれらの証拠の証明力・推認力を揺るがす効果が大きいと思われる証拠ほど採用して取り調べるべきものと考えられる．そのような証拠の整理を経ることによって，争点中心の充実した審理をすることができるであろう．

裁判員裁判　裁判員裁判においては，裁判員が裁判官とともに事実認定を行う．裁判員も，ある供述の信用性を判断することや，関連する事実から推論することについては，日常生活でも行っていることであるから，適切な争点整理を経て争点中心の充実した証拠調べが行われれば，争点に関する事実を認定することにそれ程の困難は感じないであろう．もちろん，事件によっては，深刻な争点を判断するために多くの証拠の証明力を検討，整理しつつ，複雑な推論を重ねなければならない場合もあり得るが，そのような場合であっても，裁判官が必要に応じて上記のような認定手法や留意点を裁判員に適切に説明するなどして評議を進めれば，その内容の合理性等に照らし，裁判員らの理解も得られ，その意見を反映した適正な事実認定に到達できるものと考えられる．

第6章 公判の裁判

I 総　説

1　裁判の意義と種類

裁判の意義　「裁判」は，日常的用語としては，訴訟における審理手続全般，すなわち証人尋問等の裁判所の事実行為をも含めた一連の手続を指す場合が多いが，訴訟法上は，裁判所（又は裁判長・裁判官）の行う意思表示的な訴訟行為だけを意味する．それは訴訟行為のうち法律行為的性質を持つものであり，原則として理由を付さなければならない（法44）．裁判は，以下のように分類・整理することができる．

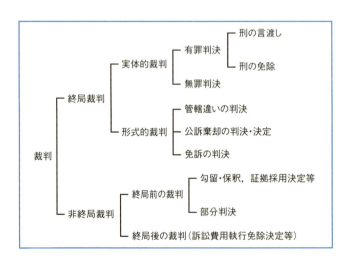

裁判をその機能によって分類すると，終局(的)裁判と非終局(的)裁判に分けられる．**終局裁判**は，訴訟をその審級において終了させる効果を持つ裁判である．通常，裁判という語からまず想定されるものといえよう．有罪又は無罪の実体的裁判のみでなく，管轄違い，公訴棄却，免訴の形式的裁判も，終局裁判である．これに対し，終局裁判をするまでの過程で生じる手続上の問題を処理する裁判(終局前の裁判)と，終局裁判をした後に生じる付随的問題を処理する裁判(終局後の裁判)を**非終局裁判**という．終局前の例としては，裁判員裁判において用いられ得る部分判決(⇨369頁)のほか，勾留・保釈に関する裁判，移送決定，証拠採用決定などがあり，終局後の例としては，訴訟費用執行免除の決定(法500，規295の2)，裁判の解釈の申立てに対する決定(法501)などがある．

終局裁判・
非終局裁判

　実体的裁判とは，被告事件の実体そのものを判断する裁判，すなわち，申立ての理由の有無について判断する裁判で，有罪判決(法333・334)及び無罪判決(法336)のことであり，確定すれば，一事不再理効(⇨521頁)が働く[1]．形式的裁判とは，申立て自体の有効・無効について判断する裁判で，被告事件の実体について判断することなく訴訟手続を打ち切る裁判である．管轄違いの判決(法329)，公訴棄却の判決・決定(法338・339)，免訴の判決(法337)などのことである．これらの裁判は，訴訟条件を備えていないという理由でなされる終局裁判であるが，非終局裁判についても形式的裁判が考えられる[2]．

実体的裁判
形式的裁判

　　裁判所による裁判と裁判官による裁判　裁判の主体による分類である．裁判官による裁判としては，裁判官による各種令状の発付，裁判長の処分(法288 II・294)，受命裁判官・受託裁判官による裁判等がある．裁判所による裁判は，合議体の場合は明確であるが，単独体の場合は，1人の裁判官で裁判所が構成されているから，裁判所としての裁判であるか裁判官としての裁判であるかを，その性質と形式などによって区別する必要がある．不服申立ての方法も異なるからである．

---

1) 裁判員裁判で用いられ得る部分判決(⇨369頁)も実体的裁判であるが，終局裁判ではないから，それに対する不服申立ては認められていない．
2) 実体的裁判と形式的裁判の分類については，前者は終局裁判のうち事件の実体そのものについて判断するものをいい，後者はそれ以外の終局裁判とすべての終局前裁判をいうとする見解もある．

判決・決定・命令 裁判を形式によって分類すると，判決・決定・命令に分けられる．**判決**は，裁判所による裁判であり，特別の定めのある場合を除いては，口頭弁論に基づいてしなければならない(法43 I)．判決は，訴訟上重要な事項を内容とする終局裁判であり(裁判員裁判の部分判決を除く)，必ず理由を付さなければならない(法44 I)．判決に対する不服申立方法は，控訴及び上告である(法372・405)．

これに対し，**決定**は，やはり裁判所による裁判であるが，口頭弁論に基づいてする必要はない(法43 II)．終局前の裁判等がこの形式で行われる．決定は，申立てにより公判廷でするとき，又は公判廷における申立てによりするときは，訴訟関係人の陳述を聴かなければならないが，その他の場合には，特別の定めのあるときを除いて，訴訟関係人の陳述を聴かないですることができる(規33 I)．また，決定をするについて必要がある場合には，事実の取調べを行うことができる(法43 III)．事実の取調べとして，証人尋問又は鑑定をすることができ，必要な場合にはその取調べ又は処分に検察官，被告人，被疑者又は弁護人を立ち会わせることができる(規33 III・IV)．事実の取調べは，受命裁判官又は受託裁判官にさせることができる(法43 IV)．上訴を許さない決定には，理由を付さなくてもよい(法44 II)．決定に対する不服申立方法は，抗告(法419)である．

命令は，裁判官による裁判であり，捜査段階における令状の発付や第1回公判期日前の勾留に関する処分がその主な例である．命令も，決定同様，口頭弁論に基づいてする必要がなく，訴訟関係人の陳述を聴かないですることができるし，事実の取調べをすることもできる．命令に対する不服申立方法は，準抗告(法429)である．

	主体	口頭弁論	理由	上訴
判決	裁判所	必要	必要	控訴・上告
決定	裁判所	不要	不要(上訴不許の場合)	抗告
命令	裁判官	不要	不要(上訴不許の場合)	準抗告

2 裁判の成立と内容

(1) 裁判の成立

内部的成立 裁判の内容が裁判所の内部で客観的に形成され，外部に告知する手続だけを残している状態を，裁判の内部的成立という．内部的成立にとどまっている場合は，その裁判の内容を自由に変更することができる．合議体による裁判は，合議(評議)の終了した時に内部的に成立する．裁判は合議体の過半数の意見によって決められることになる(裁77，例外として憲82Ⅱ)[3]．

外部的成立 内部的に成立した裁判の内容が裁判所の外部に表示された状態を，裁判の外部的成立といい，告知によって外部的に成立する．告知は，公判廷においては裁判長の宣告によってこれを行い，公判廷外においては裁判書の謄本を送達して行う(規34)[4]．判決は，必ず公判廷で宣告によって告知しなければならない(法342)．

裁判が外部的に成立した後は，変更又は撤回することができない[5]．もちろん，上訴審によって取り消され，又は変更されることはある．

　　判決の宣告をするには，主文及び理由を朗読するか，主文の朗読に加えて理由の要旨を告げなければならない(規35Ⅱ)．したがって，判決宣告の際に判決の内容を記載した何らかの書面(原稿)がなければならないが，判決原本まで作成されている必要はない(最判昭25・11・17刑集4・11・2328 ⇨ 352頁注55)．判決は，宣告によって外部的に成立するから，宣告した内容と判決書に記載した内容とが食い違った場合には，宣告した内容どおりの効力が生じる[6]．もっとも，判決は，宣告のた

---

3) 裁判員裁判の場合は，裁判官と裁判員各1名以上を含む過半数でなければ，被告人に不利益な裁判をすることができない(⇨ 366頁)．
4) 裁判の告知は，公判廷外の場合には，裁判書の謄本を送達してこれをしなければならない．ただし，特別の定めのある場合は，この限りでない．勾引又は勾留の裁判は，勾引状又は勾留状を発したとき外部的に成立する．
5) 告知された裁判に明白な誤記や計算違いなどがあったような場合には，裁判の内容の変更に至らないものであれば，その部分を更正する旨の決定(**更正決定**)をすることも許されるものと解される(民訴257Ⅰ参照)．
6) 宣告の内容と判決書の記載が異なった場合，当該判決は違法なものとして上訴審で破棄されることになる．

令和2年12月17日宣告　裁判所書記官　田中美保子

令和2年合（わ）第234号

判　　　決

本　籍　東京都千代田区霞が関1丁目1番1号

住　居　東京都新宿区若松町2丁目3番4号

無　職

鈴　木　一　彦

昭和62年4月23日生

上記の者に対する殺人被告事件について，当裁判所は，検察官中村純一及び弁護人（国選）松本隆各出席の上審理し，次のとおり判決する。

主　　　文

被告人を懲役10年に処する。

未決勾留日数中100日をその刑に算入する。

理　　　由

（罪となるべき事実）

　被告人は，令和2年6月22日午後10時ころ東京都渋谷区恵比寿3丁目の路上に自動車を駐車させていたところ，木村二郎（当時27歳）運転の自動車に追突されるという物損事故が起こったため，同区恵比寿4丁目5番6号の同人方に出向いて事故処理の交渉を始めたが，同人が修理代金の支払を承諾しないばかりか，仲間を呼び寄せようとしたため，その言動に憤激し，同日午後11時過ぎころ，同所において，仲間が来る前に木村を殺害しようと決意し，同人方の食卓の上に置かれていた果物ナイフ（刃体の長さ約10cm。令和2年押第123号の1）を手に持ち，座っていた同人の左前胸部を果物ナイフで力一杯突き刺し，よって，同日午後11時58分ころ，東京都目黒区駒場1丁目1番23号山田病院において，同人を左前胸部刺創に基づく失血により死亡させて殺害した。

（証拠の標目）

被告人の公判供述

被告人の警察官調書（検察官請求証拠番号乙2）

証人山田三郎の公判供述

山田三郎の検察官調書（甲5）

捜査報告書2通（甲1，7）

実況見分調書（甲2）

鑑定書（甲8）

果物ナイフ1丁（令和2年押第123号の1）

（補足説明）

　弁護人は，被告人と被害者がもみ合いとなって果物ナイフが刺さってしまったもので，被告人に殺意はなかったから，傷害致死罪の範囲で責任を負うに止まる旨主張している。

　関係各証拠によれば，本件犯行の態様等として，以下のような事実が認められる。

　　【略】

　以上によれば，被告人には確定的殺意があったものと認められる。

（法令の適用）

1　罰　条　等　　　　　刑法199条（有期懲役刑を選択）

2　未決勾留日数の算入　　刑法21条

3　訴訟費用の不負担　　　刑事訴訟法181条1項ただし書

（量刑の理由）

　　【略】

　令和2年12月17日

　　　東京地方裁判所刑事第22部

　　　　　　裁判長裁判官　　　田　中　一　雄

　　　　　　　　裁判官　　　　高　橋　知　子

　　　　　　　　裁判官　　　　内　田　正　治

めの公判期日が終了するまでの間は，原稿の読み間違いの訂正のみでなく，一旦宣告した内容を変更して宣告することも許される（最判昭51・11・4刑集30・10・1887）。

(2) 裁判書

裁判をする際には，原則として裁判書が必要である[7]。裁判書は，裁判をした裁判官が作成して署名押印しなければならない[8]。

裁判書には，裁判を受ける者の氏名，年齢，職業及び住居を記載しなければならない[9]。判決書の場合は，さらに公判期日に出席した検察官の官・氏名を記載しなければならない（規56）。

---

7) 規53。ただし，決定又は命令は，公判廷で宣告する場合には，裁判書を作らず公判調書に記載させることができる。判決についても，地方裁判所又は簡易裁判所においては，上訴の申立てがない場合に限って，裁判所書記官に判決主文，罪となるべき事実の要旨，適用した罰条を判決宣告をした公判期日の調書に記載させ，裁判官も記名押印することによって，判決書に代えることができる（**調書判決**）。ただし，判決宣告の日から14日以内でかつ判決の確定前に判決書の謄本の請求があったときは，判決書を作成しなければならない（規219）。
8) 合議体の裁判官のうちに署名押印することができない者がいるときは，他の裁判官がその事情を付記して署名押印する（規55）。判決書以外の裁判書であれば，署名押印に代えて記名押印で足りる（規60の2）。
9) 裁判を受ける者が法人（法人でない社団・財団・団体を含む）であるときは，その名称と事務所の所在地を記載する。

第1審の終局的裁判

1 実体的裁判

(1) 有罪判決

　　　　　　起訴された事件について犯罪の証明があると認められたときは，
刑の言渡　有罪の判決を言い渡さなければならない(法333 I)．有罪判決には，
しと免除　刑の言渡しの判決(法333 I)と刑の免除の判決(法334)がある．前
者が現実に行われる裁判の圧倒的多数を占めており，刑の免除が言い渡されることは稀である．

通常第1審終局人員　　令和2年

	有罪		無罪	免訴	公訴棄却
	刑の言渡し	免除			
地裁	45686	0	71	1	150
簡裁	3621	0	3	0	31

　　　　主文とは，裁判における意思表示の部分をいう．ただ，刑の言渡し
主　文　をする場合には，事件の内容に応じ裁判の執行に関係のある次の事
項について言い渡さなければならない．刑の免除の判決の場合には，刑を免除する旨言い渡せば足りる．
　まず，① 懲役刑，禁錮刑，罰金刑など(刑9)の具体的な宣告刑(**主刑**)[1]又は

---

1) 犯罪事実が複数あっても，全部について1個の刑を科するとき(刑法第1篇第9章参照)は，1個の刑を表示する．併合罪について罰金刑と懲役刑とを併科する場合(刑48 I)も，併科した1個の刑を表示しなければならない．他方，刑法45条後段の併合罪の場合は，それぞれの罪に対する主刑を言い渡すことになる．

②刑の執行の減軽・免除(刑5但書)[2]が示されなければならない(法333 I)．次いで，③未決勾留日数の算入(刑21)が必要に応じて言い渡される[3]．そして，④**労役場留置**(罰金・科料の換刑処分，刑18 IV)，⑤**刑の執行猶予・保護観察**(法333 II)，⑥**没収・追徴**(刑19・19の2等)，⑦**押収物の被害者還付**(法347)，⑧**仮納付**(法348)，⑨**訴訟費用の負担**(法181・182)，⑩**公民権の不停止又は停止期間の短縮**(公選252)等についての言渡しが，適宜行われる．

(2) 有罪判決の理由

理由　有罪判決においては，その理由として，罪となるべき事実，証拠の標目及び法令の適用を示す必要がある．なお，法律上犯罪の成立を妨げる理由又は刑の加重減免の理由となる事実が主張されたときは，これに対する判断も示さなければならない(法335)．

罪となるべき事実　罪となるべき事実とは，**客観的構成要件に該当する具体的事実，主観的構成要件要素**(故意・過失)**の存在，未遂及び共犯**[4]に当たる場合はその事実，処罰条件が問題となる場合にはその存在などである．これらの事実は，日時・場所・方法等を示すことによって特定された具体的事実でなければならない(なお，概括的認定については後述)[5]．また，罪となるべき事実そのものではないが，これに準じて有罪判決に示されるべきものとして，

---

2)　刑の執行の減軽又は免除については，刑訴法に規定がないが，刑の言渡しと同時に主文で言い渡すべきものとされている(最判昭29・12・23刑集8・13・2288)．

3)　算入できる未決勾留日数は，勾留状が執行された日から判決言渡しの前日までであり(最判昭43・7・11刑集22・7・646)，保釈等により釈放された場合は，釈放当日までの現実に拘禁された日数である．起訴前の勾留期間も含まれる．被告人に対し複数の刑を言い渡す場合，どの刑に未決勾留を算入するかを明らかにする必要がある．基本的には，まず，勾留状が発せられた罪に対する刑を本刑として，これに算入すべきである(最判昭39・1・23刑集18・1・15)．なお，刑の執行，労役場留置の執行と重複する未決勾留を本刑に算入することはできない(最大判昭32・12・25刑集11・14・3377，最判昭54・4・19刑集33・3・261)．また，他事件の本刑である自由刑に算入された未決勾留と重複する未決勾留をさらに本件の自由刑に算入することも許されない(最判昭40・7・9刑集19・5・508，最判昭52・7・1刑集31・4・681)．

4)　修正された構成要件要素と呼ばれることもある(前田『刑法総論講義第7版』2章I1参照)．「共謀」も共謀共同正犯における罪となるべき事実であるが，謀議の行われた日時，場所，内容等まで具体的に判示する必要はない(最大判昭33・5・28刑集12・8・1718)．

5)　併合罪の場合は，それを構成する個々の犯罪行為を明確に特定する必要があるが(最大判昭24・2・9刑集3・2・141)，包括一罪の場合は，ある程度一括し全体として特定できれば足りる(街頭募金詐欺の事案に関する最決平22・3・17刑集64・2・111等)．

法律上刑の加重減免の理由となる事実，例えば心神耗弱，過剰防衛や，累犯加重の原因となる前科などがある[6]．

これに対し，**違法性阻却事由・責任阻却事由の不存在や情状**などは，罪となるべき事実ではない(最判昭 24・3・10 刑集 3・3・281，最判昭 24・9・1 刑集 3・10・1551 参照)．没収，追徴，還付などの理由は，それを言い渡す場合にのみ法令の適用を示す程度で足り，**自首**のように刑の裁量的減免の理由となる事実は，刑の減免をしたときだけその事実を示せばよい(最判昭 23・2・18 刑集 2・2・104)．

概括的認定 罪となるべき事実は，既判力の範囲を明らかにする必要があるため，他の行為から区別できる程度に特定されるべきであり，また，特定の刑罰法令による犯罪を構成することを明らかにする必要があるため，当該法令を適用する事実上の根拠を確認できる程度に明らかにされるべきである(最判昭 24・2・10 刑集 3・2・155)．したがって，一般的には日時・場所・方法等によって特定されるが，それらに幅のある概括的認定しかできない場合であっても，他の犯罪事実との識別が可能なものであれば足りる(例えば，最決昭 58・5・6 刑集 37・4・375 は，殺人未遂罪の犯罪行為の判示につき，有形力を行使して被害者を屋上から落下させた旨を判示したにとどまり，落下させた手段・方法がそれ以上に具体的に摘示されていなくても，不十分とはいえないとしている)．

択一的認定 択一的認定については，場合を分けて検討すべきである．まず第 1 に，択一的な関係にある A 事実と B 事実が同一の構成要件の中にある場合は，概括的認定の一場面と考えられるから，構成要件に該当するか否かを判定するに足る程度に具体的であれば(前掲最判昭 24・2・10 参照)，択一的認定が許される．例えば，殺人罪の共同正犯において実行行為者の認定が「X 又は Y あるいはその両名」という択一的なものであっても，その事件が X と Y の 2 名の共謀による犯行であるときは，共謀共同正犯の法理によって，実行行為を担当した者も担当しなかった者もいずれも共同正犯として処罰されることになるから，殺人罪の罪となるべき事実の判示として不十分とはいえない(最決平 13・4・11 刑集 55・3・127)．第 2 に，A 事実と B 事実が構成要件を異にしていても，両者の間に包摂関係がある場合(例えば，殺人と傷害致死の場合)は，「疑わしきは被告人の利益に」の原則により，いわゆる縮小認定として，軽い事実の限度で認定すべきことになる．問題となるのは，構成要件を異にする A 事実と B 事実が包摂関係にもないという第 3 の場合であり(現実に問題となった例として，被害者の死亡時期が不明であるために，保護責任者遺

---

[6] 被告人が少年(少 2 I)である事実も同様であると考えられるが，被告人の特定欄の生年月日からそれが明らかであれば，少年であるとの記載がなくても違法ではない(最判昭 24・11・10 刑集 3・11・1751)．

棄か死体遺棄か確定できなかった事案などがある),択一的認定は新たな構成要件を作り出す結果となるので,許されないものと解される.

証拠の標目 罪となるべき事実については,それを認めた証拠の標目を示さなければならない[7].証拠裁判主義(法317)に基づく要請である.証拠の標目とは,その証拠を特定する標題・種目のことであり,少なくともその事件の他の証拠と区別できる程度に特定されなければならない.法律上刑の加重減免の理由となる事実についても,証拠の標目を示すのが通例である[8].犯罪の動機は,罪となるべき事実でもこれに準ずる事実でもないから,判決に示される必要はない.もっとも,殺人,放火等の犯罪類型のように動機が重要な意味を持つ場合があるから,判決に示す方が望ましいことも少なくない.そのような事情で動機等が罪となるべき事実として判決に示された場合には,それを認定した証拠の標目も示さなければならない.これに対し,単なる情状に関する事実は,事実摘示を必要としないから,仮にこれらの事実が示されても,証拠を示す必要はない.

法令の適用 主刑が導き出される法令上の根拠についても,明らかにしなければならない.主刑が導き出される法令上の根拠とは,認定した犯罪事実に対する実体法の適用をいうが,現実に適用した法令であっても,関連するすべての法令を表示する必要はなく,処断刑を導き出すのに必要な限度で明示すべきである.また,主文において付随的な処分が言い渡されているときは,その法令上の根拠をも明らかにする必要がある.

刑法の総則規定については,刑罰の種類及び処断刑の範囲に影響を及ぼさないものである限り,現実に適用したことが判決の上で分かればその明示は必ずしも必要でない.したがって,刑法10条・48条Ⅰ項・50条・59条・65条等は,明示しなくても違法ではない[9].これに対し,刑法14条・45条・47条・48条Ⅱ

---

7) 旧刑訴法では,証拠により罪となるべき事実を認めた理由を説明すべきものとされていた(**証拠説明**,旧法360Ⅰ).現行法が証拠の標目で足りるとしたのは,それを簡易にしたものであるが,認定した事実と証拠との具体的な結び付きを示すべきであるという点では変わりがない.

8) 心神耗弱の事実や,累犯前科の事実につき,必ずしも証拠の標目を示す必要はないとした判例があるが(最判昭23・7・6刑集2・8・785,最判昭39・5・23刑集18・4・166),実務では掲げるのが一般的である.

9) しかし,表示した方が分かりやすいことは否定できないから,実務上はこれらも表示しているのが通例である.

項・57条・68条等は，刑罰の種類及び処断刑の範囲に影響を及ぼすから，明示すべきである．少年法52条も同様である．

違法性阻却事由等についての判断　法律上犯罪の成立を妨げる理由となる事実や，刑の加重減免の理由となる事実が当事者から主張された場合，裁判所は判断を示さなければならない(法335 Ⅱ)．もちろん，それによってこれらの事実につき当事者に挙証責任を負わせたものと解してはならない(⇨ 397頁)．

法律上犯罪の成立を妨げる理由となる事実の主張とは，構成要件該当性，違法性及び責任の各阻却事由に当たる事実の主張である．正当行為，正当防衛，緊急避難，自力救済，心神喪失，期待可能性の欠如などの主張がこれに当たる[10]．これに対し，罪となるべき事実の不存在の主張(単純否認)や，罪となるべき事実と両立し得ない事実の主張(積極否認)は，いずれも**否認**であり，法335条Ⅱ項の主張ではない．不能犯であること(最判昭24・1・20刑集3・1・47)，住居侵入に被害者の承諾があったこと(最判昭25・11・24刑集4・11・2393)，故意でなく過失にすぎないこと(最判昭24・5・17刑集3・6・729)，錯誤があったこと(最決昭29・12・24刑集8・13・2420)，共同正犯の訴因に対し従犯であること(最判昭26・3・15刑集5・4・527)，業務上過失致死事件において予見不可能であったこと(最決昭45・2・13刑集24・2・17)などの主張は，いずれも事実を否認したことになる．

法律上刑の加重減免の理由となる事実の主張とは，累犯，中止未遂，心神耗弱，親族相盗の主張など必要的加重減免の理由となる事実の主張である．これに対し，自首，過剰防衛，過剰避難など任意的加重減免の理由となる事実の主張は，本項の主張に当たらない[11]．

---

10) 期待可能性の欠如の主張につき，東京高判昭29・3・6高刑集7・2・163参照．また，刑法185条ただし書(賭博罪における娯楽性)・230条の2(名誉毀損罪における真実性)などの主張は，法律上犯罪の成立を妨げる理由となる事実の主張に当たる．児童福祉法60条Ⅳ項ただし書の児童の年齢を知らないことについて過失がないという主張(最判昭33・3・27刑集12・4・658)，両罰規定に関し監督上の過失がないという主張(福岡高判昭45・2・13高刑集23・1・112)なども，同様である．

11) 実体法以外の事実の主張，例えば訴訟条件がない旨の主張も，本項の主張に当たらない．違憲の主張も同様である．

本項の主張に対する裁判所の判断は，通常，その主張を要約した上，適宜，証拠を挙げて推論の過程とその結論を記載する方法で示される[12]．

(3) 無罪判決

無罪 被告事件が罪とならないとき，又は被告事件について犯罪の証明がないときは，判決で無罪の言渡しをしなければならない(法336)．被告事件が**罪とならないとき**とは，訴因に掲げられた事実の存在がそのとおり立証されたとしても犯罪を構成しないか，あるいは構成要件に該当しても違法性阻却事由又は責任阻却事由があるため犯罪として成立しない場合をいう．ただし，起訴状の記載自体によって公訴事実が犯罪を構成しないことの明らかな場合は，決定をもって公訴を棄却すべきである(⇨517頁，法339 I ②)．

被告事件について**犯罪の証明がないとき**とは，訴因に掲げられた事実の存在が合理的な疑いを超える程度まで立証されなかった場合である．また，自白に補強証拠がない場合も，これに当たる．

無罪判決の理由の記載については，有罪判決のように詳細な規定がない．一般的規定である法44条に従うことになるため，最低限法336条の前段又は後段のどちらに当たるために無罪を言い渡すのかを示せば足りるが(東京高判昭27・10・23高刑集5・12・2165)，そのような判断に至った推論の過程を，その精粗の程度は事案によって異なるものの，明示すべきである．

無罪判決は，被告人の無実が積極的に証明された場合と，有罪の証明ができなかった場合を含み，その間に区別はない．無罪判決が確定すれば，身柄を拘束されていたことについて刑事補償が得られるほか(刑事補償法)，裁判に

---

[12] 判例は，本項の主張に対する判断の判示方法につき，「必ずしも常に弁護人の主張事実を掲げてこれに対し直接的に判断を示す方法を採ることを要するものではなく，弁護人の主張する事実に関し却って反対の事実を認定して，間接的に主張否定の判断を示す方法を採ることも差支えない」としている(最判昭24・9・1刑集3・10・1529)．本項の主張が採用できる場合は，罪となるべき事実の認定や法令の適用の場面等で結論のみが示されれば足りるであろうが，それが採用できない場合には，結論に加えてその理由を簡潔に示すべきである．なお，本項の主張には当たらないものであっても，それが当該訴訟の重要な争点に関するものであれば，その判断を示すことが望ましい．裁判が当事者間の争いに対する判断である以上，その理由が示されなければならないと考えられるからである(法44 I による)．もっとも，理由の記載は事案に応じた簡明なもので足りる．

要した費用(被告人と弁護人の旅費・日当・宿泊料と弁護人の報酬)の補償が得られる(法188の2以下).

2　形式的裁判

管轄違いの裁判　管轄違いの裁判としては，管轄違いの判決と移送の決定がある．被告事件が裁判所の管轄(土地管轄・事物管轄 ⇨ 238頁)に属さないときは，原則として管轄違いの判決をしなければならない(**管轄違いの判決**．法329本文)．ただし，① 付審判決定(法266②)によって審判に付された事件については，管轄違いの言渡しをすることができない(法329但書)．また，② 高等裁判所は，その特別権限に属する事件として公訴の提起があった場合において，その事件が下級の裁判所の管轄に属すると認めるときは，決定で管轄裁判所に移送しなければならない(法330)．さらに，③ 土地管轄については，被告人の申立てがなければ管轄違いの言渡しをすることができず，しかも，その申立ては証拠調べ開始後は許されない(法331)．

なお，簡易裁判所は，比較的簡単な事件を簡易迅速に処理することが求められているため，事件の内容が複雑であったり，科刑権の制限を超える刑を科するのが相当と考えられるなどの理由で地方裁判所において審判するのを相当と認めるときは，決定で管轄地方裁判所に事件を移送することができる(**裁量移送**．法332)．

公訴棄却の判決　判決で公訴を棄却しなければならないのは，① 被告人に対して裁判権を有しないとき，② 公訴取消し後，新たに重要な証拠を発見した場合でないのに(法340参照)公訴が提起されたとき，③ 公訴の提起があった事件について，さらに同一裁判所に公訴が提起されたとき(二重起訴)，④ 公訴提起の手続がその規定に違反したため無効であるときである(法338 ⇨ 246頁)．これらは，訴訟条件の欠如が比較的重大な場合であり，口頭弁論を経て判決されることになる．

公訴棄却の決定　公訴棄却の決定が必要とされるのは，① 法271条Ⅱ項(2か月内に起訴状謄本が送達されないとき)により公訴の提起がその効力を失ったとき，② 起訴状に記載された事実が真実であっても，何ら罪と

なるべき事実を包含していないとき，③公訴が取り消されたとき，④被告人が死亡し，又は被告人である法人が存続しなくなったとき，⑤法10条又は11条の規定により審判してはならないとき(同一事件が数個の裁判所に係属したとき)である(法339Ⅰ⇨245頁)．

公訴棄却の決定に対しては，即時抗告をすることができる(法339Ⅱ)．

免訴の判決 免訴の判決が必要とされるのは，①確定判決を経たとき，②犯罪後の法令により刑が廃止されたとき，③大赦があったとき，④時効が完成したときである(法337⇨246頁)．ただ，免訴事由は，これに限定されず，類推も許されると解されている(迅速な裁判の保障条項に反した場合⇨354頁)．

　　免訴の判決の性質については，実体裁判説，実体関係的形式裁判説，形式裁判説の対立がある．免訴の判決が形式的に確定すると既判力が生じるため，実体についての判断まで含まれているのかについての理解が異なるためである．免訴の判決に既判力があるのは，免訴が被告事件の実体に関係した判断によって手続を打ち切る，いわば実体関係的な形式裁判であるためであるとする**実体関係的形式裁判説**も有力であった(団藤300頁)．しかし，公訴棄却の事由である形式的訴訟条件の存否であっても，事件の実体に立ち入らないと判断できない場合がある．その意味では，免訴も公訴棄却と同じ形式的裁判であって，これに既判力を認めたのは政策的な判断に基づくものと解すべきである．そして，その政策の実質的根拠は，免訴とされる場合がおよそ当該訴因について公訴を提起できない典型的な事由を選び出しているということであろう[13]．判例・多数説は**形式裁判説**によっている．

　　免訴の裁判の性質を形式的裁判であるとすると，実体的訴訟条件(⇨246頁)が欠けているときは，たとえ犯罪事実の存在しないことが判明しても免訴を言い渡すべきであり，無罪判決をすべきではないことになる(最大判昭23・5・26刑集2・6・529)．

---

[13] もっとも，公訴棄却の場合も，当事者の死亡のようにおよそ公訴を提起できない場合が含まれていることに注意しなければならない．

裁判の効力

1 確定力

裁判の成立による効力 終局的裁判が外部的に成立すると，変更又は撤回することができなくなる(**不可変更力**)．そして，上訴を許す裁判については，上訴権が発生する．

その付随的な効果として，① 禁錮以上の刑に処する判決(一部執行猶予判決を含むいわゆる実刑判決)の宣告があったときは，保釈又は勾留の執行停止はその効力を失い(法343)[1]，その後は，勾留更新の制限及び必要的保釈の規定は適用されなくなる(法344)．逆に，② 無罪，免訴，刑の免除，刑の全部の執行猶予，公訴棄却(法338条4号の場合を除く)，罰金又は科料の裁判の告知があったときは，勾留状はその効力を失う(法345)．

1審無罪後の勾留の可否 勾留状が失効した場合であっても，上訴があった後に再勾留することは可能である．1審判決が無罪である場合に再勾留できるかについては争いがあるが，同判決が破棄されて実刑判決が言い渡される可能性が高い場合などは，例外的に再勾留が許される．この点につき，最決平12・6・27(刑集54・5・461)は，「第1審裁判所が犯罪の証明がないことを理由として無罪の判決を言い渡した場合であっても，控訴審裁判所は，記録等の調査により，右無罪判決の理由の検討を経た上でもなお罪を犯したことを疑うに足りる相当な理由があると認めるときは，勾留の理由があり，かつ，控訴審における適正，迅速な審理のためにも勾留の必要性があると認める限り，その審理の段階を問わず，被告人を勾留することができる」とし，さらに，最決平19・12・13(刑集61・9・843)は，勾留の理由につき，「第1審裁判所で犯罪の証明がないとして無罪判決を受けた被告人を控訴

---

[1] 実刑判決が宣告されると，新たに保釈又は勾留の執行停止の決定がない限り，被告人は法98条に従って刑事施設に収容される(法343)．

裁判所が勾留する場合、刑訴法60条I項にいう『被告人が罪を犯したことを疑うに足りる相当な理由』の有無の判断は、無罪判決の存在を十分に踏まえて慎重になされなければならず、嫌疑の程度としては、第1審段階におけるものよりも強いものが要求される」と判示している．

再勾留が許される場合に関し、両判例にはニュアンスの違いがあるが、その後、最決平23・10・5（刑集65・7・977）は、両判例を引用しつつ、「第1審裁判所が犯罪の証明がないことを理由として無罪の言渡しをした場合であっても、控訴審裁判所は、第1審裁判所の判決の内容、取り分け無罪とした理由及び関係証拠を検討した結果、なお罪を犯したことを疑うに足りる相当な理由があり、かつ、刑訴法345条の趣旨及び控訴審が事後審査審であることを考慮しても、勾留の理由及び必要性が認められるときは、その審理の段階を問わず、被告人を勾留することができる」と判示し、統一的な理解を示している．

裁判の確定　外部的に成立した裁判が上訴又はこれに準ずる不服申立て方法によって争うことができなくなった状態を、**裁判の確定**（形式的確定）という．上訴を許さない裁判は、告知と同時に形式的に確定し、上訴を許す裁判は、上訴期間の経過、上訴の取下げ、上訴棄却の裁判の確定などによって形式的に確定する．

内容的確定力　裁判が形式的に確定すると、その意思表示の内容も確定する（**内容的確定**）．有罪、無罪及び免訴の判決が形式的に確定すると、内容的確定力のほか、一事不再理の効力（既判力）も生じる[2]．

裁判は、内容的確定によって**執行力**を生じる（法471）．その例外として、決定、命令は原則として告知によって執行力を生じる（法424・432・434参照）．

判決が当然無効の場合には、形式的に確定しても、その内容に明白かつ重大な誤りがあるため、内容的確定力は発生しない[3]．当然無効とされるのは、例えば、控訴取下げ後の控訴審判決（最大判昭27・11・19刑集6・10・1217）、同一事件につき二重に実体判決が確定した場合の後の判決（最判昭28・12・18刑集7・

---

[2] 既判力を伴う内容的確定力のことを、実体的確定力と呼ぶこともある．形式裁判についても内容的確定力が認められる．例えば、最決平12・9・27（刑集54・7・710）は、勾留の裁判に対する異議申立てが棄却され、これに対する特別抗告も棄却されて確定した場合には、この異議申立てと同一の論拠に基づいて勾留を違法として取り消すことはできないとしている．

[3] 判決の当然無効は、判決の不成立ではないから、内容的確定力は発生しないものの、形式的確定力は生じる．したがって、このような判決に対しても、上訴期間内であれば上訴によって争うことができるし、形式的に確定した後は非常上告（法454⇨553頁）の対象となり得る．

12・2578），死者に対する判決等である．

2　既判力

　　　　　　　裁判の内容が確定すると，他の訴訟で同一事項についてこれと異
一事不再理の効力　なった判断をすることは許されなくなる．民事訴訟で既判力というときは，主にこの効力を意味する．それに対し，刑事訴訟においては，有罪，無罪及び免訴の判決が形式的に確定すると，これと同一の事件について，再度の公訴提起は許されず，公訴提起があっても，実体的訴訟条件がないものとして，免訴の判決が言い渡されなければならないものとされている（法337①）．これを**一事不再理の効力**といい，刑事訴訟において**既判力**というときは，主にこの効力を意味している．このように，同一事件に関する限りは，一事不再理の効力が認められるから，内容的確定力の有無が問題となる局面は考えにくい．

　既判力の意義に関しては，確定裁判によって当該事件について「法（具体的規範）」が形成されると考える**具体的規範説**と，確定裁判の後の裁判への影響力のことであって，不可変更力（拘束力）と考えるべきであるという**訴訟法説**が対立する．

　　一事不再理の原則　一事不再理の効力は，憲法39条の二重の危険の禁止に基づく政策的なものと考えられる．判例は，検察官が原判決を被告人の不利益に変更するためにする上訴が憲法39条に反するものではないとする判断において，その点に触れている．すなわち，「元来一事不再理の原則は，何人も同じ犯行について，2度以上罪の有無に関する裁判を受ける危険に曝さるべきものではないという，根本思想に基くことは言うをまたぬ．そして，その危険とは，同一の事件においては，訴訟手続の開始から終末に至るまでの一つの継続的状態と見るを相当とする．されば，一審の手続も控訴審の手続もまた，上告審のそれも同じ事件においては，継続せる一つの危険の各部分たるにすぎないのである．従って同じ事件においては，いかなる段階においても唯一の危険があるのみであって，そこには二重危険（ダブル・ジェバーディ）ないし二度危険（トワイス・ジェバーディ）というものは存在しない」（最大判昭25・9・27刑集4・9・1805）．

　有罪・無罪・免訴の各判決以外の裁判，例えば公訴棄却の判決が形式的に

確定しても，既判力は生じないから，手続の不備を補正すれば再び公訴提起をすることができる(法338条4号に基づく公訴棄却判決につき，最大判昭28・12・9刑集7・12・2415，最決昭30・11・1刑集9・12・2353)[4]．

既判力の及ぶ範囲 既判力の及ぶ範囲については，人的範囲，物的範囲及び時間的範囲に分けて考えることができる．**人的範囲**は，その判決を受けた被告人に限定される．たとえ共犯者であっても，判決を受けた被告人以外の者には，既判力は及ばない(法249参照)．

物的範囲は，訴因だけでなくこれと単一かつ同一の関係にある公訴事実の全体である(⇨299頁)．公訴事実の同一性の範囲内にある犯罪事実については，検察官は1回の訴訟で解決する義務，すなわち，同時追行の義務を負うものと考えられる．なぜなら，訴因以外の犯罪事実でも，訴因と公訴事実の同一性があれば，検察官は，通常それを認識することが可能であり，1個の起訴で審判を求めるか(法256V)，訴訟の途中で訴因の変更，追加(法312)ができるからである．したがって，この範囲の事実については，「重ねて刑事上の責任を問われない」(憲39後段)とすることに合理性が認められる．

　　かつては，公訴事実の同一性の範囲内にある犯罪事実について，裁判所が審判し得たことを理由として既判力が及ぶとする見解も有力であった．しかし，訴因制度が導入され，検察官のみが訴因を変更できる以上，裁判所が公訴事実の全体について審判し得たという説明は適切でない．

このように，既判力の物的範囲は公訴事実の同一性の範囲と同一であるから，A事実に対する判決の既判力がB事実に及ぶかどうかは，AとBが公訴事実の同一性(⇨299頁)の範囲内にあるかどうかによって判断される．

もっとも，このように考えると，継続犯や常習犯などが判決の前後にまたがって行われた場合でも，それが一罪である限り，単一の事件として，判決後の犯行にまで既判力が及んで処罰できないことになりかねないが，これは明らかに不合理であるから，物的範囲の例外を認め，どこかで既判力を遮断しなければならない．これが既判力の及ぶ**時間的範囲**の問題である．既判力は，

---

[4] 公判手続を停止しても被告人の訴訟能力が回復する見込みのない場合，公訴棄却の判決ができるとされているが(最判平28・12・19刑集70・8・865)，この場合も，仮に訴訟能力が回復したときは再起訴できるものと解される(⇨358頁注60)．

原則として，事実審理の可能性のある最後の時(原則として第1審における判決言渡しの時，例外として上訴審が破棄自判したときは上訴審の判決言渡しの時)までと解すべきである．判例も同様に解しており，第1審判決が確定した場合について，後訴の訴因を構成する行為が前訴の第1審判決後にされたものであるときは，前訴の確定判決による一事不再理効は後訴に及ばないとしている(最決令3・6・28刑集75・7・909)[5]．

既判力の範囲と検察官の訴追裁量 既判力の物的範囲は，公訴事実の同一性の範囲と同一であるから，前訴の訴因と後訴の訴因が科刑上一罪，常習一罪，包括一罪など一罪の関係にあれば，既判力が及ぶことになる．したがって，常習窃盗罪(盗犯等の防止及び処分に関する法律2条・3条)の確定判決がある場合に，その訴訟より前に犯された窃盗の事実をさらに起訴することは，それが常習窃盗罪としてであればもちろんのこと，単純な窃盗罪としてであっても，再訴禁止に反することになる．また，窃盗罪の確定判決がある場合に，それと同時期の常習窃盗を起訴することも，同様である．しかし，前訴が単純窃盗罪の確定判決であり，後訴も単純窃盗罪の起訴であれば，仮に両者が実体的には1つの常習窃盗罪を構成するとしても，前訴の確定判決による再訴禁止の効力は後訴には及ばないものと解される(最判平15・10・7刑集57・9・1002)[6]．訴因の設定に関しては検察官が訴追裁量権を有しており(⇨227頁)，裁判所はその訴因の範囲内で裁判を行うことになり，常習窃盗罪と認定することはできないからである．

---

[5] 最決令3・6・28は，前訴で住居侵入・窃盗につき有罪の第1審判決を受け，控訴・上告が棄却されて確定した後に起訴された常習特殊窃盗被告事件における判断であり，常習特殊窃盗を構成する住居侵入・窃盗の各行為が前訴の第1審判決後にされたものであるときは，前訴の訴因が常習性の発露として行われたか否かについて検討するまでもなく，前訴の確定判決による一事不再理効は後訴に及ばないと判示している．仮に後訴の訴因を構成する行為が前訴の第1審判決の前にされたものであれば，再訴禁止の効力が及び得るところ(後記「既判力の範囲と検察官の訴追裁量」の項参照)，当該事件では第1審判決後の行為なので，そもそも再訴禁止の効力が及ばない旨を明示したものである．

[6] 最判平15・10・7は，前訴と後訴の各訴因が共に単純窃盗であった場合につき，訴因制度を採用した現行刑訴法の下においては，少なくとも第一次的には訴因が審判の対象であると解されること，犯罪の証明なしとする無罪の確定判決も一事不再理効を有することに加え，前記のような常習特殊窃盗罪の性質や一罪を構成する行為の一部起訴も適法になし得ることなどにかんがみると，前訴の訴因と後訴の訴因との間の公訴事実の単一性についての判断は，基本的には，前訴及び後訴の各訴因のみを基準としてこれらを比較対照することにより行うのが相当である．本件においては，前訴及び後訴の訴因が共に単純窃盗罪であって，両訴因を通じて常習性の発露という面は全く訴因として訴訟手続に上程されておらず，両訴因の相互関係を検討するに当たり，常習性の発露という要素を考慮すべき契機は存在しないのであるから，ここに常習特殊窃盗罪による

一罪という観点を持ち込むことは，相当でないというべきである．そうすると，別個の機会に犯された単純窃盗罪に係る両訴因が公訴事実の単一性を欠くことは明らかであるから，前訴の確定判決による一事不再理効は，後訴には及ばないものといわざるを得ない」としている．

第7章 上 訴

I 上訴一般

1 上訴の意義と種類

上訴の意義 未確定の裁判に対し，上級裁判所の審判による是正を求める不服申立てを，上訴という[1]．裁判は，公平な裁判所による公正な判断ではあるが，誤りがないとは限らないため，その是正の手段として上訴が認められている．とはいえ，迅速な裁判の要請などを考えると，不服申立てを無限定に認めるべきものでもないから，刑訴法は，判決に対しては控訴と上告を認め(いわゆる**三審制**)，控訴においては法令違反，事実誤認，量刑不当など広い控訴理由を認める一方，上告においては上告理由を憲法違反，判例違反に限定するなどして調和を図っている．

上訴の種類 上訴には，控訴，上告，抗告がある．控訴と上告は判決に対するものであり，抗告は決定に対するものである．

2 上訴審の構造

事実審・法律審 法律上の問題のみでなく，事実に関する問題についても審理する審級を**事実審**といい，法律上の問題のみを審理する審

---

[1] 以下の申立ては，上訴に似た側面を有するが，(1) 捜査機関の処分に対する準抗告・裁判の執行に関する異議は，裁判に対するものではなく，(2) 再審・非常上告は，未確定の裁判に対するものではなく，(3) 当該裁判所に対する異議申立ては，上級裁判所の救済を求めるものではなく，(4) 司法行政上の監督を求める申立ては，審判による是正を求めるものではないから，いずれも上訴ではない．他方，(5) 裁判官の裁判に対する準抗告と，(6) 高等裁判所の決定に対する異議申立ては，いずれも上級裁判所の救済を求めるものではないが，その果たす機能は上訴と同じであるから，上訴に準じて取り扱われるべきである(⇨ 546, 547 頁)．

級を**法律審**という．刑事訴訟では，第1審のみでなく，控訴審も事実審であり，上告審は基本的には法律審である[2]．

覆審・続審・事後審 **覆審**とは，第1審と同様の審理を最初からやり直す制度であり，旧刑訴法の控訴審はこれによっていた．**続審**とは，第1審の判決直前の状態に戻ってその審理を引き継ぎ，審理を継続して審判する制度であり，民事訴訟における控訴審がこれに当たる[3]．以上に対し，**事後審**とは，事件そのものではなく原判決を対象としてその当否を事後的に審査する制度であり，現行刑訴法の控訴審[4]と上告審がこれに当たる[5]．

3　上訴権

上訴権者　固有の上訴権を有するのは，裁判を受けた者である．判決であれば検察官・被告人であり，決定であればそれに加え決定を受けた者である（法351・352）．

検察官は，公益の代表者として，被告人の利益のためにも上訴することができる．他方，検察官が被告人に不利益な結論を求める上訴（無罪判決等に対する場合）については，憲法39条の二重の危険により許されないとする見解もあるが，判例・通説は合憲としている（最大判昭25・9・27刑集4・9・1805 ⇨ 521頁）．

被告人は，自己に不利益な裁判の是正を求めて上訴することができる．しかし，自己に不利益な結論を求めて上訴することは，**上訴の利益**を欠くことにな

---

2) 上告審は，職権により事実誤認の有無についても判断することができ，原判決を破棄しなければ著しく正義に反すると認める場合には破棄することになるが（法411），その場合には，例外的に事実審として機能していることになる．
3) もっとも，民事訴訟の控訴審も，近時は事後審的な運用となっている．
4) 控訴審も，例外的に，量刑について原判決後の事情を考慮に入れて原判決を破棄することができるなどとされており，その限度では事後審の性格を緩めている（⇨ 537頁）．
5) 裁判員制度の導入に際しては，控訴審にも裁判員を加えるか，また控訴審の構造を改めるかが議論されたが，これまでと同様の裁判官のみによる事後審という制度を維持することになった．もっとも，裁判員が加わった第1審判決の控訴審査に当たっては，破棄するにしても，自判するにしても，裁判員制度導入の趣旨に沿った運用が必要とされる．

るため，許されない(最決昭 28・2・26 刑集 7・2・331)[6]．被告人の法定代理人・保佐人，原審における代理人・弁護人[7]も，被告人の明示した意思に反しない限り，被告人のために独立して上訴することができる(法 353～356)[8]．

　決定を受けた者は，それが検察官又は被告人以外であっても，抗告することができる(法 352)[9]．過料の決定を受けた証人(法 150・160)，訴訟費用の負担を命じられた告訴人(法 183)等である．

上訴権の発生・消滅・回復　上訴権は，裁判の告知によって**発生**し(法 358)，上訴提起期間の徒過，上訴の放棄・取下げによって**消滅**する(法 359)．上訴の**放棄**は，上訴権の発生後，上訴の申立て又は上訴期間満了までの間にすることができる．裁判告知の前にあらかじめ放棄することはできない．また，死刑又は無期の判決に対しては上訴の放棄は認められない(法 360 の 2)．上訴の**取下げ**は，上訴申立て後上訴審の終局判決があるまでの間，いつでもすることができる．上訴の放棄・取下げをした者は，再上訴することはできない(法 361)．上訴の提起期間は裁判が告知された日から進行するが，上訴権者自身又はその代人の責めに帰することができない事由によってその期間内に上訴することができなかったときは，原裁判所にその事由を疎明して上訴権**回復**の請求をすることができる(法 362)．この請求は，その事由が止んだ日から上訴提起期間に相当する期間内に，上訴の申立てと同時にしなければならず(法 363)，請求が認められれば上訴申立てが有効となる．

上訴の申立て　上訴の申立ては，上訴提起期間(控訴・上告は 14 日)内に申立書を原裁判所に差し出して行わなければならない(法 374)[10]．原裁判所に現実に到達することが必要であるが，刑事施設の被収容者の場合に

---

6) 上訴の利益がないとされるのは，被告人が，無罪判決に対して有罪を主張したり，軽い罪の成立を認めた判決に対し重い罪を主張するなどして上訴する場合である．また，免訴，公訴棄却，管轄違いの判決に対して無罪を主張して上訴することも許されない(最大判昭 23・5・26 刑集 2・6・529 ⇨ 518 頁)．
7) なお，原判決後選任された弁護人も，その選任者が上訴権を有しない場合であっても，被告人を代理して上訴を申し立てることができる(最大決昭 63・2・17 刑集 42・2・299)．
8) 勾留の裁判に対しては，勾留理由の開示があった場合にその開示請求をした者も，上訴することができる(法 354)．
9) 被告人の配偶者，直系の親族又は兄弟姉妹は，自ら申し立てた保釈の請求を却下した裁判に対し，抗告又は準抗告を申し立てることができる(最決平 17・3・25 刑集 59・2・49)．
10) 電報による上訴の申立ては不適法である(最決昭 35・2・27 刑集 14・2・206)．

は，申立書を刑事施設の長又はその代理者に差し出した時に上訴したものとみなされる(法366)．上訴は，原裁判の一部についてもすることができる(**一部上訴**)[11]．併合罪の場合，主文が複数のときにはその一部のみについて上訴することができるが，主文が1個のときは不可分であるから，一部上訴はできず，全部について上訴の効果が生じる．

申立ての効果　上訴の申立てによって，裁判の**確定を遮断**し，**執行を停止**する効果が生じる[12]．また，訴訟係属が原審を離れて上訴審に移る(**移審の効果**)[13]．

---

11) 部分を限らないで上訴したときは，裁判の全部に対して上訴したものとみなされる(法357)．
12) 抗告は，即時抗告を除き，執行停止の効力を生じない(法424・425・434)．仮納付の裁判の執行は，上訴によって停止されない(法348 III)．
13) もっとも，上訴の申立てが明らかに上訴権の消滅後にされたものであるときは，原裁判所が上訴棄却決定をし(法375)，記録が上訴審に到達するまでは，原裁判所が勾留に関する処分をし(法97 II，規92)，抗告においては，原裁判所が理由があると認めれば更正決定をしなければならない(法423 II)とされていることなどから，訴訟記録の上訴審への送付によって移審の効果が生じると考える方が実務的であるといえる．

控　訴

1　控訴審の構造

控訴審の意義と性格　控訴は，地方裁判所又は簡易裁判所のした第 1 審判決に対する高等裁判所への上訴である．控訴審は，第 1 審判決の当否を事実上及び法律上の問題にわたって事後的に審査する事実審・事後審である（⇨ 526, 527 頁）．原則として，原審の証拠により原判決の言渡しの時点を基準として審査を行うことになり，控訴趣意書には訴訟記録及び原審で取り調べられた証拠に現れている事実を援用することが必要であって（法 378・379・381・382），それ以外の事実の援用は例外的にしか認められない（法 382 の 2）．もっとも，原判決後の事情であっても，刑の廃止・変更及び大赦（法 383 ②）と量刑に影響を及ぼすべき事情（法 393 II・397 II）については考慮することができる．

2　控訴の理由

控訴の理由　控訴審が事後審であることから，控訴した者は，**控訴理由**として原判決の瑕疵を主張する必要がある．控訴理由は限定されているが（法 377〜382・383），その事由が認められれば当然に原判決破棄の理由となるもの（**絶対的控訴理由**）と，その事由の存在が判決に影響を及ぼすことが明らかであるときに限り原判決破棄の理由となるもの（**相対的控訴理由**）がある．

絶対的控訴理由　法 377 条及び 378 条は，法令違反のうちでも特に瑕疵の大きなものを，それが判決に影響を及ぼすか否かを問わず，控訴理由としている．その存在自体が裁判の公正などに疑念を抱かせるからで

ある[1]．それは，以下の 7 つの場合である．

(a) 法律に従って判決裁判所を構成しなかったとき(法 377 ①)．
(b) 法令により判決に関与することができない裁判官が判決に関与したとき(法 377 ②)．
(c) 審判の公開に関する規定に違反したとき(法 377 ③)．
(d) 不法に管轄又は管轄違いを認めたとき(法 378 ①)．
(e) 不法に，公訴を受理し，又はこれを棄却したとき(法 378 ②)．
(f) 審判の請求を受けた事件について判決をせず，又は審判の請求を受けない事件について判決をしたとき(法 378 ③)．
(g) 判決に理由を付さず，又は理由に食い違いがあるとき(法 378 ④)．

相対的控訴理由　相対的控訴理由とされているのは，訴訟手続の法令違反，事実誤認，法令適用の誤り，量刑不当，再審事由等である．主張された違反がなかったとしたら実際になされた原判決とは異なる判決がなされたであろうという蓋然性がある場合に，破棄の理由となる(最大判昭 30・6・22 刑集 9・8・1189)．

訴訟手続の法令違反　原判決の直接の基礎となった審理及び判決の手続に違法があることをいう(法 379)．捜査手続に違法があっても直ちに訴訟手続の法令違反があるとはいえない[2]．いわゆる**審理不尽**(十分な審理がなされなかったこと)は，それによって招来した事実誤認として破棄理由とされることもあるが，訴訟手続の法令違反として破棄理由とされることもある．

事実誤認　罪となるべき事実など厳格な証明の対象となる事実の誤認をいい，単なる情状に関する事実や訴訟法的事実はこれに当たらない(法 382)．第 1 審で取り調べられた適法な証拠によれば認定できない事実を認定した場合と，認定できる事実を認定しなかった場合がある．

---

1) これらの事由は，いずれも訴訟手続の法令違反(法 379)に該当するもののうちの重大な瑕疵と考えられるものであるが，限界が必ずしも明白でないものもある．例えば，公訴事実の同一性はあるが訴因変更を要する事実を訴因変更を経ずに認定したという訴因の逸脱認定の場合につき，かつては(f)の不告不理違反(⇒ 227 頁)に当たるとされる範囲が広かったが，近時は相対的控訴理由である訴訟手続の法令違反にとどまるとされる場合が多くなってきている．また，判決に補強証拠を掲げない場合につき，かつては(g)の理由不備とされたことが多かったが，近時は訴訟手続の法令違反に当たるとされる例が多くなっている．
2) 捜査手続の違法は，必ずしも公訴提起の効力を当然に失わせるものではない(最判昭 44・12・5 刑集 23・12・1583 ⇒ 242 頁)．

控訴理由とされている事実誤認とは，第1審判決の事実認定が論理則，経験則等に照らして不合理であることをいうものと解されるから，控訴審が事実誤認を理由に第1審判決を破棄するためには，その事実認定が論理則，経験則等に照らして不合理であることを具体的に示す必要がある（最判平24・2・13刑集66・4・482）[3]．

法令適用の誤り　認定された事実に適用されるべき実体法規の適用を誤った場合をいう（法380）．法令の適用の誤りの有無は，第1審判決時を基準として判断されるが，原判決後の刑の廃止・変更又は大赦は，控訴理由となる（法383②）．

量刑不当　第1審の量刑判断が合理的な裁量の範囲をはずれていることをいう（法381）[4]．主刑のほか，裁量によって決定されるものであれば，付加刑，未決勾留日数の算入等も量刑の問題となる．

再審事由等　再審事由に当たる事由（法435）が存在する場合は，その事由が原判決後に生じたときでも，控訴理由となる．原判決後に刑の廃止・変更又は大赦があった場合も，同様である（法383）．これらは，事後審であることの例外である．

3）　最判平24・2・13は，覚醒剤密輸入の事案において，覚醒剤を輸入する認識がなかった旨の弁解を排斥できないなどとして無罪とした第1審判決に事実誤認があるとして破棄した控訴審判決について，第1審判決の事実認定が論理則，経験則等に照らして不合理であることを十分に示したとはいえないとし，破棄した（同様の例として，保護責任者遺棄致死事件に関する最判平30・3・19刑集72・1・1）．これに対し，最決平25・4・16（刑集67・4・549），最決平25・10・21（刑集67・7・755），最決平26・3・10（刑集68・3・87）は，いずれも，覚醒剤密輸入の事案に関し，被告人の故意あるいは共謀を認めずに無罪とした第1審判決に事実誤認があるとして破棄した控訴審判決について，第1審判決の事実認定が経験則に照らして不合理であることを具体的に示しているとし，上告を棄却している．以上は第1審判決が無罪の事案であったが，第1審判決が有罪の場合の控訴審の審査方法も同様である（保護責任者遺棄致死事件に関する最判平26・3・20刑集68・3・499，強盗殺人事件に関する最判平30・7・13刑集72・3・324，殺人等事件に関する最判令3・1・29刑集75・1・1参照）．

4）　裁判員制度の導入により量刑にも国民の視点が反映されることになったため，それ以前の裁判官による量刑とは相応の変化が生じることになるのは，当然の帰結である．しかし，犯罪行為にふさわしい刑を科すという行為責任の観点が重要であることに変わりはなく（⇨89頁），しかも処罰の公平性が保持されるべきである以上，裁判員裁判においても，先例の量刑傾向を把握した上で当該事案にふさわしい量刑をすることが求められる．最判平26・7・24（刑集68・6・925）は，控訴審における量刑不当の審査もそのような観点から行われるべきであるとし，従来の量刑の傾向を踏み出して重い量刑をするには具体的・説得的な根拠を示さなければならない旨示した上で，それが示されていない第1審判決を控訴審が合理的理由なく是認しているとして，控訴審判決及び第1審判決を破棄した．

3 控訴審の手続

控訴の申立 控訴の提起期間は14日であり（法373），控訴申立書を第1審裁判所に差し出さなければならない（法374）．第1審裁判所は，控訴の申立てが明らかに控訴権の消滅後にされたものである場合は，決定で控訴を棄却し（法375），その余の場合は，速やかに訴訟記録及び証拠物を控訴裁判所に送付しなければならない（規235）．

控訴趣意書の提出 控訴申立人は，控訴裁判所が指定した控訴趣意書差出期間（通知が届いてから21日以上の定められた期間）内に控訴趣意書を提出しなければならない[5]．**控訴趣意書には控訴の理由を簡潔に明示しなければならない**（規240）．控訴の相手方は，答弁書を差し出すことができる[6]．控訴趣意書が指定された期間内に差し出されなかった場合，方式に違反し，又は必要な疎明資料若しくは保証書を添付しなかった場合，控訴趣意書に記載された理由が明らかに控訴理由に当たらない場合は，決定で控訴が棄却される（法386 I）．

事実の援用 訴訟手続の法令違反，事実誤認又は量刑不当を主張するときは，控訴趣意書に，訴訟記録及び原裁判所において取り調べられた証拠に現れている事実であって，これらの事由があることを信じるに足りるものを援用しなければならない（法379・381・382）[7]．もっとも，事実誤認又は量刑不当の主張の場合には，**やむを得ない事由**によって第1審の弁論終結前に取調べ請求することができなかった証拠によって証明できる事実であって控訴理由があることを信じるに足りるものは[8]，訴訟記録及び原裁判所において取り調べられた証拠に現れていない事実であっても，援用することができる（法382の2 I・II）．

---

[5] 法376，規236．控訴裁判所は，控訴申立人からの差出期間延長の申し出に理由があると認めるときは，期間を延長することができる．
[6] 規243．また，控訴裁判所は，必要と認めるときは，答弁書の提出を命じることができる．
[7] 絶対的控訴理由のうち法378条掲記の事由を主張する場合も同様である．絶対的控訴理由のうち法377条掲記の事由を主張するときは，控訴趣意書にその事由があることを十分証明できる旨の検察官又は弁護人の保証書を添付しなければならない（法377）．
[8] この場合には，控訴趣意書に，その事実を疎明する資料を添付しなければならない（法382の2 III）．

やむを得ない事由 弁護人が控訴審で新たな証拠の取調べを請求するに当たり，その事情として，被告人が第1審では量刑上有利に参酌してもらった方が得策であると考えて事実を認めていたところ懲役刑の実刑判決の言渡しを受けたため事実を争うに至った旨主張したとしても，そのような事情は法382条の2にいう「やむを得ない事由」に当たらない(最決昭62·10·30刑集41·7·309).

控訴裁判所の調査 控訴裁判所は，控訴趣意書に含まれた事実は必ず**調査**しなければならず，また，控訴趣意書に含まれていないものであっても，控訴理由となり得る事項については，職権で調査することができる(法392).控訴審の性格を考えると，当事者が審査の対象を設定するのが原則であるから，職権調査は義務的なものではないが，原判決自体から法令適用の誤りが明白な場合や，訴訟記録から当然に重大な手続違反が判明するような場合には，例外的に，職権で調査する義務があるといえよう．

職権調査の限界 審判の対象の設定が原則として当事者に委ねられていることや，控訴審の事後審査が当事者の主張する控訴趣意を中心として行われること，職権調査は補充的・後見的なものであることなどを考えると，当事者の攻撃防御の対象からはずされた事実については，それが控訴審に係属しているとしても，職権調査の限界を超えるものと解される．例えば，科刑上一罪の関係にあるA罪につき有罪，B罪につき無罪とした第1審判決に対し，被告人のみが控訴した場合，B罪も控訴審に係属するものの，当事者の攻防の対象からははずれているから，控訴審がB罪について職権で調査し有罪の自判をすることは許されないとされる(最大決昭46·3·24刑集25·2·293，最判昭47·3·9刑集26·2·102)．この考え方は，例に挙げた科刑上一罪や包括一罪といういわゆる実質数罪の一部が無罪とされて被告人のみが控訴した場合のみでなく，単純一罪であっても，本位的訴因と予備的訴因が大小の関係にある場合(⇨310頁)などには妥当する．例えば，第1審判決がC罪の共同正犯の本位的訴因を否定し，同罪の幇助という予備的訴因を認定したところ，被告人のみが控訴した場合は，控訴審が本位的訴因について職権で調査して有罪の自判をすることは許されない(最決平25·3·5刑集67·3·267)．この場合も，実質数罪の一部が無罪とされた場合と同様に，検察官が本位的訴因に関する訴訟追行を断念したとみられるからである．

これらに対し，両立しない単純一罪の事実が択一的訴因として主張されているような場合には，第1審裁判所が認定しなかった訴因も攻撃防御の対象からはずれることはない．例えば，単一の交通事故における過失の態様について本位的訴

因と予備的訴因が構成された場合には，第1審が予備的訴因を認定し，被告人のみが控訴したときであっても，本位的訴因は攻撃防御の対象からはずれない(最決平1・5・1刑集43・5・323)．このような場合には，検察官が本位的訴因に関する訴訟追行を断念したとみることはできないからである[9]．

事実の取調べ　控訴裁判所の調査の方法に制限はなく，一般的には第1審の訴訟記録と証拠物の点検・調査が中心となるが，必要があるときは，当事者の請求又は職権により**事実の取調べ**をすることができる．第1審の弁論終結前に取調べ請求することができなかったやむを得ない事由(法382の2)の疎明があったときは，事実誤認又は量刑不当を証明するために欠くことのできない場合に限り，これを取り調べなければならない．また，例外的に，量刑に影響を及ぼし得る情状に限り，原判決後に生じた事情も，必要があると認めるときは，職権で事実の取調べをすることができる(法393)．事実の取調べは，事後審査のために行われるものであり，自判のために行う証拠調べではない．しかし，原判決を破棄することになった場合には自判の基礎となり，厳格な証明によることが必要となり得るため，第1審の証拠調べと同様の方法によるのが通例である．なお，第1審において証拠とすることができた証拠は，控訴審においても証拠能力が認められる(法394)．

新たな証拠の取調べ　控訴審が法393条I項本文によって取り調べることができる証拠の範囲については，見解が分かれており，(a)原審が取り調べた証拠と請求を却下された証拠に限るとする説，(b)それに加えて原審が職権で取り調べるべきであった証拠も含まれるとする説，(c)原審の記録又は証拠にその存在が現れている証拠も含まれるとする説，(d)当事者の請求による場合は以上のような制約を受けるが，職権による場合は無制限であるとする説，(e)請求による場合も職権による場合も自由に新たな資料の取調べができるとする説などがある．判例は，第1審判決の当否を判断するため必要と認めるときは，同判決以前に存在した事実に関する限り，第1審で取調べないし取調べ請求されていない新たな証拠についても，

---

[9]　なお，一罪の範囲を超えていた事例であるが，最判平16・2・16刑集58・2・133は，第1審判決が起訴事実(A)を理由中で無罪とし，その事実とは併合罪の関係にある事実(B)を認定して有罪とし，被告人のみが控訴した事案について，控訴審が法378条3号前段及び後段によって破棄するに当たって，A事実を職権調査の対象とし，これを有罪とする余地があるとして差し戻し，あるいは有罪の自判をすることは，職権発動の限界を超えるもので許されないとした(A事実につき無罪，B事実につき公訴棄却の自判)．

裁量により取り調べることができるとしており(最決昭59・9・20刑集38・9・2810)，(d)説に近い立場に立っている．

控訴審の審理　控訴審についても，第1審公判に関する規定が，特別の定めがある場合を除き準用されるが(法404)，事後審の性質から，冒頭手続に関する規定の準用はない．控訴審の第1回公判期日には，控訴申立人が控訴趣意書に基づいて弁論し(法389)，相手方が弁論(答弁)する．控訴審が事実の取調べをした場合は，検察官及び弁護人がその結果に基づいて弁論することができる(法393 IV)．

> **控訴審における訴因変更**　控訴審においても訴因変更が許される(最決昭29・9・30刑集8・9・1565，最判昭30・12・26刑集9・14・3011)．変更された訴因を基準として原判決に誤りがあるとすることはもちろんできないが(最判昭42・5・25刑集21・4・705)，原判決が破棄されたときには変更された訴因が審判の対象となる．したがって，控訴審における訴因変更は，原判決が破棄されることを停止条件として，実質的な効力が生じると考えることができる．

被告人の弁論能力　控訴審において，被告人は，自ら弁論する能力がないとされ(法388)，公判期日に出頭することを要しない(法390)．もっとも，被告人は公判期日に出頭する権利を有するから，公判期日を被告人に通知しなければならない[10]．また，控訴裁判所は，被告人の権利保護のため重要であると認めるときは，被告人の出頭を命じることができる(法390)．

4　控訴審の裁判

控訴棄却の決定　(1) 控訴の申立てが不適法な場合，すなわち，控訴の申立てが法令上の方式に違反し，又は控訴権の消滅後にされたものであることが明らかなときは，決定で控訴が棄却される(法385)．また，(2) 控訴趣意書が提出期間内に提出されなかったとき，控訴趣意書が不適法で

---

10)　実務上は，被告人に対し，出頭義務がない旨付記した召喚状を送達している．控訴裁判所が被告人の出頭を命じた場合は，そのような付記のない召喚状を送達することになる．
　なお，禁錮以上の刑の罪で起訴された保釈中の被告人に対し，控訴審の判決公判期日への出頭を義務付ける制度の導入が検討されている(⇨ 275 頁注37)．

あるとき，主張された事由が法定の控訴理由に当たらないときも，決定で控訴が棄却される(法386)．

控訴棄却の判決　まず，(1) 控訴の申立てが法令上の方式に違反し，又は控訴権の消滅後にされたものであるときは，判決で控訴が棄却される(法395)．控訴棄却の決定がされる場合と類似するが，その事由が明白であるときは弁論を経る必要なく決定で棄却され，明白でなければ弁論を経て判決で棄却されることになる．また，(2) 控訴趣意書で主張された理由にすべて理由がなく，職権調査の結果によっても控訴理由がないときも，判決で控訴が棄却される(法396)．

原判決破棄の判決　(1) 法377条ないし382条及び383条の定める事由(控訴理由)が認められたときは，判決で原判決を破棄しなければならない(法397 I)．控訴趣意書で主張されたことには理由がなくても，職権調査の結果その事由が認められたときも，同様である．また，(2) 法393条II項により，職権で原判決後の刑の量定に影響を及ぼすべき情状について取り調べた結果，原判決を破棄しなければ明らかに正義に反すると認められたときも，原判決を破棄することができる(法397 II)．この破棄を実務上**II項破棄**といい，破棄される件数としてはこの場合が最も多い．原判決を破棄すると，原判決がない状態で事件が控訴審に係属することになるから，破棄するとともに差戻し，移送，自判のいずれかの判決をすることになる．

破棄差戻し・移送・自判　(1) 原判決が誤って管轄違い，又は公訴棄却の言渡しをしたことを理由として破棄するときは，事件を原裁判所に**差し戻**さなければならない(法398)．(2) 原判決が誤って管轄を認めたことを理由として破棄するときは，事件を管轄のある第1審裁判所に**移送**しなければならない．ただし，控訴裁判所がその事件について第1審の管轄権を有するときは，第1審として審判しなければならない(法399)．(3) 上記(1)(2)以外の理由で破棄するときは，事件を原裁判所に差し戻し，又は原裁判所と同等の他の裁判所に移送しなければならない．ただし，訴訟記録並びに原裁判所及び控訴裁判所で取り調べた証拠によって直ちに判決することができると認めるときは，事件についてさらに判決すること(**自判**)ができる(法400)．

破棄自判の際の手続的制約　控訴審は事後審であるから自判は例外的な場合に限られるのが本来であるが，実際には，審理を長引かせず当事者に手間を掛けさせないなどという訴訟経済の要請から，自判する例が多い．破棄の要否を判断するために行った事実調べによって，自判するに足る資料が得られる場合が多いためである．とはいえ，無罪を言い渡した原判決を破棄して有罪を言い渡す場合や，軽い事実を認定した原判決を破棄して重い事実を認定する場合には，控訴審で初めて主要な犯罪事実を認定することになり，直接主義，口頭主義の原則を害することになりかねないから，控訴審でその点に関する事実の取調べを行う必要があるとされる(最大判昭31・7・18刑集10・7・1147等)．この点に関する一連の判例は，裁判員制度導入後の実務の運用等を考慮しても，維持すべきものとされている(最判令2・1・23刑集74・1・1)．

差戻し後の手続　差戻しを受けた第1審裁判所は，起訴状一本主義に戻る必要はない(⇨225頁)．元の1審の手続のうち，破棄判決で違法とされた手続とそれに基づく手続は効力を失うが，それ以外は効力を失わないものと解されるから，その部分については公判手続を更新(規213の2)すれば足りる．

公訴棄却の決定　原裁判所が不法に公訴棄却の決定をしなかったときは，原判決を破棄することなく，直ちに公訴棄却の決定をしなければならない(法403)．原判決後に被告人死亡など法339条の事由が生じたときも，同様である．

不利益変更の禁止　被告人のみが控訴した事件(被告人が控訴し，又は被告人のために控訴した事件)については，原判決の刑より重い刑を言い渡すことはできない(法402)．刑が重くなることをおそれて上訴をためらうことがないようにという政策的配慮によるが，濫上訴の一因ともなっている．したがって，検察官が控訴した場合(検察官のみが控訴した場合と被告人と検察官の双方が控訴した場合)には，その適用はない．また，原判決の刑より重い刑を言い渡すものでなければ，原判決より重い罪を認定することは許される．重い刑であるか否かは，刑の全体を実質的に観察して判定する必要がある[11]．

---

11) 例えば，執行猶予付きの自由刑を実刑とする場合は，懲役刑を禁錮刑にして刑期を半分にしても重い刑となる(例えば，懲役6月・3年間執行猶予を禁錮3月の実刑とした事案につき，最大判昭26・8・1刑集5・9・1715)．逆に，実刑を執行猶予付きとする場合には，刑期を延長しても重い刑とはいえないことがある(例えば，懲役1年の実刑を懲役1年6月・3年間執行猶予・保護

破棄判決の拘束力 　上級審の裁判所の裁判における判断は，その事件について下級審の裁判所を拘束する(裁4)．審級制度から必然的に認められるものといえる[12]．この拘束力は，上級審が原判決を破棄した場合にのみ生じる．破棄の直接の理由，すなわち原判決に対する事実上及び法律上の否定的な判断についてのみ生じ，この判断を裏付ける積極的な判断については生じない(最判昭43・10・25刑集22・11・961)．

　　観察付きとした事案につき，最決昭55・12・4刑集34・7・499)．
　　　懲役刑と罰金刑を併科している場合も，主文を全体として総合的に考慮すべきであり，懲役1年6月・罰金7000円(換刑1日7000円)を懲役1年2月・罰金1万円(換刑1日5000円)としても，不利益変更に当たらない(最決平18・2・27刑集60・2・240)．
12)　破棄判決に拘束力を認める理由は，上級審と下級審との判断の不一致によって事件がその間を際限なく往復するのを阻止することにある．そのことから，拘束力は，破棄の直接の理由とされた原判決に対する消極的，否定的判断についてのみ生じるものと考えられる．

III 上告

1 上告審の構造

上告審の意義と性格 　上告は，高等裁判所のした第1審又は第2審の判決に対する最高裁判所への上訴である．上告審は，控訴審と同じく事後審であり，最終的な違憲審査と法令の解釈を統一する法律審であるが，同時に個々の事件における適正な救済を図る役割も担っている（法411参照）．三審制の最終審であるが，最高裁判所の負担が過重とならないように，権利上告の範囲を限定し，その余は裁量上告とされている[1)2)3)]．

2 上告の理由

権利としての上告理由 　当事者に権利として認められている上告理由は，憲法違反，憲法解釈の誤り，判例違反に限られている（法405）．

憲法違反又は憲法解釈の誤り 　憲法違反とは，原審の訴訟手続又は判決内容が憲法に違反していることであり，憲法解釈の誤りとは，原判決が示した憲法解釈の誤りであるが，上告理由としては両者のいずれかを主張すればよいのであるから，

---

1) 現行民訴法も，最高裁が裁量により上告を受理することができるとする上告受理の制度を設け，権利上告の範囲を絞った．
2) 上告された事件は，まず，3つの小法廷（裁判官各5名）に配点され，新たな憲法判断を必要とする場合，最高裁の判例を変更する場合，小法廷の意見が2対2に分かれた場合，大法廷で裁判するのを相当と認めた場合に，大法廷で審判される．
3) 最高裁においても，裁判は原則として過半数の意見によって決められるが，法律等が違憲であるとの裁判をするには，8人以上の裁判官の意見の一致が必要である．また，最高裁の裁判は，下級審の裁判と異なり，いわゆる少数意見も示される（反対意見，補足意見，意見と表示される）．

両者を区別する実益はない.

判例違反 最高裁判所の判例と相反する判断をしたこと(法405②)と,最高裁判所の判例がない場合に,大審院若しくは上告裁判所たる高等裁判所の判例又は刑訴法施行後の控訴裁判所たる高等裁判所の判例と相反する判断をしたこと(同③)である.**判例**とは,具体的な事件において示された法的な判断で,当該事案の解決に不可欠であり,他の事案にも妥当し得る一般性のあるものをいう.したがって,いわゆる**傍論**といえる判断は,判例に該当しない.実務上,決定で上告が棄却される場合にも,いわゆる「なお書き」で職権判断の示されることがあるが,これも上告棄却の結論を導くもので,判例に該当する(⇨ 543 頁注 6).

事件受理の申立て 最高裁は,法令解釈統一の機能を有することから,以上の場合でなくても,法令の解釈に関する重要な事項を含むものと認められる事件については,裁量により,事件を受理することができる(法406).

事件受理 事件受理としては,(1) 控訴裁判所から最高裁判所への事件の移送(規247.憲法違反のみを理由とする控訴申立て事件につき相当と認められた場合),(2) いわゆる**跳躍上告**(規254.違憲判断をした第1審判決に対する上告等),(3) 上告審としての**事件受理の申立て**(規257.高等裁判所の判決に対し,事件が法令解釈に関する重要な事項を含むと認められた場合)の3つの制度がある.現実の上告には,憲法違反又は判例違反に名を藉りているものの実質的には単に法411条の職権破棄を求めていると解されるものが多い.

職権破棄を求める上告 最高裁は,具体的事件における適正な救済を図る機能をも有することから,権利としての上告理由がない場合であっても,① 判決に影響を及ぼすべき法令違反があること,② 刑の量定が甚しく不当であること,③ 判決に影響を及ぼすべき重大な事実誤認があること,④ **再審事由**があること,⑤ 判決があった後に刑の廃止・変更又は大赦があったことにより,原判決を破棄しなければ著しく正義に反すると認めるときは,原判決を破棄することができる(法411).これらの事由を主張するだけでは,上告として不適法であり,上告棄却の決定を免れないが,その場合でも主張された事由の存否についての調査が行われ,それが認められれば職権で破棄されることになるため,実際には,事実誤認,量刑不当等を主張して職権破棄を求める上告の例が非常に多い.

事実誤認に関する審査　上告審における事実誤認の主張に関する審査は，基本的に書面審査であることから，原判決の認定が論理則，経験則等に照らして不合理か否かという観点から行われる(最判平21・4・14刑集63・4・331)．事実誤認と認められる場合のほか，事実誤認を疑うに足りる顕著な事由がある場合も含まれる(最大判昭34・8・10刑集13・9・1419)が，書面審査であることから事実誤認と断定されていないだけであって，実質的な差異はない．

3　上告審の手続

上告審の手続　　上告審の手続は，特別の定めがある場合を除き，控訴審の規定が準用される(法414)．上告の提起期間は14日であり，上告申立人は指定された期間(通知が届いてから28日以上の定められた期間)内に**上告趣意書**を提出しなければならず，他方，裁判所は上告趣意書に含まれた事実は必ず調査しなければならず，必要があれば事実の取調べをすることができることなど，基本的な手続は控訴審の場合とほぼ同様である．ただし，上告審が，原則的には純粋な事後審・法律審であることから，審理は1・2審の記録の調査を中心とした書面審理であり，公判期日が開かれて弁論が行われるのは，死刑事件や原判決破棄の可能性がある事件など例外的な場合に限られている．また，公判期日が開かれても被告人に出頭の権利はなく，被告人を召喚する必要はない(法409)．

上告審における事実の取調べ　上告審は純粋な法律審であり，1・2審のような証拠調べは行われないが，事実の取調べを行うことは可能である(法414⇨法393 I)．その場合には，書証を**公判に顕出**するという方法が用いられている(最判昭41・12・9刑集20・10・1107)[4]．

---

4)　訴訟条件については，上告審は適宜の方法でそれを認定することができる．例えば，告発の存在につき，最決平23・10・26(刑集65・7・1107)は，原判決後に告発状の謄本が原審に提出されて記録に綴られ，その写しが弁護人に送付された事案について，上告審は当該証拠によって告発の存在を認めることができるとしている(訴訟法上の事実の立証につき392頁参照)．

4 上告審の裁判

上告棄却の決定 控訴の場合と同様，(1) 上告の申立てが不適法であるとき，(2) 上告趣意書が提出期間内に提出されなかったとき，上告趣意書が不適法であるとき，主張された事由が法定の上告理由に当たらないときには，決定で上告が棄却される（法414 ⇨ 法385・386）．形式的には法405条所定の事由が主張されていても実質的にはそれに当たらない場合も，主張された事由が法定の上告理由に当たらない場合に該当する．現実の上告事件の大半がこれによって棄却されている[5][6]．

上告棄却の判決 上告趣意として法405条の事由が主張されていても，その理由のないことが明らかであるときは，弁論を経ないで，判決で上告が棄却される（法408）．口頭弁論を開いた結果，理由がないとの判断に至った場合も，判決で上告が棄却される（法414 ⇨ 法396）．

原判決破棄の判決 (1) 法405条の定める事由があると認められた場合は，それが判決に影響を及ぼさないことが明らかなときを除き，判決で原判決が破棄される（法410 I）．ただし，判例違反の事由が認められるものの，その判例を変更して原判決を維持するのが相当なときは，上告を棄却することができる（同条 II）．また，(2) 法405条の定める事由がない場合であっても，法411条各号に定める事由があって原判決を破棄しなければ著しく正義に反する場合（⇨ 541頁）は，判決で原判決を破棄することができる（法411）．原判決破棄の場合には，差戻し又は移送が原則であるが，自判も可能である（法412・413）．

---

5) このように違憲に名を藉りた主張は，「憲法違反をいうが，実質は事実誤認，量刑不当の主張であって，適法な上告理由に当たらない」などといういわゆる例文で棄却される．このほか，憲法違反の主張であれば，控訴審で争う機会があったのに主張判断を経ずに上告審で初めて主張した場合や，前提事実が認められない違憲の主張など，また，判例違反の主張であれば，原判決と引用判例とが重要な前提事実を異にする場合，原判決又は引用判例が上告趣意の主張するような法律判断を示していない場合なども，例文で棄却されることの多い例である．

6) 主張された事由が上告理由に当たらないという上告棄却決定がされる場合も，法411条該当事由の有無を職権で調査することができるから，職権調査の結果が法令解釈の統一の見地から有益と考えられれば，職権判断が示されることになる．判例集に登載される判例には，このような形のものが少なくない（⇨ 541頁）．

上告審の裁判の確定時期　上告審は最終審であるから，その裁判に対する上訴は認められないが，誤りの可能性が全くないともいえないため，判決の内容に誤りがあることを発見した場合に，**判決訂正の申立て**が認められている(法415)．したがって，上告審の判決は，判決訂正申立て期間(10日)の経過により，又は訂正の判決若しくは訂正の申立ての棄却決定により，確定する(法418)．**上告棄却決定**に対しては，判例により，**異議の申立て**が認められているので，異議申立て期間(3日)の経過により，又は異議申立て棄却決定により，確定する[7]．

　　控訴審に関する規定の準用　上告審の裁判についても，控訴審について記述したのと同様(⇨538頁)，不利益変更の禁止，破棄判決の拘束力が認められる．

---

7) 判決訂正の申立て又は異議の申立てが棄却された場合は，決定謄本が被告人に送達された時に確定することになる．

IV 抗 告

1 抗告の意義・種類と性質

抗告の意義・種類 　抗告は，決定に対する上訴である．抗告には一般抗告と特別抗告があり，一般抗告はさらに通常抗告と即時抗告に分類される．抗告は高等裁判所が，特別抗告は最高裁判所が管轄する．高等裁判所の決定に対して認められている抗告に代わる異議申立てと，裁判官の裁判に対する準抗告は，上級審による判断ではないので上訴に該当しないが，同様の機能を有している．

抗告審の性質 　抗告審の構造については，基本的には**事後審**であり，原裁判の当否を事後的に審査するものであるが(第1審裁判所の裁量保釈の判断に対する抗告審の審査に関する最決平26・11・18刑集68・9・1020参照)，新たな資料や原裁判後に生じた事情についても，例外的に考慮することが許されるものと解されている．その例外は控訴・上告に比して緩やかなものであるが，これは，抗告が元々簡易・迅速に行われるべき手続であることによる．

　　再度の考案　抗告をするには，申立書を原裁判所に提出することになるが，原裁判所は，申立てに理由があると認めるときは，自ら更正決定をしなければならない(法423)．これを再度の考案という．抗告が不適法又は理由がないと認めるときは，意見書を添えて申立書を抗告裁判所に送付する．

2 一般抗告

即時抗告　即時抗告は，刑訴法に即時抗告ができる旨の規定がある場合に限って許される(法419)．迅速に法律関係を確定させる必要があるような場合に認められており，提起期間は3日である(法422)．提起期間内と，申立てがあってこれに対する裁判があるまでの間，原決定の執行は停止される(法425)[1]．

通常抗告　通常抗告は，即時抗告ができる場合以外の決定に対して許されるが(法419)，例外として，裁判所の管轄又は訴訟手続に関し判決前にした決定に対しては許されないものとされている(法420)．それらの決定については判決に対する上訴において争わせれば足りるからである．したがって，現実の通常抗告は，被告人の身柄に関する決定に対するものと，付随的手続における決定に対するものが多い．通常抗告には提起期間に制限がなく，原決定を取り消す実益がある限り許される(法421)．通常抗告には執行停止の効力がなく，原裁判所又は抗告裁判所が決定で執行を停止できることとされている(法424)．

3 抗告に代わる異議

抗告に代わる異議　高等裁判所の決定に対しては，抗告は許されず，抗告に代わる異議の申立てが認められる(法428)．最高裁判所の負担の軽減を図るためであり，原決定をしたのと同じ高等裁判所の他の裁判官で構成される裁判所が判断することになる．この申立ては，上訴の性格を有するため，抗告に関する規定が準用される．

---

1) 忌避申立てを簡易却下した決定に対する即時抗告には法425条(執行停止)の適用がないものと解される(最判昭31・3・30刑集10・3・422)．

4 特別抗告

特別抗告　刑訴法によっては不服申立てができない決定又は命令に対しては，憲法違反又は判例違反を理由とする場合に限り[2]，最高裁判所に対し特別抗告をすることができる(法433)．判例は，特別抗告についても，上告に関する法411条の準用を認めている(最決昭26・4・13刑集5・5・902)．

5 準抗告

準抗告　準抗告とは，裁判(命令)・処分の取消・変更を求める不服申立てで，(1) 裁判官の命令に対するものと，(2) 捜査機関の処分に対するものの2種類がある．上訴の性格を有するのは，前者である．

裁判官の命令に対する準抗告　裁判官のした，① 忌避の申立てを却下する裁判，② 勾留・保釈・押収・押収物の還付に関する裁判，③ 鑑定留置に関する裁判，④ 証人・鑑定人等に対し過料・費用賠償を命ずる裁判，⑤ 身体検査を受ける者に対し過料・費用賠償を命ずる裁判に対しては，準抗告を申し立てることができる(法429)．簡易裁判所の裁判官の命令の場合は管轄地方裁判所，その他の裁判官の命令の場合はその裁判官の所属する裁判所が担当し，合議体で審判することになる．④と⑤は即時抗告の性質を有するので，申立期間(3日)の制限があり，執行停止の効力が認められる．これに対し，①ないし③は通常抗告の性質を有するので，期間の制限がなく，執行停止の効力も認められない．

捜査機関の処分に対する準抗告　検察官・検察事務官・司法警察職員のした，① 法39条Ⅲ項の弁護人と被疑者との接見等の日時・場所・時間の指定，② 押収又は押収物の還付に関する処分に対しても，準抗告を申し立てることができる(法430)．検察官・検察事務官の処分については，

---

[2] 裁判所の管轄又は訴訟手続に関し判決前にした決定に対しては，判決に対する上訴において争うことができるので，特別抗告も許されない(最決昭29・10・8刑集8・10・1588)．もっとも，重大な違法があって，上訴を待っていては救済を受けられなくなるような場合には，例外的に特別抗告の対象となる．不当に判決宣告期日を変更した場合(最決昭36・5・9刑集15・5・771)や，不当に証拠開示を命じた場合(最決昭44・4・25刑集23・4・275)に，原決定が取り消されている．

その所属する検察庁に対応する裁判所，司法警察職員の処分については，その職務執行地を管轄する簡易裁判所又は地方裁判所が担当する．裁判官の命令に対する準抗告と異なり，単独の裁判官が審判することができる．これらの処分に対して行政訴訟を提起することはできない．

第8章

非常救済手続

I 再　審

再審の意義　再審は，有罪の確定判決に対し，被告人の利益のため，主として事実認定の不当を救済するために設けられた非常救済手続である．上訴が未確定の裁判に対する救済手続である点で，上訴と相違する．三審制の下で不服申立てをせずに，あるいはその方途を尽くして裁判が確定した以上，それを変更させないことが法的安定にも資することになるが，確定判決に重大な誤りがあっても是正できないとするのは具体的妥当性に欠けることになる．そこで，その両者の要請をバランスよく充たすため，一定の理由がある場合に限って再審請求が認められている．なお，旧刑訴法は被告人に不利益な再審も認めていたが，現行法においては，二重処罰を禁止する憲法 39 条の趣旨に基づき，被告人の利益のための再審のみが認められている．

再審の理由　再審請求の理由は，大きく分けて (1) から (3) の 3 種類であるが(法 435)，実務的に重要なのは (3) の理由による場合である．

(1)　原判決の証拠が偽りのものであった場合(同条①〜⑤)．例えば，原判決の証拠となった証拠物が偽造されたものであることや，同様の証言が偽証であることなどが確定判決によって証明された場合である．

(2)　原判決に関与した裁判官や捜査官が事件に関して職務犯罪を犯していた場合(同条⑦)．裁判の公正を確保する観点から認められた理由である．

(3)　無罪等を言い渡すべき明らかな証拠を新たに発見した場合(同条⑥)．新たに発見(**新規性**)とは，原判決後に発見された場合のみでなく，原判決以前から存在していた場合でもよい．裁判所にとって新規であることで足りるか，当事者にとっても新規であることを要するかについては，争いがある[1]．明ら

---

1)　例えば，犯人の身代わりとなって有罪判決を受けた者が，その後，身代わりであることの明らかな証拠があるとして再審請求することが許されるかについては，見解が分かれている．判例を

かな証拠(**明白性**)とは，原判決の事実認定について合理的な疑いを抱かせ，その認定を覆すに足る蓋然性のある証拠をいう(最決昭50・5・20刑集29・5・177).

明白性　最決昭50・5・20(いわゆる白鳥決定)は，上記のように判示した上で，「『無罪を言い渡すべき明らかな証拠』であるかどうかは，もし当の証拠が確定判決を下した裁判所の審理中に提出されていたとすれば，はたしてその確定判決においてなされたような事実認定に到達したであろうかどうかという観点から，当の証拠と他の全証拠とを総合的に評価して判断すべきであり，その判断に際しても，再審開始のためには確定判決における事実認定につき合理的な疑いを生ぜしめれば足りるという意味において，『疑わしいときは被告人の利益に』という刑事裁判における鉄則が適用される」旨判示している．このように，再審請求を受けた裁判所は，請求後に提出された新証拠と確定判決を言い渡した裁判所で取り調べられた全証拠とを総合的に評価して，確定判決の有罪認定につき合理的な疑いを生じさせ得るか否かを判断することになる．この決定により，非常に狭かった再審の門が広がったとされ，死刑で確定していた4件(いわゆる免田，財田川，松山，島田の各事件)の再審無罪が次々と確定したりした．しかし，再審が認められるのは，新証拠が加わることによって有罪認定に合理的疑いが生じる事案に限られるのが当然であり，事案の個別的な検討なしに再審請求の当否を論ずることはできない．その後，判例は，新証拠によって確定判決の有罪認定の根拠となった証拠の一部について証明力が大幅に減殺された場合であっても，新旧全証拠を総合して検討すれば合理的な疑いを生ずる余地がないときは，「無罪を言い渡すべき明らかな証拠」を発見した場合に当たらない(最決平9・1・28刑集51・1・1)とか，旧証拠は，確定判決が有罪認定の根拠として掲げていなくても，その審理中に提出されていたものであれば，検討の対象となる(最決平10・10・27刑集52・7・363)などと判断して，再審請求を棄却した原決定を是認しているが，これらも白鳥決定の趣旨を変更するものではない．これに対し，再審をより広く認めるべきものとする論者は，新証拠によって確定判決の証拠構造が維持できなくなれば明白性が認められるとするいわゆる証拠構造論を主張するなどしているが，上記の各判例は証拠構造論を排斥している．

みると，そのような請求が許されないとしたもの(最決昭29・10・19刑集8・10・1610)がある一方，上告審係属後に身代わりと判明した事案で本条6号に当たるとして法411条4号により職権破棄したもの(最決昭45・6・19刑集24・6・299)があるため，理解は分かれる．検察官からの請求は認める一方，身代わり犯人自身からの請求は認めないとしているものと解するのが相当であろう．

再審の請求 　再審の請求は，検察官，有罪の言渡しを受けた者，又はその者の法定代理人等が[2]，再審の目的である確定判決をした裁判所に対して行う(法438・439)．再審には名誉回復，刑事補償等の効果もあるため，請求に期間の制限はなく，刑の執行が終わり，又はその執行を受けることがないようになった後も行うことができる(法441)．再審請求をする場合には，弁護人を選任することができる(法440)．請求をしても刑の執行が停止されるわけではないが，検察官は，請求についての判断があるまで刑の執行を停止することができる(法442)．

再審請求に対する決定 　再審の請求を受けた裁判所は，必要があると判断したときは，事実の取調べをすることができる(法445)．取調べの範囲・方法等は裁判所の合理的裁量に委ねられている[3]．請求が不適法なものであるときと，理由がないときは，請求は棄却され，請求の理由があるときに，**再審開始決定**がされる(法446〜448)．再審開始決定をしたときは，裁判所は刑の執行停止を決定することができる(法448 II)．

再審の審判 　再審開始決定が確定すると，確定判決の審級に応じて，更に審判が行われる(法451)．原判決の手続とは別個に，手続をやり直すことになる．もっとも，再審においては，原判決より重い刑を言い渡すことはできない(法452)．不利益再審の禁止であり，重ねて刑事上の責任を問われないとする憲法39条に基づくものである．再審において無罪の言渡しをしたときは，官報及び新聞紙上にその判決を公示しなければならない(法453)．また，その場合には刑事補償等の対象となる．

---

2) 再審には名誉回復等の機能もあるため，有罪判決を受けた者が死亡した場合には，その配偶者，直系の親族，兄弟姉妹に請求権が認められている(法439 I ④)．
3) 事実の取調べは，証人尋問であっても，公開の法廷で行われるものではない．証人尋問を行う場合でも，請求人や弁護人に立会いの権利が認められているわけではなく，裁判所が立会いを相当と認めた場合にのみ許される．

553

非常上告

非常上告の意義 　違法な確定判決を放置しておくことは正義に反するため、その違法を是正する手段として、非常上告の制度が設けられている。専ら法令解釈の統一を目的としており、被告人の救済は副次的にのみ考慮される[1]。非常上告も、確定判決に対する非常救済手続であるが、確定判決であれば有罪判決に限られない点や、事実誤認ではなく法令違反を理由とする場合に限られる点などで、再審と相違する。非常上告が申し立てられるのは、実際には、法定刑を超えた科刑や、管轄権のない裁判所による裁判などの例が多い。

非常上告の理由 　非常上告は、確定判決[2]に法令違反がある場合に、検事総長が最高裁判所に対して申し立てる（法454・455）。法令違反は、実体法の違反のみでなく、手続法の違反も含む。前提事実を誤認したことによる法令違反について、判例は、基本的には非常上告の対象にならないとしている[3]。

非常上告の手続 　検事総長からの申立てがあると、最高裁判所は、申立書に記載された事項に限って調査しなければならず、裁判所の

---

[1] そのため、原略式命令の確定後に被告人が死亡した場合や、被告人が出国して再入国していない場合であっても、非常上告が認められる（最判平22・7・22刑集61・5・819、最判平22・7・22刑集64・5・824）。
[2] 有罪・無罪の実体判決のみでなく、免訴・公訴棄却・管轄違いの形式判決、さらには確定すれば確定判決と同一の効力が与えられている略式命令なども、非常上告の対象となる。
[3] 例えば、累犯加重すべき前提事実がないのにこれを誤認して累犯加重の規定を適用した事案（最大判昭25・11・8刑集4・11・2221）や、少年でない者を少年と認定して不定期刑を言い渡した事案（最判昭26・7・6刑集5・8・1408）については、非常上告を認めていない。しかし、訴訟法上の前提事実の誤認に基づく法令違反については、例外的に、被告人の不利益を是正するために非常上告を認めている（例えば、同一事件について2つの略式命令が確定した事案に関する最判昭40・7・1刑集19・5・503）。

管轄，公訴の受理及び訴訟手続に関しては，事実の取調べをすることができる(法460)．最高裁判所は公判期日を開かなければならず，公判期日には検察官に申立ての趣旨を陳述させることになる(法456)．

非常上告の判決　審理の結果，申立てに理由のないときは，判決で申立てを棄却する(法457)．原判決に法令違反があると認めるときは，その違反した部分を破棄するが(法458①)，原判決が被告人に不利益なものであるときは，破棄した上でさらに判決しなければならない(同号但書)．また，訴訟手続に法令違反があると認めるときは，その違反した手続を破棄する(法458②)．非常上告に対する判決は，法458条1号ただし書による場合のほかは，被告人に効力が及ばない(法459)．

第9章 裁判の執行

I 裁判の執行

裁判の執行の意義　裁判の内容を国家が強制的に実現させることを、裁判の執行という。裁判が確定してもそれが実現できないとすれば、裁判は画餅に帰するから、執行できることが不可欠の要請である。裁判は、原則として、確定した後に執行されることになるが(法471)、例外的に、確定を待たずに直ちに執行できる場合と、確定しても直ちには執行できない場合がある。例えば、罰金等の仮納付の裁判(法348 III)や、即時抗告の認められない決定(法424)などは、確定を待たずに執行することができる。逆に、訴訟費用の負担を命じる裁判は、その執行の免除を求める申立ての可能な期間と、申立てがあったときはそれに対する裁判が確定するまで、執行することができない(法483)。保釈許可決定も、保釈保証金が納付された後でなければ執行できない(法94 I)。

執行の指揮　裁判の執行は、原則として、その裁判をした裁判所に対応する検察庁の検察官がこれを指揮する(法472)。例外的に、上訴裁判所に対応する検察庁の検察官(同条 II)や、裁判所又は裁判官(同条 I 但書)が執行の指揮をする場合もある。執行指揮は、書面(執行指揮書)をもって行い、裁判書又は裁判を記載した調書の謄本又は抄本を添えなければならない(法473)。

刑の執行

1 刑の執行の順序

執行の順序 　裁判の執行のうちで重要なものは，刑の執行である．刑の種類に応じて，死刑の執行，自由刑の執行，財産刑の執行に大別される．2つ以上の主刑は，罰金・科料を除き，重いものを先に執行する．ただし，検察官は，重い刑の執行を停止して，他の刑を執行させることができる（法474）．受刑者に仮釈放の資格を早く取得させるためである．

2 死刑の執行

死刑の執行 　死刑の執行は，法務大臣の命令による（法475 I）．この命令は，原則として判決確定後6か月以内にしなければならないが，再審の請求，恩赦の出願などがされているときは，その手続が終了するまでの期間を6か月の期間に算入しない（同条 II）．死刑の執行は，命令後5日以内に行われ，検察官等の立会い，執行始末書の作成などが必要とされている（法476〜478）．

執行の停止 　死刑の執行は，その言渡しを受けた者が心神喪失の状態にあるときと，懐胎しているときは，法務大臣の命令によって執行を停止する（法479）．

3 自由刑の執行

自由刑の執行　自由刑（懲役，禁錮，拘留）の執行は，検察官が指揮する（法472）．拘禁中の被告人につき自由刑の判決が確定した場合には，検察官が刑事施設の長に対して刑の執行を指揮することになるが，被告人が拘禁されていない場合は，検察官が執行のための呼出を行い，呼出に応じないときに収容状を発して，身柄を拘束することになる（法484）[1]．

執行の停止　自由刑は，その言渡しを受けた者が心神喪失の状態にあるときは必要的に（法480），刑の執行によって著しく健康を害するなど一定の事由が存在するときは検察官の裁量により（法482），その執行が停止される．執行停止も，検察官の指揮による．

4 財産刑の執行

財産刑の執行　罰金，科料，没収，追徴，過料，没取，訴訟費用，費用賠償，仮納付の裁判は，検察官の命令によって執行する．この命令は，執行力のある債務名義と同一の効力を有し，民事執行等に関する法令の規定に従って執行される（法490）．財産刑は，その言渡しを受けた者の財産に対して執行されるのが原則であるが，特定の財産刑については，その者が判決の確定後に死亡した場合に相続財産に対し，その者が法人であって判決確定後に合併により消滅した場合に合併後の法人に対して，それぞれ執行できることとされている（法491・492）．

罰金又は科料を完納できない者は，その換刑処分として，言い渡された期間労役場留置されることになる．労役場留置は自由刑の執行ではないが，それに準じる性質を有するため，刑の執行に関する規定が準用される（法505）．

没収の執行　没収の裁判[2]が確定すると，没収された物の所有権は，裁判の執行を待たずに，国庫に帰属する．その物が裁判確定時に押収

---

1)　自由刑の言渡しを受けた者が逃亡し，又は逃亡するおそれがある場合，検察官は，直ちに収容状を発し，又は司法警察員に収容状を発せしめることができる（法485）．
2)　第三者の所有物を没収する場合には，その者が被告事件の手続に参加して防御を尽くすことが

されていれば執行は不要であるが，押収されていない場合は，占有を取得するため，罰金等と同様の手続によって執行される(法490)．国庫に帰属した没収物は，検察官によって処分されるが(法496)，無価物であれば破壊又は廃棄され，有価物であれば売却又は所定官公署への引継ぎが行われる[3]．

できる機会を与えなければならない(刑事事件における第三者所有物の没収手続に関する応急措置法)．
3) 裁判によって偽造又は変造と認定された物について，没収の言渡しがなく，差出人等に返還する場合は，その物に偽造・変造の表示をしなければならない(法498)．

執行に関する付随手続

1 訴訟費用執行免除の申立て

訴訟費用の執行免除 訴訟費用の負担を命じられた者が貧困のためこれを納付できないときは,裁判確定の日から20日以内に,訴訟費用の全部又は一部について,その裁判の執行免除を申し立てることができる(法500).貧困者に対する救済の制度である.

2 裁判の解釈の申立て

裁判の解釈 刑の言渡しを受けた者は,確定判決の主文の趣旨に疑いがある場合,言渡しをした裁判所に対して裁判の解釈の申立てをすることができる(法501).裁判の趣旨が不明なまま不当な執行を受けないようにする救済の制度である.

3 執行に関する異議の申立て

執行に関する異議 裁判の執行を受ける者又はその法定代理人・保佐人は,執行に関して検察官のした処分を不当とするときは,言渡しをした裁判所に対して異議の申立てをすることができる(法502).執行に関する検察官の違法な処分に対する救済の制度である.

事項索引(人名・法令も含む.)

あ　行

悪性格の証拠 → 証拠
新たな証拠の取調べ → 証拠
アレインメント　15, 24, 360
荒れる法廷 → 法廷
暗数　57
胃カメラ　192
異議申立て　347
意見　144
医師の診断書　440
移審の効果　529
移送　537
一罪一逮捕　149, 154
一事不再理の効力　521
一部起訴　236
一部上訴　529
1審無罪後の勾留　519
一斉検問　103
一般抗告　546
一般的指揮権　31
一般令状の禁止　75
移転　183
違法収集証拠　382
　　――の排除　88, 479
違法捜査　87, 242
　　――の抑止　489
違法な所持品検査 → 所持品検査
違法な身柄拘束中の取調べ → 身柄拘束中の取調べ
違法排除説　404
遺留物　171
印鑑証明書　442
疑わしきは被告人の利益に　396
写し　429
映画　427
英米法　7
X線検査　78, 109, 188, 489
MCT118DNA型鑑定　477
押収　170

オービスⅢ　109
おとり捜査　78, 113

か　行

概括的認定　513
外国人被告人　256, 282, 347
回避　291
回復証拠　461
外部的成立　507
確信　388
確定力　519
過失犯と訴因 → 訴因
家庭裁判所　210, 246
カロリーナ刑事法典　14
簡易却下　290
簡易公判手続　323, 360
簡易裁判所　239
管轄違いの判決　517
監獄　145
間接事実　377
間接証拠　377
鑑定　167, 344, 439
　　――のための身体検査　190, 346
　　――の手続　345
鑑定書　439
鑑定処分許可状　167, 168, 193
鑑定手続実施決定　368
鑑定留置　167, 346
還付　183
関連事件　240
関連性　381, 383, 476
記憶喪失　447
聞き込み　169
偽計による自白 → 自白
期日間整理手続　323
擬制同意　460
　　退廷命令と――　460
起訴議決　215
起訴後の接見指定 → 接見指定
起訴裁量　217

起訴状　221
　　──の訂正　221, 298
起訴状一本主義　18, 224
起訴状謄本の送達　256
起訴状朗読　321
起訴独占主義　214
起訴便宜主義　217, 219
起訴変更主義　219
起訴法定主義　220
起訴猶予　217
既判力　521
　　──の時間的範囲　522
　　──の人的範囲　522
　　──の物的範囲　522
忌避　289
基本的事実同一説　302
義務的保釈　274
逆送事件　211
客観的挙証責任　395
客観的併合・分離　356
旧々刑事訴訟法（旧々刑訴）　16
求刑　351
糺問裁判　14
糺問主義　14, 22
糺問的捜査観　68, 124
凶器　101
凶器所持　101
強行規定　354
供述
　　──の再現不能　444
　　──の相反性　444, 447, 449
　　──の特信性　444, 450
　　──の不可欠性　444
供述拒否権　36, 200
供述書　435, 445, 453
供述証拠　378, 400, 419, 491
供述証拠説　428
供述調書　157, 435
供述不能　446, 447
　　国外退去と──　448, 493
供述録音　429
供述録取書　157, 435, 445
強制　405
行政検視　94
強制採尿　193

　　──の令状　195
強制捜査　73
共同訴訟における訴訟法律関係　357
共同被告人　464
　　──の一部が書証に同意した場合　466
　　──の一部が不出頭の場合　467
　　──の供述　468
　　──の供述調書　470
　　──の公判廷における供述　469
脅迫　405
共犯　464
共犯者
　　──の供述（自白）　403, 472
　　──の供述による補強　474
共謀と訴因　309
業務文書　442
許可状　124
虚偽供述　496
虚偽排除説　404
挙証責任　395
　　──の転換　398
　　──の分配　396
　　検察官の──　397
記録命令付差押え　181
緊急執行　132
緊急逮捕　132
緊急配備活動　103
盟神探湯　14
具体的規範説　521
具体的指揮権　32
具体的事実記載説　231
具体的事実の変化　308
具体的防御説　312
虞犯　210
区分審理決定　369
警察官職務執行法　96
警察犬による臭気選別 → 臭気選別
警察法　99
形式的挙証責任　396
形式的裁判　505
形式的訴訟条件　245
刑事施設　141, 145
　　──の職員　31
刑事訴訟規則　13
刑事訴訟法

事項索引 ● 563

　　――1 条　6, 21
　　――312 条　297
　　――321 条 I 項 2 号後段書面　449, 451
　　――321 条 I 項 3 号書面　452
刑事訴訟法典　13
警視庁　32
刑事免責　163, 336, 481, 493
刑の言渡し　511
刑の加重事由　390
刑の減免事由　391
刑の執行　557
　　――の順序　557
刑の免除　511
警備会社の通報 → 通報
血液型　476
血液の採取　193
結審　352
決定　506
決闘審　14
厳格な証明 → 証明
嫌疑　3, 240
　相当の――　129, 138
嫌疑は公訴提起の条件か　241
検挙　55, 59
現行犯　92
現行犯逮捕　125
検察官　32
　　――の客観義務　291
　　――の挙証責任 → 挙証責任
検察官事務取扱検察事務官　33
検察官同一体の原則　32, 34
検察権の独立　34
検察事務官　32
検察審査会　61
検察審査会制度　215
検視　94
検事正　33
検事総長　33
検事長　33
検証　188, 324
検証許可状　188
検証調書　431, 433, 436
検証調書類似説　428
現に罪を行い終わった　126
現場供述　439

憲法
　　――31 条　17
　　――33 条　74
　　――37 条　354
　　――38 条 I 項　202
　　――38 条 III 項　413
権利の告知　322
権利保釈　273
公安委員会　32
合意書面　460
合意制度　24, 163, 409, 474
合意内容書面　164
勾引　278
公開主義　283
航海日誌　442
公開の法廷 → 法廷
合議体　41
　　――による裁判　507
広義の刑訴　12
抗告　545
交互尋問方式　339
公衆訴追主義　23
更新手続　359
更正決定　507
公正証書謄本　441
構成要件共通説　302
構成要件説　307
公訴棄却　88, 354
　　――の決定　245, 517
　　――の判決　246, 517
控訴棄却の決定　536
控訴棄却の判決　537
公訴権濫用論　241
公訴時効　249
　　――の起算点　251
　　――の停止　252
公訴事実　221
　　――と訴因　229
　　――の単一性　300
　　――の同一性　297, 300, 301, 303, 522
　　――の同一性（広義）　299
公訴事実対象説　230, 296, 314, 316
控訴趣意書の提出　533
控訴審における訴因変更 → 訴因変更
控訴審の構造　530

控訴審の審理　536
公訴提起　221
公訴提起後の捜査　269
公訴(の)取消し　219
　──後の再起訴　220, 364
控訴理由　530
公知の事実　393
交通検問　103
高等裁判所　239
口頭主義　281
口頭弁論　281, 506
公判期日　277
公判期日外の証拠調べ　324
公判期日における供述を録取した書面　433, 436
公判準備における供述を録取した書面　433, 436
公判前整理手続　224, 259, 294, 367
　──の結果の顕出　326
公判中心主義　350, 369
公判廷　277
公判手続　256, 277
　──の更新　225, 359, 368
　──の停止　358
公平な裁判所　287
公務員の証明文書　441
公務所照会　156, 324
拷問　405
勾留　137, 270
　──の裁判　140
　──の執行停止　275
　──の消滅　272
　──の取消し　272
　──の必要性　138
　──の理由　138
勾留期間　272
　──の延長　140
勾留更新　272
勾留質問　138, 140
勾留状　141, 142
勾留理由開示　141
国外　253
国外退去と供述不能　448, 493
国選弁護人　39, 257
　──の解任　40

　──被疑者に対する──　28, 40, 204
国選弁護人選任請求権　278
告訴　92
　──の客観的不可分　247
　──の主観的不可分　247
告訴期間　93
告発　93
心の状態を述べる供述　425
戸籍謄本　441
国家公安委員会　32
国家訴追主義　23, 214
国家賠償　90
コントロールド・デリバリー　114
コンピュータに接続された記録媒体　180

さ 行

再起訴制限　220, 364
罪刑法定主義　12
再勾留　154
財産刑の執行　558
最終陳述　351
再主尋問　340
罪証隠滅のおそれ　139, 271
再審　550
　──の審判　552
再審開始決定　552
再審事由　532
罪数論　300
再訴　248
罪体　414
再逮捕　154
裁定合議事件　41
再伝聞証拠　454
採尿手続　486
裁判　504
　──の確定　520
　──の公開　284
　──の執行　556
　迅速な──　353
裁判員制度　3, 43, 349, 364, 502
　──の合憲性　370
裁判管轄　238
裁判官による裁判　505
裁判官による証人尋問　155
裁判官面前調書　445

事項索引 ● 565

裁判権　238	実質的防御可能性　234
裁判書　510	実体関係的形式裁判説　518
裁判上顕著な事実　393	実体的裁判　505
裁判所による裁判　505	実体的真実主義　26
裁判迅速化法　354	実体的審判　244
罪名　223	実体的訴訟条件　245, 246
裁量保釈　273	実体法　2
酒酔い鑑識カード　437	質問　96, 376
差押え　170	質問付随性　100
──の対象　171	自動車検問　103
参考人　166	自認　401
三審制　277, 526	自白　400, 413
CD-ROM　178	──からの独立性　413
GPS 捜査　78, 189, 487	──の証明力　412
指揮権　34	偽計による──　409
死刑の執行　557	接見制限と──　410
──の停止　557	約束による──　408
事件単位の原則　148	自白事件　201
事件手配　132	自白法則　19, 403
時効期間　250	排除法則と──　490
事後審　527, 545	自判　537
自己負罪拒否特権　18, 200, 265	事物管轄　238
自己負罪の拒否　201	司法官憲　133
自己矛盾の供述　462, 463	司法警察員　30
指示説明　439	司法検視　94
事実記載説　307	司法巡査　30
事実誤認　531	指名通報　132
事実上の推定 → 推定	指名手配　132
事実審　526	指紋　189, 190, 476
事実認定　304, 494	釈明　283, 321
事実の援用　533	写真　427
事実の基本的部分　303	写真撮影　77, 107, 190
事実の取調べ　261, 535, 538	遮へい措置　280, 343
自首　94	主位の訴因　236
事前準備　257	臭気選別　438, 477
自然的関連性　383	終局裁判　505
私選弁護人選任申出の前置　39	住居不定　271
死体検案書　440	自由刑の執行　558
死体の解剖　167	自由心証主義　379
実況見分　188, 192	重大な犯罪　133
実況見分調書　437	自由な証明 → 証明
執行の指揮　556	修復的司法　29
執行力　520	十分な理由　133
実質証拠　378	主観的構成要件事実　414
実質的挙証責任　395	主観的併合・分離　356

縮小認定　249, 310
主刑　511
主尋問　340
受託裁判官　42
主張関連証拠　265
主張明示義務　265, 268
出頭要求　157
受忍義務肯定説　159
受忍義務否定説　158
主文　511
受命裁判官　42
準起訴手続　61, 216
準現行犯　127
準抗告　88, 175, 547
巡査　31
準司法官　291
召喚　278
情況証拠　377, 423, 500, 501
商業帳簿　442
証言　333
　——を拒絶した場合　446
証言拒絶権　335
証言能力　335
証拠
　——の一覧表　263
　——の開示　209, 262, 264, 292, 294, 327
　——の標目　514
　——の優越　388
　悪性格の——　384
　新たな——の取調べ　535
　証明力を欠く——　383
証拠価値　380
証拠禁止　382
上告　540
上告棄却の決定　543
上告棄却の判決　543
上告趣意書　542
上告審における事実の取調べ　542
上告審の手続　542
証拠決定　330
　——の取消し　331
証拠書類　376
証拠調べの実施　333
証拠調べの順序　331
証拠資料　375

証拠説明　514
証拠能力　379, 381, 382
証拠物たる書面　376
証拠法　374, 375
証拠方法　375
証拠保全　68, 209
情状　391
上訴　526
　——の利益　527
上訴権　527
上訴権回復　528
上訴審手続　63
承認　401, 413
証人　333
　——の義務　337
　——の保護　292, 342
証人尋問　165, 280, 348
証人適格　333
証人テスト　338
証人等特定事項　322
少年簡易送致　56
少年事件　210
抄本　429
証明　387
　厳格な——　387, 390
　自由な——　387, 392
　適正な——　388, 392
証明予定事実記載書面　262
証明力　379, 380, 382, 495
　——の減殺　461
　——を欠く証拠 → 証拠
嘱託尋問調書　493
職務質問　96, 486
所在不明　446
所持品検査　98, 486
　違法な——　102
書証　376
除斥　288
職権主義　15, 21
職権証拠調べ　326, 332
職権探知主義　23
職権調査の限界　534
職権追行主義　24
職権保釈　274
職権濫用罪　90

事項索引 ● 567

処罰条件　390
書面主義　281
書類送検　59
新規性　550
審級管轄　239
人権モデル　6
人権擁護説　404
親告罪　92
審査補助員　215
真実義務　37, 208
真実発見　23
人証　333, 376
身上照会回答書　442
心証の程度　387
心身の故障　446
真正に作成されたものであることの供述　437
真相究明　6
迅速な裁判 → 裁判
身体検査　167, 189, 346
　　鑑定のための――　190
身体検査許可状　189
身体検査令状　189, 191, 195
身体の捜索 → 捜索
人単位　148
人定質問　320
人的証拠　155, 495
神判　14
審判の併合　357
尋問　376
信用性　381, 498
　　――の情況的保障　431
審理不尽　531
誰何　127
推測　388
推定　394
　　事実上の――　394
　　法律上の――　394
　　無罪の――　395
推認力　501
スタンディング　481
図面等の調書添付　341
請求　94
　　――による保釈 → 保釈
　　――の撤回　330

政策的刑訴法解釈　482
正式裁判　254
声紋鑑定　476
接見交通　60, 271
接見交通権　205
接見指定　206
　　起訴後の――　207
　　逮捕直後の――　207
接見制限と自白 → 自白
絶対的控訴理由　232, 530
説諭　352
前科　226
前科調書　442
全件送致主義　210
先行手続の違法の影響　489
訴因　223
　　――が特定しない場合　235
　　――の追加　297
　　――の撤回　297
　　――の同一性　306, 308
　　――の特定　233
　　――の非両立性　304
　　――の変更 → 訴因変更
　　――の補正　235, 298
　　――の予備的・択一的記載　236
　　過失犯と――　309
　　共謀と――　309
　　公訴事実と――　229
　　罪数の変化と――　312
　　訴訟条件と――　248, 318
訴因共通説　302
訴因制度　19
　　――の導入　229
訴因対象説　231, 297, 314, 316
訴因変更　297, 316
　　――の可否　299
　　――の時期的限界　317
　　――の要否　306
　　控訴審における――　536
訴因変更命令　313
　　――の形成力　316
増強証拠　461
送検　210
捜査　66
　　――の構造論　68

──の端緒　57, 91
捜査共助　181, 452
捜索　170
　　身体の──　190
捜索差押許可状の執行　175
捜索・差押えの必要性　174
捜索場所に居合わせた者に対する捜索　178
相対的控訴理由　232, 530, 531
相対的親告罪　247
相対的排除説　483
相当の嫌疑 → 嫌疑
即時抗告　546
続審　527
訴訟係属　244
訴訟指揮　282, 342
訴訟条件　244, 318
　　──と訴因　248, 318
　　──の追完　248
訴訟手続の法令違反　531
訴訟能力　35
訴訟物　23, 229
　　──の変更　296
訴訟法上の裁判所　41
訴訟法上の事実　392
訴訟法説　521
訴追免除　336
即決裁判手続　323, 362
疎明　388
損害賠償命令　53

　　　た　行

体液の採取　192
体験供述　499
第三者の取調べ　162
対質　339
大赦　247
対象物件　176
退廷命令と擬制同意　460
大は小を兼ねる　308, 310
逮捕　123
　　──に伴う捜索・差押え　136
　　──の現場　186
　　──の現場での身体検査　190
　　──の際の捜索・差押え　185
　　──の際の有形力の行使　132

──の必要性　129
──の理由　129
逮捕勾留中の余罪取調べ　147
逮捕時の余罪の証拠の捜索・押収　187
逮捕状　124, 129
逮捕前置主義　146
逮捕直後の接見指定 → 接見指定
代用監獄　144
大陸法　7
高田事件判決　354
択一関係　305
択一的認定　513
弾劾主義　22
弾劾証拠　378, 461
弾劾的捜査観　69, 124
団藤重光　16
単独体　41
治罪法　16
地方裁判所　239
抽象的防御説　312
調査　66
長時間の取調べと任意性 → 取調べ
調書判決　510
跳躍上告　541
直接主義　282, 419, 431
直接証拠　377
陳述の制限　282
追起訴　357
追呼　127
通常抗告　546
通常逮捕　128
通信手段　197
通信傍受　195
通信傍受法　197
通知義務　219
通報　92
　　警備会社の──　92
通訳　282, 346
罪とならないとき　516
DVD　178
DNA　192
DNA 型鑑定　82, 477
停止　96
提示命令　330
提出命令　182

事項索引 ● 569

ディバージョン　57
手紙　443
適式の令状　74
適正迅速な処罰　6
適正(な)手続　6, 17, 27
適正な証明 → 証明
手錠　408
手続的正義と証拠排除　492
手続二分論　392
手続法　2
電磁的記録物の押収　178
伝聞証言　453
　　――と同意　459
伝聞証拠　379, 386
伝聞法則　19, 379, 418
　　――の限界　420
　　――の不適用　420
　　――の例外　430
同意　81, 455, 457
　　――後の証人喚問　459
　　――の撤回・取消し　459
　　伝聞証言と――　459
当事者主義　21
当事者追行主義　24, 261
当事者能力　35
同時傷害の特例　399
同種前科　384
動的構造　3
当番弁護士制度　204
逃亡のおそれ　271
謄本　429
毒樹の果実の理論　490
特信情況　435, 450, 452
特信性 → 供述の特信性
特定の程度　233
特別抗告　547
特別司法警察職員　31
特別弁護人　38
独立捜査権　31
土地管轄　239
留め置き　116
取調べ　73, 156
　　――の可視化　159
　　第三者の――　162
　　長時間の――と任意性　409

取調べ受忍義務　72, 158
取調べ状況の録音・録画　160, 369, 411
取調べメモ　267

な　行

内部的成立　507
内容的確定　520
ナポレオン法典　15
二重危険　521
日記　443
日本司法支援センター　41, 204
任意性　403, 407, 413
　　――に疑いのある自白　403, 408
　　――の調査　455
　　――の立証　410
任意捜査　73
　　――の限界　97
　　――の原則　74
任意的保釈　273
任意同行　114, 157, 486
人間の尊厳　193
脳死　167

は　行

ハードディスク　178
排除決定　348
排除根拠　404
排除法則と自白法則　491
陪審裁判　15, 366
破棄差戻し　537
破棄判決の拘束力　539, 544
白山丸事件判決　233
派生使用免責　337
判決　506
　　――の宣告　352
犯行再現実況見分調書　439
犯罪事実　390
犯罪捜査のための通信傍受に関する法律 → 通信傍受法
犯罪の証明がないとき　516
犯罪防止モデル　6
反証　377
犯情　391
反対尋問　340, 419
犯人識別供述　496

判例違反　541
判例の排除法則　482
被害者　7
　　――の意見陳述　350
被害者参加制度　29, 45
被害者参加人　45, 47, 351
被害者訴追主義　23
被害者特定事項　51, 322
被害者保護　44, 292
被害届　93
被疑者　35
　　――取調べ監督制度　160
　　――の国選弁護人　28, 40, 204
　　――の特定　59
　　――の取調べ　72, 156
　　――の身柄確保の意味　67
非供述証拠　378
非供述証拠説　428
被告人　35
　　――が事実を全面的に争っている場合と弁護人の同意　458
　　――と犯人の同一性　415
　　――に不利益であるかどうか　435
　　――の供述書　434
　　――の供述の伝聞供述　453
　　――の供述録取書　434
　　――の勾留　270
　　――の召喚・勾引　278
　　――の証人審問権　430
　　――の証人適格　334
　　――の単複　236
　　――の特定　320
　　――の取調べ　269
被告人以外の者の供述　403
　　――の伝聞供述　453
被告人質問　49, 347
被告人尋問　36
被告人・弁護人の陳述　323
被告人本人の自白の証拠能力　473
微罪処分　55, 210
非終局裁判　505
非常救済手続　63
非常上告　64, 553
筆跡鑑定　476
必要的弁護事件　40, 280

必要的保釈　273
ビデオリンク方式　343
　　――による証人尋問調書　434
備忘録　267
秘密の暴露　381, 499
秘密録音　78, 111
百日裁判　355
評議　507
非両立性　305
不意打ち防止の措置　318
複写　182
覆審　527
不告不理の原則　23, 227
付審判請求手続　61, 216
附帯私訴　53
物証　376
物的証拠　155, 495
部分同意　458
部分判決　369, 506
不利益供述　157
不利益変更の禁止　63, 538, 544
文書の引用　225
墳墓の発掘　167
併合審理　464
併合と分離　466
ヘイビアスコーパス　15
別件基準説　150
別件逮捕・勾留　150
弁解の機会　135
弁解録取書　435
弁護士　38
弁護人　37
　　――の誠実義務　351
弁護人依頼権　17
弁護人選任権　135, 203
変死　94
弁論　281, 351, 356
　　――の分離　356
　　――の分離の可否　468
　　――の併合　356
弁論主義　23
謀議　423
放棄できない憲法上の権利　457
謀議メモ　426, 443
防御活動　279

防御機会の保障　344
防御権　208
防御の利益　312
傍受期間　199
傍受の対象　197
傍受令状　199
傍聴制限　286
法廷
　　――の撮影　286
　　――の秩序維持　285
　　荒れる――　144
　　公開の――　144
法廷警察権　282, 285
法定合議事件　41
法定証拠主義　379
法廷等の秩序維持に関する法律　287
冒頭陳述　325, 368
冒頭手続　320
防犯カメラ　108
法律関係の個別性　465
法律構成説　231, 307
法律上刑の加重減免の理由　515
法律上の推定　→　推定
法律上犯罪の成立を妨げる理由　515
法律審　527
法律的関連性　383
法令の適用　514
補強証拠　412, 414, 472
　　――の証明力　416
補強証拠適格　413
補強の必要な具体的範囲　416
補強法則　412
補佐人　41
保釈　273
　　請求による――　273
　　余罪と――　274
保釈等の失効　276
保釈等の取消し　276
保釈保証金　274
補助証拠　378
保全要請　184
ポリグラフ　81, 202, 479
ポリグラフ検査結果回答書　440
本件　150
本件基準説　150

本証　377
翻訳　346

ま　行

前の供述と反するか又は実質的に異なった供述　449
巻き込みの危険　472, 496
マクナブ＝マロリー・ルール　162
麻酔分析　82, 203
麻薬取締官　31
身柄拘束中の取調べ　158
　　違法な――　491
身柄拘束中の被疑者　72
身柄付送検　59
身柄の確保　123
身柄不拘束の被疑者の取調べ　157
未決勾留　138
見込み捜査　151
密行性　196
ミランダ・ルール　162
民事上の和解　53
無罪の推定　→　推定
無罪判決　516
蒸し返し逮捕　154
明白性　551
名誉毀損罪の真実性の証明　398
命令　506
命令状　124
メーデー事件　353
メモ　284, 443
免訴　246, 354, 355, 518
面通し　146
黙秘権　17, 36, 200, 378
　　――の及ぶ範囲　201
　　――を行使　446

や　行

約束による自白　→　自白
やむを得ない事由　268, 533, 534
有形力の行使　76, 80
有形力を伴う任意捜査　85, 121
有罪の陳述　361
有罪判決　511
　　――の理由　512
誘導尋問　341

要証事実　418, 421
余罪　147
　——と保釈　274
　——の審理　228
余事記載の禁止　225
予審制度　18, 69
予審の廃止　18
予断排除の原則　224, 260
米子銀行事件判決　99
予備的記載　236
予備的訴因　236

ら　行

ラフジャスティス　353
リクルート事件　353
立証構造　501
立証趣旨　327
立証の負担　396
リモート・アクセス　180
リモート・ストレージ　180
略式手続　56, 253
略式命令　225, 254
留置　135
　——の期間　136
量刑資料　391
量刑不当　532
領置　170, 171
類型証拠　263
類似事実　384
令状　74
　——によらない検証　190
　——によらない捜索・差押え　185
令状主義　74, 491
　——の精神を没却するような重大な違法　483, 486
　——の潜脱　151
令状主義潜脱の意図　486
連日的開廷　353, 364
レントゲン　192
労働基準監督官　31
録音テープ　376, 428
録音・録画義務　160
録音・録画の取調べ請求義務　411
ロッキード事件　353
論告　351

判例索引

大正～昭和 30 年

大判大 15・3・27 刑集 5・3・125　　289

最判昭 22・12・16 刑集 1・88　　415
最大判昭 23・2・6 刑集 2・2・17　　407
最判昭 23・2・18 刑集 2・2・104　　513
最判昭 23・4・17 刑集 2・4・364　　335
最大判昭 23・5・5 刑集 2・5・447　　287
最大判昭 23・5・26 刑集 2・6・529　　247, 518, 528
最大判昭 23・6・23 刑集 2・7・715　　407
最大判昭 23・6・30 刑集 2・7・773　　287
最判昭 23・7・6 刑集 2・8・785　　514
最大判昭 23・7・14 刑集 2・8・856　　331, 406
最大判昭 23・7・19 刑集 2・8・944　　407
最大判昭 23・7・19 刑集 2・8・952　　474
最大判昭 23・7・29 刑集 2・9・1012　　413
最大判昭 23・7・29 刑集 2・9・1045　　331
最大判昭 23・7・29 刑集 2・9・1076　　407
最判昭 23・8・5 刑集 2・9・1123　　388
最判昭 23・10・30 刑集 2・11・1427　　416
最大判昭 23・11・5 刑集 2・12・1473　　406
最大判昭 23・11・17 刑集 2・12・1565　　410
最判昭 23・12・24 刑集 2・14・1883　　335
最判昭 24・1・20 刑集 3・1・47　　515
最判昭 24・2・9 刑集 3・2・146　　37
最大判昭 24・2・9 刑集 3・2・141　　512
最判昭 24・2・10 刑集 3・2・155　　513
最判昭 24・2・17 刑集 3・2・184　　276
最判昭 24・2・22 刑集 3・2・221　　391
最判昭 24・3・10 刑集 3・3・281　　513
最判昭 24・4・7 刑集 3・4・489　　414, 417
最判昭 24・4・30 刑集 3・5・691　　416
最判昭 24・5・17 刑集 3・6・729　　515
最大判昭 24・5・18 刑集 3・6・789　　430
最判昭 24・9・1 刑集 3・10・1529　　516
最判昭 24・9・1 刑集 3・10・1551　　513
最大判昭 24・11・2 刑集 3・11・1732　　407
最判昭 24・11・10 刑集 3・11・1751　　513

最判昭 24・12・13 裁判集刑事 15・349　　482
最判昭 24・12・20 刑集 3・12・2036　　284
最決昭 25・3・30 刑集 4・3・457　　271
最大決昭 25・4・7 刑集 4・4・512　　282
最大判昭 25・4・12 刑集 4・4・535　　289
広島高松江支判昭 25・5・24 判特 7・138　　410
最判昭 25・7・11 刑集 4・7・1290　　410
最大判昭 25・7・12 刑集 4・7・1298　　413
福岡高判昭 25・7・18 判特 12・112　　311
最判昭 25・8・9 刑集 4・8・1562　　407
最判昭 25・9・27 刑集 4・9・1805　　521, 527
最判昭 25・10・3 刑集 4・10・1861　　236
最判昭 25・10・24 刑集 4・10・2121　　246
仙台高秋田支判昭 25・10・30 判特 14・188　　410
最判昭 25・11・8 刑集 4・11・2221　　553
最判昭 25・11・17 刑集 4・11・2328　　352, 507
最判昭 25・11・21 刑集 4・11・2359　　410
最判昭 25・11・24 刑集 4・11・2393　　515
最大判昭 25・11・29 刑集 4・11・2402　　415
最判昭 25・12・12 刑集 4・12・2543　　335
最大判昭 25・12・20 刑集 4・13・2870　　323
最決昭 26・1・26 刑集 5・1・101　　416
最大判昭 26・1・31 刑集 5・1・129　　415
最判昭 26・3・6 刑集 5・4・486　　414
最判昭 26・3・9 刑集 5・4・509　　416
最判昭 26・3・15 刑集 5・4・527　　515
最判昭 26・4・5 刑集 5・5・809　　413
最決昭 26・4・13 刑集 5・5・902　　547
最判昭 26・4・24 刑集 5・5・934　　335
最決昭 26・6・1 刑集 5・7・1232　　326, 402
最決昭 26・6・7 刑集 5・7・1243　　457
仙台高判昭 26・6・12 判特 22・57　　311
最判昭 26・6・15 刑集 5・7・1277　　310
最判昭 26・6・28 刑集 5・7・1303　　297
最判昭 26・7・6 刑集 5・8・1408　　553
最判昭 26・7・26 刑集 5・8・1652　　402
東京高判昭 26・7・27 高刑集 4・13・1715　　403
最大判昭 26・8・1 刑集 5・9・1715　　538
最決昭 26・9・6 刑集 5・10・1895　　421
最判昭 26・12・18 刑集 5・13・2527　　226

573

最判昭 27・2・21 刑集 6・2・266　　485
最大判昭 27・3・5 刑集 6・3・351　　226
最判昭 27・3・7 刑集 6・3・387　　406
最大判昭 27・3・19 刑集 6・3・502　　173
最判昭 27・3・27 刑集 6・3・520　　435
最大判昭 27・4・9 刑集 6・4・584　　446
最判昭 27・5・6 刑集 6・5・736　　376
最大判昭 27・5・14 刑集 6・5・769　　407
最大判昭 27・8・6 刑集 6・8・974　　336
東京高判昭 27・10・23 高刑集 5・12・2165　　516
最判昭 27・11・14 刑集 6・10・1199　　357
最大判昭 27・11・19 刑集 6・10・1217　　520
最判昭 27・11・21 刑集 6・10・1223　　459
最判昭 27・11・25 刑集 6・10・1245　　491
最決昭 27・12・11 刑集 6・11・1297　　471
最決昭 27・12・19 刑集 6・11・1329　　458
最決昭 28・2・17 刑集 7・2・237　　461
最決昭 28・2・19 刑集 7・2・305　　344
東京高判昭 28・2・21 高刑集 6・4・367　　398
最決昭 28・2・26 刑集 7・2・331　　528
最決昭 28・3・5 刑集 7・3・482　　113
最決昭 28・5・14 刑集 7・5・1026　　252
最決昭 28・5・29 刑集 7・5・1132　　417
最決昭 28・5・29 刑集 7・5・1158　　304
最判昭 28・6・19 刑集 7・6・1342　　471
東京高判昭 28・6・29 高刑集 6・7・852　　40
最決昭 28・7・8 刑集 7・7・1462　　325
最決昭 28・9・29 刑集 7・9・1848　　278
最決昭 28・9・30 刑集 7・9・1868　　311
最判昭 28・10・6 刑集 7・10・1888　　289
最判昭 28・10・15 刑集 7・10・1934　　440
最決昭 28・10・15 刑集 7・10・1938　　144
最決昭 28・10・23 刑集 7・10・1968　　335
最判昭 28・10・27 刑集 7・10・1971　　470
最大判昭 28・12・9 刑集 7・12・2415　　522
最判昭 28・12・18 刑集 7・12・2578　　520
最大決昭 28・12・22 刑集 7・13・2595　　216
最判昭 29・1・21 刑集 8・1・71　　312
最決昭 29・2・26 刑集 8・2・198　　289
最決昭 29・3・2 刑集 8・3・217　　312
東京高判昭 29・3・6 高刑集 7・2・163　　515
最決昭 29・3・23 刑集 8・3・305　　236
最決昭 29・5・4 刑集 8・5・627　　416
最判昭 29・5・14 刑集 8・5・676　　304
最決昭 29・6・3 刑集 8・6・802　　469

最決昭 29・7・15 刑集 8・7・1137　　97, 121, 122
東京高判昭 29・7・24 高刑集 7・7・1105　　452
最決昭 29・7・29 刑集 8・7・1217　　447
最決昭 29・7・30 刑集 8・7・1231　　35
最決昭 29・8・20 刑集 8・8・1249　　232, 310
最決昭 29・8・24 刑集 8・8・1392　　311
最決昭 29・9・8 刑集 8・9・1471　　249, 318
最決昭 29・9・30 刑集 8・9・1565　　536
最決昭 29・10・8 刑集 8・10・1588　　547
最決昭 29・10・19 刑集 8・10・1610　　551
最決昭 29・11・11 刑集 8・11・1834　　446
最決昭 29・11・18 刑集 8・11・1850　　245
最決昭 29・11・25 刑集 8・11・1888　　445
最判昭 29・12・2 刑集 8・12・1923　　443
最判昭 29・12・17 刑集 8・13・2147　　311
最判昭 29・12・23 刑集 8・13・2288　　512
最判昭 29・12・24 刑集 8・13・2343　　414
最判昭 29・12・24 刑集 8・13・2348　　394
最判昭 29・12・24 刑集 8・13・2420　　515
最判昭 30・1・11 刑集 9・1・8　　280
最判昭 30・1・11 刑集 9・1・14　　451
最判昭 30・2・15 刑集 9・2・282　　347
最決昭 30・2・17 刑集 9・2・321　　342
最判昭 30・3・17 刑集 9・3・500　　280
最判昭 30・3・25 刑集 9・3・519　　289
最大判昭 30・4・6 刑集 9・4・663　　283
最大判昭 30・6・22 刑集 9・8・1189　　415, 531
最決昭 30・7・5 刑集 9・9・1805　　308
最判昭 30・9・13 刑集 9・10・2059　　394
最決昭 30・10・19 刑集 9・11・2268　　312
最判昭 30・11・1 刑集 9・12・2353　　522
最判昭 30・12・9 刑集 9・13・2699　　424
最大判昭 30・12・14 刑集 9・13・2760　　133
最判昭 30・12・26 刑集 9・14・2996　　148
最判昭 30・12・26 刑集 9・14・3011　　536

昭和 31 年～40 年

最判昭 31・3・27 刑集 10・3・387　　442
最判昭 31・3・30 刑集 10・3・422　　546
東京高判昭 31・4・4 高刑集 9・3・249　　461
最判昭 31・4・12 刑集 10・4・540　　249
最判昭 31・5・17 刑集 10・5・685　　393
最判昭 31・7・17 刑集 10・7・1127　　285–287
最判昭 31・7・17 刑集 10・8・1193　　430
最大判昭 31・7・18 刑集 10・7・1147　　538

最判昭 31・8・3 刑集 10・8・1202　252
最決昭 31・9・25 刑集 10・9・1382　290
最決昭 31・10・25 刑集 10・10・1439　127
最決昭 31・10・25 刑集 10・10・1447　252
最決昭 31・12・13 刑集 10・12・1629　469
東京高判昭 31・12・15 高刑集 9・11・1242　450
最大決昭 31・12・24 刑集 10・12・1692　149
最大判昭 31・12・26 刑集 10・12・1746　299
最判昭 32・1・22 刑集 11・1・103　454
最判昭 32・1・24 刑集 11・1・252　308
最大判昭 32・2・20 刑集 11・2・802　202
最決昭 32・4・30 刑集 11・4・1502　239
最判昭 32・5・31 刑集 11・5・1579　408
最判昭 32・7・19 刑集 11・7・1882　406
最決昭 32・7・19 刑集 11・7・2006　232
東京高判昭 32・7・20 東高時報 8・7・215　284
最判昭 32・7・25 刑集 11・7・2025　440
最判昭 32・9・18 刑集 11・9・2324　456
最判昭 32・9・30 刑集 11・9・2403　450
最決昭 32・11・2 刑集 11・12・3047　413, 441
最大判昭 32・12・25 刑集 11・14・3377　512
最判昭 33・1・23 刑集 12・1・34　235
最決昭 33・2・11 刑集 12・2・168　345
最判昭 33・2・13 刑集 12・2・218　332
最大決昭 33・2・17 刑集 12・2・253　286
最判昭 33・2・21 刑集 12・2・288　301
最大決昭 33・2・26 刑集 12・2・316　390
最判昭 33・3・6 刑集 12・3・400　465
最判昭 33・3・27 刑集 12・4・658　515
最判昭 33・5・20 刑集 12・7・1398　225
最判昭 33・5・20 刑集 12・7・1416　314
最判昭 33・5・24 刑集 12・8・1535　238
最決昭 33・5・27 刑集 12・8・1665　252
最大判昭 33・5・28 刑集 12・8・1718　390, 403, 472, 473, 512
最決昭 33・6・4 刑集 12・9・1971　126
最判昭 33・6・24 刑集 12・10・2269　313
最大決昭 33・7・29 刑集 12・12・2776　173
最判昭 33・10・24 刑集 12・14・3368　453
最判昭 34・7・24 刑集 13・8・1150　311
最大判昭 34・8・10 刑集 13・9・1419　542
最判昭 34・10・9 刑集 13・11・3034　361
最判昭 34・10・26 刑集 13・11・3046　223
最判昭 34・12・11 刑集 13・13・3195　304
最決昭 34・12・26 刑集 13・13・3372　34, 293

最決昭 35・2・11 刑集 14・2・126　308
最決昭 35・2・27 刑集 14・2・206　528
最判昭 35・3・24 刑集 14・4・447　430
最判昭 35・3・24 刑集 14・4・462　376
最判昭 35・5・26 刑集 14・7・898　473
最判昭 35・8・12 刑集 14・10・1360　308
最判昭 35・9・8 刑集 14・11・1437　437
最判昭 35・9・9 刑集 14・11・1477　469
最決昭 35・11・15 刑集 14・13・1677　312
最大判昭 35・12・21 刑集 14・14・2162　251
最決昭 36・3・9 刑集 15・3・500　448
最判昭 36・5・9 刑集 15・5・771　547
最判昭 36・5・26 刑集 15・5・893　438
最大判昭 36・6・7 刑集 15・6・915　185, 186
最判昭 36・6・13 刑集 15・6・961　303, 310, 313
最判昭 36・6・14 刑集 15・6・974　290
最決昭 36・11・21 刑集 15・10・1764　36, 270
最決昭 36・11・28 刑集 15・10・1774　390
最判昭 37・2・22 刑集 16・2・203　360
最大判昭 37・5・2 刑集 16・5・495　92, 202
最判昭 37・9・18 刑集 16・9・1386　253
最大判昭 37・11・28 刑集 16・11・1633　233, 234
最判昭 38・9・13 刑集 17・8・1703　408
最判昭 38・10・17 刑集 17・10・1795　377, 387, 421, 422, 424, 454
最判昭 39・1・23 刑集 18・1・15　512
最判昭 39・5・23 刑集 18・4・166　514
最大判昭 40・4・28 刑集 19・3・270　313, 316
最決昭 40・5・25 刑集 19・4・353　245
最判昭 40・7・1 刑集 19・5・503　553
最判昭 40・7・9 刑集 19・5・508　512
最決昭 40・9・16 刑集 19・6・679　208
最決昭 40・12・24 刑集 19・9・827　308

昭和 41 年～50 年

最決昭 41・2・21 判時 450・60　476
最判昭 41・4・21 刑集 20・4・275　251
最決昭 41・6・10 刑集 20・5・365　393
東京高判昭 41・6・28 判タ 195・125　126
最判昭 41・7・1 刑集 20・6・537　408
最大判昭 41・7・13 刑集 20・6・609　228
最大判昭 41・7・20 刑集 20・6・677　289
最判昭 41・7・21 刑集 20・6・696　242

最決昭 41・7・26 刑集 20・6・728　207
最決昭 41・11・22 刑集 20・9・1035　385
最判昭 41・12・9 刑集 20・10・1107　542
最決昭 42・5・19 刑集 21・4・494　251
最判昭 42・5・25 刑集 21・4・705　536
最判昭 42・6・8 判時 487・38　176
最大判昭 42・7・5 刑集 21・6・748　228
最決昭 42・8・31 刑集 21・7・879　316
最決昭 42・11・28 刑集 21・9・1299　258
最判昭 42・12・21 刑集 21・10・1476　413, 416
最決昭 43・2・8 刑集 22・2・55　441, 479
最判昭 43・7・11 刑集 22・7・646　512
最判昭 43・10・25 刑集 22・11・961　539
最決昭 43・11・26 刑集 22・12・1352　310, 314, 315
最決昭 44・3・18 刑集 23・3・153　75, 175
最決昭 44・4・25 刑集 23・4・248　293
最決昭 44・4・25 刑集 23・4・275　547
金沢地七尾支判昭 44・6・3 判時 563・14　404
最大判昭 44・6・25 刑集 23・7・975　422
最決昭 44・7・14 刑集 23・8・1057　274
最決昭 44・9・11 刑集 23・9・1100　291
最決昭 44・10・2 刑集 23・10・1199　225
鳥取地決昭 44・11・6 判時 591・104　145
最大決昭 44・11・26 刑集 23・11・1490　174, 175
最大決昭 44・12・3 刑集 23・12・1525　66
最決昭 44・12・4 刑集 23・12・1546　447
最決昭 44・12・5 刑集 23・12・1583　242, 246, 531
最大判昭 44・12・24 刑集 23・12・1625　83, 107, 108, 110
最決昭 45・2・13 刑集 24・2・17　515
福岡高判昭 45・2・13 高刑集 23・1・112　515
東京地判昭 45・2・26 判時 591・30　404
最判昭 45・4・7 刑集 24・4・126　473
最判昭 45・6・19 刑集 24・6・299　551
最判昭 45・11・5 判時 612・96　466
最大判昭 45・11・25 刑集 24・12・1670　72, 409
福岡高決昭 45・11・25 高刑集 23・4・806　98
最大決昭 46・3・24 刑集 25・2・293　534
最判昭 46・6・22 刑集 25・4・588　309
東京高判昭 46・10・20 判時 657・93　335
最判昭 47・3・9 刑集 26・2・102　534

最判昭 47・6・2 刑集 26・5・317　437
最大決昭 47・7・1 刑集 26・6・355　289, 290
最大判昭 47・11・22 刑集 26・9・554　66
東京地昭 47・12・1 判時 702・118　145
最大判昭 47・12・20 刑集 26・10・631　355
最決昭 48・3・15 刑集 27・2・128　246, 249
最決昭 48・9・20 刑集 27・8・1395　290
最決昭 48・10・8 刑集 27・9・1415　290
最決昭 48・12・13 判時 725・104　501
最決昭 49・3・13 刑集 28・2・1　216
最決昭 50・4・3 刑集 29・4・132　127
最決昭 50・5・20 刑集 29・5・177　551
最決昭 50・5・30 刑集 29・5・360　321
大阪高判昭 50・9・11 判時 803・24　408

昭和 51 年～60 年

最判昭 51・2・19 刑集 30・1・25　473
最決昭 51・3・16 刑集 30・2・187　76, 85, 121
福岡高那覇支昭 51・4・5 判タ 345・321　317
最判昭 51・10・28 刑集 30・9・1859　474
最決昭 51・11・4 刑集 30・10・1887　352, 510
最決昭 51・11・18 判時 837・104　177
大阪高判昭 52・3・17 刑月 9・3＝4・212　321
最決昭 52・7・1 刑集 31・4・681　512
最決昭 52・8・9 刑集 31・5・821　152–154
東京高判昭 52・8・31 高刑集 30・3・399　276
最決昭 53・2・16 刑集 32・1・47　223
最決昭 53・3・6 刑集 32・2・218　303, 304
最決昭 53・6・20 刑集 32・4・670　99–101
最決昭 53・6・28 刑集 32・4・724　419, 460
最判昭 53・7・10 民集 32・5・820　207
最決昭 53・9・7 刑集 32・6・1672　102, 482
最決昭 53・9・22 刑集 32・6・1774　98, 122
最決昭 53・10・20 民集 32・7・1367　240
最決昭 53・10・31 刑集 32・7・1793　246
東京高判昭 53・11・15 高刑集 31・3・265　186
最判昭 54・2・7 判時 940・138　461
最判昭 54・4・19 刑集 33・3・261　512
最判昭 54・7・24 刑集 33・5・416　40
富山地決昭 54・7・26 判時 946・137　83, 119
福岡高判昭 54・8・2 刑月 11・7＝8・773　408
東京高判昭 54・8・14 判時 973・130　118, 141
最決昭 54・10・16 刑集 33・6・633　455
東京高判昭 55・2・1 判時 960・8　477
最決昭 55・3・4 刑集 34・3・89　311

最決昭 55・4・28 刑集 34・3・178　　207
最決昭 55・5・12 刑集 34・3・185　　252
最決昭 55・9・22 刑集 34・5・272　　104
最決昭 55・10・23 刑集 34・5・300　　80, 193-195
最決昭 55・12・4 刑集 34・7・499　　539
最決昭 55・12・17 刑集 34・7・672　　242
最決昭 56・4・25 刑集 35・3・116　　235
最判昭 56・6・26 刑集 35・4・426　　243
最決昭 56・7・14 刑集 35・5・497　　233
最判昭 57・1・28 刑集 36・1・67　　496
大阪高判昭 57・3・16 判時 1046・146　　427
最決昭 57・8・27 刑集 36・6・726　　208
大阪高判昭 57・9・27 判タ 481・146　　226
最決昭 57・12・17 刑集 36・12・1022　　446
東京高判昭 58・1・27 判時 1097・146　　426
最判昭 58・5・6 刑集 37・4・375　　235, 513
最決昭 58・6・30 刑集 37・5・592　　450
最判昭 58・7・12 刑集 37・6・791　　490, 491
東京高判昭 58・7・13 高刑集 36・2・86　　430
最判昭 58・9・6 刑集 37・7・930　　315
最決昭 58・9・13 判時 1100・156　　345
最判昭 58・12・13 刑集 37・10・1581　　318, 319
最決昭 58・12・19 刑集 37・10・1753　　392
札幌高判昭 58・12・26 判時 1111・143　　187
最決昭 59・2・29 刑集 38・3・479　　84, 120, 409, 459
最決昭 59・3・27 刑集 38・5・2037　　66
最決昭 59・3・29 刑集 38・5・2095　　290
大阪高判昭 59・4・19 高刑集 37・1・98　　153
最決昭 59・9・20 刑集 38・9・2810　　536
最決昭 59・12・21 刑集 38・12・3071　　428
最決昭 60・11・29 刑集 39・7・532　　321

昭和 61 年～63 年

最判昭 61・2・14 刑集 40・1・48　　110
最決昭 61・3・3 刑集 40・2・175　　442
最決昭 61・4・25 刑集 40・3・215　　117, 486, 487, 489
最決昭 61・10・28 刑集 40・6・509　　235
最決昭 62・3・3 刑集 41・2・60　　438, 477
東京高判昭 62・7・29 高刑集 40・2・77　　453
名古屋高判昭 62・9・7 判タ 653・228　　227
最決昭 62・10・30 刑集 41・7・309　　534
最判昭 63・1・29 刑集 42・1・38　　496

最大決昭 63・2・17 刑集 42・2・299　　528
最決昭 63・2・29 刑集 42・2・314　　252
最決昭 63・3・17 刑集 42・3・403　　481
東京高判昭 63・4・1 判時 1278・152　　110
最決昭 63・9・16 刑集 42・7・1051　　117, 486, 487
最決昭 63・10・24 刑集 42・8・1079　　310
最決昭 63・10・25 刑集 42・8・1100　　306

平成 1 年～10 年

最決平 1・1・23 判時 1301・155　　410, 492
最決平 1・1・30 刑集 43・1・19　　175
最大判平 1・3・8 民集 43・2・89　　284
最決平 1・5・1 刑集 43・5・323　　535
最判平 1・6・22 刑集 43・6・427　　496
最判平 1・6・29 民集 43・6・664　　240
最決平 1・7・4 刑集 43・7・581　　84, 119, 409
最決平 1・10・26 判時 1331・145　　496
最判平 2・7・9 刑集 44・5・421　　175
最判平 2・7・20 民集 44・5・938　　240
東京地判平 2・7・26 判時 1358・151　　112
浦和地判平 2・10・12 判時 1376・24　　154
千葉地判平 3・3・29 判時 1384・141　　112
最判平 3・5・10 民集 45・5・919　　207
最決平 3・7・16 刑集 45・6・201　　194
東京高判平 4・10・15 高刑集 45・3・85　　195
大阪地判平 6・4・27 判時 1515・116　　110
最決平 6・9・8 刑集 48・6・263　　178
最決平 6・9・16 刑集 48・6・420　　98, 115, 195, 486, 487, 489
最大判平 7・2・22 刑集 49・2・1　　336, 481, 493
最決平 7・2・28 刑集 49・2・481　　358
最決平 7・3・27 刑集 49・3・525　　281
最決平 7・5・30 刑集 49・5・703　　102, 486, 488, 489
最判平 7・6・20 刑集 49・6・741　　448
東京高判平 7・6・29 高刑集 48・2・137　　449
福岡高判平 7・6・30 判時 1543・181　　479
最判平 8・1・29 刑集 50・1・1　　127, 187
東京高判平 8・6・20 判時 1594・150　　449
最判平 8・10・29 刑集 50・9・683　　485
最判平 9・1・28 刑集 51・1・1　　551
札幌高判平 9・5・15 判時 1636・153　　195
最決平 9・10・30 刑集 51・9・816　　114
最決平 10・3・12 刑集 52・2・17　　358

最決平 10・5・1 刑集 52・4・275　　179
最判平 10・9・7 判時 1661・70　　75
最決平 10・10・27 刑集 52・7・363　　551

平成 11 年～20 年

最大判平 11・3・24 民集 53・3・514　　159, 203, 205, 206
最決平 11・12・16 刑集 53・9・1327　　77, 80, 86, 195, 196
最判平 12・6・13 民集 54・5・1635　　207
最決平 12・6・27 刑集 54・5・461　　519
最決平 12・7・12 刑集 54・6・513　　112
最決平 12・7・17 刑集 54・6・550　　477, 479
最決平 12・9・27 刑集 54・7・710　　520
最決平 12・10・31 刑集 54・8・735　　452, 493
東京地決平 12・11・13 判タ 1067・283　　154
最決平 13・4・11 刑集 55・3・127　　235, 309, 513
最判平 14・1・22 刑集 56・1・1　　442
最決平 14・7・18 刑集 56・6・307　　235
東京高判平 14・9・4 判時 1808・144　　120, 492
最決平 14・10・4 刑集 56・8・507　　176
最判平 15・2・14 刑集 57・2・121　　129, 486, 488, 490
最大判平 15・4・23 刑集 57・4・467　　227
最決平 15・5・26 刑集 57・5・620　　102, 486, 488
最判平 15・10・7 刑集 57・9・1002　　523
最決平 15・11・26 刑集 57・10・1057　　453
最判平 16・2・16 刑集 58・2・124　　254
最判平 16・2・16 刑集 58・2・133　　535
最判平 16・4・13 刑集 58・4・247　　92, 202
最決平 16・7・12 刑集 58・5・333　　78, 113, 114
最判平 17・3・25 刑集 59・2・49　　528
最判平 17・4・14 刑集 59・3・259　　344
最判平 17・4・19 民集 59・3・563　　207
最判平 17・7・19 刑集 59・6・600　　481
最判平 17・8・30 刑集 59・6・726　　289
最判平 17・9・27 刑集 59・7・753　　439
最決平 17・10・12 刑集 59・8・1425　　235
最判平 17・11・10 民集 59・9・2428　　286
最決平 17・11・25 刑集 59・9・1831　　209
最決平 17・11・29 刑集 59・9・1847　　351
最決平 18・2・27 刑集 60・2・240　　539
最決平 18・9・15 判時 1956・3　　358

大阪地判平 18・9・20 判時 1955・172　　89
最決平 18・10・3 民集 60・8・2647　　336
最判平 18・11・7 刑集 60・9・561　　462, 463
最判平 18・11・20 刑集 60・9・696　　252
最決平 18・12・8 刑集 60・10・837　　445
最決平 18・12・13 刑集 60・10・857　　251
最決平 19・2・8 刑集 61・1・1　　178
東京高判平 19・9・18 判タ 1273・338　　116
最決平 19・10・16 刑集 61・7・677　　388, 389
最決平 19・12・13 刑集 61・9・843　　519
最決平 19・12・25 刑集 61・9・895　　267
最決平 20・4・15 刑集 62・5・1398　　79, 83, 108, 171
最判平 20・4・25 刑集 62・5・1559　　345
最決平 20・6・25 刑集 62・6・1886　　267
最決平 20・8・27 刑集 62・7・2702　　436, 440
最決平 20・9・30 刑集 62・8・2753　　267
東京高判平 20・10・16 高刑集 61・4・1　　448
東京高判平 20・11・18 高刑集 61・4・6　　317

平成 21 年～30 年

最判平 21・4・14 刑集 63・4・331　　496, 542
東京高判平 21・7・1 判タ 1314・302　　117, 118
最判平 21・7・14 刑集 63・6・623　　363
最決平 21・7・16 刑集 63・6・641　　235
最決平 21・7・21 刑集 63・6・762　　311
最決平 21・9・25 判時 2061・153　　496
最決平 21・9・28 刑集 63・7・868　　76, 78, 80, 109, 188, 486, 488, 489
最決平 21・10・16 刑集 63・8・937　　262
最決平 21・10・20 刑集 63・8・1052　　253
東京高判平 21・12・1 判タ 1324・277　　449
最決平 21・12・8 刑集 63・11・2829　　345
最決平 21・12・9 刑集 63・11・2907　　276
最決平 22・3・17 刑集 64・2・111　　512
宇都宮地判平 22・3・26 判時 2084・157　　478
最判平 22・4・27 刑集 64・3・233　　389, 501
東京高判平 22・5・27 高刑集 63・1・8　　447
最決平 22・7・22 刑集 64・5・819　　553
最決平 22・7・22 刑集 64・5・824　　553
東京高判平 22・11・1 判タ 1367・251　　410
東京高判平 22・11・8 判タ 1374・248　　116, 119
最決平 22・11・25 民集 64・8・1951　　215
東京高判平 22・12・8 東高時報 61・317　　111
最決平 22・12・20 刑集 64・8・1356　　276

最大決平 23・5・31 刑集 65・4・373　　290
最判平 23・7・25 判時 2132・134　　496
最決平 23・9・14 刑集 65・6・949　　341
最決平 23・10・5 刑集 65・7・977　　520
最判平 23・10・20 刑集 65・7・999　　452
最決平 23・10・26 刑集 65・7・1107　　542
最大判平 23・11・16 刑集 65・8・1285　　370
最判平 24・2・13 刑集 66・4・482　　532
最決平 24・2・22 判時 2155・119　　496
最決平 24・2・29 刑集 66・4・589　　308
最判平 24・5・10 刑集 66・7・663　　39
最判平 24・9・7 刑集 66・9・907　　384–386
最決平 25・2・20 刑集 67・2・1　　384, 386
最決平 25・2・26 刑集 67・2・143　　341
最決平 25・3・5 刑集 67・3・267　　534
最決平 25・3・15 刑集 67・3・319　　367
最決平 25・3・18 刑集 67・3・325　　265
最判平 25・4・16 刑集 67・4・549　　532
最決平 25・6・18 刑集 67・5・653　　246
東京高判平 25・7・23 判時 2201・141　　490
最決平 25・10・21 刑集 67・7・755　　532
最判平 26・1・20 刑集 68・1・79　　211
最決平 26・3・10 刑集 68・3・87　　532
最決平 26・3・17 刑集 68・3・368　　235
最決平 26・3・20 刑集 68・3・499　　532
最判平 26・4・22 刑集 68・4・730　　319
最決平 26・7・8 判時 2237・141　　496
最判平 26・7・24 刑集 68・6・925　　532

最決平 26・11・17 判時 2245・124　　139
最決平 26・11・18 刑集 68・9・1020　　274, 545
最判平 27・4・15 判時 2260・129　　274
最決平 27・5・25 刑集 69・4・636　　268
最判平 27・12・3 刑集 69・8・815　　250
最判平 28・3・24 刑集 70・3・349　　399
東京高判平 28・8・10 高刑集 69・1・4　　369
東京高判平 28・8・23 高刑集 69・1・16　　77, 109, 171
最判平 28・12・9 刑集 70・8・806　　189
最判平 28・12・19 刑集 70・8・865　　246, 358, 526
最大判平 29・3・15 刑集 71・3・13　　76, 78, 80, 189, 487
最判平 30・3・19 刑集 72・1・1　　315, 532
最決平 30・5・10 刑集 72・2・141　　478
最決平 30・7・3 刑集 72・3・299　　292
最決平 30・7・13 刑集 72・3・324　　501, 532
東京高判平 30・9・5 高刑集 71・2・1　　171

令和 1 年～4 年

最判令 2・1・23 刑集 74・1・1　　538
最判令 3・1・29 刑集 75・1・1　　532
最決令 3・2・1 刑集 75・2・123　　179, 181, 486
最決令 3・6・28 刑集 75・7・909　　523
最判令 3・7・30 刑集 75・7・930　　397, 484
最判令 4・4・28 裁判所ウェブサイト　　194, 487, 489

著者略歴

池田　修（いけだ・おさむ）
1948 年　兵庫県に生まれる
1970 年　東京大学法学部卒業
1972 年　東京地裁判事補
　　　その後，秋田地家裁大館支部判事補，東京地検検事，東京地裁判事，最高裁調査官，前橋地裁所長，東京高裁判事，東京地裁所長，福岡高裁長官
2012-2020 年　国家公務員倫理審査会会長
主要著書
『解説　裁判員法　第 3 版』（共著）2016 年，弘文堂

前田雅英（まえだ・まさひで）
1949 年　東京都に生まれる
1972 年　東京大学法学部卒業
1988 年　東京都立大学法学部教授
2021 年　東京都立大学名誉教授
主要著書
『可罰的違法性論の研究』1982 年，東京大学出版会
『裁判員のための刑事法入門』2009 年，東京大学出版会
『刑法総論講義　第 7 版』2019 年，東京大学出版会
『刑法各論講義　第 7 版』2020 年，東京大学出版会

刑事訴訟法講義　第 7 版

2004 年　6 月 30 日　初　版第 1 刷
2006 年　6 月 20 日　第 2 版第 1 刷
2009 年　3 月 19 日　第 3 版第 1 刷
2012 年　2 月 21 日　第 4 版第 1 刷
2014 年　12 月 18 日　第 5 版第 1 刷
2018 年　3 月 15 日　第 6 版第 1 刷
2022 年　7 月 22 日　第 7 版第 1 刷

［検印廃止］

著　者　池田　修・前田雅英

発行所　一般財団法人　東京大学出版会
代表者　吉見俊哉
153-0041　東京都目黒区駒場 4-5-29
電話　03-6407-1069・Fax　03-6407-1991
振替　00160-6-59964

印刷所　大日本法令印刷株式会社
製本所　牧製本印刷株式会社

Ⓒ 2022　O. Ikeda and M. Maeda
ISBN 978-4-13-032396-3　Printed in Japan

JCOPY〈出版者著作権管理機構　委託出版物〉
本書の無断複写は著作権法上での例外を除き禁じられています．複写される場合は，そのつど事前に，出版者著作権管理機構（電話 03-5244-5088，FAX 03-5244-5089, e-mail: info@jcopy.or.jp）の許諾を得てください．

前田雅英 著	刑法総論講義 第7版	A5	3600 円
前田雅英 著	刑法各論講義 第7版	A5	3800 円
平野・鬼塚 森岡・松尾 著	刑事訴訟法教材	A5	2800 円
三井 誠 編	判例教材 刑事訴訟法 第5版	A5	4800 円
前田雅英 著	裁判員のための刑事法入門	A5	2200 円
前田雅英 藤森 研 著	刑法から日本をみる	46	1800 円
木村光江 著	刑法 第4版	A5	3300 円
木村光江 著	演習刑法 第2版	A5	3800 円
木村光江 著	刑事法入門 第2版	A5	2500 円
林 幹人 著	刑法総論 第2版	A5	3800 円
林 幹人 著	刑法各論 第2版	A5	3800 円
林 幹人 著	判例刑法	A5	3800 円

表示された価格は本体価格です．御購入の際には消費税が加算されますので御了承下さい．